Bienvenido, Espíritu Santo

Meditaciones cotidianas para adultos

Garrie F. Williams

ASOCIACION PUBLICADORA INTERAMERICANA
1890 N.W. 95th Avenue, Miami, Florida, 33172
Estados Unidos de Norteamérica

DEDICATORIA

A mi madre,
Joan Winifred Downes,
una dama que, en medio
de dificultades aparentemente abrumadoras,
siempre recordó la "devoción matutina"
y me enseñó a tener fe
en un Dios infalible.

Título de este libro en inglés:
Welcome, Holy Spirit
Diseño de la tapa: Helcio Deslandes

Publicado por:
Asociación Publicadora Interamericana
1890 N.W. 95th Avenue
Miami, Florida, 33172
Estados Unidos de Norteamérica

ISBN 0-8163-9760-0

Impreso y encuadernado por:
Printer Colombiana S.A.
Calle 64 No. 88A-30
Santafé de Bogotá, Colombia
Printed in Colombia

PREFACIO

Bienvenido, *Espíritu Santo* utiliza cada pasaje bíblico relacionado con el Espíritu Santo. También incluye una cantidad de otros versículos que son muy significativos para nuestro estudio de este tema.

Estas lecturas devocionales incluyen una variedad de testimonios personales, historias y reflexiones estimulantes a fin de guiar a los lectores hacia una comprensión más profunda del ministerio del Espíritu Santo. Las ilustraciones no sólo se referirán al poder extraordinario del Espíritu Santo que está hoy en evidencia, sino también a sus manifestaciones durante la historia del cristianismo y en la formación y desarrollo de la Iglesia Adventista.

Es la oración del autor que cada día los lectores le den la bienvenida al Espíritu Santo en sus vidas, para descubrir así una relación más estrecha con Dios el Padre. Una experiencia tal conduce finalmente a la exaltación de Jesús y a una comprensión práctica de su poder victorioso en nuestras vidas.

CONOZCA AL AUTOR

Garrie Fraser Williams se unió a la Iglesia Adventista en Nueva Zelanda cuando era un adolescente y comenzó a predicar siendo un joven aprendiz de carpintería a los 18 años. Su consagración a Jesús lo impulsó a testificar como un predicador laico y como colportor durante 10 años, hasta que se graduó del Colegio de Avondale en 1968.

Durante los últimos 25 años, el ministerio evangélico de tiempo completo ha sido variado y fructífero para Garrie. El ha atendido iglesias en Australia y en los Estados Unidos; ha enseñado Teología práctica en el Colegio de Avondale; ha trabajado como evangelista interunión para la División del Pacífico Austral; ha conducido viajes de estudio por el Medio Oriente y el sur del Pacífico; ha completado una maestría en la Universidad Andrews, y ha actuado como un director de departamento de una conferencia o asociación.

En 1987 Garrie Williams fundó Hogares de Esperanza, un ministerio de grupos pequeños, y ha sido usado poderosamente por el Espíritu Santo al dirigirse a públicos numerosos en reuniones de reavivamiento, campestres o congresos y retiros de pastores por todo Estados Unidos como también en muchos otros países. En 1991 llegó a ser presidente del Ministerio del Poder Trinitario, una organización internacional, sostenida por la iglesia y sin propósitos de lucro, dedicada a la oración y al ministerio de grupos pequeños, que enfatiza el poder del Espíritu Santo y el Evangelio del Señor Jesucristo.

Garrie es autor de numerosos libros de gran venta, incluyendo *How to Be Filled With the Holy Spirit—and Know It* (Cómo ser lleno del Espíritu Santo, y saberlo), *Give the Holy Spirit a Chance* (Déle una oportunidad al Espíritu Santo) y *Window to Revelation* (Ventana al Apocalipsis). Sus intereses también incluyen caminatas —en cualquier lugar desde playas a senderos de montaña—, coleccionar iglesias en miniatura, y usar sus habilidades prácticas para construir. Garrie y su esposa, Bárbara, tienen tres hermosas hijas: Carolyn, Lyndell y Sharon; todas ellas están casadas y viven en Australia.

DEL AUTOR

Permítame presentarle a un amigo maravilloso, el Espíritu Santo. Los dos años de investigación y oración sobre cada versículo de la Biblia que menciona al Espíritu Santo y el estudio sobre él en veintenas de libros, mientras preparaba este libro devocional, me han ayudado a conocerlo mejor que nunca antes. Usted no necesita sentirse nervioso en cuanto al Espíritu Santo. El no solamente es una persona de un poder extraordinario. Es un Consolador bondadoso y un amigo que nunca lo avergonzará o lo hará sufrir. Cada día de este año, al darle usted la bienvenida al Espíritu Santo para que tenga acceso completo a cada aspecto de su vida, usted no sólo disfrutará una amistad hermosa con él sino que también verá más claramente a Jesús.

El énfasis pentecostal en el don de lenguas a veces ha atemorizado a algunos respecto al Espíritu Santo. Aunque los adventistas nunca han estado de acuerdo con la posición pentecostal, ni nunca lo estarán, siempre se han interesado en el Espíritu Santo y su ministerio. A lo largo de estas lecturas devocionales he tratado de tomar una posición bíblica que evite el fanatismo y desaliente cualquier extremo desequilibrado. Estoy firmemente del lado del adventismo histórico y oro para que este libro refleje el enfoque equilibrado hacia el Espíritu Santo que se encuentra en las más de 40.000 referencias del espíritu de profecía sobre el tema.

No hay duda de que Dios quería que este libro se escribiese, como también estoy seguro que el enemigo de las almas no quería. Probó cada ardid para detenerlo. Hubo ocasiones cuando parecía imposible continuar, y mi fe casi falló como la de Elías cuando huyó a una cueva y quiso morir. Lamento que no puedo declarar que he sido un ejemplo viviente de todo lo que he escrito, y Dios sabe que es sólo por su gracia y amor que pude completar este libro. He usado fieles compañeros de oración, amigos y familiares para mantener una luz brillando en la oscuridad. Personas que reconocieron mis debilidades humanas me ayudaron a no olvidar que el amor nunca se da por vencido. Penny Estes Wheeler, redactora de la Review and Herald Publishing Association, también me animó a continuar cuando la tarea parecía abrumadora.

Agradezco a todos los que consintieron que se incluyeran sus experiencias en este libro. Todas las historias son verídicas, aunque se han cambiado unos pocos nombres. Agradezco a todos los que me ayudaron con diferentes recursos y a mi esposa, Bárbara, por sugerir el título de este libro. ¡Qué maravillosa forma de comenzar cada día diciendo: "Bienvenido, Espíritu Santo. Bienvenido a mi vida nuevamente hoy. Bienvenido para tener un control completo de cada parte de mi ser. ¡Gracias por hacer que Jesús sea hoy real para mí!"

Al pasar un año estudiando todo lo que la Biblia dice sobre el Espíritu Santo, haga también que en este año el Espíritu Santo pueda guiarlo en el ministerio. Unanse en pequeños grupos en su comunidad o en la iglesia para orar cuando se estudian los versículos de las lecturas de la semana. Fortalézcanse mutuamente en los grupos y traten de ayudar a los demás con amor. Comparta este libro con amigos y vecinos. De esta manera sus grupos crecerán, su iglesia crecerá, y usted se sorprenderá al ver los milagros de gracia y sanidad que ocurrirán mediante el poder del Espíritu Santo. Jesús será glorificado como nunca antes.

PLAN GENERAL

I.
El Espíritu Santo en el Antiguo Testamento
Bienvenida a un poder liberador

II.
El Espíritu Santo en los Evangelios
Bienvenida a un ministerio poderoso

III.
El Espíritu Santo en los Hechos
Bienvenida a recibirlo en plenitud

IV.
El Espíritu Santo en las epístolas
Bienvenida al crecimiento espiritual

V.
El Espíritu Santo en el Apocalipsis
Bienvenida a la victoria final

LUZ DEL ESPIRITU

Y la tierra estaba desordenada y vacía, y las tinieblas estaban sobre la faz del abismo, y el Espíritu de Dios se movía sobre la faz de las aguas. Génesis 1:2.

Se ha dicho que los eventos negativos son infrecuentes en la vida de la mayoría de las personas y es por ello que dichos eventos a menudo se destacan. ¿Está de acuerdo? A veces me siento inclinado a discrepar fuertemente, pero luego, al considerar mi vida en sus momentos aun más difíciles, puedo ver que siempre he recibido muchas bendiciones.

El Espíritu Santo es el portador de gozo que nos capacita para ver los múltiples puntos de luz en nuestra vida aun a través de la oscuridad de dificultades emocionales, físicas o materiales. Mire de nuevo Génesis 1:2. A partir del caos inicial, el poder del Espíritu Santo trajo un orden cósmico increíblemente hermoso. La palabra original que se usa aquí para la expresión "se movía" se encuentra sólo una vez más en la Biblia. Usted puede dedicar tiempo a estudiar cómo Moisés describe en Deuteronomio 32:11 el vuelo de un águila que revolotea o "se mueve" sobre sus pollos en su nido. Usa esta imagen para ilustrar el cuidado de Dios por su pueblo.

El Espíritu puede obrar un milagro de verdadero gozo y belleza en usted ahora mismo.

Preguntándose qué podría tener para él la Palabra de Dios en Génesis 1, un pastor comenzó a orar mientras estudiaba la Biblia. Repentinamente el versículo 2 emergió con sorprendente realidad. *Mi vida es como eso*, pensó. *Está secretamente en oscuridad y caos. No sé qué les ocurrirá a mi hogar y a mi ministerio.* Luego el Espíritu de Dios se movió sobre el caos. "Por favor, Señor, ayúdame mediante tu Espíritu —oró—. Por favor, capacítame para ver significado y gozo nuevamente". Y el Señor que dijo: "Sea la luz", creó nueva esperanza y gozo en la vida de un pastor extenuado.

Permita que el Espíritu Santo encienda la luz en su vida. Así como la vida de ese pastor fue iluminada por el amor de Jesús, también su vida puede llenarse de luz hoy. Si una carta, una llamada telefónica o un comentario personal lo rodean de oscuridad inesperada, busque la ayuda del Espíritu Santo. Es el don especial de Jesús para usted.

Una oración para hoy: *Señor, reclamo hoy el gozo de tu Santo Espíritu. Confío en ti porque creo que el caos, la oscuridad y aun la angustia profunda no te espantan. No sólo te pido que el "Espíritu Santo se mueva sobre mí", sino que también me llene ahora completamente.*

¿SE DA POR VENCIDO EL ESPIRITU SANTO?

Y dijo Jehová: No contenderá mi espíritu con el hombre para siempre, porque ciertamente él es carne; mas serán sus días ciento veinte años. Génesis 6:3.

No mucho después de la historia de la creación, el mismo Espíritu que había conquistado el caos parece rendirse ante él. Bajo ninguna circunstancia el Espíritu Santo viola el libre albedrío humano. Una vida o un mundo que una vez fueron iluminados por la luz del amor de Jesús, pueden abrirse paso a la fuerza a través de las influencias amorosas del Espíritu Santo y escoger las tinieblas. Aun así, el Espíritu Santo siempre inspira la construcción de un arca de esperanza.

La familia Steinfield había conocido al Señor durante una serie de reuniones evangelísticas. Pronto llegaron a ser luces brillantes en la iglesia, participando como líderes y enseñando en muchas áreas hasta que un día repentinamente desaparecieron.

"¿Qué ocurrió?", se preguntaban muchos miembros de iglesia que se habían acostumbrado a la buena presencia de los Steinfield durante los últimos dos años.

Una visita pastoral reveló que esta familia gradualmente había vuelto a sus antiguos hábitos; habían descuidado la oración personal y el culto de familia; la luz se había apagado. Por todos los medios posibles el Espíritu Santo había tratado de nutrir a los Steinfield, pero los miembros de su iglesia no habían compartido el compromiso del Espíritu Santo de ofrecer compañerismo y amor.

Han pasado los años, y los tres varones y la hija de los Steinfield han crecido lejos de la fe que habían conocido tan brevemente cuando niños. Sus padres han experimentado múltiples tragedias personales y desilusión materialista sin el respaldo de una familia espiritual amante.

"No contenderá mi espíritu con el hombre para siempre". ¿Se ha dado el Espíritu Santo por vencido en el caso de los Steinfield? Afortunadamente no. Dios tiene ahora Noés que mediante su gracia están construyendo arcas de amor y de ayuda para otros. Los Steinfield pueden vivir hoy en *su* vecindario. Quizás no los encuentre con ese nombre, pero están allí. Sí, hay miles de Steinfields que son depositarios del interés especial del Espíritu Santo y del amor inagotable de Jesús.

Una oración para hoy: *Señor, me alienta tanto saber que tu Santo Espíritu todavía rodea a los perdidos con su maravilloso amor. Incluso aquellos que se han apartado de ti son aún objeto de tu atención especial. Por favor, úsame hoy como a Noé para construir un arca de afecto en el cual todos los que respondan puedan sentirse seguros y a salvo.*

RECONOCIENDO AL ESPIRITU

Y dijo Faraón a sus siervos: ¿Acaso hallaremos a otro hombre como éste, en quien esté el espíritu de Dios? Génesis 41:38.

¿Puede usted reconocer el ministerio del Espíritu en la vida de otro creyente? Si le resulta difícil, piense en un rey egipcio politeísta que vio en José una evidencia tan dramática de Dios que estuvo dispuesto a convertir a este ex prisionero ¡en el primer ministro de la nación más grande de la tierra en aquel entonces!

El faraón vio lo que los cristianos del Nuevo Testamento llamarían dones espirituales. Evidentemente José desplegaba dones de profecía, sabiduría y liderazgo (ver 1 Cor. 12). Sin duda José fue uno de los ungidos de Dios (Sal. 105:15). Actualmente no usamos con frecuencia la palabra "ungido", pero simplemente significa aplicar aceite. En tiempos bíblicos se usaba este término para apartar a una persona para un cargo religioso o secular especial, o en conexión con el fenómeno de curación o limpieza. En cada caso el aceite simbolizaba el ministerio del Espíritu Santo.

Trate de encontrar otros Josés en donde usted trabaja, estudia o vive. Quizás no los encuentre rodeados de pirámides de Egipto sino de las pirámides de estructuras comerciales a la sombra de altos obeliscos, de muchos pisos, que arañan el cielo en ciudades ultramodernas que alojan a más de la mitad de la población actual del mundo. Usted no encontrará un José buscando a un hombre, una mujer o un joven sin defecto. Pero sí lo reconocerá cuando encuentre a alguien que revele el amor de Jesús en medio del hambre o de la abundancia de la vida moderna.

Cuando me presentaron a Tereza Satelli, la dueña de un atractivo restaurante vegetariano en Brasil, sabía que había encontrado a un José. A pesar de las muchas presiones procedentes de la familia, la iglesia y el negocio, Tereza estaba llena del Espíritu de modo que era capaz de dirigir, inspirar y ministrar a los líderes de 20 grupos pequeños, los que a su vez ministraban a más de 200 personas en la ocupada ciudad de Campinas.

Una oración para hoy: *Señor, demasiado a menudo vemos los fraudes y las imposturas: personas que engañan y lastiman. Pero hoy te pido que me ayudes a encontrar a un José lleno de tu amor y sabiduría en este Egipto de confusión en el que vivo. Sí, Señor, ayúdame a recordar que yo también puedo ser un José a quien alguien, aun un no cristiano, pueda reconocer hoy.*

CONSTRUYENDO EN EL ESPIRITU

Y lo he llenado del Espíritu de Dios, en sabiduría y en inteligencia, en ciencia y en todo arte. Exodo 31:3.

La construcción del nuevo edificio de la iglesia avanzaba lentamente mientras los voluntarios trataban de superar las vallas del tiempo y el conocimiento limitados. La idea de construir de esta manera les había parecido un desafío excitante a los miembros de la pequeña congregación mientras se reunían semanalmente en un salón rentado. Los fondos eran también limitados, pero el entusiasmo era abundante.

Dieciocho meses de trabajo durante las tardecitas y los fines de semana habían dejado exhaustos y desanimados a los miembros idóneos para la tarea. Parecía imposible que el trabajo alguna vez se completase. Entonces, un día hermoso que esa pequeña congregación recordará para siempre, Mark, Darleen y su joven familia visitaron el salón rentado para asistir a un servicio de adoración.

Mark y Darleen no eran oradores públicos o cantantes, pero pronto resultó obvio que Mark tenía habilidades excepcionales para la construcción, las que recientemente había consagrado al Señor, y que Darleen era muy talentosa como decoradora de interiores. Dios usó a Mark y Darleen en una forma notable, y pareció que en un dos por tres la congregación se estaba reuniendo en su hermoso templo nuevo.

Aparentemente el Espíritu que creó el mundo y bendijo a Bezaleel mientras él construía el santuario, puede dotar a la gente de una manera que afectará los edificios, las maquinarias y la electrónica. Quizás el director de producción de un programa televisivo puede estar más dotado por el Espíritu que el predicador del programa. Quizás el artesano de un vitral puede en realidad estar dotado por el Espíritu Santo en un grado mayor que el maestro de la clase de Biblia o que el administrador de la iglesia.

No se sienta desanimado hoy si usted, dentro del marco de la iglesia cristiana, se considera menos dotado porque sobresale en el uso de las computadores, en costura o ingeniería, pero no es capaz de asumir un papel activo en el liderazgo público dentro de la iglesia. Cualquiera sea su don espiritual, Dios le dará energía creativa cuando lo usa para su gloria.

Una oración para hoy: *Gracias, Señor, porque tú no estás atado a estereotipos religiosos. Tú ves algo valioso en el ministerio de cada persona. Ayúdame hoy a usar todo lo que tú me has dado para construir belleza en un mundo que necesita ver trofeos de tu maravilloso amor y cuidado.*

COMPARTIENDO EL LIDERAZGO EN EL ESPIRITU

Y yo descenderé y hablaré allí contigo, y tomaré del espíritu que está en ti, y pondré en ellos; y llevarán contigo la carga del pueblo, y no la llevarás tú solo. Números 11:17.

¿Alguna vez ha sentido que estaba llevando solo una carga? Ese no es el plan de Dios para ninguna persona, ni siquiera para un cristiano lleno del Espíritu. "Te ruego que me des muerte", oró Moisés (Núm. 11:15) cuando la carga de dirigir a un enorme grupo de gente quejosa finalmente pareció aplastarlo contra la arena del desierto de la península de Sinaí. Moisés estaba dirigiendo a los israelitas con el poder del Espíritu Santo, pero aun personas llenas del Espíritu pueden desanimarse cuando tratan de lograr todo completamente solos.

Así como la luz de una vela no decrece cuando varias otras se encienden a partir de ella, de la misma manera el Espíritu Santo, que estaba sobre Moisés, fue compartido con otros dirigentes y todos ellos revelaron la plenitud del poder del Espíritu.

Un pastor había tratado de ministrar solo a los 250 miembros de su congregación, pero la tarea parecía imposible y consideraba la posibilidad de dedicarse a otro tipo de trabajo. Sin embargo, sabiendo que Dios lo había llamado al ministerio, suplicó sabiduría antes que darse por vencido y abandonar todo.

En respuesta a esa ferviente oración, el Señor le hizo comprender al pastor Rod el valor de los grupos pequeños y el ministerio de oración en sociedad. Pronto tuvo la ayuda de más de 20 pastores laicos llenos del Espíritu que fueron capaces de compartir las bendiciones y las cargas de nutrir espiritualmente y de hacer obra misionera en su congregación local y en la comunidad.

Los pastores laicos no sólo ministraron a sus pequeños grupos, sino que también el Espíritu Santo los condujo a ministrar a su pastor y a su familia. El ministerio del pastor Rod fue grandemente realzado, y él llegó a ser un dirigente espiritual mucho más efectivo que antes.

¿Quién está llevando la carga con su pastor? La crítica puede matar el ministerio de un pastor consagrado, pero observe cómo su pastor expande su utilidad cuando tiene un equipo de miembros llenos del Espíritu trabajando juntos.

Una oración para hoy: *Cualquiera sea mi ocupación o ministerio, Señor, reconozco hoy que necesito ayuda. En realidad, necesito ayuda en todos los aspectos de mi vida. Acepto esta ayuda no sólo de ti, Señor, sino de todos a quienes tú guíes para que trabajen en sociedad conmigo.*

SETENTA NUEVOS PROFETAS

Entonces Jehová descendió en la nube, y le habló; y tomó del espíritu que estaba en él, y lo puso en los setenta varones ancianos; y cuando posó sobre ellos el espíritu, profetizaron, y no cesaron. Números 11:25.

El Antiguo Testamento registra una cantidad de incidentes en los que el descenso del Espíritu Santo se hizo evidente por una experiencia espiritual sobrenatural. Cuando los 70 ancianos recibieron el mismo Santo Espíritu que estaba sobre Moisés, aparentemente todos profetizaron. No sabemos qué forma asumió esta acción de profetizar, pero ciertamente debe haber confirmado inequívocamente a los 70 como dirigentes llenos del Espíritu.

Obviamente la profecía de los ancianos no era una predicción del futuro, o si no se habrían necesitado largos períodos de tiempo para juzgar la exactitud de cada declaración. Los 70 ancianos deben haber hablado para "edificación, exhortación y consolación" (1 Cor. 14:3) con tal fervor y claridad que fue obvio que hablaban para Dios. Es posible que sus mensajes eran expresados con música, como ocurrió más tarde con las profecías de los jóvenes músicos de David (1 Crón. 25:1-3).

Cuando un grupo heterogéneo de cristianos, que llegaron a ser conocidos como los moravos, se reunieron en la propiedad del Conde Zinzendorf de Sajonia a comienzos del siglo XVIII, Dios nuevamente decidió derramar su Espíritu sobre su pueblo. El fruto de la oración, el estudio de la Biblia, la comunión fraternal y el sometimiento completo a la voluntad de Dios, resultó evidente en el servicio de comunión del miércoles de mañana, realizado en Berthelsdorf el 13 de agosto de 1727. El Espíritu Santo descendió sobre los creyentes con tal poder que les era difícil darse cuenta si estaban en el cielo o en la tierra. El efecto fue tan estremecedor que los miembros de la comunidad que estaban trabajando a 32 kilómetros de distancia y que desconocían que se estaba celebrando dicha reunión, fueron profundamente conscientes de la presencia del Espíritu Santo que llenaba sus propias vidas.

Así ocurrió en el campamento israelita en Tabera. Dos de los ancianos, Eldad y Medad, que no estaban en el tabernáculo, comenzaron a profetizar en el campamento de un modo tal que fue inmediatamente reconocido por el pueblo (Núm. 11:26-27).

Una oración para hoy: *Señor, ayúdame a discernir tu Espíritu y a tener una actitud receptiva hacia la voz profética de tu Palabra. Cuando el Espíritu desciende sobre quienes me rodean, por favor dame sabiduría espiritual y la disposición para ser llenado por él y para hablar por ti hoy.*

ESPIRITU CORRECTO, LUGAR EQUIVOCADO

Y habían quedado en el campamento dos varones, llamados el uno Eldad y el otro Medad, sobre los cuales también reposó el espíritu; estaban éstos entre los inscritos, pero no habían venido al tabernáculo; y profetizaron en el campamento. Números 11:26.

No se nos dice qué demoró a estos dos varones para que no cumpliesen con su cita junto con los otros 68 ancianos, pero evidentemente el derramamiento del Espíritu Santo no estaba restringido a un área geográfica. Tan pronto como Eldad y Medad fueron habilitados para profetizar, un joven chismoso corrió ante Moisés con las sorprendentes noticias, lo que determinó que un ayudante de Moisés, Josué, quisiese silenciar este despliegue no autorizado de poder espiritual.

¿Ha notado alguna vez cuán amenazados se sienten algunos cristianos por los informes de que el Espíritu Santo está llenando y usando a personas de otras iglesias y denominaciones? Los discípulos de Jesús lucharon con la misma tensión, pero su Maestro tuvo una respuesta muy importante: "Juan le respondió diciendo: Maestro, hemos visto a uno que en tu nombre echaba fuera demonios, pero él no nos sigue; y se lo prohibimos, porque no nos seguía. Pero Jesús dijo: No se lo prohibáis; porque ninguno hay que haga milagro en mi nombre, que luego pueda decir mal de mí. Porque el que no es contra nosotros, por nosotros es" (Mar. 9:38-40).

Cuando Elena Harmon, una pionera adventista adolescente, recibió el don de profecía, cristianos maduros de diferentes iglesias lo condenaron como la obra de Satanás. Pero José Bates, capitán de barco ya jubilado que ahora era un ministro religioso activo, llegó a una conclusión diferente de la de Josué, el antiguo comandante ayudante de los israelitas. En efecto, Bates dijo: "Ahora puedo hablar confiadamente por mí mismo. Creo que esta obra es de Dios y que es dada para animar y fortalecer a su pueblo esparcido".

Como dijo Pablo: "No menospreciés las profecías. Examinadlo todo; retened lo bueno" (1 Tes. 5:20-21).

Una oración para hoy: *Señor, tú no actúas siempre de acuerdo con mis ideas preconcebidas, y me alegro de que sea así. Pero por favor, ayúdame a no sentirme amenazado por la obra del Espíritu Santo en otros lugares y personas. Estoy totalmente dispuesto a ser usado hoy por el Espíritu en cualquier forma que tú decidas hacerlo.*

DETENIENDO LA OBRA DEL ESPIRITU

Y Moisés le respondió: ¿Tienes tú celos por mí? Ojalá todo el pueblo de Jehová fuese profeta, y que Jehová pusiera su espíritu sobre ellos. Números 11:29.

Puede escandalizarle lo que voy a decir, pero aun los dirigentes de Dios más sinceros y consagrados pueden tratar de detener la obra del Espíritu Santo. Me sorprendió leer que fue nada menos el gran Josué quien trató de detener el ministerio profético de dos ancianos llenos del Espíritu. Josué estaba celoso del liderazgo de Moisés. Sus motivos eran buenos, pero su visión era limitada, y habría sofocado la obra de Dios.

Moisés no se sintió amenazado en absoluto por el hecho de hallarse rodeado de gente llena del Espíritu. En realidad, expresó su vehemente deseo de que todos recibieron el don de profecía. La mayoría de los dirigentes de iglesia a quienes yo conozco se sentirían muy desasosegados al encontrar que todos los miembros de su denominación o congregación están llenos del Espíritu de Dios. Pero podrían ocurrir resultados sorprendentes e inesperados si el Espíritu Santo se moviese con poder en vidas plenamente consagradas a Dios.

En la Inglaterra del siglo XVIII la mayoría de los dirigentes de iglesia creían que el Evangelio sólo era efectivo cuando se lo presentaba en un edificio de iglesia. Después que el Espíritu llenó en Londres a unos 70 moravos y anglicanos el 1.º de enero de 1739, George Whitefield, que había estado presente esa noche con John y Charles Wesley, comenzó a predicar a miles en los campos de Inglaterra. Note cómo John Wesley se sintió sorprendido ante esta obra inesperada del Espíritu Santo. "Al atardecer llegué a Bristol donde me encontré con el Sr. Whitefield. A duras penas pude al principio aceptar esta extraña forma de predicar en el campo, de lo que él me había dado un ejemplo el domingo; habiendo sido toda mi vida tan tenaz en cada punto relacionado con la decencia y el orden, pensaba que la obra de salvar almas sería casi un pecado si no se hiciera en una iglesia" (*Journal*, 29 de Marzo, 1739).

Un Josué o un Moisés. ¿A cuál de los dos se asemejará usted cuando el Espíritu tome posesión hoy día de vidas dispuestas a someterse a él?

Una oración para hoy: *Señor, tú haces lo inesperado porque tú no estás limitado por las tradiciones que nosotros hemos creado. Gracias por estar dispuesto a sorprenderme hoy con tu Espíritu Santo, trayéndome una nueva revelación del ministerio y el servicio para Jesús.*

¿PUEDE EL ESPIRITU USAR A PECADORES?

Y al ver Balaam a Israel acampado por tribus, el espíritu de Dios se apoderó de él. Números 24:2, V. Popular.

"El Espíritu Santo puede usar solamente a quienes están obedeciendo plenamente a Dios. Realmente creo eso".

Nadie dudaba de que Chuck era sincero al expresarse en forma tan definitiva y dogmática, sin embargo Connie no estaba de acuerdo: "¿Qué pasó con Balaam? El Espíritu descendió sobre él y Balaam habló en favor de Dios, aunque había dejado de ser un hombre íntegro y consagrado. En realidad, estaba mezclado con asuntos de hechicería".

Connie tenía razón. El Espíritu Santo usó a Balaam en una forma especial a pesar de todos sus problemas, pero esto no significaba que en alguna manera Dios aprobaba los pecados de Balaam. En realidad, Balaam se convirtió en el prototipo de quienes, siendo religiosos, se dejan dominar mercenariamente por la codicia y la maldad. (Ver 2 Ped. 2:15; Jud. 11; Apoc. 2:14.)

Hay un riesgo siempre presente cuando Dios usa a pecadores en su servicio. A menos que el corazón y la mente estén plenamente rendidos a Dios, el ministerio del Espíritu Santo a través de la vida de un pecador puede ser considerado como una evidencia de que Dios está pasando por alto el pecado. Nada podría estar más lejos de la verdad. El Espíritu Santo siempre obra para producir santidad en la vida de cada persona a la que llena con su don.

Un joven fue atraído a Jesús mediante el ministerio de un famoso evangelista de la televisión. Otra dama recibió una curación física genuina cuando el mismo predicador oró por ella. Más tarde la gente interpeló a este joven y a la dama cuando la vida inmoral del evangelista quedó públicamente expuesta. Sí, Dios había honrado la fe de estas personas aun cuando el instrumento que había usado, a semejanza de Judas y Balaam, sufrió un verdadero desastre moral y espiritual.

Si Dios esperase para usar solamente instrumentos totalmente obedientes, su obra se demoraría mucho. Lo que él busca son personas de todas las edades que se han sometido enteramente a él y han aceptado el maravilloso privilegio y el gozo de ser cristianos llenos del Espíritu en su servicio.

No espere hasta que usted se sienta sin pecado antes de comenzar a usar sus dones espirituales para Dios. Recuerde que los dones espirituales que hacen efectivo su ministerio son dones de gracia.

Una oración para hoy: *Padre, sólo puedo servirte gracias al perdón que Jesús hace posible. Si tú escoges usarme hoy en alguna forma especial, no permitas de ninguna manera que ese privilegio debilite mi resolución de obtener la victoria sobre el pecado.*

¿CUANTO TIEMPO LLEVA?

Y Jehová dijo a Moisés: Toma a Josué hijo de Nun, varón en el cual hay espíritu, y pondrás tu mano sobre él. Números 27:18.

¿Cómo será usted dentro de 40 años? Si es suficientemente joven como para plantearse esa pregunta, la respuesta es muy simple. Usted probablemente será muy parecido a como es ahora, sólo que en un grado más acentuado. La personalidad y aun el carácter no cambian mucho a lo largo de los años. La práctica no hace la perfección, como dice el refrán, pero generalmente la práctica hace que nuestros patrones de conducta y nuestros rasgos de personalidad se vuelvan permanentes. Los cambios radicales son posibles sólo cuando permitimos que el Espíritu Santo llene nuestras vidas con el poder del amor de Jesús.

Aunque Josué fue siempre respetado como un dirigente valiente y consagrado, 40 años obraron una diferencia espiritual positiva en su vida. En Tabera, Josué había tratado de detener a los ancianos llenos del Espíritu que estaban profetizando (Núm. 11:28). Ahora, después de cuatro décadas de vagar por el desierto al servicio del pueblo de Israel, Dios reconoce que Josué mismo es un hombre lleno del Espíritu Santo.

Sin embargo, no cometa el error de pensar que Dios necesita 40 años para cambiar suficientemente a las personas como para que puedan ser llenas de su Espíritu y revelen sus dones. Pedro fue llenado del Espíritu Santo en el Día de Pentecostés, sólo unos 50 días después que hubo negado a Jesús con maldiciones y juramentos. Pablo fue llenado del Espíritu Santo sólo tres o cuatro días después de estar empeñado en una cruzada para matar a los cristianos. Cornelio, un oficial del ejército romano, fue llenado del Espíritu en el mismo momento en que aceptó a Jesús como su Señor. Dios no necesita tiempo. El está dispuesto y es capaz de llenar cualquier vida en el momento en que se abre a su influencia.

Antes de que Josué fuera públicamente reconocido y presentado como un dirigente lleno del Espíritu, Dios lo reconoció como tal. De la misma manera, cuando Dios llena nuestra vida, inmediatamente reconocerá los dones que usted tiene, aunque otras personas necesiten un poco más de tiempo para reconocer la contribución peculiar que usted tiene para ofrecer. Las fuerzas malignas tratarán de demorar indefinidamente su ministerio, pero Dios lo está llamando ahora. Todos los dones especiales del Espíritu están disponibles hoy.

Una oración para hoy: *Gracias, Señor, por ser capaz de aceptarme y llenarme cuando yo te abro mi vida. Me alegro de que tú no necesitas un largo tiempo para obrar en mi vida. Puedes usarme como tu siervo ahora mismo.*

EL ESPIRITU DE LIBERACION

Entonces clamaron los hijos de Israel a Jehová; y Jehová levantó un libertador a los hijos de Israel y los libró; esto es, a Otoniel hijo de Cenaz, hermano menor de Caleb. Y el Espíritu de Jehová vino sobre él, y juzgó a Israel. Jueces 3:9-10.

¿Qué imagen trae instantáneamente a su mente la palabra "juez"? Piense por un momento sobre eso. ¿Se imagina un tribunal o una prisión? ¿Piensa en una justicia rigurosa o en una retribución severa? Quizás usted tiene una imagen positiva de los jueces, la que incluye una absolución gozosa, misericordia o abundante compensación financiera. ¿Alguna vez ha aplicado su actitud contemporánea a los jueces del libro de la Biblia con ese nombre? Si ese es el caso, puede sorprenderse de encontrar un énfasis totalmente diferente.

"Estoy entusiasmado con el libro de Jueces —me dijo recientemente un joven pastor—. Realmente muestra el poder del Espíritu de Dios, en una forma notable, sobre los enemigos de su pueblo".

El pastor Kevin Wilfley había estado haciendo un estudio cuidadoso del tema del Espíritu Santo durante un número de años, cuando descubrió la relación entre juicio y Espíritu Santo en el libro de Jueces. "En los idiomas originales de la Biblia, juicio puede entenderse en muchos lugares como liberación y también como vindicación y justicia —explicó Kevin—. En el libro de Jueces, Dios registra las liberaciones de Israel para mostrar lo que puede hacer por nosotros mediante su Espíritu. Hoy podemos obtener victoria sobre el enemigo cuando el Espíritu Santo trae juicio sobre el mal que hay en nosotros o alrededor nuestro".

No es de sorprenderse, entonces, que el pueblo de Dios en la Biblia esté esperando el juicio. Conocían al Juez y confiaban en él.

Aparentemente Otoniel no era un hombre de prestigio en la comunidad, pero cuando el Espíritu de Dios vino sobre él, el Señor lo usó para librar a su pueblo de la opresión mesopotámica. Los eruditos hebreos dicen que la combinación de verbo y preposición "venir sobre" significa estar "activamente presente en". En otras palabras, el Espíritu Santo inspiró y dotó continuamente a Otoniel para que el fruto de liberación y victoria trajese 40 años de paz en la tierra de Israel.

Una oración para hoy: *En medio de la lucha espiritual, Señor, yo confío en el poder victorioso de tu Espíritu Santo. Ayúdame a aceptar tu liberación hoy para que la paz de Jesús pueda llenar mi vida con confianza y esperanza.*

USTED VALE MUCHO

Entonces el Espíritu de Jehová vino sobre Gedeón, y cuando éste tocó el cuerno, los abiezeritas se reunieron con él. Jueces 6:34.

¿Tiene usted una autoestima sana, positiva? Gedeón no la tenía. Cuando Dios le pidió que condujese a Israel a la victoria, Gedeón estaba lleno de excusas, todas las cuales parecían basarse en factores que indicaban un complejo de inferioridad. "Ah, señor mío, ¿con qué salvaré yo a Israel? He aquí que mi familia es pobre en Manasés, y yo el menor en la casa de mi padre" (Juec. 6:15).

Si bien el egotismo y la arrogancia no tienen lugar en el liderazgo cristiano, a menudo es sorprendente notar las excusas que presenta la gente para *no* permitirle al Espíritu Santo de Dios que las use de un modo especial. "Sólo tengo un cargo muy insignificante en la iglesia". "Apenas soy un cristiano nuevo". "No he ido al seminario". "Soy el único miembro de iglesia en mi familia". "Soy demasiado joven [o viejo]". "Soy un introvertido". Y así sigue la lista.

Las excusas de Gedeón, sin embargo, no lo excusaron de servir a Dios. En realidad, cuando el Espíritu Santo vino sobre Gedeón, fue usado como dirigente para lograr una de las victorias más notables en la historia del pueblo de Dios. La palabra que en Jueces 6:34 se traduce "vino sobre", significa literalmente "vestido". Gedeón fue vestido con el Espíritu Santo, o el Espíritu Santo se vistió con Gedeón. De una manera u otra, el efecto fue el mismo. El enorme ejército de Madián fue derrotado por el Señor mediante Gedeón y sus 300 hombres. La misma palabra aparece en Lucas 24:49, en donde Jesús les dice a sus discípulos: "Quedaos vosotros en la ciudad de Jerusalén, hasta que seáis investidos de poder desde lo alto".

A menudo Dios usa a las personas que se consideran de poco valor. Es más fácil para él equiparlas para el servicio que a quienes están intoxicados con la idea de su propia importancia. Una vez que aquellos que se consideran de poco valor ven que valen tanto que Jesús habría muerto sólo por ellos, y que comprenden que son la habitación viviente del Espíritu Santo, el efecto es explosivo. Se rompen los mitos, y los enemigos son esparcidos y derrotados.

Una oración para hoy: *Señor, gracias por el valor que has puesto en mí y porque estás dispuesto a vestirme con tu Espíritu que conquista al enemigo. Ayúdame hoy a aceptar la victoria total que me has hecho posible mediante Jesús.*

DEL TRIUNFO A LA TRAGEDIA

Y el Espíritu de Jehová vino sobre Jefté; y pasó por Galaad y Manasés, y de allí pasó a Mizpa de Galaad, y de Mizpa de Galaad pasó a los hijos de Amón. Jueces 11:29.

La historia de Jefté nuevamente deshace cualquier concepto elevado que hayamos construido en cuanto al tipo de hombres y mujeres que el Espíritu de Dios puede usar para librar a su pueblo. Jefté, el hijo de una prostituta, condujo a una banda de guerreros despreciados y aparentemente terminó matando a su única hija en un sacrificio humano. Sorprendentemente, el sacrificio de su hija ocurrió *después* que Jefté fue llenado del Espíritu Santo. Increíble pero cierto. El sólo pensar en ello nos enferma.

No cabe duda de que esta historia ilustra el peligro de seguir los impulsos no bíblicos de la naturaleza humana pecaminosa, aun cuando esos impulsos parezcan tener un énfasis espiritual. Aunque el Espíritu de Dios descendió sobre Jefté y él dirigió a su pueblo para derrotar al abrumador ejército amonita, Jefté no pensó en las probables implicaciones de su voto apresurado y peligroso. Cuando vio a su hermosa hija que salía de su casa danzando con panderos, sus sentimientos deben haber pasado del gozo frívolo a la pesadez del plomo. De ninguna manera Dios habría aprobado esta pérdida insensata de una vida joven. No obstante, parece que Jefté cumplió su voto.

Podemos preguntarnos por qué Dios permitió que se incluyan en la Biblia historias como ésta. Ciertamente mantienen ante nosotros una luz roja de advertencia. Mientras el Espíritu puede usar poderosamente cualquier vida que se ha abierto a la voluntad de Dios, eso no excluye la posibilidad de que esa vida se deslice otra vez en acciones que de ninguna manera reflejan el carácter de Dios. En realidad, Satanás se deleita en deshonrar a Dios cuando eso pasa.

Ese trágico giro de los eventos, ilustrado por lo menos seis o siete veces en el Antiguo Testamento, es una solemne lección que podemos aprender hoy al reconocer nuestra necesidad de permanecer junto a Jesús en todo momento.

Una oración para hoy: *Señor, ayúdame a evitar la trampa de las decisiones impulsivas que pueden tener trágicas consecuencias. Deseo ser conducido por tu Espíritu cuando oro y acepto el consejo de tu Palabra y el de personas de experiencia en los caminos de la verdad y la rectitud.*

HIJOS EN EL ESPIRITU

Y la mujer dio a luz un hijo, y le puso por nombre Sansón. Y el niño creció, y Jehová lo bendijo. Y el Espíritu de Jehová comenzó a manifestarse en él en los campamentos de Dan, entre Zora y Estaol. Jueces 13:24-25.

¿Cuán joven es demasiado joven para que el Espíritu Santo llene la vida de una persona?

Mil ochocientas personas estaban congregadas para la reunión del sábado de tarde en la hermosa iglesia del campus de la Academia Adventista en Hortolandia, Brasil. Hacia el fin de la reunión invité a las personas que deseaban orar durante un período especial de oración que se acercasen a uno de los seis micrófonos que estaban cerca del frente del santuario.

Se ofrecieron muchas oraciones fervientes, pero ninguna me inspiró más que la de una niña de ocho a nueve años que comenzó a orar con una elocuencia que obviamente procedía del Espíritu Santo. Oró por los que estaban presentes en la reunión y también por la conversión de su padre, que todavía no había entregado su vida a Jesús. Más tarde me enteré que el padre se sintió tan profundamente conmovido por la oración de su hija que se adelantó durante el llamado y rindió su vida plenamente a Jesucristo.

El Espíritu Santo que se manifestó en Sansón (puede traducirse como "moverse sobre") puede manifestarse en niños aun menores que la niña brasileña de ocho años. En un seminario en Oregon un niño de unos cuatro años se adelantó al micrófono para orar. Condujo a su padre con él, y cuando escuché a este niñito supe que el Espíritu Santo lo estaba usando para conducirnos a la presencia de Dios.

Aparentemente Juan el Bautista fue llenado con el Espíritu Santo aun antes de nacer (Luc. 1:15). Este bebé aun no nacido saltó de gozo en el vientre de su madre como si se hubiese producido un contacto con Jesús unos seis meses antes del nacimiento de Jesús.

Oremos hoy para que jóvenes, bebés y aun no nacidos puedan ser llenos del Espíritu Santo.

En un congreso o campestre en el que hablé unos pocos años atrás, oí a un joven pastor decir a la enorme concurrencia cómo había colocado su mano sobre el abdomen de su esposa embarazada y orado y cantado a su bebé aun no nacido. Si el bebé pudo oír, ¡ciertamente estaba recibiendo un gran comienzo en su vida!

Una oración para hoy: *Señor, ninguna vida es demasiado joven o vieja para ser llenada del Espíritu. Te ruego hoy por los muy jovencitos para que puedan saltar de gozo en el Espíritu y para que de alguna manera tú los uses a fin de que me edifiquen espiritualmente.*

CUANDO EL LEON RUGE

Y el Espíritu de Jehová vino sobre Sansón, quien despedazó al león como quien despedaza un cabrito, sin tener nada en su mano. Jueces 14:6.

Mientras manejábamos a través del Safari de Animales Salvajes en Queensland, Australia, comentábamos sobre cuán dóciles parecían los leones. Uno hasta dormía como un gigantesco gato sobre el techo de un vehículo, para delicia de mis hijas. Repentinamente una jaula de acero sobre ruedas fue acarreada al área central de pasto, y un hombre dentro de la jaula comenzó a arrojar pedazos de carne cruda. Los leones se transformaron instantáneamente en bestias rugientes, destrozando la carne y saltando sobre la jaula con fiera intensidad.

"¡Tú jamás conseguirías meterme en esa jaula! —exclamó mi hija mayor, Carolyn—. Ni siquiera por miles de dólares me encerraría allí con esas bestias a pocos centímetros".

Es improbable que usted jamás haya sido atacado por un león como lo fue Sansón, aunque "vuestro adversario el diablo, como león rugiente, anda alrededor buscando a quien devorar" (1 Ped. 5:8).

Aparentemente los leones eran comunes en Palestina durante los tiempos del Antiguo Testamento. En efecto, se los menciona más de 150 veces en la Biblia. Pero los leones ciertamente no eran tan comunes como lo son actualmente los ataques violentos y destructivos de las fuerzas del mal contra la gente en todas partes.

A veces incluso una característica dócil de nuestra personalidad puede transformarse por una situación equivalente a "carne cruda", en una emoción incontrolada, que destruye la paz. Circunstancias externas que parecen benignas e inocuas pueden repentinamente convertirse en un torbellino de intensidad de huracán.

Cuando el joven y enérgico león se abalanzó para atacar a Sansón, el Espíritu Santo descendió poderosamente sobre Sansón. Podría traducirse que el Espíritu "se abalanzó" sobre Sansón. Finalmente Sansón sería destruido por sus pasiones incontroladas, pero en esta oportunidad Dios escogió salvar a Sansón por el poder del Espíritu porque todavía había una gran obra de liberación que Sansón debía cumplir.

Nunca subestime el poder victorioso del Espíritu Santo cuando Satanás el león ruja hoy.

Una oración para hoy: *Señor, tú conoces los ataques que tu pueblo enfrenta hoy. El león asalta en las formas más inesperadas. Gracias por la seguridad de paz interior mientras confío en ti en este momento.*

DESTRUYENDO AL ENEMIGO

Y el Espíritu de Jehová vino sobre él, y descendió a Ascalón y mató a treinta hombres de ellos; y tomando sus despojos, dio las mudas de vestidos a los que habían explicado el enigma; y encendido en enojo se volvió a la casa de su padre. Jueces 14:19.

Aun antes del nacimiento de Sansón, Dios lo había escogido para librar a su pueblo de los filisteos. Este joven tenía padres consagrados. Su dieta no estaba contaminada con alimentos inmundos o sustancias adictivas. Físicamente era un superhombre, pero tenía un defecto fatal —debilidad moral— y esta debilidad lo condujo a desear una mujer de la nación enemiga. Pronto descubrió la conducta traicionera de su esposa y, cuando el Espíritu descendió sobre él, Dios pudo convertir la insensatez de Sansón en un triunfo que destruyó a algunos de los enemigos e impulsó a Sansón a regresar a su casa.

La experiencia del nuevo nacimiento, que trae al Espíritu Santo a la vida de un cristiano (Efe. 1:13; Eze. 36:25-27), es el comienzo de la obra del Espíritu de destruir al enemigo que ha sustentado autoridad en los pensamientos, palabras y acciones de esa persona desde el momento de su nacimiento natural. Desafortunadamente, como ocurrió con Sansón, hay enemigos de los cuales puede enamorarse incluso un cristiano lleno del Espíritu. Un famoso evangelista de la televisión reveló dones poderosos del Espíritu, pero se enamoró de la concupiscencia. Otro satisfizo sus deseos con el amor a la prosperidad material. Ambos descubrieron la traición del enemigo, y uno eventualmente escribió desde la prisión: "Les pido a todos los que se sentaron bajo mi ministerio que me perdonen por haber predicado un Evangelio que destacaba la prosperidad material".

En las trágicas circunstancias que rodearon a la confesión de este ex evangelista, Dios condujo a este predicador en desgracia a destruir más que a "treinta filisteos". Mucha gente, a través de su testimonio, vieron el terrible peligro de un cristiano lleno del Espíritu que es atraído por enemigos interiores como el orgullo, el egoísmo, la suficiencia propia, la deshonestidad, la concupiscencia, la avaricia, la politiquería dentro de la iglesia y el espíritu de crítica.

Una oración para hoy: *Señor, si llego a enamorarme de enemigos interiores y eventualmente conozco las angustias de su traición, por favor ayúdame a recordar que tu Espíritu puede darme la victoria. No hay esclavitud tan fuerte que no pueda ser quebrantada por tu gran poder. Espíritu, te pido que me conduzcas siempre de vuelta a la casa de mi Padre.*

ROMPIENDO EL CAUTIVERIO

Y así que vino hasta Lehi, los filisteos salieron gritando a su encuentro; pero el Espíritu de Jehová vino sobre él, y las cuerdas que estaban en sus brazos se volvieron como lino quemado con fuego, y las ataduras se cayeron de sus manos. Jueces 15:14.

La adicción de Alberto a la nicotina le gritaba constantemente como un airado ejército filisteo. Durante cuarenta años había sufrido las mofas insolentes de este enemigo. Había quebrantado su salud y su autoestima, y siempre parecía derrotar su deseo de testificar como un cristiano victorioso.

Yo no conocía a Alberto ni su historia de adicción, pero oí su grito pidiendo auxilio mientras dirigía una sesión de oración en un retiro espiritual en el norte de California. "Tengo que tener un cigarrillo cada veinte minutos. He pasado por cada programa y método para dejar de fumar que existe. He estado dos veces en el hospital, y no puedo abandonar el vicio".

Una cantidad de pastores y dirigentes laicos nos reunimos inmediatamente alrededor de Alberto y colocamos las manos sobre él mientras orábamos por su plena sumisión al poder del Espíritu Santo. "Jesús lo ama, Alberto —dijo un pastor—. Por favor, recuerde que su salvación depende de la sangre de Jesús, no de su victoria sobre el cigarrillo. Pero esta victoria lo capacitará para dar un glorioso testimonio del gran poder de Jesús y le dará libertad para compartir el amor del Salvador en formas que hasta ahora no ha usado".

Dos días más tarde, en la última reunión del retiro, Alberto saltó sobre sus pies. "¡No puedo quedarme callado! —exclamó—. Por primera vez en cuarenta años no he fumado por 48 horas. Alabado sea Dios, ¡la esclavitud está rota! Estoy libre".

El testimonio de Alberto sobre el Espíritu que "vino poderosamente sobre él" abrió el camino para que muchos otros contaran de cautiverios que estaban luchando por romper. La oración intercesora culminó en un concierto de alabanza cuando aquellos que habían sido liberados de problemas físicos, emocionales, sociales y espirituales de carácter específico, celebraron su victoria a través del poder del Espíritu Santo.

Una oración para hoy: *Los enemigos que gritan, Señor, son a veces la depresión, el temor, el mal temperamento, la disposición caprichosa o los pensamientos negativos. Que sean como cuerdas tan débiles como lino quemado cuando su tiranía es quebrada por tu gran poder.*

FUERZA SUPERIOR

Entonces clamó Sansón a Jehová, y dijo: Señor Jehová, acuérdate ahora de mí, y fortaléceme, te ruego, solamente esta vez, oh Dios, para que de una vez tome venganza de los filisteos por mis dos ojos. Jueces 16:28.

Sansón pidió fuerza física porque estaba peleando contra enemigos de carne y sangre. Los cristianos piden fuerza espiritual porque no luchan "contra sangre y carne", sino contra fuerzas espirituales malignas que los atacan desde dentro de ellos y desde afuera (Efe. 6:12).

La fuente de fuerza para los cristianos de todas las edades es siempre la misma. Son "fortalecidos con poder en el hombre interior por su Espíritu" (Efe. 3:16). Mayor es el que está en la persona llena del Espíritu que el que está en el mundo (1 Juan 4:4).

Al igual que Sansón, es posible que seamos cegados por el enemigo de modo que andemos a tientas en las tinieblas espirituales de este mundo, preguntándonos adónde acudir en busca de ayuda y curación. "Si el mensaje de salvación que predicamos es oscuro, lo es solamente para los que se pierden. Pues como ellos no creen, el dios de este mundo los ha hecho ciegos de entendimiento, para que no vean la brillante luz del evangelio del Cristo glorioso, imagen viva de Dios" (2 Cor. 4:3-4, V. Popular).

Esta ceguera puede incluso ocurrir en sólo un área de una vida cristiana de otro modo luminosa. Una persona puede ser un dirigente prominente en el cristianismo institucional y sin embargo estar cegado por el orgullo, los pleitos políticos, el laodiceanismo o algún otro pecado "aceptable".

Si usted está sintiendo hoy que las tinieblas descienden sobre su alma, puede pedirle al Espíritu Santo que lo conduzca nuevamente, no a los pilares de un templo pagano, sino a la cruz de Jesús. Sansón le pidió a un joven que lo guiase, y el Señor oyó su oración y restauró su fuerza. En la cruz usted verá la luz que disipará las tinieblas que han rodeado un área particular de su vida. Esta es la gran obra del Espíritu Santo que no sólo guía a los ciegos a la fuente de luz, sino que también da la fuerza para destruir al enemigo oscuro que ha tenido autoridad sobre algún área de la vida.

Una oración para hoy: *Señor, creo que tu fuerza se perfecciona sólo en las personas que comprenden su falta de poder espiritual. Espíritu Santo, gracias por guiarme nuevamente para renovar mi visión junto a la cruz.*

BIENVENIDA A UN NUEVO HOMBRE

Encontrarás una compañía de profetas que descienden del lugar alto, y delante de ellos salterio, pandero, flauta y arpa, y ellos profetizando. Entonces el Espíritu de Jehová vendrá sobre ti con poder, y profetizarás con ellos, y serás mudado en otro hombre. 1 Samuel 10:5-6.

Una vida que es cambiada sobrenaturalmente, siempre es un testimonio notable del poder de Dios.

Ron creció en un hogar cristiano donde el legalismo lo condujo a apartarse de Dios para entregarse a los poderes demoníacos de las drogas y el alcohol. Varios años de su vida joven fueron sacrificados antes que Ron se rindiera nuevamente al poder del Espíritu Santo. Un sábado de tarde Ron estaba sentado frente a la estufa de nuestra sala, tocando suavemente la guitarra, y nos condujo cantando hermosos himnos cristianos. Mientras gozábamos del compañerismo de Ron, pudimos testificar verdaderamente que ahí estaba una persona que había sido "mudada en otro hombre".

La misma posibilidad de experimentar un cambio dramático está a disposición de cada persona.

Extrañamente, cuando Dios prometió cambiar al futuro rey de Israel en otro hombre, Saúl no estaba desplegando características de adicción al mal, codicia, lujuria o violencia. Antes bien, estaba mostrando evidencias de una falta de confianza propia y de pobre autoestima. Era el hombre más alto y mejor parecido de todo Israel (1 Sam. 9:2), sin embargo, cuando llegó su gran momento, se lo encontró escondido entre el bagaje (1 Sam. 10:22).

Cuando el Espíritu Santo descendió sobre Saúl, Dios hizo un cambio radical en la vida de este hombre. Aunque Saúl era pequeño a sus propios ojos (1 Sam. 15:17), el Espíritu Santo le dio grandeza en materia de poder espiritual a fin de conducir a la nueva monarquía. Trágicamente, sin embargo, cuando Saúl se desconectó del Espíritu Santo, los cambios obrados en su vida se convirtieron en los medios por los cuales su reinado se estrelló y su vida se desmoronó. Eventualmente Saúl tuvo un concepto tan grande de sí mismo que pensó que no tenía necesidad de obedecer la palabra del Señor. Su rebelión fue tan peligrosa como la hechicería (1 Sam. 15:23) porque se alió con los poderes del maligno.

Una oración para hoy: *Padre, ayúdame a ver la grandeza y la pequeñez en relación contigo en vez de compararme con otras personas. Mediante tu Santo Espíritu haz los cambios de "tamaño" necesarios en mi vida que me capaciten para ser un súbdito tuyo y un siervo de tu pueblo.*

UN CORAZON ENTERAMENTE NUEVO

Aconteció luego, que al volver él la espalda para apartarse de Samuel, le mudó Dios su corazón; y todas estas señales acontecieron en aquel día. 1 Samuel 10:9.

El Espíritu Santo siempre comienza trabajando en el corazón. En la literatura bíblica el corazón es la misma esencia del ser personal. Es visto como el centro del carácter, de la conducta religiosa y moral, y la fuente de toda la vitalidad física y de la vida espiritual. Cuando Dios le explicó a Samuel que los seres humanos miran la apariencia externa pero el Señor mira el corazón (1 Sam. 16:7), estaba tratando de explicar su conocimiento íntimo de lo que la persona realmente es.

Con nuestra comprensión moderna de la anatomía, la fisiología y la psicología, tratamos de explicar que la Biblia, cuando apunta al corazón como el centro de nuestro ser, no está hablando del órgano que bombea la sangre por el cuerpo humano. Comprendemos que se refiere a lo que hoy llamaríamos una combinación de emociones, pensamientos, motivos, deseos, ambiciones y razonamiento, todo lo cual determina quiénes somos a la vista de Dios. Estos factores son lo que un "alma" realmente es.

Algunos eruditos creen que cuando Dios habló de mudar a Saúl en otro hombre, se estaba refiriendo a una experiencia de conversión. Es en la conversión que el Espíritu Santo realiza su cirugía radical del corazón. No es meramente un cuádruple desvío arterial ("*bypass*") sino un corazón completamente nuevo. "Os daré corazón nuevo, y pondré espíritu nuevo dentro de vosotros; y quitaré de vuestra carne el corazón de piedra, y os daré un corazón de carne" (Eze. 36:26).

Tristemente, la historia de Saúl indica que él permitió que el corazón viejo continuase latiendo, y eventualmente lo destruyó. Pero en ese día alegre de la gran festividad, cuando las señales del Espíritu se hicieron evidentes, el nuevo corazón de Saúl fue tan abierto al ungimiento del Espíritu Santo que la gente lo reconoció como un siervo de Dios.

Una oración para hoy: *Señor, en la conversión tú creaste en mí un nuevo corazón, representando el nuevo centro del alma, y dirección y poder en mi vida. Hoy, mediante tu Santo Espíritu, por favor mantén vivo y fuerte ese corazón de modo que mi vida pueda ser un reflejo de tu voluntad.*

UN PROFETA IMPROBABLE

Y cuando llegaron allá al collado, he aquí la compañía de los profetas que venía a encontrarse con él; y el Espíritu de Dios vino sobre él con poder, y profetizó entre ellos. 1 Samuel 10:10.

Nadie sino Samuel sabía que Saúl ya había sido ungido como rey, de modo que fue más bien un shock para el pueblo cuando Saúl comenzó a profetizar. Podía oírse al pueblo diciendo, con un tono de incredulidad en su voz: "¿Saúl también entre los profetas?" (vers. 11). Cuando las noticias se extendieron por el país como un viento caliente sobre la pradera, los israelitas podrían haber dicho: "¿Conocen a ese benjamita alto y tímido, que es tan cohibido que se esconde cuando un grupo de personas llega a su casa? Bien, se ha convertido en un portavoz de Dios".

Aparentemente era como anunciar que una madre adolescente de dos niños preescolares de Harlem, Nueva York, repentinamente había llegado a ser presidente de los Estados Unidos.

A Dios le gusta sorprendernos mostrando lo que puede hacer mediante el poder del Espíritu Santo. Billy Bray era un minero ignorante cuya reputación como borracho deslenguado no tenía rival en su villa natal. Cuando Billy se convirtió, venía del "más bajo infierno de maldad". "En un instante el Señor me hizo tan feliz, que no podía expresar lo que sentía —testificó Billy—. Grité de gozo. Alabé a Dios con todo mi corazón... Decían que estaba loco, pero lo que querían decir era que estaba loco de alegría. Gloria sea a Dios" (F. W. Bourne, *Billy Bray—The King's Son*, p. 20).

Dios usó a Billy como un poderoso guerrero de la oración para sanar a los enfermos, construir capillas y predicar el Evangelio en Inglaterra.

El ministerio profético mayormente no predice el futuro sino que expresa palabras de "edificación, exhortación y consolación" (1 Cor. 14:3). Es por esto que todos los cristianos deben orar para que puedan profetizar (1 Cor. 14:1, 39). Algunos de sus amigos pueden sorprenderse cuando usted, como Billy Bray y Saúl, les dirija un mensaje de "fortalecimiento, aliento y consuelo" (NIV) del Señor, pero su ministerio en el poder del Espíritu Santo traerá palabras de advertencia y bendición a todos los que escuchen. La gente a quienes Dios usa a menudo se sorprenden cuando ven que el poder del Espíritu Santo que ministra a través de ellos.

Una oración para hoy: *Señor, estoy encantado con la manera en que a menudo tú haces cosas inesperadas. Soy receptivo a cualquier cosa que tú has planeado para mi vida y para mi ministerio.*

AIRADO EN EL ESPIRITU

Y Nahas amonita les respondió: Con esta condición haré alianza con vosotros, que a cada uno de todos vosotros saque el ojo derecho, y ponga esta afrenta sobre todo Israel... Al oír Saúl estas palabras, el Espíritu de Dios vino sobre él con poder; y él se encendió en ira en gran manera. 1 Samuel 11: 2, 6.

Cuando el Espíritu Santo llena una vida, no sólo hay gozo y seguridad de salvación sino también ira contra el mal. Como el enemigo amonita del antiguo Israel, el mal procura humillar, desfigurar y destruir a los cristianos de hoy día. El mal surge en los lugares más inesperados y en los momentos más inoportunos para sacar nuestro "ojo derecho" y poner "afrenta sobre toda" la iglesia. El mal se especializa en tácticas sucias y mañosas.

Tony era un dirigente laico en su iglesia local y a menudo hablaba a la congregación los sábados de mañana. En su trabajo como constructor, Tony solía explicar a sus futuros clientes: "Ustedes pueden confiar en mí; soy un cristiano. Mi compañía le construirá una casa con la que usted estará muy complacido". Pero secretamente Tony estaba haciendo un trabajo inferior. En realidad, sus prácticas como constructor eran engañosas y deshonestas, y trataba mal a los clientes. El pastor de Tony, en una forma bondadosa, trataba de orar y razonar con él, pero Tony no escuchaba. En realidad, se enojó con el pastor y trató de destruir su ministerio.

Eventualmente los diarios publicaron la historia, y este comerciante fraudulento fue castigado por la ley. Sin embargo, a los ojos de muchos clientes y lectores del diario, cayó una gran afrenta sobre la iglesia, y el carácter de Dios fue mal representado.

El Espíritu Santo trae ira contra el pecado en todas sus formas tortuosas porque muestra que el pecado es final y eternamente destructivo. Así como Saúl batalló contra los amonitas, también los cristianos que están llenos del Espíritu se encuentran envueltos en batallas espirituales. Las personas no son los enemigos, pero el principio maligno del pecado debe ser enfrentado en todos los niveles de modo que pueda experimentarse luego el gran regocijo de la victoria.

Una oración para hoy: *Ayúdame a discernir el mal, Señor, y a enfrentarlo con el poder de tu Espíritu. Que mi ira sea contra el pecado, no contra los pecadores ni siquiera contra mí mismo, porque la gente es el objeto de tu amor.*

UNGIENDO A UN REY

Y Samuel tomó el cuerno del aceite, y lo ungió en medio de sus hermanos;
y desde aquel día en adelante el Espíritu de Jehová vino sobre David. Se levan-
tó luego Samuel, y se volvió a Ramá. 1 Samuel 16:13.

"¿Tienen ustedes la unción celestial?", preguntó el predicador en un sermón
en día sábado poco después que yo había llegado a ser cristiano. "Unción" no
era una palabra que yo entendía, pero el pastor la leyó de una versión de la Biblia. Yo había oído hablar a mis amigos católicos de "extrema unción", pero
ciertamente no comprendía el alcance de este término ni estaba muy interesado
en saber su significado.

Más tarde descubrí que la palabra "unción" viene de una traducción latina de
un término que significa aplicar aceite. Las Biblias modernas usan la palabra
"ungir", que tiene su origen en el francés de la Edad Media.

El ungimiento de David representaba el descenso del Espíritu Santo sobre él,
capacitándolo para el liderazgo espiritual. Este ungimiento difirió del de otros
dirigentes nacionales de Israel en que el Espíritu Santo vino sobre David "desde
aquel día en adelante". El resultado continuo del ungimiento no se volvería a
aplicar hasta la llegada del Mesías y el derramamiento del Espíritu Santo sobre
los cristianos del Nuevo Testamento. "El que nos confirma con vosotros en Cristo, y el que nos ungió, es Dios, el cual también nos ha sellado,
y nos ha dado las arras del Espíritu en nuestros corazones" (2 Cor. 1:21-22).
Este ungimiento por el Espíritu Santo mora, habita o permanece en el cristiano
(1 Juan 2:20, 27).

Si el predicador me hiciera aquella pregunta hoy, saltaría sobre mis pies y
exclamaría: "¡Amén!"

Fui consciente por primera vez del ungimiento del Espíritu Santo cuando
tenía 18 años. Poco antes había experimentado la conversión, pero ahora llegué
a ser consciente del extraordinario poder de la "unción" celestial. Ese poder me
capacitó, como un joven aprendiz de carpintería, para empezar a predicar públicamente el Evangelio de una manera tal que eventualmente conduciría a muchos
a Jesús. Desafortunadamente, después de convertirme en un ministro profesional, gradualmente olvidé lo relativo al ungimiento divino hasta 20 años más
tarde, cuando comprendí mi desesperada necesidad.

Una oración para hoy: *Padre, ahora quisiera de nuevo responder gozo-*
samente "Sí" a la pregunta del predicador. Te agradezco que mediante Jesús
tengo el ungimiento del Espíritu Santo. ¡Alabado sea el Señor!

BATALLANDO CONTRA UN ESPIRITU MALIGNO

El Espíritu de Jehová se apartó de Saúl, y le atormentaba un espíritu malo de parte de Jehová. 1 Samuel 16:14.

No hay absolutamente la menor duda de que Dios jamás envía espíritus malignos para oprimir o poseer a una persona. Pero también es cierto que cuando alguien rechaza totalmente al Espíritu Santo, entonces se vuelve susceptible al hostigamiento de poderes malignos. Creo que únicamente de esta manera es que el Antiguo Testamento dice que un espíritu malo procedía del Señor. En la Escritura, a menudo se responsabiliza a Dios de cosas que él permitió debido a la libre decisión del hombre.

Hablando de la situación de Saúl, Josefo, el historiador judío que escribió en el primer siglo de nuestra era, declaró: "Pero el divino poder se apartó de Saúl y se trasladó a David... En cuanto a Saúl, descendieron sobre él unos extraños desórdenes demoníacos, para los cuales los médicos no pudieron encontrar ningún remedio sino este, que cualquier persona que pudiese hechizar esas pasiones cantando y tocando el arpa, le aconsejaban a Saúl que preguntase por una persona tal, y que observasen cuándo estos demonios venían sobre él y lo perturbaban, y que vigilasen que una persona tal estuviese junto a él, y tocase el arpa y le recitase himnos" (*Antigüedades*, vi, 8, 2).

Los poderes del mal no pueden permanecer activos en la presencia de los hermosos "salmos, himnos y canciones espirituales" que los hijos de Dios pueden cantar. Estas armas espirituales son poderosas y efectivas en la voz y el corazón de un cristiano lleno del Espíritu. David usó este método musical muy efectivamente con Saúl (1 Sam. 16:23), pero eventualmente los poderes del maligno se atrincheraron tan fuertemente en Saúl que lo condujeron a la destrucción.

A veces algunos amigos míos me envían un casete con música cristiana y me animan a escucharlo, especialmente uno o dos cantos. De Kim y Jim recibí "El Fuego del Refinador"; de Janet, "El Sabe lo que Hace"; de Miguel, "Tú me diste amor". A menudo, cuando manejo el automóvil, escucho estos cantos vez tras vez hasta que se convierten en parte de mi alabanza y de mi armamento espiritual.

Una oración para hoy: *Señor, ¿tienes un ministerio musical para mí? De alguna manera, aunque yo no sea un cantante talentoso, permíteme ser un agente de liberación para alguien que necesita poder victorioso sobre el mal, poder que viene a través de las palabras y la melodía de la música cristiana.*

AUN EL ENEMIGO PROFETIZA

Entonces Saúl envió mensajeros para que trajeran a David, los cuales vieron una compañía de profetas que profetizaban, y a Samuel que estaba allí y los presidía. Y vino el Espíritu de Dios sobre los mensajeros de Saúl, y ellos también profetizaron. 1 Samuel 19:20.

Cuando Elena Harmon tenía 15 años, era profundamente ferviente en su relación con el Señor, pero se sorprendió cuando pareció que Dios le estaba dando algunos sueños muy vívidos sobre Jesús y el gran templo en el cielo. Cuando ella experimentó un compañerismo aún más estrecho con su Señor, Elena se sintió persuadida a compartir su fe, y en algunas de las reuniones de un pequeño grupo en Portland, Maine, el Espíritu Santo descendió sobre ella con tal poder que se quedó sin fuerzas. Esta señal sobrenatural alentó grandemente a algunos, pero provocó fuerte oposición en otros.

Una familia que había encabezado esta oposición asistió a una reunión, y uno de los hombres expresó dudas en cuanto a la genuinidad de la experiencia de Elena. "Pero apenas él había dejado de hablar cuando un hombre fuerte (el Hermano R.), un cristiano devoto y humilde, fue derribado ante sus ojos por el poder de Dios, y el cuarto fue lleno con el Espíritu Santo". Tras esta experiencia, Elena testificó de su gran amor por Jesús. Luego aquel que había venido para destruir al joven David, por así decirlo, comenzó a profetizar con lágrimas de genuino arrepentimiento.

"Hermana Elena, nunca volveré a colocar una paja en su camino. Dios ha mostrado la frialdad y obstinación de mi corazón, que él ha quebrantado con la evidencia de su poder. He estado muy equivocado".

Como los profetas en el tiempo de Saúl, este ex enemigo, después de referirse a la respuesta verdaderamente milagrosa a su oración, comenzó a glorificar a Jesús y a prorrumpir en alabanzas a Dios. En realidad, se convirtió en un vigoroso testigo con el poder del Espíritu Santo. "Ofrecí una oración silenciosa para que si esto [que Elena cayese postrada] era la influencia santa de Dios, que el Hermano R. lo experimentase esa noche. Casi en el momento en que el deseo se elevó desde mi corazón, el Hermano R. cayó, postrado por el poder de Dios... ¡Bienvenida luz! ¡Bienvenido Jesús!" (*Testimonies*, t. 1, pp. 44-47).

Una oración para hoy: *¡Alabado sea tu nombre, Padre! La oposición maligna puede ser encauzada para tu gloria mediante el poder del Espíritu Santo. Te agradezco por esta seguridad de que Dios siempre triunfará sobre el mal.*

POSTRADO POR EL ESPIRITU

Y fue [Saúl] a Naiot en Ramá; y también vino sobre él el Espíritu de Dios, y siguió andando y profetizando hasta que llegó a Naiot en Ramá. Y él también se despojó de sus vestidos, y profetizó igualmente delante de Samuel, y estuvo desnudo todo aquel día y toda aquella noche. De aquí se dijo: ¿También Saúl entre los profetas? 1 Samuel 19:23-24.

En la casa en Ramá, Saúl fue sobrecogido por el Espíritu Santo como habían sido sus tres grupos de mensajeros. Todo el día estuvo desnudo sobre el piso como un testimonio extraño y humillante del poder de Dios. Desafortunadamente, sin embargo, la humildad fue dramática pero temporaria.

A diferencia de Saúl, cuya experiencia no significó una relación nueva y duradera con Dios, muchas de las personas que se opusieron a Elena Harmon arribaron a una unidad de propósito y esfuerzo gracias a la revelación inusual del poder de Dios. "En una reunión de oración poco después que el hermano había confesado que estaba equivocado en su oposición, experimentó el poder de Dios en un grado tan grande que su rostro brillaba con una luz celestial y cayó impotente al suelo.

"Unas pocas semanas más tarde, mientras la numerosa familia del Hermano P. estaba dedicada a la oración en su propia casa, el Espíritu de Dios se manifestó en la habitación y postró a los suplicantes que estaban arrodillados. Mi padre entró poco después y los encontró a todos, padres e hijos, impotentes bajo el poder del Señor" (*Testimonies*, t. 1, p. 47).

Esta misma experiencia se repitió 30 años más tarde. Jaime White escribió en 1874: "En cierta oportunidad, mientras estábamos arrodillados en oración (en la casa de Loughborough, en Santa Rosa), la Sra. White me tomó del brazo y me pidió que me levantara; cuando lo hice, el Espíritu Santo vino sobre nosotros en tal medida que ambos caímos al piso" (A. L. White, *Ellen G. White Biography: The Progressive Years*, pp. 428-429).

Mientras la experiencia de Saúl nos advierte que el ser "heridos por el Espíritu" no es un sustituto de rendirnos diariamente a Dios y a su revelación de la verdad, es importante saber que en toda época el poder del Espíritu puede traer evidencias sobrenaturales de la presencia de Dios.

Una oración para hoy: *Me inclino humildemente ante tu presencia, Dios Todopoderoso. En debilidad o en fortaleza capacítame para ser una copa que rebose con tu indescriptible poder.*

HABLANDO A TRAVES DE UN PECADOR

Estas son las palabras postreras de David. Dijo David hijo de Isaí, dijo aquel varón que fue levantado en alto, el ungido del Dios de Jacob, el dulce cantor de Israel: El Espíritu de Jehová ha hablado por mí, y su palabra ha estado en mi lengua. 2 Samuel 23:1-2.

¡Qué testimonio poderoso al fin de una vida ungida y llenada por el Espíritu Santo! Sí, David había cometido errores y uno de ellos se lo cantaba del himnario de Israel (Sal. 51). No obstante, el Espíritu Santo siempre permaneció con David, y él era consciente de que había sido usado como un portavoz de Dios.

Si usted teme que el Espíritu Santo lo abandonará debido a algún pecado que ha cometido, la historia de David es un mensaje de aliento que Dios le envía hoy. El adulterio y el asesinato que cometió David fueron trágicos e inexcusables, pero su arrepentimiento profundo y sincero reveló que él no había rechazado al Espíritu Santo de su vida. En realidad, es el Espíritu Santo quien atrae a los pecadores contritos al arrepentimiento y les inspira nueva esperanza, no importa qué hayan hecho.

Así como las palabras de Dios estuvieron en la lengua de David, de la misma manera usted y yo, pecadores arrepentidos, todavía hablaremos en favor de Dios al proclamar la revelación de la verdad y el amor que él nos ha dado para compartir. Cuando usted ora y estudia la Biblia, Dios puede traer a su mente un mensaje para comunicarlo a un individuo o a un grupo de personas. Los ángeles malignos pueden tratar de convencerlo de que usted es indigno de ser un portavoz de Dios. Si eso ocurre, recuerde a David.

Visité a Jack en una cárcel de máxima seguridad, donde estaba cumpliendo una sentencia de 15 años por asesinato. El había llegado a ser un cristiano nacido de nuevo, pero muchos se preguntaban si seguiría siéndolo cuando estuviese fuera de la prisión. Después que Jack recuperó su libertad, el Espíritu Santo continuó obrando con gran poder en su vida, y la palabra de Dios en los labios de Jack fue usada poderosamente para conducir a muchos a Jesús durante el año o dos que vivió en su nueva vida espiritual, antes de morir de cáncer.

Algunos de los testigos más efectivos de Dios hoy día son personas que se relacionaron con el ministerio en las prisiones mientras estaban detrás de las rejas. Jesús no sólo vino para liberar a los cautivos sino que desea que lo representen ante aquellos que necesitan oír las buenas nuevas del Evangelio.

Una oración para hoy: *Gracias por no darte por vencido conmigo, Espíritu Santo, aun en los momentos más difíciles. Que tu Palabra, Señor, esté hoy en mi lengua. ¡Aleluya!*

BIENVENIDO, UN GRAN PROFETA

Acontecerá que luego que yo me haya ido, el Espíritu de Jehová te llevará adonde yo no sepa, y al venir yo y dar las nuevas a Acab, al no hallarte él, me matará; y tu siervo teme a Jehová desde su juventud. 1 Reyes 18:12.

¿Alguna vez ha deseado ser capaz de irse lejos, volando, antes que enfrentar una confrontación con el mal? Obviamente Abdías suponía que el Espíritu Santo transportaría a Elías por el cielo, en una cómoda vía de escape, antes que se encontrase con un rey que quería matarlo.

Cuando visité uno de los lujosos hoteles de turismo en la isla Maui, noté toboganes acuáticos intrigantes que giraban y descendían por cavernas y hermosos jardines hasta llegar a la piscina abajo. Israel, sin embargo, en los 50 años transcurridos desde el rey David, no había descendido por un tobogán acuático sino por un tobogán de maldad que había rematado en un pozo sucio de corrupción religiosa, política y moral.

Pero Dios amaba a Israel, como ama a todos los pecadores, de modo que decidió usar a un profeta lleno del Espíritu a fin de hacer recapacitar a su pueblo. Elías había amonestado a Acab, y ahora, más de 40 meses después, regresaba para terminar con la sequía mediante el extraordinario poder del Espíritu Santo.

No, el Espíritu no llevó a Elías lejos como Abdías había temido. En cambio el Espíritu condujo al profeta a la presencia del rey, quien inmediatamente culpó a Elías de todos los problemas: "¿Eres tú el que turbas a Israel?"

Desafortunadamente, aunque es predecible, los cristianos llenos del Espíritu todavía enfrentan esta misma actitud. Llena del amor de Jesús, una joven madre regresó a su casa después de un culto de adoración. Su esposo drogadicto y físicamente abusivo inmediatamente le lanzó una andanada de acusaciones. "Tu cristianismo está deshaciendo nuestro matrimonio. Tienes la culpa por los problemas que hay en esta casa".

Tanya sabía que lo que él había dicho no era cierto y pudo enfrentar el mal con espíritu de verdad y discernimiento.

Cuando el reavivamiento del Espíritu Santo llega a una comunidad, su efecto a menudo es tan dramático que inmediatamente surge la oposición. Todos los grandes reavivamientos que se produjeron en Gran Bretaña y en los comienzos de la historia de los Estados Unidos, cerraron tabernas, casas de juego y prostíbulos. Pero los reavivamientos también vaciaron los juzgados y llenaron las iglesias.

Una oración para hoy: *Señor, parece tan natural desear el Espíritu para que me aleje de los problemas. Hoy te pido fuerza para enfrentar el mal que hay en mí y alrededor de mí, y para mantenerme firme de parte de la verdad en el amor de Jesús.*

BIENVENIDO AL FUEGO

Entonces cayó fuego de Jehová, y consumió el holocausto, la leña, las piedras y el polvo, y aun lamió el agua que estaba en la zanja. Viéndolo todo el pueblo, se postraron y dijeron: ¡Jehová es el Dios, Jehová es el Dios! 1 Reyes 18:38-39.

Durante el mes de enero, en muchas partes del hemisferio norte el invierno atrae a la gente al fuego. Un fuego luce alegre y luminoso; calienta y anima; hace que la comida sea apetitosa; elimina la posibilidad de hipotermia. El fuego también tiene poder para esterilizar y destruir.

Elías, lleno del Espíritu Santo, pidió que cayese fuego de Dios sobre el altar en el monte Carmelo. El fuego es uno de los grandes símbolos del Espíritu Santo. Jesús, mirando hacia el Pentecostés, dijo: "Fuego vine a echar en la tierra; ¿y qué quiero, si ya se ha encendido?" (Luc. 12:49). Cuando finalmente llegó el Pentecostés, hubo lenguas de fuego que ardieron tan intensamente que miles fueron conducidos a postrarse al pie de la cruz y exclamar: "¡El Señor es Dios!"

Cuando Sansón fue lleno del Espíritu, las sogas que lo ataban fueron como lino que se quema en el fuego. En el monte Carmelo y en el día de Pentecostés, el fuego del Espíritu Santo liberó a miles de la esclavitud de la religión falsa y las tradiciones humanas. Las cuerdas del pecado fueron rotas, y las fuerzas satánicas quedaron derrotadas.

Muchas personas podrían preguntar a Billy Bray por qué saltaba, danzaba y gritaba de gozo en el Señor. "Nací en el fuego y no puedo vivir en el humo —contestaría—. El diablo preferiría vernos dudando que oírnos gritando".

El fuego del Espíritu ardió tan brillantemente en Billy que él se asemejaba a una vela encendida. No quería ser como una lámpara de seguridad de un minero, que se usa sólo en ciertas horas de trabajo; ni como una lámpara de iglesia, que sólo se prende una o dos veces por semana. Día y noche, con santo gozo, proclamaba: "¡El Señor es Dios!"

El fuego atrae la atención. Cuando usted ve algo que arde brillantemente, mira para descubrir qué está pasando. "¿Qué es el fuego?", le pregunté hace años a mi profesor de química. "Es un cambio de estado", replicó. De modo que cuando los cristianos arden con el fuego que cambia sus vidas, otros mirarán y aprenderán del amor de Dios.

Una oración para hoy: *Señor, que el fuego de tu Espíritu queme el polvo y las piedras de mi vida y que me capacite hoy para ser un testigo llameante para ti.*

UNA VOZ BIENVENIDA

Y tras el terremoto un fuego; pero Jehová no estaba en el fuego. Y tras el fuego un silbo apacible y delicado. 1 Reyes 19:12.

A veces el Espíritu Santo se representa mediante un terremoto (Hech. 4:31) y a veces mediante el fuego (Hech. 2:3); pero en su hora de profunda depresión, Elías necesitaba, más que ninguna otra cosa, oír al Espíritu como una voz delicada.

Elías había huido después de su triunfo en el monte Carmelo porque aparentemente había llegado a la conclusión equivocada de que Acab y Jezabel serían también derrotados y destruidos. Pero no fue así. En cambio, emitieron un decreto de muerte contra él. Ahora en su depresión y agotamiento, había escapado al Sinaí y se había ocultado en la miseria, la autocompasión y la desesperación suicida.

En ese estado mental, una persona no necesita un trueno resonante, un fuego fiero o un viento violento. Deprimido, Elías se sentía aturdido por el dolor emocional, y sólo una voz suave y delicada podía hablar a su corazón. Era la voz del Consolador, el Espíritu Santo. Le aseguró a Elías que su ministerio continuaría y que obtendría la victoria final, y en ese momento en que se le prodigó un cuidado tierno y amoroso, renació el profeta Elías.

El pastor Freeman acababa de terminar una serie muy exitosa de reuniones evangelísticas en su iglesia. Más de 40 personas habían sido bautizadas, y habían tenido lugar muchas conversiones y reconsagraciones. No obstante, secretamente, como Elías, el pastor se estaba sintiendo muy deprimido. Había pensado que el éxito de las reuniones silenciaría a sus críticos y eliminaría al grupo de disidentes que estaba tratando de controlar la junta de la iglesia. Sin embargo no fue así, y el pastor Freeman estaba pensando en renunciar.

"Lo que tú necesitas es un buen descanso —le dijo su esposa—. Tú has trabajado siete días por semana, doce horas por día durante las últimas seis semanas. Toma ahora un tiempo para disfrutar de recreación, de caminatas tranquilas, de lectura y oración, y para entretenerte con tu familia. Pronto te sentirás mucho mejor".

Ella tenía razón, y Dios usó nuevamente a este pastor en forma poderosa después que oyó la "voz apacible y delicada", el "suave susurro" del Espíritu.

Una oración para hoy: *Señor, abre mi oídos para oír hoy tu voz amante. Te agradezco porque no abandonas a los desanimados sino que los rodeas con tus brazos de fortaleza y nuevamente los haces volver al ministerio y al gozo.*

HABLANDO LA VERDAD

Entonces se acercó Sedequías hijo de Quenaana y golpeó a Micaías en la mejilla, diciendo: ¿Por dónde se fue de mí el Espíritu de Jehová para hablarte a ti? 1 Reyes 22:24.

¿No es acaso fácil que a uno le gusten aquellas personas que siempre dicen las cosas que uno desea oír? Acab tenía unos 400 de estos hombres que decían "Sí" y a quienes llamaba profetas. Profetizaban paz y seguridad, pero se avecinaba destrucción repentina.

Micaías estaba dispuesto a hablar la verdad aun enfrentando la impopularidad y el encarcelamiento. Sedequías, uno de los profetas de Acab, golpeó a Micaías en el rostro y cuestionó al Espíritu que estaba en el hombre de Dios. Los profetas falsos estaban tan engañados que creían que poseían el Espíritu de Dios, y no podían reconocer al espíritu mentiroso que estaba hablando por intermedio de ellos.

Jody era una estudiante universitaria que se había enamorado de un joven buen mozo de una ciudad cercana. El llegaba a menudo al internado de la señorita con hermosos regalos y quería llevarla a lugares excitantes y románticos. Había un problema serio, sin embargo. Este joven no compartía la fe que Jody tenía en Dios. En realidad, él no sólo era un incrédulo sino que practicaba un estilo de vida totalmente diferente de la crianza que había recibido esta señorita.

Una cantidad de amigos de Jody la animaron a casarse con Dave, diciéndole que lo podría cambiar y disfrutar con él una vida llena de emociones. Uno o dos, en cambio, le advirtieron de las consecuencias de un paso tal, que podría acarrearle angustia y problemas.

Como un joven pastor, recibí un llamado de Jody unos cuatro años después de su casamiento con Dave. Apenas pude reconocerla como la niña que había conocido en la universidad. "He envejecido diez años —me dijo—. Dave estuvo en problemas con la ley y con otras mujeres. Ahora me ha dejado y a duras penas puedo sostener a nuestros mellizos de tres años. ¿Qué puedo hacer?"

Podría haberle preguntado a Jody en cuanto a los profetas falsos que la habían animado a casarse con Dave, pero en cambio la guié para que recibiese la ayuda práctica del Espíritu Santo. El Espíritu no podía deshacer el pasado, pero le dio valor y esperanza para el futuro.

Una oración para hoy: *Padre, te pido que me guíes a amigos y consejeros que tienen un verdadero espíritu de discernimiento antes que a aquellos que siempre tratarán de agradarme con sus opiniones.*

DOBLE BENDICION

Cuando habían pasado, Elías dijo a Eliseo: Pide lo que quieras que haga por ti, antes que yo sea quitado de ti. Y dijo Eliseo: Te ruego que una doble porción de tu espíritu sea sobre mí. 2 Reyes 2:9.

Un hacedor de milagros, un poderoso hombre de Dios, le pregunta qué puede hacer en su favor antes de dejarlo para que usted lo reemplace. ¿Qué pediría? ¿Dinero, poder sobrenatural, popularidad? Salomón le pidió a Dios sabiduría y la recibió junto con todo lo demás que necesitaba. ¿Por qué Eliseo pidió una doble porción del Espíritu Santo? ¿Por qué no 100 veces la cantidad que había descansado sobre Elías?

Una doble porción no significaba dos veces tanto, como si el Espíritu Santo se diera en dosis mensurables. Más bien este ruego quería decir que Eliseo estaba pidiendo el derecho propio de un hijo primogénito (Deut. 21:17). Estaba pidiendo un reconocimiento de que iba a ser el heredero espiritual de Elías.

Por supuesto, Elías no podía escoger a su heredero. Sólo Dios tenía esa facultad. De modo que Elías no hizo ninguna promesa apresurada, sino que sugirió una solución que dejaba el desenlace en las manos de Dios. Es raro que un sucesor igualmente grande pueda seguir exactamente en los pasos de un poderoso hombre de Dios. Generalmente Dios tiene que comenzar una nueva obra del Espíritu bajo circunstancias diferentes.

En el Instituto Bíblico Moody, en Chicago, contemplé cierta vez el retrato de tamaño real del evangelista Dwight L. Moody, a quien el Señor usó para traer a millones a Jesús. Cuando Moody murió, otros hombres tomaron sus sermones y los predicaron palabra por palabra. Hablaron con igual elocuencia y oraron pidiendo que el Espíritu los llenase como había llenado a Moody. Sin embargo, los resultados nunca fueron los mismos. No obstante, Dios tuvo a un hombre a quien usó poderosamente en una forma diferente: Reuben Torrey, un erudito, escritor y evangelista que promovió el gran ministerio del Instituto Bíblico Moody.

Un nuevo pastor no puede ser una copia en papel carbónico de su muy amado predecesor, pero el Espíritu Santo le da un ministerio único para bendecir a su congregación.

Una oración para hoy: *Como hijo tuyo, Señor, y coheredero con Jesús, reclamo ahora mismo una doble porción de tu Espíritu. Lléname para que pueda servirte en la forma especial que tú has escogido para mí.*

DOBLE DIFERENCIA

Viéndole los hijos de los profetas que estaban en Jericó al otro lado, dijeron: El espíritu de Elías reposó sobre Eliseo. 2 Reyes 2:15.

Una viuda del Estado de Washington, que acababa de experimentar el ungimiento del Espíritu Santo en su vida, estaba asombrada cuando algunos amigos cristianos reconocieron inmediatamente qué era lo que le había ocurrido. "Usted tiene el ungimiento de Dios", le dijeron cuando alabaron juntos al Señor.

Similarmente, los estudiantes de Elías, no sabiendo dónde estaba él, discernieron el Espíritu que había descendido tan fuertemente sobre Eliseo que se postraron ante él bajo la influencia del poder de Dios.

Los eruditos de la Biblia declaran que el pedido de Eliseo fue de una doble porción "en-la-forma-de-tu-espíritu", y este pedido fue concedido cuando Eliseo vio a su maestro que era arrebatado en un carro de fuego. Los jóvenes del Colegio de los Profetas, en Jericó, donde Elías había sido el director, reconocieron que efectivamente el Espíritu Santo había "descansado" sobre Eliseo como lo había hecho sobre los 70 ancianos en el tiempo de Moisés (Núm. 11:25) y como lo haría más adelante sobre Jesús (Isa. 11:2).

Jesús prometió a sus discípulos que el Espíritu Santo "vendría sobre ellos" (ver Hech. 1:8), y su promesa se cumplió dramáticamente en el Día de Pentecostés. Siempre que el Espíritu Santo desciende sobre una persona, ese hecho es reconocido por otros que tienen un Espíritu de discernimiento, como ocurrió con la viuda y sus amigos veinte siglos más tarde en el Estado de Washington.

Así como Eliseo usaba el manto de su maestro glorificado, así los cristianos de hoy día llenos del Espíritu están cubiertos por la justicia de Jesús mientras revelan el poder hacedor de milagros de su Maestro. Esta es la razón por la cual usted no necesita tener miedo de pedirle hoy a Jesús una doble porción de su Espíritu.

Una oración para hoy: *Amado Padre, dame hoy el gozo de guiarme a los pies de alguien en cuya vida el Espíritu ha hecho una doble diferencia. Quizás me encontraré con él o con ella en persona, en un libro, por teléfono, o por algún medio de comunicación. Permíteme alabarte por tu poder milagroso en esa vida.*

HUYENDO

Y dijeron: He aquí hay con tus siervos cincuenta varones fuertes; vayan ahora y busquen a tu señor; quizá lo ha levantado el Espíritu de Jehová, y lo ha echado en algún monte o en algún valle. Y él les dijo: No enviéis. 2 Reyes 2:16.

"Tan pronto como cumpla 65, me voy de aquí —les dijo el pastor de unos 60 años a algunos de sus colegas—. Voy a jubilarme, a dejar el ministerio, e iré a cultivar frutillas".

Tal vez los estudiantes de la Escuela de los Profetas pensaron que Elías se había ido a cultivar frutillas. En una oportunidad anterior había dejado todo bajo los efectos de una depresión y había ido a parar a una cueva. De modo que los jóvenes profetas sugirieron una misión de rescate con cincuenta atletas de la escuela.

John Loughborough y John Andrews eran predicadores adolescentes que eventualmente llegaron a ser evangelistas adventistas itinerantes. Hacia 1856 los dos se habían desanimado y habían ido a parar al pueblecito de Waukon, Iowa. El 9 de diciembre, Elena de White, que todavía no tenía 30 años, recibió una visión indicándole que debía ir y encontrar a esos jóvenes "Elías". Ella vio que había un espíritu de brujería y adivinación en Waukon. "Les extiendo un llamado a todos los que tienen una pizca de interés en la causa de Dios —escribió—, a que se levanten en el nombre del Señor y sofoquen las manifestaciones que hay entre ellos" (*Manuscript Releases*, t. 11, p. 352).

Cuando finalmente llegaron a Waukon, Elena de White y sus compañeros descubrieron que Loughborough estaba trabajando como un carpintero. A regañadientes él fue hasta el trineo donde estaba la señora White, sólo para ser saludado tres veces con la pregunta: "¿Qué haces aquí, Elías?"

El joven carpintero pronto fue convencido por el Espíritu Santo y reingresó al ministerio evangélico para prestar un servicio distinguido de toda una vida.

¿Dónde está usted hoy? ¿Se ha desviado de su ministerio? Puede ser capaz de servir a Dios cultivando frutillas o en una carpintería, pero tal vez el Espíritu lo está convenciendo de que debiera encabezar un pequeño grupo misionero o ministrar tiempo completo como obrero evangélico, colportor, médico misionero, maestro, o misionero en el área de Servicios a la Comunidad.

Alabe a Dios por la misión de rescate del Espíritu.

Una oración para hoy: *Gracias por buscarme siempre, Señor, cuando en mi mente me he desviado a Waukon y no te estoy sirviendo como tú sabes que podría hacerlo. Hoy con gozo acepto nuevamente mi ministerio.*

CAVANDO REPRESAS

Mas ahora traedme un tañedor. Y mientras el tañedor tocaba, la mano de Jehová vino sobre Eliseo, quien dijo: Así ha dicho Jehová: Haced en este valle muchos estanques [o represas]. Porque Jehová ha dicho así: No veréis viento, ni veréis lluvia; pero este valle será lleno de agua, y beberéis vosotros, y vuestras bestias y vuestros ganados. 2 Reyes 3:15-17.

La mano del Señor sobre Eliseo representaba el Espíritu Santo viniendo sobre él (Eze. 3:14; 8:3). En medio de la música profetizó en cuanto a agua, otro símbolo del Espíritu (Juan 7:38-39). Toda vez que en una comunidad se encuentran "estanques" de reavivamiento, debiéramos cavar represas y cunetas entre ellos para que puedan correr juntos como un gran depósito del Espíritu Santo, disponible a quienes están en necesidad desesperada del agua de vida.

La visión de Elena de White concerniente a los hermanos en Waukon indicaba que ella debía cavar una "cuneta" por la cual el Espíritu pudiera nuevamente derramarse en la vida de los obreros desanimados que estaban en esa ciudad. La cuneta a Waukon no era fácil de cavar. Pero la oración y la persistencia lo hizo posible. Primero, la nieve comenzó a derretirse, haciendo muy difícil el viaje en trineo. El hermano Hart, que era el dueño del trineo, dijo que sería un milagro si llegaban a destino ese diciembre. Entonces, en respuesta a la oración, comenzó a caer la nieve precisamente antes de empezar el viaje. Por el camino cayó una tormenta de nieve, demorando el viaje por una semana. Eventualmente, Elena de White y sus acompañantes llegaron al río Mississippi y se les dijo que era imposible cruzar. Estaba corriendo un pie de agua sobre el hielo, y varias yuntas de animales se habían caído a través del hielo. Los conductores a duras penas habían salvado sus vidas.

Pero el Espíritu Santo les había señalado a los fieles "cavadores de cuneta" que fueran a Waukon. "Siga adelante confiando en el Dios de Israel", le dijeron al Hno. Hart. ¡Cómo alabaron a Dios cuando ascendieron sin contratiempos la barranca del lado de Iowa!

¿Está la mano del Espíritu Santo sobre usted para cavar una cuneta hoy de modo que el agua pueda correr y llegar a vidas secas y desanimadas? Entonces avance con fe, uniendo pequeños grupos de gente que ora en un embalse congregacional de amor.

Una oración para hoy: *Nuevamente tengo sed, Señor. Levanto mi copa a ti para que tu mano pueda abrir la fuente de agua viviente. Deseo que mi copa rebalse con bendiciones y amor.*

CURACION BIENVENIDA

Volviéndose luego, se paseó por la casa a una y otra parte, y después subió, y se tendió sobre él nuevamente, y el niño estornudó siete veces, y abrió sus ojos. Entonces llamó él a Giezi, y le dijo: Llama a esta sunamita. Y él la llamó. Y entrando ella, él le dijo: Toma tu hijo. 2 Reyes 4:35-36.

Es sorprendente cuán a menudo el Espíritu Santo revela su poder en milagros de curación. El nacimiento del hijo de la sunamita había sido un evento milagroso, pero unos pocos años más tarde el niño languideció bajo el fuerte calor y murió. Ahora el Espíritu Santo reveló su poder para resucitar y libró al niño de una muerte prematura.

Dios también tuvo un Eliseo a los comienzos del movimiento adventista, y el poder milagroso del Espíritu Santo se reveló cuando dos de los jóvenes más prominentes del movimiento languidecieron bajo el calor del ministerio. Tras encontrarse con John Loughborough poco después de su llegada a Waukon, Elena de White asistió a una reunión vespertina que había sido especialmente convocada para esta ocasión. En esa reunión el poder del Espíritu Santo descendió sobre todo el grupo, y Elena de White recibió una visión del Señor. Contenía un mensaje de curación: "Volved a mí, y yo me volveré a vosotros, y sanaré vuestras apostasías".

El resultado fue tan dramático como siete estornudos de un niño muerto. Se hicieron confesiones, y "los portales del cielo parecieron abrirse repentinamente", informó ella. "Quedé postrada por el poder de Dios". La reunión continuó hasta medianoche, y luego la reanudaron a las 10:00 de la mañana siguiente y continuó hasta las 5:00 de la tarde. Los hermanos y hermanas en Waukon "trabajaron con el celo y el poder de Dios que descansaba sobre ellos" (*Notas biográficas de Elena G. de White*, pp. 176-177).

Si sus sueños de trabajar en el ministerio se han marchitado debido al calor de las circunstancias negativas, tenga buen ánimo. Con el poder del Espíritu puede retomar su ministerio y ver cómo ocurren cosas milagrosas. Los dones espirituales que Dios le ha dado lo capacitarán para ser un sanador de otros ministerios, mientras fortalece, exhorta y consuela a obreros que están en el frente de batalla.

Una oración para hoy: *Cuando el sol parezca ardiente, tú eres mi sombra, Señor. Cuando la vida se va, tú eres mi resurrección. Cuando mis esperanzas se derrumban, tú ordenas la confusión y me permites empezar nuevamente. ¡Alabado sea el Señor!*

¿POR QUE ESTO, SEÑOR?

Entonces Eliseo le envió un mensajero, diciendo: Ve y lávate siete veces en el Jordán, y tu carne se te restaurará, y serás limpio. 2 Reyes 5:10.

¿Siente la necesidad de una curación espiritual? Si es así, el Señor puede darle algunas instrucciones muy inesperadas, así como sorprendió a Naamán con una extraña fórmula para quitar su lepra.

Esta es la segunda vez que se menciona el número siete en relación con el servicio de Eliseo a Dios. El niño había estornudado siete veces, y ahora Naamán debía zambullirse siete veces en el río Jordán.

Aunque Naamán no lo sabía, el número siete es muy significativo en el simbolismo del Espíritu. Por ejemplo, una profecía del Espíritu Santo respecto a Jesús subraya siete aspectos del poder del Espíritu. Es el Espíritu del Señor, sabiduría, inteligencia, espíritu de consejo, de poder, de conocimiento y de temor de Jehová (Isa. 11:2). Cuando el Espíritu del Señor es derramado, desciende sobre siete grupos específicos de personas: sobre toda carne, sobre hijos, hijas, viejos, jóvenes, siervos y siervas (Joel 2:28-29). El Espíritu es representado cinco veces en el Apocalipsis con el número siete. Siete es un símbolo de perfección espiritual, y ciertamente esta es una parte importante de la representación única que el Espíritu Santo hace del carácter del Padre y del Hijo.

Naamán se sintió molesto y humillado por requerimientos simples que no entendió, como a menudo nosotros podemos sentirnos cuando el Espíritu Santo nos pide que hagamos algo aparentemente mundano o insólito. Condujo a la Madre Teresa a ministrar en Calcuta y no en Croacia. Envió a David Livingstone a Africa, no a Aberdeen; a Adoniram Judson a Birmania, no a Birmingham; a Hudson Taylor a China, no a Africa.

Para obrar su completa curación de la lepra del pecado, puede estar pidiéndole que haga algo muy diferente de lo que jamás se haya imaginado. "¡Se me ha pedido que sea dirigente juvenil en mi iglesia local! —exclamó un hombre—. ¡No puedo creerlo! Yo quería ser un anciano". Unos pocos meses más tarde se regocijaba con algunos amigos sobre los grandes cambios que este ministerio inesperado había efectuado en su vida.

Una oración para hoy: *Está bien, Padre, seguiré con alegría la dirección de tu Espíritu, aunque no conduzca a los lugares placenteros que yo escogería.*

UN EJERCITO BIENVENIDO

Y oró Eliseo, y dijo: Te ruego, oh Jehová, que abras sus ojos para que vea. Entonces Jehová abrió los ojos del criado, y miró; y he aquí que el monte estaba lleno de gente de a caballo, y de carros de fuego alrededor de Eliseo. 2 Reyes 6:17.

Quizás usted conozca la sensación de sentirse solo en medio de fuerzas que se le oponen. En el trabajo o en la escuela, o aun en su iglesia u hogar, puede parecer que las presiones del enemigo son abrumadoras. En medio de esta tensión usted encuentra a un amigo cristiano que declara serenamente: "No temas. Los que están contigo son más que los que están con el enemigo". Usted está tentado a pensar: *Es fácil para esta persona, que no está pasando por mi experiencia, decir eso. Puede tener gran fe, ¿pero qué pasará conmigo? ¿Cómo sobreviviré?*

Temprano por la mañana, Eliseo y su joven siervo se encontraron rodeados por un gran ejército con caballos y carros, el equipo militar máximo de aquel tiempo. Eliseo tenía el Espíritu de discernimiento, más una fe firme en Dios, de modo que no necesitaba ver ninguna señal o evidencia de la presencia del Yahweh Sabaoth, el Señor de los ejércitos del cielo. Pero el profeta quería que su joven amigo presenciase una visión que nunca olvidaría. Cuando sus ojos fueron abiertos de modo que pudiera ver más allá de lo natural, hasta lo sobrenatural, captó una vislumbre de la potencia flameante del gran Dios del cielo. Vio la evidencia del Espíritu del Señor de los ejércitos (Zac. 4:6).

Muy a menudo Dios revelará evidencias milagrosas de su poder a aquellos cuya fe está comenzando a crecer o no está todavía firmemente establecida. Esta es la razón por la cual muchos nuevos cristianos son capaces de contar historias notables de asombrosas respuestas a la oración. Sin embargo, cuando usted ha experimentado muchas evidencias de la conducción del Espíritu Santo en su vida, usted podrá asegurar a otros, sin ninguna evidencia visible, que "más son los que están con nosotros que los que están con ellos".

Una cantidad de veces he experimentado en mi vida lo que ha parecido ser una directa intervención angélica. Esto realmente confirmó mi creencia en la presencia de estos agentes sobrenaturales de Dios, pero no necesito esa confirmación ahora a fin de creer.

Una oración para hoy: *No me dejes que me impresione demasiado por los números visibles, Señor. Dame confianza en la superioridad infalible de tu poder.*

UN ESPIRITU QUE FORTALECE

Entonces el Espíritu vino sobre Amasai, jefe de los treinta, y dijo: Por ti, oh David, y contigo, oh hijo de Isaí. Paz, paz contigo, y paz con tus ayudadores, pues también tu Dios te ayuda. Y David los recibió, y los puso entre los capitanes de la tropa. 1 Crónicas 12:18.

Afirmación. A todos nos agrada cuando se nos expresa aprecio y apoyo en forma genuina. Cuando el Espíritu ministra con consuelo y fortaleza a los miembros de un grupo pequeño, a menudo los guía para que se apoyen mutuamente y para que aseguren a los demás, como compañeros de oración, que estarán a su lado en la intensidad de una batalla espiritual.

Una joven madre, cuya autoimagen positiva en Jesús había sido casi totalmente destruida por un esposo abusivo, encontró nueva esperanza cuando su pequeño grupo le dijo cuánto ella significaba para cada uno de ellos. Más tarde ella fue capaz de afirmar y alentar a muchos otros.

El pastor Rod (mencionado en la lectura del 5 de enero) fue bendecido grandemente en su ministerio por sus socios de oración, que se habían convertido en su equipo de apoyo. Cierto viernes el pastor estaba particularmente cansado después de una semana que había sido increíblemente ocupada. Parecía que no había habido ni tiempo para pensar en un sermón para el culto de adoración del sábado. Ahora, al anochecer del viernes, el pastor Rod puso la cabeza entre las manos y oró mientras algunas lágrimas caían sobre su Biblia abierta: "Señor, ¿qué puedo hacer? Estoy demasiado cansado para siquiera pensar".

En ese momento sonó su teléfono. "Por favor, contéstalo por mí —le dijo a su esposa Linda—. No puedo manejar otro problema".

Pero este no era un problema sino una solución. "Mientras estábamos orando juntos —le informó al pastor Rod un compañero de oración que había estado reunido con otro miembro de la brigada de oración—, el Espíritu Santo me impresionó a que lo llamase y que le dijese que lo amamos. Estamos contentos de que usted es nuestro pastor. Tendremos un equipo de diez personas orando por usted esta noche mientras prepara su sermón".

A la mañana siguiente, cuando el pastor predicaba, había una evidencia inequívoca de que el Espíritu Santo había ungido a este siervo de Dios y su mensaje para la congregación.

Una oración para hoy: *¿Hay alguien a quien puedo darle mi apoyo hoy, Señor? Lo haré así como tú me has animado con tu apoyo infalible y con la seguridad de la salvación que tengo mediante Jesús.*

EDIFICADO EN EL ESPIRITU

Entonces David dio a su hijo Salomón los planos del pórtico y del templo, de sus casas, oficinas, salas altas, recámaras y del lugar del Propiciatorio. También le dio los planos que el Espíritu había puesto en su mente, para los atrios de la casa del Eterno, las cámaras en derredor, las tesorerías de la casa de Dios y de las cosas santificadas. 1 Crónicas 28:11-12, Nueva Reina-Valera 1990.

En el Antiguo Testamento el Espíritu Santo dio instrucciones detalladas para la construcción del templo. Esta estructura y sus ceremonias debían señalar a varias fases del ministerio de Jesús. En el Nuevo Testamento el Espíritu Santo dio toda la instrucción vital para la edificación de la iglesia. La iglesia no debía ser una estructura de piedra y oro como el templo, sino un grupo de personas que habían sido salvadas por la sangre de Jesús. Debían estar unidas con la argamasa del amor.

Tanto el templo como la iglesia debían glorificar a Dios y servir como lecciones objetivas que el Espíritu Santo podía usar para enseñar a las naciones las maravillas de la gracia salvadora de Dios. Pero el templo se convirtió en el centro de un tradicionalismo impotente, y la iglesia institucional llegó a ser un conjunto de ladrillos, madera y estructuras de piedra, replicando el ceremonialismo del templo.

El Espíritu Santo, sin embargo, todavía está dando instrucciones de construcción para la verdadera iglesia. Aun ahora está reuniendo gente al mismo tiempo que son llenadas con los ricos tesoros de la gracia de Dios.

Permítame mencionar algunas de las instrucciones del Espíritu para la edificación de la iglesia: Unase con otros cristianos que han nacido de nuevo para orar, partir el pan, tener compañerismo y estudiar la Biblia (Hech. 2:42). Al reunirse, exhórtense unos a otros con salmos, himnos y cantos espirituales (Efe. 5:19). Que cada uno ministre a los demás según es guiado por el Espíritu Santo (1 Cor. 14:26).

Ahora usted empezará a ver que la iglesia crece. Será una estructura mucho más magnífica que el antiguo templo porque estará hecha de piedras vivientes, personas que están vivas en Jesús. Y usted estará en el preciso lugar que el Espíritu Santo planeó para usted.

Una oración para hoy: *Padre, atráeme al hermoso compañerismo de tu iglesia y úneme con la argamasa del amor a las otras partes de esta bella estructura.*

BUSCAD Y SIEMPRE HALLAREIS

Vino el Espíritu de Dios sobre Azarías hijo de Obed, y salió al encuentro de Asa, y le dijo: Oídme, Asa y todo Judá y Benjamín: Jehová estará con vosotros, si vosotros estuvieres con él; y si le buscareis, será hallado de vosotros; mas si le dejareis, él también os dejará. 2 Crónicas 15:1-2.

¿Lo dejará alguna vez el Espíritu? No. Pero es posible que uno deje al Espíritu. Si usted se aleja de él, pronto parecerá que él está muy lejos de usted.

"Ya no me siento cerca de Dios", me confió un amigo.

"Recuerda —repliqué— que Dios no se ha mudado. Tú te has apartado de él. Dios está siempre en el mismo lugar".

No es con nuestros pies sino con nuestros afectos que nos alejamos de Dios. La distancia de Dios no es espacial sino espiritual. No es geográfica sino de actitud. Cuando el Espíritu Santo nos llama para que regresemos a Dios, no nos pide que nos traslademos a otro lugar, sino que renovemos nuestra alianza total. El golfo entre la "provincia apartada" y la casa del Padre puede cubrirse con un solo paso de fe.

Tal como el Espíritu profetizó a través de Azarías, es verdad que si usted busca al Señor ciertamente lo hallará. Una actitud receptiva a la voluntad de Dios siempre conduce a una percepción de su presencia.

Un joven que había molestado brutalmente y asesinado a tres niños, comenzó a buscar a Dios poco antes de su ejecución. Una nueva luz comenzó a asomar en su mente, y en sus últimas horas de vida dio su testimonio. "Hay esperanza, hay paz —dijo—. Encuentro ambas en el Señor Jesús. Mire al Señor y encontrará paz".

La gente que estaba esperando ansiosamente el ahorcamiento del joven era escéptica en cuanto a su conversión, pero el Espíritu también había guiado a un ladrón crucificado junto a Jesús para que buscase y encontrase la promesa de la esperanza eterna.

Es notable cómo el Padre acepta a todos los que responden a la invitación del Espíritu Santo de regresar a Dios. A menudo la gente no acepta a alguien que los ha tratado mal y que luego vuelve porque no hay otro lugar mejor adonde ir. Sin embargo, Dios no es así. El sencillamente abre sus brazos y dice: "Ven".

Una oración para hoy: *Señor, te doy permiso para mantenerme junto a ti y nunca dejarme ir. Quedar contigo es aun mejor que tener que regresar. Pero yo sé que tú siempre estás listo para recibir a un extraviado que vuelve al hogar.*

ENFRENTANDO INSULTOS

Entonces Sedequías hijo de Quenaana se le acercó y golpeó a Micaías en la mejilla, y dijo: ¿Por qué camino se fue de mí el Espíritu de Jehová para hablarte a ti? 2 Crónicas 18:23.

No es inusual que personas llenas del Espíritu, sin tener la menor culpa, sean objeto de insultos, sospechas y ridículo. En medio de la gran controversia entre el bien y el mal, los verdaderos cristianos saben lo que es ser las víctimas de los ataques satánicos. Jesús fue ridiculizado por personas que ocupaban altos cargos y que querían que él hiciese milagros como parte de un exhibicionismo barato. El nunca sucumbió a esta tentación porque el Espíritu Santo estaba ministrando por intermedio de él para suplir las necesidades de la humanidad sufriente, no para satisfacer la curiosidad de gente pendenciera.

Los compañeros de trabajo de un joven carpintero se burlaron de él: "¿Por qué no oras ahora? Podría ayudarte y sacarte del problema que enfrentas".

A una mujer a quien Dios había usado como su agente en muchos milagros de curación, se le dijo cuando enfermó: "¿Por qué no se sana a sí misma si tiene un poder sanador tan asombroso?"

A un pastor que estaba deprimido, le preguntaron: "¿Por qué no practica lo que predica?"

Si usted ha recibido insultos espirituales como esos, es importante que no se desanime ni asuma una actitud reaccionaria. Micaías fue arrojado a la prisión y se le dio "pan de aflicción" (vers. 26), pero no fue disuadido de su convicción procedente del Espíritu: "Lo que mi Dios me dijere, eso hablaré" (vers. 13).

La oración del joven carpintero no resolvió su problema de trabajo en ese momento, para deleite de sus burladores. Sin embargo, le dio sabiduría para manejar el problema en una forma que finalmente glorificó a Dios.

La mujer enferma no se sanó, pero continuó ayudando a otros a pesar de su propia aflicción.

Si hoy lo insultan y lo interpretan mal a causa del Espíritu Santo que está en su vida, siga adelante con fe, sabiendo que aunque algunos puedan amarlo y otros odiarlo, usted pueden confiar en Dios y hacer lo correcto.

Una oración para hoy: *Padre, perdona a aquellos que se burlan de mi fe y del Espíritu Santo en mi vida. De alguna manera permíteme sembrar una semilla de tu amor en sus corazones.*

BIENVENIDOS, SOLDADOS QUE CANTAN

Y estaba allí Jahaziel hijo de Zacarías..., levita de los hijos de Asaf, sobre el cual vino el Espíritu de Jehová en medio de la reunión; y dijo: Oíd, Judá todo, y vosotros moradores de Jerusalén, y tú, rey Josafat. Jehová os dice así: No temáis ni os amedrentéis delante de esta multitud tan grande, porque no es vuestra la guerra, sino de Dios. 2 Crónicas 20:14-15.

Este capítulo se ha convertido en uno de mis favoritos en el Antiguo Testamento. El Espíritu Santo obró con tal poder en los músicos que el coro salió para alabar a Dios por la victoria aun antes de que la batalla empezara.

¿Puede usted cantar frente a un problema inminente? ¿Alaba a Dios incluso cuando el enemigo avanza? Eso no es natural; es sobrenatural. El Espíritu Santo hace esto posible al convencerlo que la batalla no es suya sino del Señor.

Si usted pierde su trabajo, o se enferma seriamente, o asiste al funeral de uno de sus parientes o amigos más cercanos, generalmente usted no canta el coro Aleluya ni da una versión vigorosa de la Doxología. Pero el mensaje del Espíritu Santo es seguro: "Creed a sus profetas, y seréis prosperados". "Estad quietos, y ved la salvación de Jehová".

Cuando Corrie ten Boom y su hermana Betsie llegaron al temido campo de concentración para mujeres en Ravensbruck, parecía que habían entrado en el lugar más cruel de la tierra. Los nazis habían encarcelado a estas damas holandesas porque habían ayudado a los judíos en Harlem. Sentadas afuera bajo la cellisca y la lluvia, acostadas en camas infectadas de piojos, desnudas ante guardias de mirada lasciva, estas dos mujeres de fe cantaban quedamente y alababan al Señor. Uno de sus himnos favoritos era: "Guíanos, amable luz, en medio de la tiniebla circundante... No te pido ver la escena distante. Un paso a la vez es suficiente para mí". Eventualmente Betsie se unió calladamente al grupo de más de 95.000 mujeres que murieron en Ravensbruck, pero Corrie fue liberada milagrosamente para ir y testificar por todo el mundo.

Una oración para hoy: *Señor, con la ayuda de tu Espíritu cantaré un himno de alabanza en medio del caos y las calamidades de la vida, sabiendo que la batalla está en tus manos.*

OBEDECIENDO AL ESPIRITU

Entonces el Espíritu de Dios vino sobre Zacarías hijo del sacerdote Joiada; y puesto en pie, donde estaba más alto que el pueblo, les dijo: Así ha dicho Dios: ¿Por qué quebrantáis los mandamientos de Jehová? No os vendrá bien por ello; porque por haber dejado a Jehová, él también os abandonará. 2 Crónicas 24:20.

Unos pocos días antes de que Betsie ten Boom muriera en el campo de concentración de Ravensbruck, cerca del fin de la Segunda Guerra Mundial, habló suavemente con su hermana Corrie, contándole una visión que Dios le había dado durante la noche. Era muy oscuro en la barraca 28, donde 700 mujeres trataban de dormir en literas infectadas de piojos. Betsie estaba débil y frágil cuando le dijo a Corrie que después de la guerra debía regresar a Alemania y decirle a la gente que el Espíritu Santo llenaría sus corazones de amor.

"De todas las personas del mundo, los alemanes son los que más heridas emocionales tienen —susurró Betsie—. Piensa en esa joven que ayer lanzó juramentos con un lenguaje tan sucio. Tenía sólo 17 ó 18 años, ¿pero te fijaste cómo estaba castigando con un látigo a esa pobre anciana? ¡Qué trabajo hay que hacer después de la guerra!" Corrie no deseaba regresar a Alemania, sino que quería volver a su callado trabajo como relojera en Holanda.

Cuando Corrie comprendió que Dios tenía un ministerio de alcance mundial para ella, pensó: *Iré a cualquier parte menos a Alemania.* Después de unos diez meses de visitar y hablar de Jesús en América, Corrie sintió la mano de Dios sobre ella, llamándola específicamente a Alemania. Poco después comprendió que su actitud hacia Alemania era de desobediencia a Dios. Escuchen a Corrie explicar su decisión: "F. B. Meyer dijo: 'Dios no llena con su Santo Espíritu a aquellos que creen en la plenitud del Espíritu o a aquellos que lo desean, sino sólo a aquellos que le obedecen'. Más que ninguna otra cosa deseo ser llena del Espíritu de Dios. Supe que no tenía otra elección sino la de ir a Alemania" (*Tramp for the Lord*, pp. 40, 46).

Quizás, como Corrie, usted ha estado rechazando un ministerio que Dios ha puesto ante usted. Hoy, con el poder del Espíritu, usted puede responder al llamado.

Una oración para hoy: *Padre, yo sé que recibí tu Espíritu en mi conversión, pero te ruego que ningún acto de desobediencia deliberada me impida recibir tu plenitud hoy.*

EL BUEN ESPIRITU

Y enviaste tu buen Espíritu para enseñarles, y no retiraste tu maná de su boca, y agua les diste para su sed. Nehemías 9:20.

En medio de un gran reavivamiento la gente a menudo reconoce el carácter del Espíritu Santo. ¿Le agradaría hoy levantarse y bendecir a Jehová (Neh. 9:5)? Cuando se experimenta una poderosa manifestación del Espíritu Santo en un reavivamiento, como ocurrió con la gente mencionada en Nehemías capítulo 8, uno repasa las acciones de Dios en la vida pasada y reconoce que el Espíritu de Dios es bueno. Es el Espíritu de amor, de aceptación y de perdón.

Corrie ten Boom a menudo reflexionó en los horrores de Ravensbruck y comprendió que era difícil encontrar en su corazón la actitud cristiana correcta hacia los ex nazis que revelaría la bondad del Espíritu. ¿Dónde había amor, aceptación y perdón en un campamento de horror en el que murieron, según se afirma, más de 95.000 mujeres? ¿Cómo podía ella olvidar jamás la horrible crueldad de los guardias y el humo que salía constantemente de la chimenea del crematorio?

En 1947 Corrie estaba hablando en una iglesia en Munich, y al terminar la reunión vio a uno de los más crueles guardias de Ravensbruck que se adelantaba para hablar con ella. Tenía su mano extendida. "Ahora soy un cristiano —explicó—. Sé que Dios me ha perdonado por las cosas crueles que hice, pero quisiera oírlo de sus labios. Señora, ¿podría perdonarme?"

Un conflicto rugió en el corazón de Corrie. El buen Espíritu de Dios la urgía a perdonar. El espíritu de amargura y frialdad la instaba a rechazarlo. *Jesús, ayúdame. Puedo levantar mi mano, no más que eso.*

Cuando sus manos se encontraron, fue como si brotase una corriente de calor y sanidad junto con lágrimas de gozo. "Le perdono, hermano, con todo mi corazón". Más tarde Corrie testificó que "fue el poder del Espíritu Santo" el que había derramado el amor de Dios en su corazón ese día. Nuevamente el "buen Espíritu" había triunfado (*Tramp for the Lord*, pp. 56-57).

Una oración para hoy: *Buen Espíritu, por naturaleza no soy como tú pero deseo ser instruido en tus hermosas características de perdón y verdadero amor.*

BIENVENIDA, ADMONICION

Les soportaste por muchos años, y les testificaste con tu Espíritu por medio de tus profetas, pero no escucharon; por lo cual los entregaste en mano de los pueblos de la tierra. Nehemías 9:30.

"No puedo entender a esas personas de los tiempos bíblicos —exclamó Charlie—. Tuvieron tantas advertencias de Dios, sin embargo echaron a perder las cosas y terminaron en problemas".

"No creo que nosotros somos mejores —replicó Doris—. Mira los errores que cometemos, y hemos sido criados en la iglesia y aprendido todas las doctrinas y oído las historias bíblicas desde el jardín de infantes".

El conocimiento y la información bíblicos son de poco valor a menos que haya un compromiso definido con Dios. Esta es la razón por la cual el Espíritu Santo habla al corazón. Si bien él está interesado en que aprendamos las grandes verdades y enseñanzas de la Biblia, lo está mucho más en que cada día tengamos una relación con Dios que nazca del corazón. Cuando llega una crisis en nuestra vida, el Espíritu Santo no procura activar textos claves para doctrinas abstractas, sino que trae a nuestras mentes un cuadro de Jesús y de su grande amor por nosotros y las consecuencias de entristecerlo.

Una señora sentía una urgencia de robar en los mercados aunque no tenía problemas financieros y podría haber pagado fácilmente por las cosas que quería. A menudo cuando tenía la tentación de introducir algo a hurtadillas en su bolsa, recordaba el mandamiento "No hurtarás", pero eso no producía ninguna diferencia. Cierto día le permitió al Espíritu Santo que le presentase a Jesús, y ella llegó a amarlo y a confiar en él. Amigos cristianos la amonestaron, no con las amenazas que había oído un millar de veces, sino con un hermoso cuadro de la cruz del Calvario. Actualmente es tan honesta que se le podrían confiar las joyas de la corona de Inglaterra.

Ser parte del antiguo Israel o del moderno cristianismo no era ni es ninguna garantía de liberación del mal. Pero permitirle al Espíritu Santo que testifique del gran amor de Dios es la motivación más fuerte para el bien que la mente humana pueda jamás captar.

Una oración para hoy: *Abre mis ojos, Señor, para ver más allá de las reglas de un sistema religioso y experimentar una relación personal contigo.*

BIENVENIDA, BELLEZA

Su espíritu adornó los cielos; su mano creó la serpiente tortuosa. Job 26:13.

¿Le gusta a usted la belleza? Algunas personas viajan alrededor del planeta buscando el lugar más hermoso de la tierra, mientras que otros lo encuentran cerca de la casa. El Espíritu Santo ama la belleza, y como el agente de poder en el equipo de la Trinidad que obró la creación, hizo el ornamento pasmosamente bello de los cielos y la tierra. Engalanó la creación de modo que ésta resplandeció con colores gloriosos que agradaban al ojo humano.

Así como la novia y el novio hebreos se adornaban con ornamentos y joyas, de la misma manera el Espíritu Santo embellece al pueblo de Dios con el manto maravilloso de su justicia (Isa. 61:10). El ungimiento del Espíritu de Dios trae belleza en lugar de ceniza y un manto de alabanza en lugar del espíritu quebrantado (Isa. 61:3).

No es de extrañarse que el pueblo redimido de Dios prorrumpa en exclamaciones de gozo y alabanza: toda la fealdad del pecado está cubierta, así como el caos al comienzo de la creación fue reemplazado por la obra embellecedora del Espíritu Santo. Fue entonces cuando "se regocijaban todos los hijos de Dios" (Job 38:7). Si usted ha observado una belleza soberbia, puede haber experimentado la urgencia irresistible de prorrumpir en exclamaciones de gozo. Montañas, lagos, bosques, las hojas del otoño, una puesta de sol, flores, aves... ¡aleluya! ¿Qué añadiría usted a esa lista? Piense al respecto y vuelva a lanzar gritos de aleluya.

La Biblia no sólo comienza sino también termina con la obra embellecedora del Espíritu Santo. La Nueva Jerusalén desciende como una novia engalanada para su esposo (Apoc. 21:2). El Espíritu Santo le muestra al pueblo de Dios la belleza increíble de la santa ciudad en el centro de la Tierra Nueva (Apoc. 21:10). El vuelve a crear esta tierra, junto con los nuevos cielos en los cuales mora la justicia eterna (2 Ped. 3:13). Al contemplar la Nueva Jerusalén, nuevamente hay gozo ante la gloriosa belleza de la creación de Dios (Isa. 65:18).

Confíe hoy en Dios. El comprende nuestras imperfecciones y conflictos, y puede embellecer nuestras vidas.

Una oración para hoy: *Santo Espíritu, estoy receptivo a tu obra de crear verdadera belleza. Que la belleza de Jesús sea vista en mí, radiante y gozosa.*

BIENVENIDA, NUEVA CREACION

El espíritu de Dios me hizo, y el soplo del Omnipotente me dio vida. Job 33:4.

"¿Por qué es tan importante creer que Dios creó el mundo?", preguntó un estudiante universitario. "Sabemos que la tierra está aquí y que el universo está allá, y aunque no comprendo el registro bíblico de la creación, creo que Dios puso todo en movimiento de modo que pudiera evolucionar gradualmente".

Este enfoque teísta evolucionista es muy común y a veces se lo considera como un compromiso entre la creación y la teoría de la evolución. Sin embargo, la pregunta para hoy es: ¿Cómo esta idea afecta su posibilidad de tener una vida cristiana vibrante ahora y en el futuro?

La Escritura no sólo reconoce el poder del Espíritu Santo cuando él activó en el comienzo lo que el Padre había diseñado y Jesús había hecho (Gén. 1:2, 26; Heb. 1:1-3), sino que la salvación misma implica el definido poder creador de la Trinidad. En Cristo somos una nueva creación (2 Cor. 5:17). Nuestro nuevo ser espiritual es creado en justicia y verdadera santidad (Efe. 4:24). Esta nueva vida es la obra del Espíritu Santo manifestada con el poder de la resurrección (Rom. 8:11). El, mediante Jesús, es capaz de crear un nuevo corazón en los cristianos que han nacido de nuevo (Eze. 36:26-27), y esta creación los capacita para participar en un estilo de vida de buenas obras (Efe. 2:10).

Ahora es fácil ver por qué las fuerzas malignas no quieren que usted tenga una fe total en el poder creativo de Dios. Quieren despojarlo de la certeza que puede tener de la salvación y la vida victoriosa.

El poder creativo de Dios también es exhibido en sus acciones futuras y es el fundamento de su destino futuro. El crea nuevos cielos y nueva tierra, y una nueva Jerusalén (Isa. 65:17-18; 2 Ped. 3:13; Apoc. 21:1). Las fuerzas del mal no quieren que usted crea en el futuro poder creativo de Dios porque están decididas a darle la impresión de que esta vida es todo lo que tenemos. Hoy, alabado sea el Señor, usted puede reclamar los beneficios asombrosos del poder creativo del Espíritu Santo en el pasado, el presente y el futuro. Su destino está con el Dios Creador.

Una oración para hoy: *Santo Espíritu, abro ahora mi corazón a tu poder creativo. Hazme nuevo, hazme sano, a través de la sangre de Jesús, la que garantiza el perdón y la vida eterna.*

VERDADERAMENTE VIVO

Si él pusiese sobre el hombre su corazón, y recogiese así su espíritu y su aliento, toda carne perecería juntamente, y el hombre volvería al polvo. Job 34:14-15.

¿Alguna vez se sintió como si no tuviera aliento? Si le quitan su aliento aunque sea por un breve tiempo, su vida física se extingue. Cuando el Espíritu Santo es quitado, la vida espiritual muere porque el Espíritu Santo es el Espíritu de vida en Jesucristo y su justicia (Rom. 8:2, 10). Sin él, el cristianismo y la iglesia están muertos.

Uno de los autores cristianos más ampliamente leídos actualmente, casi 80 años después de su muerte, es Oswald Chambers. Yo obtengo en forma regular nuevas bendiciones de su libro devocional best-séller *My Utmost for His Highest* (En pos de lo supremo). Oswald Chambers, sin embargo, no siempre tuvo una vida dinámica, llena del Espíritu y estimulante para el pensamiento, como se advierte en ese volumen. Cuando joven se había trasladado de la Universidad Edinburgh al Colegio Dunoon de Entrenamiento Bíblico, y fue en esta institución, en medio de agitación espiritual, que surgió en él hambre y sed de ser llenado completamente del Espíritu Santo.

En cierta ocasión, mientras estaba trabajando como tutor de filosofía en el colegio, Chambers oyó a F. B. Meyer hablar sobre el bautismo del Espíritu Santo. Todavía Chambers no tenía conciencia de que esta maravillosa experiencia estuviera ocurriendo en su vida. "La Biblia era el libro más aburrido y sin interés en existencia, y la sensación de depravación, de vileza y de motivos malos era terrible. Ahora veo que Dios, mediante la luz del Espíritu Santo y su Palabra, estaba escudriñando cada ramificación de mi ser. No conocía a nadie que tuviese lo que yo deseaba; en realidad, yo no sabía lo que quería. Pero sabía que si lo que yo tenía era todo lo que el cristianismo ofrecía, el asunto era un fraude" (citado por V. Raymond Edman, *They Found the Secret [Encontraron el secreto]*, p. 33).

Como lo dijo Oswald Chambers, sin el Espíritu Santo el cristianismo es un fraude, pero con una vida verdaderamente guiada por el Espíritu, es la fuerza más dinámica del mundo.

Una oración para hoy: *Sopla en mí, Santo Aliento de Dios. Lléname con nueva vida. Santo Espíritu de vida, capacítame hoy para vivir con verdadera justicia y gozo.*

NO LO DEJE IR

No me eches de delante ti, y no quites de mí tu santo Espíritu. Salmo 51:11.

Una vez que usted sabe lo que significa estar vivo en el Espíritu Santo y cultiva una amistad con él, de ninguna manera querrá perder ese compañerismo y esa vida. Por supuesto, Dios nunca quitará su Santo Espíritu de ninguna persona, aunque una persona pueda apartarse del Espíritu Santo.

Es posible contristar al Espíritu (Efe. 4:30) o apagar al Espíritu (1 Tes. 5:19). Sin duda David recordaba vívidamente las trágicas consecuencias que sufrió Saúl por apartarse del Espíritu Santo. En el Antiguo Testamento encontramos al Espíritu Santo descendiendo sobre individuos, ungiéndolos, invistiéndolos y guiándolos. David había pecado en una forma que acarreó terrible deshonor a Dios, pero él no quería que el Espíritu Santo le fuese quitado, y Dios nunca le retiró su Espíritu al rey arrepentido.

Oswald Chambers, entonces un joven tutor en el Colegio Dunoon, todavía no había saboreado la vida en el Espíritu Santo como el rey David lo había hecho, pero de alguna manera comprendió que necesitaba verdadera vida espiritual más que ninguna otra cosa. Comenzó a reclamar la promesa de Lucas 11:13 y se convenció de que necesitaba testificar de que estaba orando por el Espíritu Santo.

Cuando finalmente llegó la oportunidad, Oswald Chambers dio su testimonio al término de una reunión, cuando cumplía una misión en Dunoon. La gente cantó la oración "Tócame nuevamente, Señor", y Chambers supo enfáticamente que había llegado su hora. Se regocijó al recibir el conocimiento de la presencia del Espíritu Santo en su vida. Mirando retrospectivamente a este momento de transición, declaró: "Si los cuatro años anteriores habían sido un infierno en la tierra, estos cinco años han sido verdaderamente un cielo en la tierra. Gloria sea dada a Dios porque la última sima doliente del corazón humano está llena del amor de Dios hasta desbordar. El amor es el comienzo, el amor es el centro, el amor es el fin. Después que él entra en uno, todo lo que usted ve es 'Jesús solamente, Jesús siempre' ". No es de extrañarse que el rey David no quisiera perder el Espíritu.

Una oración para hoy: *Alabado seas, Padre celestial, por la vida en el Espíritu. Nunca quiero perder esa vida ni tratarla descuidadamente en ningún sentido.*

BIENVENIDO, ESPIRITU GENEROSO

Hazme sentir de nuevo el gozo de tu salvación; sosténme con tu espíritu generoso. Salmo 51:12, V. Popular.

Es fácil apreciar a la gente generosa. ¿No es excitante descubrir que el Espíritu Santo es generoso? Eso es cierto porque cada persona de la Trinidad es generosa, y no mezquina o miserable. El rey David había perdido la seguridad de la salvación y el gozo del testimonio del Espíritu Santo (Rom. 8:16). Sabía, sin embargo, que con el perdón vendría un derramamiento abundante, generoso, desbordante del Espíritu Santo, que resultaría en cánticos, alabanza y los dones espirituales necesarios para conducir a otros a la conversión (vers. 13-15).

Hace unos pocos años me senté junto a las tropas egipcias que estaban custodiando el canal de Suez. Era extraño ver enormes barcos que parecían navegar a través de las arenas del desierto. Más de 60 años antes, Oswald Chambers, que había comenzado a enseñar en el Colegio Dunoon de Entrenamiento Bíblico en 1911, fue nombrado por la Asociación Cristiana de Jóvenes, en julio de 1915, para ofrecer servicio espiritual a las tropas británicas en el Canal de Suez.

Después que Chambers hubo sido llenado con el Espíritu Santo en Dunoon, escribió: "Cuando usted sabe lo que Dios ha hecho por usted, desaparecen el poder y la tiranía del pecado y viene la emancipación radiante e inexpresable del Cristo interior, y cuando usted ve a hombres y mujeres que debieran ser príncipes y princesas de Dios, y que están atados por la pompa de cosas perecederas, oh, usted comienza a entender qué quiso decir el apóstol cuando declaró que deseaba ser maldito y separado de Cristo para que los hombres pudieran ser salvos" (*They Found the Secret*, pp. 34-35).

En cumplimiento de Lucas 11:13, Oswald Chambers había recibido la plenitud del generoso Espíritu y ahora, en Zeitoun, junto a Suez, fue usado en la misma forma generosa para conducir a los pecadores al arrepentimiento y la conversión. Y fue allí en Zeitoun, en noviembre de 1917, que el aliento de vida salió de este hombre quien, aunque sólo estaba en su década de los 40, se convertiría en un poderoso testigo del generoso Espíritu de Dios a través de sus escritos aun a fines del siglo XX.

Una oración para hoy: *Señor, como una vez oró Oswald Chambers, en simple dependencia de tu Espíritu Santo que mora en mí y me une con tu naturaleza, te contemplo a ti. Haz que sea todo lo que tú quisieras que yo fuese. Generoso Espíritu, ayúdame a ser un cristiano generoso.*

CREANDO DE NUEVO

Envías tu Espíritu, son creados, y renuevas la faz de la tierra. Salmo 104:30.

Nuestro Dios declara que nadie en el universo es como él. Tiene poderes que ningún otro ser posee (Isa. 45:9-11). El poder creativo de Dios, que él ejercita a través del Espíritu Santo, es único, y la Biblia lo enfatiza vez tras vez a causa de su increíble importancia, no sólo con respecto a nuestro origen sino también a nuestra vida presente y a nuestro destino futuro.

La curación divina es un ejemplo muy claro de la obra creativa del Espíritu Santo. Ninguna fuerza satánica o medicina humana puede recrear en una forma viviente a una parte enferma o incapacitada del cuerpo. A veces la gente le atribuye milagros de curación a Satanás, y si bien es cierto que él puede causar dolor y luego retirarlo, ciertamente no puede producir una nueva parte viviente o un órgano del cuerpo humano.

Earnest Minns, un laico consagrado que más tarde llegó a ser mi suegro, entró en un hospital en 1951, y durante el curso de una operación se descubrió que tenía un cáncer del hígado que era terminal, inoperable. El cirujano lo cosió y le dio apenas unos pocos meses de vida. Después de un sábado de oración y ayuno en un congreso, el Sr. Minns fue sanado inmediata y totalmente. Los cirujanos que lo examinaron más tarde, declararon que él, milagrosamente, poseía ahora el hígado sano de un hombre joven.

Sólo Dios puede realizar un acto como ése. No fue la eliminación psicológica de un dolor abstracto o un truco barato, sino una demostración innegable de la virtud del Espíritu Santo aplicando el poder creativo de Dios. Ese hígado milagroso funcionó sano y normal durante 35 años más hasta que el Sr. Minns murió de otras causas.

Ningún poder satánico o genio científico puede hacer lo que su Dios puede hacer. El es el Espíritu de vida, su vida de hoy y eternamente. Observe las evidencias del poder creativo de Dios que están a su alrededor y en usted, y alábelo ahora. Permítale que obre creativamente en situaciones en las cuales pareciera no haber una solución humana. ¡Se sorprenderá ante los resultados!

Una oración para hoy: *Mi Padre y Dios, me regocijo en las obras de tu mano. Gracias que mi existencia no es un accidente y que mi futuro no es una eterna nada. Contigo hay vida y poder curativo.*

SUSTITUYENDO LA REBELION

También lo irritaron en las aguas de Meriba. Allí, por culpa de ellos le fue mal a Moisés. Porque se rebelaron contra el Espíritu de Dios, y palabras precipitadas salieron de labios de Moisés. Salmo 106:32-33, Nueva Reina-Valera 1990.

Cuando los miembros de iglesia resisten al Espíritu Santo y permiten que un espíritu de crítica y negativismo controle sus vidas, los resultados pueden ser muy devastadores para un buen pastor. Muchos pastores, como Moisés, han sido empujados a una conducta destructiva debido a que una resistencia a la verdadera espiritualidad se mueve con sutil militancia en algunas congregaciones.

Moisés no fue excusado por su reacción debido a la rebelión de los israelitas. Ni tampoco actualmente podemos excusar a un pastor que reacciona en forma no cristiana. Es una tragedia, sin embargo, cuando los poderes del mal desalojan al Espíritu de Jesús tanto entre los miembros de iglesia como en el pastor.

Comenzando con la familia de su iglesia, usted puede ser un agente de cambio positivo mediante el poder del Espíritu Santo. Empiece por acudir a Dios personalmente en una entrega total a Jesús. Pídale al Espíritu Santo que le revele cualquier problema o actitud que necesitan ser encarados, y que le dé una victoria completa, aun si usted no entiende las circunstancias que iniciaron originalmente su actitud negativa. A medida que el amor de Jesús comienza a derramarse en su corazón mediante el Espíritu Santo (Rom. 5:5), pídale a Dios que le revele a quiénes debiera llamar para unirse en una brigada de oración. Puede sorprenderse al ver a quiénes el Señor le sugerirá.

Haga una cita para encontrarse con esta brigada de oración antes de que termine la semana, y únanse en entrega, confesión y arrepentimiento. Si su pastor no es parte de este equipo, llámenlo y convengan una hora cuando puedan orar por él, colocar las manos sobre su cabeza para pedir la unción celestial, y permitir que el Espíritu Santo se manifieste en forma poderosa.

Usted puede encontrar resistencia entre algunos miembros de iglesia porque el enemigo de las almas quiere atizar los fuegos de la rebelión, pero también descubrirá que usted y su pastor ingresarán muy pronto en la tierra prometida del milagroso ministerio lleno del Espíritu en favor de su congregación y comunidad.

Una oración para hoy: *Señor, te estoy abriendo mi corazón para que elimines cualquier rebelión o resistencia a tu Espíritu, o cualquier rechazo de tus pastores y dirigentes de la iglesia que pueda haber estado emponzoñando mi vida.*

AUN EN EL PABELLON DE LOS CONDENADOS A MUERTE

¿A dónde me iré de tu Espíritu? ¿Y a dónde huiré de tu presencia? Si subiere a los cielos, allí estás tú; y si en el Seol hiciere mi estrado, he aquí, allí tú estás. Salmo 139:7-8.

Hace años alguien me dijo que si usted va a ciertos lugares, los ángeles esperarán afuera y usted tendrá que arreglárselas solo. No pasa así con el Espíritu Santo. Aun en el lugar más vil y repugnante de la tierra, él estará allí para oír el más leve asomo de una oración. No está restringido por muros, fronteras internacionales, barreras de cristal o de acero, o ambientes infectados de pecado o crimen.

En un seminario sobre el Espíritu Santo, oí a Sondra Brewer contar una historia trágica pero triunfante. Cuando Sondra y su esposo, Spencer, dieron un paso adelante en su fe cristiana, no comprendieron cuáles eran los ataques infernales del enemigo que les aguardaban. La tragedia mayor vino unos pocos años más tarde cuando uno de sus hijos, Dennis, estuvo involucrado en una refriega con un oficial de policía, quien recibió un disparo con su propia arma.

Después de la muerte del oficial, Dennis huyó lleno de temor y tomó consigo a un rehén con el cual resistió a la policía durante un sitio de toda una noche. Muchas veces durante la noche Sondra se postró de rodillas y oró con su hijo por teléfono. Después del arresto un pastor le dio una Biblia a Dennis, quien comenzó a leerla junto con otras publicaciones cristianas.

Dennis fue convicto de asesinato de primer grado y se lo condenó a muerte. ¿Estaría el Espíritu Santo con él en el pabellón de los condenados a muerte? ¿Había alguna esperanza para los más de 300 hombres que estaban esperando el día fatal cuando enfrentarían la ejecución?

Una vez que llegó al pabellón de los condenados a muerte, Dennis comprendió que Dios tenía un ministerio especial para él, y aun en ese lugar improbable el Espíritu guió a numerosos presos para que participasen en estudios bíblicos en grupos pequeños. " 'Yo estoy con vosotros todos los días' es mi versículo bíblico favorito —me dijo Sondra recientemente—. Sé que siempre podemos creer en la presencia de Dios para oír y contestar nuestras oraciones, aun en San Quintín".

Hoy puede tener la seguridad de que usted nunca está más lejos del Espíritu Santo que a una oración de distancia.

Una oración para hoy: *Gracias, Señor, por la seguridad de que tú siempre estás disponible. Tengo ahora compañerismo contigo porque tú eres un amigo leal.*

EL OTRO PRISIONERO

Si tomare las alas del alba y habitare en el extremo del mar, aun allí me guiará tu mano, y me asirá tu diestra. Salmo 139:9-10.

Las visitas de Sondra Brewer a su hijo en el pabellón de los condenados a muerte en San Quintín le permitieron conocer la trágica historia de las vidas de muchos de los 300 hombres que estaban esperando la ejecución. Algunos habían estado allí por casi 10 años. Otros eran nuevos. Pero la mayoría de ellos tenían a alguien afuera —una madre o un padre, una esposa o hijos— que estaba sufriendo profundamente. No sólo en la prisión sino en las calles y en los guetos hay personas que necesitan saber que la mano de Dios puede sostenerlas y guiarlas.

¿Recuerda la experiencia de sostener la mano de alguien en quien confiaba, cuando usted era muy joven? Era algo cálido y tranquilizador. Era una fuente de fortaleza y valor. Esta es la razón por la que la Biblia usa la mano de Dios como uno de los símbolos más reconfortantes del Espíritu Santo (Eze. 3:14; 8:3).

Cuando Sondra y su esposo Spencer visitan a Dennis en San Quintín, tienen que hablarle por teléfono a través de un panel de vidrio. No pueden tocarlo, pero el Espíritu Santo lo hace. El está sosteniendo y guiando a Dennis con su mano derecha. "Porque todos los que son guiados por el Espíritu de Dios, éstos son hijos de Dios" (Rom. 8:14).

A medida que el Espíritu Santo tomaba posesión del corazón de Sondra, ella sintió la convicción de que debía iniciar un ministerio para las familias sufrientes de los prisioneros en el pabellón de los condenados a muerte. Las familias también son prisioneras, prisioneras de las circunstancias y de la tragedia. De modo que este ministerio, llamado "El Otro Prisionero", extiende su mano a las personas que se hallan esperando y preguntándose en cuanto a un ser querido que está condenado a muerte. Algunas personas sienten la mano de Dios en grupos pequeños, en el apoyo que reciben en los tribunales, a través de la oración personal, la visitación o las llamadas telefónicas. Muchos han dicho: "No podría haber continuado sin esta ayuda. Ha significado tanto para mí saber que hay amigos que se interesan por uno".

Sí, usted también puede confiar que la mano de Dios lo sostendrá y guiará siempre mediante la presencia del Espíritu Santo.

Hay una certeza animadora en el apretón de manos de un amigo especial. Sostener la mano de alguien a quien usted ama significa que entre ambos hay una relación de cercanía y afecto. Así es el amor de Dios.

Una oración para hoy: *Hoy extiendo mi mano a ti, Señor. Gracias por tu mano fuerte y por tu toque delicado.*

BIENVENIDA, LUZ

Si dijere: Ciertamente las tinieblas me encubrirán; aun la noche resplandecerá alrededor de mí. Aun las tinieblas no encubren de ti, y la noche resplandece como el día; lo mismo te son las tinieblas que la luz. Salmo 139:11-12.

La joven mujer expresó sus temores más íntimos al visitar a su psicólogo: "Temo mi sombra. La temo más que todo de noche cuando todo se vuelve tinieblas".

Una persona puede caminar por el valle de sombra de muerte y no temer mal alguno, sólo cuando se apoya en la fuerza de Dios.

Cuando escuchaba a Sondra Brewer contar su experiencia durante una hora de testimonios en un seminario sobre oración y el Espíritu Santo que estaba enseñando en California, detecté una nota de temor y cansancio en su voz. "Aproximadamente hace una semana otro prisionero fue ejecutado en San Quintín —explicó tristemente—. Mi hijo lo había ministrado, y yo había hablado y orado con él; sin embargo, este caso realmente me ha afectado porque su muerte en la cámara de gas fue un proceso largo y doloroso".

Dennis ya había estado seis años en el valle de sombra de los condenados a muerte, y a menudo Sondra tenía que recordarse a ella misma que la oscuridad y la luz son iguales para el Espíritu Santo. "Durante las últimas noches no he dormido más de media hora", dijo ella cuando se adelantó para recibir el ungimiento y para que se orara por ella pidiendo curación. Tom, Carolyn, Janet, Doris y otros se reunieron en torno de ella y pusieron las manos sobre Sondra mientras orábamos fervientemente y la ungíamos con aceite de oliva.

A la mañana siguiente en el seminario, Sondra estaba muy excitada al compartir con el grupo lo que había ocurrido. "Anoche dormí por más de tres horas. Tuve la seguridad maravillosa de que las tinieblas no me habían ocultado de Dios y que él me ha dado luz y paz". Desde entonces el sueño de Sondra ha vuelto completamente a la normalidad y lo mismo ha ocurrido con "otros prisioneros" a quienes el Espíritu Santo ministra a través de Sondra y sus amigos. El Espíritu Santo transforma la oscuridad de noches largas y solitarias en el brillo resplandeciente del amor de Dios.

Una oración para hoy: *Señor, es con alivio inexpresable que acudo a ti hoy mientras tú iluminas todo lo que me rodea con la luz suave y clara de la presencia de tu Espíritu.*

BUEN ESPIRITU

Enséñame a hacer tu voluntad, porque tú eres mi Dios; tu buen espíritu me guíe a tierra de rectitud. Salmo 143:10.

El Espíritu de Dios no sólo es generoso (Sal. 51:12), sino que también es bueno. Por supuesto, eso es precisamente lo que podríamos esperar porque el Padre y el Hijo son buenos, y es la bondad de Dios la que conduce a los pecadores al arrepentimiento (Rom. 2:4). El arrepentimiento es uno de los dones más importantes de Dios (Hech. 5:31), y es el buen Espíritu quien entrega el don hermosamente envuelto en aceptación y perdón.

Cuando Sara era muy joven, sus padres, según ella asegura, la hicieron participar en el satanismo y en abusos rituales. Cicatrices en el cuerpo y otras evidencias objetivas parecen substanciar sus recuerdos de malos espíritus que conducían a personas engañadas a la degradación y la desesperación. Sara dice que fue forzada a observar sacrificios humanos, que se la hizo participar en ritos sexuales con adultos, y que fue enterrada viva con sólo un pequeño tubo por el cual respiraba. Cuando se hizo adulta, los recuerdos de los actos de los malos espíritus casi destruyeron la sanidad de Sara. Afectaron su salud y destruyeron su matrimonio.

Pero el buen Espíritu de Dios estaba trabajando con Sara. Amigos cristianos la rodeaban con un círculo de oración, y un consejero cristiano le ayudaba a hacer frente a los recuerdos dolorosos. "Sé que el Espíritu de Dios me está ayudando y bendiciendo de muchas maneras maravillosas —me dijo Sara—. Me siento mucho mejor, y voy a tomar un nuevo nombre y hacer un nuevo comienzo mientras Dios continúa sanando mi vida".

Quizás usted no ha sido perjudicado tan profundamente como Sara, pero todos hemos sido heridos por el pecado y sus sutiles engaños. Mientras las fuerzas satánicas se empeñan en oprimir, hostigar y acusar, el buen Espíritu de Dios repetidamente pone a nuestra disposición el amor, la aceptación y el perdón que nos permiten elevarnos por encima de las circunstancias negativas y los recuerdos desdichados, de modo que podamos realmente desarrollarnos como cristianos plenamente útiles.

Regocíjese hoy en la presencia del buen Espíritu. Usted puede ser feliz y tener absoluta confianza en la dirección de Dios. El puede extraer beneficios de las circunstancias más difíciles.

Una oración para hoy: *Padre, tú sabes cuánto todas las personas necesitan a alguien de quien puedan depender totalmente y que sea intransigentemente bueno. Te acepto hoy como Aquel que satisface los criterios de un amigo fiel.*

BIENVENIDO, ESPIRITU VERAZ

Volveos a mi represión; he aquí yo derramaré mi espíritu sobre vosotros, y os haré saber mis palabras. Proverbios 1:23.

En este pasaje bíblico, la sabiduría promete derramar su espíritu, y es el Espíritu Santo —el Espíritu de sabiduría— quien abre las mentes y los corazones para que comprendamos lo que forma la base de las buenas decisiones y de las acciones correctas.

"He efectuado una cantidad de decisiones pobres y he hecho algunas cosas muy estúpidas", admitió un hombre de negocios cuando su imperio comercial empezaba a desmoronarse. "Hice una locura", reconoció la adolescente cuando dejaba la clínica de abortos. "No puedo creer cuán tonto fui", murmuró el joven desde su cama de hospital, después de destrozar el automóvil que había manejado bajo la influencia del alcohol.

Si bien el Espíritu Santo no hace a una persona 100 por ciento infalible, capacita a la gente que lo recibe a evitar muchos de los trágicos escollos que han arruinado incontables vidas.

En primer lugar, el Espíritu Santo guía a la gente para que sea receptiva a la voluntad de Dios. Esta actitud de sumisión a Dios hace que una persona mire a una situación desde la perspectiva de Dios, una perspectiva espiritual, una perspectiva eterna.

En segundo lugar, la gente llena del Espíritu enfrenta cada situación con mucha oración. Esto da tiempo para considerar todas las implicaciones de un hecho en vez de hacer una decisión apresurada e irreflexiva.

En tercer lugar, las personas llenas del Espíritu saben lo que es tener un pequeño grupo de amigos cristianos cuyo consejo respetan y en quien confían. Piden y evalúan cuidadosamente el consejo de estas personas dotadas espiritualmente.

En cuarto lugar, el Espíritu Santo combina la verdad con el aliento. No sólo lo inspira para que usted escoja el camino correcto, sino que también le da un mapa de modo que sea consciente de las intersecciones y desvíos.

Cuando recuerdo algunos de mis dolorosos errores, puedo ver que descuidé uno de estos cuatro pasos o todos ellos. Sin embargo, cuando como cristianos llenos del Espíritu satisfacemos todas las condiciones para recibir sabiduría espiritual y luego las cosas salen mal, no sufrimos con autorrecriminaciones sino que marchamos adelante con fe a nuestra próxima aventura con Dios.

Una oración para hoy: *Vacíame de mi confianza propia, Señor, y abre mis ojos para que vea con la clara percepción de tu Espíritu.*

EL ESPIRITU SEPTUPLE

Y reposará sobre él el Espíritu de Jehová; espíritu de sabiduría y de inteligencia, espíritu de consejo y de poder, espíritu de conocimiento y de temor de Jehová. Isaías 11:2.

En este pasaje se muestra por primera vez en la Escritura a Jesús y al Espíritu Santo como el equipo que conquistará el mal y exaltará la justicia. Como la menorá judía de siete brazos, estos siete términos descriptivos revelan el carácter brillante del ministerio del Espíritu Santo en la vida de Jesús y sus seguidores.

El Espíritu Santo es el Espíritu del Señor, que atrae a la gente para glorificar a Dios. Es el Espíritu de sabiduría, que capacita a la gente que unge para hacer buenas decisiones. Los conduce para discernir entre el bien y el mal, de modo que es el Espíritu de inteligencia. Es el Consejero, el Consolador, que guía al pueblo de Dios a través de los problemas más difíciles. Como el Espíritu de poder, da poder para hacer milagros y también guía a toda verdad como el Espíritu de conocimiento.

El Espíritu Santo suscita profundo respeto y devoción a Dios, de modo que es el Espíritu de reverencia o piedad, como los antiguos eruditos judíos y el erudito latino Jerónimo tradujeron esta frase: "espíritu... de temor de Jehová". En base a esta descripción, en el Apocalipsis se habla del Espíritu Santo como los siete espíritus de Dios, no porque sea más que uno sino debido a las siete características de su maravilloso ministerio.

¿Está usted caminando en la séptuple luz brillante de la vida del Espíritu como lo hizo Jesús, o está meramente mirando a la luz?

Peter, el hijo adolescente de Tom y Carolyn Hamilton, le explicó a su profesor de la escuela secundaria cuál es la diferencia entre mirar a la luz y estar en la luz. Llevó una linterna a la escuela y dirigió el haz brillante de luz al cielo raso de la oficina de su maestro, la que estaba a oscuras. "Usted puede ver la luz muy claramente —explicó Peter—, pero todavía no está en la luz hasta que por lo menos coloque su dedo en frente del foco encendido. Ahora, aunque quizás sea sólo por el extremo de su uña, usted está en la luz".

Una oración para hoy: *Padre, estoy ansioso de tener el Espíritu Santo no sólo para que brille a mi alrededor hoy, sino también en mí y a través de mí en el séptuple resplandor del amor de Jesús.*

PLANEANDO CON EL ESPIRITU

¡Ay de los hijos rebeldes —dice el Eterno—, que trazan planes que no proceden de mí; que traman alianza, y no de mi Espíritu, añadiendo pecado a pecado! Isaías 30:1, Nueva Reina-Valera 1990.

La adición de pecado a pecado multiplica los problemas y trae división entre las familias, los amigos, las congregaciones y las comunidades. Por otra parte, planear con el Espíritu Santo resta los tortuosos caminos del diablo de cualquier situación y garantiza la suma total de las abundantes bendiciones de Dios.

Un plan es un modelo de acción que se traza de antemano. Cuando era un adolescente me convertí en un aprendiz de constructor y tuve que aprender a dibujar y leer los planos de una casa. Todos los detalles de la futura estructura eran cuidadosamente trazados en papel, en una escala de una pulgada (2,54 cm) a un pie (30 cm). Se llevaban al trabajo copias del papel —generalmente llamados planos—, y se seguían en forma precisa pasos planeados de antemano, y así eventualmente se construía una hermosa casa.

Sin planes la vida opera sobre una base de día por día, y pueden lograrse objetivos de muy poco significado. Ninguna estructura, programa o evento de alguna importancia puede concretarse sin planos, porque lo que está por encima depende de la construcción o la preparación de lo que está por debajo. Como alguien ha dicho: "Fracasar en planear es planear para fracasar".

Planear con el Espíritu Santo nos capacita para activar los planes de Dios para nuestras vidas. Cuando nos rendimos a Dios, se coloca el fundamento para las futuras acciones y eventos que serían aquellas cosas que escogeríamos si pudiéramos ver el fin desde el principio. "Porque yo sé los pensamientos que tengo acerca de vosotros, dice Jehová, pensamientos de paz, y no de mal, para daros el fin que esperáis" (Jeremías 29:11). Este fin esperado es el futuro planeado por Dios y la esperanza que es realizada mediante el Espíritu Santo cuando él libera a su pueblo de la cautividad del pecado por la sangre de Jesús. Como dice Pablo, usted puede ser parte del eterno plan de Dios cuando es fortalecido con poder mediante el Espíritu Santo que mora en el interior (Efe. 3:16).

Una oración para hoy: *Padre, estoy totalmente abierto a tu plan para mi vida porque confío en ti y creo que tú me lo revelarás al dar yo cada paso.*

CATARATAS DE PODER

Hasta que sobre nosotros sea derramado el Espíritu de lo alto, y el desierto se convierta en campo fértil. Isaías 32:15.

Piense en la catarata más espectacular que jamás haya visto. Cuando el Espíritu Santo es derramado, los resultados siempre son tan obvios como las cataratas del Niágara. El Espíritu no viene como un hilo de agua insignificante sino con poder extraordinario, y pronto se forma un enorme depósito de amor que procede de Dios mediante el Espíritu Santo (Rom. 5:5). También está el ruido del regocijo y la alabanza, exclamaciones de victoria y nuevas corrientes de agua viva (Juan 7:38-39).

En Oregon caminábamos con Larry y Carolyn a través de un hermoso bosque hacia una distante catarata. Ocasionalmente nos deteníamos y escuchábamos, tratando de determinar si estábamos cerca de nuestro destino. Después de caminar unos pocos kilómetros sin oír los saltos, regresamos, llegando a la conclusión de que estaban más lejos de lo que esperábamos.

En mi primera visita a las cataratas del Niágara, me sorprendí cuando a unos pocos kilómetros de nuestro destino otro pasajero del ómnibus dijo: "¿Ve esa nube de vapor a la distancia? Esa es la ubicación de las cataratas".

De la misma manera la gente hoy está mirando y escuchando para advertir las evidencias del derramamiento del Espíritu Santo.

Las cataratas Multnomah, que caen a una profundidad de más de 200 metros, están entre las más altas de los Estados Unidos. En medio de un invierno advertimos que estas hermosas cataratas ya no estaban cayendo porque se habían congelado en una sólida columna de hielo. Mientras fotografiábamos los saltos vimos una ilustración muy gráfica de la iglesia cristiana. El derramamiento del Espíritu Santo comenzó en Pentecostés, pero después de unas pocas décadas un invierno espiritual descendió sobre la iglesia, dejando sólo una memoria helada del pasado poder del Espíritu Santo. Ahora, alabado sea el Señor, un nuevo día ha amanecido cuando el agua está comenzando a descender nuevamente. Estamos viviendo en el tiempo del refrigerio de la lluvia tardía de los últimos días que resultará en campos fructíferos y en bosques prósperos de la vida espiritual.

Una oración para hoy: *Padre, permanezco hoy al pie de la catarata, rogando ser empapado y lleno con la presencia desbordante del Espíritu Santo. Derrama tu amor de modo que pueda ser claramente identificado como un cristiano lleno del Espíritu.*

TESTIMONIO DE UNA ANTIGUA CIUDAD

Inquirid en el libro de Jehová, y leed si faltó alguno de ellos; ninguno faltó con su compañera; porque su boca mandó, y los reunió su mismo Espíritu. Isaías 34:16.

Por años estudié la arqueología y la historia antigua de las tierras bíblicas, notando la misteriosa exactitud de las predicciones de los profetas inspirados por el Espíritu. Mediante los profetas Dios predijo el destino de las naciones, las ciudades y los pueblos. Y la situación actual de todos esos lugares indica que Dios estaba declarando un hecho indisputable cuando sostuvo que no hay Dios como él, que es capaz de anunciar el fin desde el principio (Isa. 46:9-10).

Por ejemplo, las maravillas de la antigua Petra, en la tierra de Jordania, continúan asombrando a los viajeros que realizan la caminata descendente de tres kilómetros hasta el fondo de la garganta, entre farallones imponentes, donde el estrecho sendero conduce a una vista repentina y asombrosa de la ciudad rosada que es tan vieja como la mitad de la historia humana.

Temprano cierta mañana me dispuse a ascender hasta Um el Bayyârah, la fortaleza de 300 metros que se eleva desde la base del valle rocoso, en el corazón de Petra. En el tiempo del profeta Isaías ésta era la gran capital del imperio edomita, que había desafiado a Israel y a su Dios y que se había hundido en las profundidades de la corrupción pagana. Nuestro grupo fue conducido en el difícil ascenso por Musa, un guía beduino local.

Después de horas de trepar por las rocas, llegamos al lugar donde antes en este siglo el arqueólogo Crystal Bennett pasó siete semanas sobre la cumbre plana de Um el Bayyârah buscando una nueva evidencia del imperio edomita.

A través de seis profetas de la antigüedad se escribieron profecías precisas acerca de Edom, tales como las que encontramos en Isaías 34. Como lo han descubierto los arqueólogos, ni una palabra de esas profecías ha fallado. Peter Stone, profesor emérito de ciencia en el Colegio Westmont, declara en su libro *Science Speaks* (La ciencia habla) que la probabilidad de que sólo tres de esas profecías específicas se cumpliesen por accidente sería de 1 en 10.000 (p. 93).

Recuerde esto. Si el Espíritu Santo puede estar tan seguro acerca de ciudades y naciones, usted puede confiar absolutamente en él respecto a todos los detalles de su vida.

Una oración para hoy: *Señor, deseo escudriñar continuamente tu Palabra, dándole siempre al Espíritu Santo la oportunidad de aumentar mi confianza en ti.*

DEMOS LA BIENVENIDA A UNA PERSPECTIVA CORRECTA

¿Quién enseñó al Espíritu de Jehová, o le aconsejó enseñándole? Isaías 40:13.

¿Le gusta leer grandes trozos de literatura? Esto es lo que encontrará en la segunda parte del libro de Isaías, que comienza con el capítulo 40. Esta parte es tan diferente de la primera que algunos eruditos han sugerido que fue escrita por un autor diferente. Sin embargo, el Nuevo Testamento identifica claramente a Isaías como el profeta que tan hermosa y vívidamente escribió estas palabras bajo la inspiración del Espíritu (Luc. 3:4-6; 4:16-19).

Usted puede leer con oración Isaías 40, subrayando aproximadamente las dos docenas de promesas que el Espíritu Santo le revelará allí.

En este capítulo, y a lo largo del resto de este libro de consolación, el Espíritu Santo fusiona muchos detalles de los dos advenimientos de Jesús.

Desde cerca de mi casa en Oregon puedo mirar hacia el norte y ver el monte St. Helens y el monte Rainier. Aparecen muy cerca el uno del otro, con el monte Rainier, de más de 4.700 metros de altura, levemente a la derecha y mucho más pequeño que el monte St. Helens, el cual, desde 1981, tiene sólo unos 2.700 metros. Ayer, sin embargo, cuando volaba a Portland desde Chicago pude ver las montañas desde el este, y apareció su verdadera perspectiva, con las dos montañas separadas obviamente por casi 160 kilómetros y el monte Rainier elevándose mucho más alto.

De la misma manera, en la hermosa literatura de Isaías 40, el primero y el segundo advenimientos parecen estar juntos, mientras que en otras profecías el Espíritu Santo los mostrará desde una perspectiva que revelará la distancia que los separa y su gloria relativa. Isaías, el profeta evangélico, también es usado para revelar el consuelo y las buenas nuevas de Dios. Dios prodiga a sus hijos el cuidado gentil de un buen pastor. Comprende a todo el universo, de modo que no necesita el consejo de ningún consejero para entender cada perspectiva de su vida. La recompensa que tiene para usted no es una que usted desearía devolver como un regalo de Navidad que no le conviene. Es exactamente aquella que escogería alguien que conoce los anhelos más íntimos de su corazón.

Una oración para hoy: *Señor, a menudo mi horizonte espiritual es tan nublado que a veces deseo instruirte y decirte qué deberías hacer en mi vida. Ayúdame a reconocer que tú sabes más acerca de mí que yo mismo.*

EL CORAZON DE UN SIERVO

He aquí mi siervo, yo le sostendré; mi escogido, en quien mi alma tiene contentamiento; he puesto sobre él mi Espíritu; él traerá justicia a las naciones. Isaías 42:1.

En una reunión de oración de mitad de semana más de 100 personas, arrodilladas ante Dios, cantaron una oración en la que le pidieron que los hiciera como él, un siervo. No es natural que personas educadas, sofisticadas, cultas, deseen ser siervos. Esta es la obra del Espíritu Santo.

Jesús tomó la forma de un siervo (Fil. 2:7). Vino a la tierra para servir a la humanidad (Mat. 20:28). Aplicó la profecía de Isaías 42:1 a sí mismo. Pablo se sintió honrado de considerarse un siervo de Jesús (Rom. 1:1) y alabó a quienes, como Febe, llegaron a ser siervos del cuerpo de Jesús, su iglesia (Rom. 16:1).

En 1909 un predicador irlandés vehemente y lleno del Espíritu proclamó el Evangelio en Melbourne, Australia. Con humildad y poder William Nicholson viajó alrededor del mundo más de diez veces y, como Pablo, sirvió a su Dios como un ganador de almas. Después que Nicholson, como un joven presbiteriano, había sido llenado del Espíritu Santo, aprendió en una reunión callejera del Ejército de Salvación lo que significaba tener el corazón de un siervo. "Lo asombroso para mí fue que se había desvanecido todo el temor de lo que los hombres podían decir o hacer, y ahora estaba dispuesto a hacer cualquier cosa o ir a cualquier lugar... Al caminar por la calle ese sábado me pareció como si se asomara cada amigo o pariente que yo jamás hubiese tenido. Cuando llegué a la reunión al aire libre y vi a las dos diminutas niñas del Ejército de Salvación cantando y tocando el tambor, y al pobre tonto de Jimmy sosteniendo la bandera, casi me regreso. Esa noche estaba muriendo a mi antiguo orgullo en forma muy dolorosa" (Citado por V. Raymond Edman, *They Found the Secret*, p. 103).

Después de orar y compartir la Palabra con los que se reunieron, William marchó calle abajo mientras encabezaba el grupo con un tambor en su mano. Era naturalmente tímido, pero de esa noche dijo: "Perdí mi reputación y temor a los hombres y encontré el gozo y la paz de la plenitud desbordante del Espíritu. ¡Aleluya!" (*Ibíd.*).

Una oración para hoy: *Señor, te serviré hoy porque te amo. Tú me has dado vida.*

BIENVENIDA, INUNDACION DEL ESPIRITU

Porque yo derramaré aguas sobre el sequedal, y ríos sobre la tierra árida; mi Espíritu derramaré sobre tu generación, y mi bendición sobre tus renuevos. Isaías 44:3.

William P. Nicholson tenía sed del poder victorioso del Espíritu Santo en su vida. Como un joven marinero muchas veces había tenido sed de agua fresca, pero ahora, varios meses después de su conversión, había crecido en su interior un profundo anhelo de la poderosa unción del Espíritu Santo que lo capacitaría para ser un verdadero siervo de Dios. Un comerciante local en Bangor, Irlanda del Norte, había organizado una "Convención para la profundización de la vida espiritual", y William fue invitado a asistir. Como presbiteriano, explicó él más tarde, habría considerado estas reuniones como fuego fatuo y fanatismo si hubiese sabido cuál sería su verdadero énfasis.

El Espíritu Santo guió suavemente a William a la convención, y allí su hambre y su sed aumentaron grandemente. "Finalmente me desesperé", dijo mientras contaba su experiencia vez tras vez durante las grandes reuniones evangelísticas. Por último, saliendo de la convención, le dijo al Señor que estaba dispuesto a darle al Espíritu Santo permiso incondicional para llenar su vida. "¡Aleluya! ¡Qué emoción, qué paz, qué gozo! Aun siendo un presbiteriano del estilo antiguo, comencé a llorar y a cantar y a regocijarme como un metodista libre de la vieja escuela".

Escribiendo sobre la experiencia subsiguiente que Nicholson tuvo con el Señor, V. Raymond Edman, canciller del Colegio Wheaton, dijo: "En esquinas calleras y en cabañas, en la ciudad y en las villas, en su lugar de empleo en los ferrocarriles y en las iglesias, Nicholson se convirtió en un valiente y apasionado ganador de almas" (*They Found the Secret*, p. 103).

Antes de comenzar su ministerio evangelístico mundial con el Dr. Wilber Chapman y Charles M. Alexander, William Nicholson fue usado poderosamente por el Espíritu Santo en muchas partes de Gran Bretaña, especialmente en las villas de yacimientos carboníferos. Edman habla del fruto maravilloso de estos torrentes de agua sobre tierra seca: "Muchos experimentaron un conocimiento salvador del Señor Jesús y muchos se rindieron plenamente al Salvador y llegaron a ser cristianos llenos del Espíritu, ganadores de almas" (*Id.*, p. 104).

Una oración para hoy: *Padre, es tiempo de inundación para mí hoy. Tengo sed y te alabo por la gloriosa bendición de tu Espíritu.*

¿A IMAGEN DE QUIEN?

Acercaos a mí, oíd esto: desde el principio no hablé en secreto; desde que eso se hizo, allí estaba yo; y ahora me envió Jehová el Señor, y su Espíritu. Isaías 48:16.

Originalmente Dios creó al hombre y a la mujer a su propia imagen. Desde entonces la gente ha estado tratando de crear a Dios a *su* imagen. Mediante Jesús, Aquel que fue enviado para ser nuestro Redentor, el Espíritu Santo ha revelado una vislumbre de cómo Dios realmente es, de modo que nosotros podamos ser re-creados a su imagen.

Cuando joven William Nicholson había sido salvado de un naufragio, pero todavía no había sido salvado eternamente. Hallándose de regreso en su casa el 22 de mayo de 1899, estaba leyendo el diario y fumando mientras esperaba que su piadosa madre preparase el desayuno. Repentinamente, sin advertencia, una voz habló a su corazón: "Ahora o nunca. Debes tomar la decisión de aceptar a Cristo o de rechazarlo".

Como respuesta exclamó: "Señor, me rindo. Me arrepiento de todos mis pecados y te acepto ahora como mi Salvador". En ese momento William tuvo conciencia de que había sido salvado. "Jamás he tenido ninguna duda sobre mi salvación. La sangre ha sido aplicada, y el Espíritu contestó a la sangre" (*They Found the Secret*, p. 99). Aunque los pecados groseros abandonaron su vida, William todavía experimentaba un sentido de impotencia en cuanto a vivir una vida totalmente consagrada a Dios.

Cuando William se enteró de la convención donde más tarde lo pondrían en contacto con el Espíritu Santo, trató con temor de crear a Dios a la imagen de su denominación. "Yo no quería ser nada o hacer nada que un presbiteriano no debiera ser o hacer. Traté muy esforzadamente de hacer que el Señor viese y entendiese mis temores y sentimientos, pero él no simpatizó con mis temores. ¡No pude hacer de él un presbiteriano!" (*Id.*, p. 102).

Tal vez usted está tratando de hacer a Dios un adventista del séptimo día o un miembro de alguna otra denominación. Pero usted no necesita temer al Espíritu Santo. A medida que él sea derramado hoy en su vida, él lo guiará, como ocurrió con William Nicholson, en el maravilloso camino que usted debiera recorrer.

A menudo oramos por el Espíritu Santo, pero queremos que él venga en una forma que armonice con la imagen del poder de Dios que nuestra denominación nos ha dado. Pero Dios es Dios, y él derramará su Espíritu en la manera que él cree mejor.

Una oración para hoy: *Señor, no permitas que trate de adaptarte a como yo soy y ayúdame a no temer la obra modeladora y capacitadora de tu Santo Espíritu en mí.*

BIENVENIDA, BANDERA DE VICTORIA

Y temerán desde el occidente el nombre de Jehová, y desde el nacimiento del sol su gloria; porque vendrá el enemigo como río, mas el Espíritu de Jehová levantará bandera contra él. Isaías 59:19.

¡Qué promesa maravillosa! Usted encontrará este versículo traducido de diferentes maneras en diversas versiones de la Biblia debido a la ambigüedad de las palabras hebreas. Sin embargo, el significado de todas las traducciones es el mismo: no importa qué fuerzas malignas arremetan contra nosotros, podemos ser victoriosos mediante el poder extraordinario de Dios.

¿Está siendo usted "inundado" hoy por el enemigo? Las aguas de una inundación generalmente no son puras ni limpias. Están contaminadas de basura y suciedad. Muchos sueños son derrumbados por el torrente turbulento de una inundación. La inundación que el enemigo lanza contra usted puede ser de pensamientos impuros o negativos, recuerdos malos, depresión o aun persecución externa. Usted puede sentirse sumergido bajo presiones financieras o problemas maritales. Recuerde, cuando el enemigo viene como una inundación, el Espíritu Santo levantará un estandarte contra todo tipo de mal. ¡Aleluya!

Como éste es uno de mis versículos favoritos acerca del Espíritu Santo, he pensado y orado mucho acerca de esta palabra "bandera". Uno puede fortalecer la confianza en Dios en base a su uso bíblico, que parece basarse en una palabra hebrea que puede traducirse como "una bandera de batalla" o "una bandera levantada como señal".

Me agrada el doble énfasis que se coloca sobre el concepto de victoria en Salmo 60:4: "Has dado a los que te temen bandera que alcen por causa de la verdad".

Reclame ahora esta promesa y haga ondear la bandera con energía espiritual.

Uno de mis nombres favoritos para Dios, que uso diariamente en oración, es *Yahweh Nissi*: el Señor es mi bandera, mi victoria. El levanta la bandera de la victoria, la bandera del amor, y las fuerzas del mal son rechazadas. No pueden subsistir frente a la declaración de poder del Espíritu Santo. Levante ahora la bandera y agítela frente a cualquier mal que amenace anegar su vida. Usted es un hijo de Dios. Usted está del lado ganador.

Una oración para hoy: *Te alabo, Yahweh Nissi, por tu gloriosa bandera, y te pido ahora que tú la eleves en medio de mis temores y tentaciones.*

HABLANDO CON EL PODER DEL NUEVO PACTO

Y este será mi pacto con ellos, dijo Jehová: El Espíritu mío que está sobre ti, y mis palabras que puse en tu boca, no faltarán de tu boca, ni de la boca de tus hijos, ni de la boca de los hijos de tus hijos, dijo Jehová, desde ahora y para siempre. Isaías 59:21.

Setecientos años antes de la profecía de Isaías, Moisés había deseado que "todo el pueblo de Jehová fuese profeta, y que Jehová pusiera su espíritu sobre ellos" (Núm. 11:29). Ahora, en el único pasaje del Antiguo Testamento que relaciona directamente el Espíritu y el nuevo pacto, se da la promesa de que el pueblo redimido de Dios desde el tiempo del Mesías en adelante puede ser lleno individualmente del Espíritu y proclamar su Palabra en cumplimiento del deseo profundo de Moisés.

Lea de nuevo Isaías 59:21 y agradezca a Dios que lo incluye a usted. Si usted ha aceptado a Jesús como su Salvador, es un hijo o hija del nuevo pacto, y así como Isaías profetizó que el Espíritu Santo descendería sobre el siervo Mesías (cap. 11:2; 42:1; 61:1), de la misma manera el Espíritu está siempre disponible para llenar su vida y darle el mensaje de Dios para hablar.

La palabra carismática en la boca de cada persona redimida y llena del Espíritu, es la palabra de profecía, la palabra de sabiduría, la palabra de conocimiento, la palabra de las verdaderas lenguas y de su interpretación (1 Cor. 12). Estos dones del Espíritu, que son dones que hablan, tienen su fundamento en aquello que constituye la base del nuevo pacto, a saber, la Palabra escrita: la Biblia, y la Palabra hecha carne: Jesús.

A través de los dones que hablan del Espíritu Santo en el Nuevo Testamento, las Escrituras no son meramente palabras escritas que dan conocimiento intelectual, sino palabras con relevancia viviente en la realidad de la vida actual. Ahora es el tiempo cuando usted, si ya no lo ha hecho antes, ha de hablar como un siervo de Dios lleno del Espíritu. Usted puede ser capaz de hacerlo con una sola persona, en un grupo pequeño, o en una reunión grande. Cualquiera sea la forma que Dios escoge, se regocijará de que se ha cumplido la promesa divina de una poderosa comunicación.

Una oración para hoy: *Señor, implanta en mi mente una palabra de edificación, de exhortación o de consuelo que pueda compartir hoy cuando el Espíritu Santo me capacite para glorificar a Jesús.*

BIENVENIDO, NUEVO UNGIMIENTO

El Espíritu de Jehová el Señor está sobre mí, porque me ungió Jehová; me ha enviado a predicar buenas nuevas a los abatidos, a vendar a los quebrantados de corazón, a publicar libertad a los cautivos, y a los presos apertura de la cárcel. Isaías 61:1.

El asombroso alcance del ministerio de un Jesús ungido por el Espíritu se expone en los primeros tres versículos de Isaías 61. Su evangelismo haría trizas la burocracia y el prejuicio racial y religioso del judaísmo tradicional. En vez de que fuesen como cañas soplando en el viento, las buenas nuevas del Ungido capacitarían a seres humanos abatidos, afligidos y perdidos a convertirse en fuertes robles de justicia y herederos del reino eterno de Dios.

En un avión desde San Francisco a Burbank leí nuevamente un librito de Ann Kiemel, *I'm Out to Change My World* (He salido para cambiar mi mundo). He oído hablar a Ann y siempre me he sentido profundamente conmovido por el testimonio hermoso y sencillo de "una simple niña en un mundo grande".

"Soy una cristiana y Jesús es el Señor de mi vida —explica ella a quienes la escuchen—. El se ríe conmigo y llora conmigo y camina conmigo por los caminos solitarios. El y yo hemos salido para cambiar el mundo, y doquiera usted esté, él también puede cambiar su mundo" (p. 23).

En un vuelo a su casa desde San Antonio, cansada después de una semana de hablar a 500 adolescentes, Ann se sentó sola mientras quedamente cantaba alabanzas a Dios. Desde atrás un joven comenzó a hablarle, preguntándole si lamentaba haber dejado San Antonio. Entonces le explicó que él estaba regresando a Vietnam, donde había visto morir a sus dos mejores amigos. Había vuelto a la casa en uso de licencia y encontró que su esposa lo había abandonado.

¿Podía el Espíritu usar ahora a Ann para vendar a los quebrantados de corazón y proclamar buenas nuevas a los pobres?

Calmadamente compartió su testimonio y escribió una pequeña oración. Cuando el avión se acercaba a su destino, el soldado se inclinó y le habló nuevamente a Ann: "Quiero agradecerle —le dijo—. Oré esa oración y ya no me siento solo. Y Ann, creo que Dios y yo podremos alcanzar el éxito" (p. 24).

Una oración para hoy: *Señor, te alabo porque tu ministerio de ungimiento me ha alcanzado, trayendo salud y esperanza. En las angustias de este mundo permíteme ser un agente de fuerza y estabilidad.*

BIENVENIDO, RECORDATORIO

Mas ellos fueron rebeldes, e hicieron enojar su santo espíritu; por lo cual se les volvió enemigo, y él mismo peleó contra ellos. Isaías 63:10.

¿Le gusta que le recuerden sus errores pasados? Esto no ocurrirá en el cielo, porque aparentemente Dios los borrará de la memoria de todos los salvados. Pero esta vida es diferente. Por doloroso que sea, es importante que recordemos —por lo menos ocasionalmente— la manera en que caímos en pecado, chasqueamos a Dios y causamos dolor a otros.

No es el deber de otras personas realizar esta tarea. A Satanás le encanta hacerlo en forma destructiva, pero no debiéramos prestar atención a sus acusaciones malignas. El Espíritu Santo es quien maneja los recordativos de Dios y lo hace en una forma tal que nos protege constantemente de caer de nuevo en la misma trampa. El Espíritu nos recuerda, no para hacernos sentir nuevamente culpables, sino para activar en nuestra conciencia la seguridad del perdón y nuestra constante necesidad de depender totalmente de su poder victorioso. Israel contristó al Espíritu Santo y desafortunadamente llegó al punto donde no podía oír más la voz de Dios.

"No creo que usted pueda entender lo que yo estoy experimentando", me dijo un joven mientras me comentaba una situación muy difícil que estaba enfrentando debido a algunos de sus propios actos insensatos. Vacilé por unos momentos antes de someterme a la exhortación del Espíritu Santo de compartir con él una situación similar por la que había atravesado años antes, cuando era un adolescente. Escuchó atentamente mientras en forma breve le conté mi experiencia. Fue doloroso para mí tener que recordar lo que sentí cuando devolví al dueño de un restaurante el dinero que le había robado.

Mientras orábamos juntos, comprendí el valor de que el Espíritu Santo me recordara un pecado pasado, aunque perdonado. "Gracias, Señor, por la seguridad que me diste hoy —oró el joven—. Me siento tan feliz de que el pastor entiende la situación por la que estoy atravesando y que me ha dado esperanza para que yo pueda saber que tú me perdonarás y me capacitarás para ser victorioso".

Una oración para hoy: *Padre, no permitas que me convierta en uno que les echa en cara a otros su pasado, pero recuérdame constantemente tu perdón y amor en mi vida.*

BIENVENIDOS, RECUERDOS

Pero se acordó de los días antiguos, de Moisés y de su pueblo, diciendo:
¿Dónde está el que les hizo subir del mar con el pastor de su rebaño? ¿dónde
el que puso en medio de él su santo espíritu? Isaías 63:11.

El Espíritu Santo desea ayudarle a recordar la forma en que Dios lo ha conducido en su vida. Nunca olvide las providencias pasadas de Dios, no importa cuán áspero pueda ser el presente. Hay una cantidad de maneras mediante las cuales puede mantener vivo y poderoso en su memoria el pasado positivo, y si usted le permite al Espíritu Santo activar estos principios, encontrará que aumentará grandemente su fuerza en las situaciones presentes.

Primero, escriba una lista de experiencias que usted considera que son evidencias de la dirección de Dios. En oración repase su vida desde sus recuerdos más remotos, y busque lo bueno. El enemigo desea que usted se concentre en recuerdos negativos, pero Dios desea que exalte y atesore lo bueno. Haga una lista de sus buenos recuerdos, ya sean 10 ó 100, y mantenga la lista en su Biblia o en algún otro lugar donde usted puede repasarla a menudo y agregar nuevos hechos. El hablar con antiguos amigos o miembros de la familia puede estimular indicaciones largamente olvidadas de la providencia de Dios.

Segundo, a menudo aproveche la oportunidad para compartir sus historias. Asegúrese, sin embargo, que no les dice la misma historia a las mismas personas más de una vez, o si no aburrirá a otros con detalles complicados. Haga las historias concisas y dé la gloria a Dios. Si usted tiene hijos, ellos le escucharán narrar las historias a diferentes personas y eventualmente las conocerán tan bien que contarán dichas historias a sus propios amigos o hijos si el tiempo dura.

Tercero, escriba en forma completa las historias que han ejercido el mayor impacto sobre su vida y envíelas a una revista cristiana para su publicación. No hay garantía que las aceptarán, pero puede sorprenderse. Usted puede compartir el manuscrito con su pastor y preguntarle si le gustaría usarlo como una ilustración para un sermón.

Recuerde, en todas las cosas dé gloria a Dios. Alabe a Dios y vuelva a contar lo que él ha hecho. Aun las bendiciones más pequeñas deben atesorarse como perlas diminutas.

Una oración para hoy: *Señor, olvido lo bueno tan fácilmente, pero te pido que hoy me des una experiencia que pueda añadir a mi lista de evidencias de tu dirección en mi vida.*

BIENVENIDO, DESCANSO

El Espíritu de Yahveh los llevó a descansar. Así guiaste a tu pueblo, para hacerte un nombre glorioso. Isaías 63:14, Biblia de Jerusalén.

Cuando el Espíritu da descanso, esto no significa necesariamente sueño. En realidad, algunas personas llenas del Espíritu necesitan que a veces se les aconseje a relajarse y venir "aparte a un lugar desierto" y descansar "un poco", como dijo Jesús.

Ayer el Espíritu me indujo a sugerir lo siguiente a un amigo a quien Dios estaba usando poderosamente: "Por favor, no aceptes tantas cosas al mismo tiempo. Creo que necesitas dormir un poco más". Desafortunadamente yo no siempre practico lo que predico. Para los pastores aun el sábado no es un tiempo de descanso, sino que a menudo es un día de mucho estrés.

El descanso que Dios da, sin embargo, es primariamente un descanso espiritual. Isaías dice que Dios está *guiando* al pueblo al que promete descanso, lo que indica actividad. Pero no es una actividad para ganar o merecer salvación. No hay descanso para aquel que está dominado por el ansia de obtener la salvación por las obras. La gente llena del Espíritu sabe que su salvación es segura en Jesucristo. "Porque todos los que son guiados por el Espíritu de Dios, estos son hijos de Dios" (Rom. 8:14).

El descanso que se nos promete en el Evangelio está hermosamente explicado en Isaías 61:1-3. Lea nuevamente esas maravillosas palabras. Hay descanso de la debilidad de la pobreza espiritual, el que es seguido por el descanso de la agonía de un corazón quebrantado. ¡Aleluya! Hay descanso de la esclavitud de los hábitos y adicciones malignos, y el futuro asume la nueva perspectiva del propósito eterno de Dios. El consuelo, la belleza y el gozo sustituyen al luto y la tristeza, que disminuyen la energía y destruyen la vitalidad. La alabanza y la seguridad florecen como un roble poderoso a medida que el Espíritu Santo nos conduce a Aquel que dice: "Venid a mí todos los que estáis trabajados y cargados, y yo os haré descansar" (Mat. 11:28).

Hoy, al abrir usted su corazón al Espíritu Santo, él le dará la gloriosa certeza que llenó el corazón del salmista, quien testificó: "Sólo en Dios hallo descanso. De él viene mi salvación" (Sal. 62:1, Nueva Reina-Valera 1990). No salga de su casa sin esta certeza, o si no usted enfrentará un día intranquilo.

Una oración para hoy: *Señor, estoy intranquilo hasta que descanso en ti. Hoy nuevamente acepto la plenitud de tu salvación.*

DE NUEVO SOBRE SUS PIES

*Y luego que me habló, entró el Espíritu en mí y me afirmó sobre mis pies,
y oí al que me hablaba. Ezequiel 2:2.*

¿Ha sentido alguna vez que necesitaba ayuda para pararse nuevamente?
Ezequiel había caído ante la presencia del Señor, quien apareció en una escena
gloriosa de majestad simbólica. A veces caemos frente al desaliento, el mal o
circunstancias abrumadoramente difíciles. No importa, sin embargo, cuál pueda
ser la razón, el Espíritu de Dios nos pondrá nuevamente sobre nuestros pies de
modo que podamos continuar.

Durante muchos años Brenda había sido una azafata sumamente exitosa,
cuando su espalda y un hombro se lastimaron seriamente en una turbulencia
violenta y repentina durante un largo vuelo. El dolor resultante y el sufrimiento
emocional se complicaron debido a otros casos muy difíciles de compensación
a los obreros, por lo cual parecía que Brenda no recibiría la justicia que mere-
cía.

En medio de la profunda depresión de Brenda y de su ruina financiera, pidió
ayuda a su iglesia pero no hubo respuesta. En el otro extremo del país, sin embargo, el Espíritu Santo estaba obrando en el corazón de una amiga, instándola
a llamar a Brenda y decirle precisamente las palabras que ella necesitaba. "Me
dijo que leyera la historia de Juan el Bautista en Lucas 1:41 —me explicó
Brenda—. Estaba asombrada que alguien me llamase de larga distancia para
animarme y orar por mí como lo hizo mi amiga. Como Juan, comencé a saltar de
gozo cuando comprendí que el Espíritu me estaba afirmando nuevamente sobre
mis pies".

Desde entonces Dios ha usado a Brenda para escribir muchos himnos cristianos maravillosos, algunos de los cuales han sido cantados públicamente muchas
veces. Uno de esos himnos se titula "Cara a Cara" y destaca el hecho de que no
necesitamos preocuparnos por nuestros dolores cuando simplemente podemos
visualizar que nos encontramos cara a cara con Jesús.

Sí, ahora Brenda se ve cara a cara con el Dios amante, que la levantó y estableció firmemente sus pies sobre terreno sólido.

Usted puede ser hoy uno de los agentes del Espíritu Santo para levantar a
otros. Mientras algunas personas parecieran concentrarse en derribar a otros,
Dios y sus hijos están consagrados a la misión de levantar a los caídos.

Una oración para hoy: *Padre, me arrodillo al pie de la cruz, sabiendo que el
amor de Jesús y su perdón me elevan más alto de lo que jamás he sido levantado
antes.*

NUEVAMENTE DE PIE

Y me levantó el Espíritu, y oí detras de mí una voz de gran estruendo, que decía: Bendita sea la gloria de Jehová desde su lugar. Ezequiel 3:12.

Dios tiene muchas maneras emocionantes y diferentes que puede usar para ponernos espiritualmente sobre nuestros pies. Siendo una adolescente, Elena Harmon pasó a veces toda la noche en oración. Estaba buscando fervientemente a Dios, sin embargo su mente estaba dominada por una sensación de desesperación mientras pensaba que no podría alcanzar la salvación eterna. En medio de esta situación, Elena soñó que vio un gran templo y tras ello, un hermoso cuadro de Jesús.

El templo de su sueño era vasto y estaba sostenido por un inmenso pilar al que estaba atado un cordero lacerado y sangrante. Todos los que entraban al templo llegaban ante el cordero y confesaban sus pecados. Justamente enfrente del cordero, Elena vio asientos elevados sobre los cuales se sentaban las personas dichosas que habían sido perdonadas. "La luz del cielo iluminaba sus semblantes, y alababan a Dios entonando cánticos de alegre acción de gracias, semejantes a la música de los ángeles" (*Notas biográficas*, p. 38).

Antes que Elena pudiese llegar con humildad ante el cordero, sonó una trompeta y todo se volvió tinieblas. Ahora ella sintió que el Espíritu la había abandonado para siempre, para no volver jamás.

Pero ciertamente Dios no iba a dejar a Elena en ese estado. Así como levantó a Ezequiel también levantaría a esta ferviente adolescente. Poco después de su primer sueño, Elena recibió otro en el cual se la invitó a la presencia de Jesús. Mientras contemplaba su hermoso rostro, él pareció sonreírle y colocar su mano sobre su cabeza. Le dijo "No temas". En su gozo, parecieron pasar ante ella muchas escenas de belleza y gloria, y sintió que había alcanzado la seguridad y la paz del cielo. La presencia de Jesús llenó a Elena con santa reverencia y con un gozo inexpresable (*Id.*, pp. 36-40).

La esperanza que llenó el corazón de Elena cuando la belleza y la sencillez de la confianza en Dios comenzaron a inundar su alma, también puede hoy levantarlo nuevamente sobre sus pies. El Espíritu Santo le dará una visión de la realidad de la Palabra de Dios que lo capacitará para ver más allá de los desalientos mundanos de esta vida.

Una oración para hoy: *Señor, al entrar ahora en la presencia de Jesús te alabo por la maravilla de tu salvación y la certeza de tu amor.*

LEVANTADO POR FUEGO

Me levantó, pues, el Espíritu, y me tomó; y fui en amargura, en la indignación de mi espíritu, pero la mano de Jehová era fuerte sobre mí. Ezequiel 3:14.

El Espíritu de Dios no opera en nuestras vidas en base a nuestros sentimientos sino en respuesta a nuestra disposición a ser los siervos del Señor. Ezequiel estaba lleno de amargura e ira debido a las miradas hostiles y a la actitud rebelde del pueblo. Sin embargo, había experimentado un sometimiento a Dios que a menudo lo había hecho caer sobre su rostro ante la presencia del Señor.

Cuando por primera vez se tuvieron reuniones religiosas en el hogar de los Harmon en Portland, Maine, la joven Elena Harmon no asistió porque todavía se encontraba en un estado de abatimiento y angustia. La iglesia, sin embargo, convirtió a Elena en el objeto de oraciones especiales, y aun uno de los dirigentes a quien ellos llamaban el Padre Pearson —en el primer momento un opositor de las visiones de Elena—, se unió ahora en las oraciones en favor de ella.

Escuchemos a Elena contar en sus propias palabras lo que ocurrió en una de las reuniones en la casa de sus padres: "Mientras se oraba por mí para que el Señor me diese fortaleza y valentía para difundir el mensaje, se disipó la espesa oscuridad que me había rodeado y me iluminó una luz repentina. Una especie de bola de fuego me dio sobre el corazón, y caí desfallecida al suelo. Me pareció entonces hallarme en presencia de los ángeles, y uno de estos santos seres repetía las palabras: 'Comunica a los demás lo que te he revelado'.

"El Hno. Pearson, que no podía arrodillarse porque padecía de reumatismo, presenció este suceso. Cuando recobré el sentido se levantó el Hno. Pearson de su silla y dijo: 'He visto algo como jamás esperaba ver. Una bola de fuego descendió del cielo e hirió a la Hna. Elena Harmon en medio del corazón. *¡Lo he visto! ¡Lo he visto!* Nunca podré olvidarlo. Esto ha transmutado todo mi ser. Hna. Elena, tenga ánimo en el Señor" (*Notas biográficas*, p. 78). Entonces la joven Elena comenzó a ir adelante, como Ezequiel, para proclamar la palabra del Señor.

Hace años mi profesor de teología en el colegio, Alfred Jorgenson, recordó a su clase: "Sean cuales fuesen mis sentimientos, Jesús todavía es mi Salvador". De la misma manera el Espíritu Santo está siempre disponible.

Una oración para hoy: *Padre, estoy receptivo a tu voz. Estoy escuchando. Estoy listo.*

BIENVENIDA, INSTRUCCION

Entonces entró el Espíritu en mí y me afirmó sobre mis pies, y me habló, y me dijo: Entra, y enciérrate dentro de tu casa. Ezequiel 3:24.

Ocasionalmente las instrucciones del Espíritu pueden parecer más bien insólitas. Dos de mis compañeros de oración, Tom y Carolyn Hamilton, sintieron la impresión de que el Espíritu Santo les estaba dando algunas instrucciones especiales para mí, y Carolyn se sorprendió cuando sintió que el Señor la estaba guiando para que fuese y limpiase sus ropas que estaban en un armario. Cuando completó la tarea, Carolyn oró: "Señor, ¿qué tiene que ver esta tarea con el mensaje que tú quieres que Tom y yo le demos a Garrie?" Pronto el Espíritu le ayudó a comprender que en ese entonces yo necesitaba ser "vestido" espiritualmente con una relación mucho más profunda y más íntima con Dios, y que algunos de los temores que me cubrían necesitaban ser revisados y desechados.

Al día siguiente Tom y Carolyn me llamaron e hicieron una cita para visitarme, y cuando conversamos y oramos juntos rápidamente discerní la exactitud y pertinencia del mensaje que compartieron conmigo. Con lágrimas reconocimos la bondad de Dios y el gozo que podemos tener cuando establecemos una relación de confianza con él.

Yo no soy alguien que profesa oír la voz de Dios hablándome, aparte de la que procede de su Palabra, excepto en muy raras ocasiones, pero dentro de mi casa, cuando nuestro pequeño grupo se reúne semanalmente, a menudo me he sentido profundamente impresionado cuando el Señor me ha dado mensajes especiales de su Palabra. Ocasionalmente hemos tenido amigos de países distantes uniéndose a nuestro grupo, y el Señor los ha usado para exhortar y alentar, aun en situaciones entre los miembros de nuestro grupo de las cuales los visitantes no tenían conocimiento previo.

El Espíritu Santo le dio a Ann Kiemel la extraña instrucción de cantar un himno cristiano a un taximetrista viejo y gruñón en Miami. El levantó las ventanillas mientras ella cantaba sobre la capacidad de Dios para extraer algo hermoso de nuestras angustias y conflictos. Después que terminó, este viejo y solitario judío dijo con lágrimas en sus ojos: "Quiero a su Dios. El y yo podríamos viajar juntos".

Déle la bienvenida al Espíritu Santo y esté dispuesto hoy a seguir sus instrucciones.

Una oración para hoy: *Señor, estoy escuchando tu Palabra y te pido fuerza para obedecer tu voz cuando me guía en el camino de la verdad.*

UNA MANO DE AYUDA

Alargó una especie de mano y me agarró por un mechón de mi cabeza; el espíritu me elevó entre el cielo y la tierra y me llevó a Jerusalén, en visiones divinas. Ezequiel 8:3, Biblia de Jerusalén.

Uno de los descubrimientos más excitantes sobre el Espíritu Santo que hice en el Antiguo Testamento fue su asociación con el simbolismo de la mano de Dios. Ezequiel usa esta expresión una cantidad de veces, incluyendo el versículo 1 de este capítulo, donde dice: "Allí se posó sobre mí la mano de Jehová el Señor".

El poder del Espíritu en el Nuevo Testamento fue a menudo representado por la mano del Señor en el Antiguo. Fue la fuerza de la mano lo que sacó a Israel de Egipto. Los hijos de Israel cantaron que "tu diestra, oh Jehová, ha sido magnificada en poder" (Exo. 15:6). Josué reconoció que la mano del Señor es poderosa (Jos. 4:24).

Nehemías relaciona la mano de Dios con la redención de su pueblo. "Ellos, pues, son tus siervos y tu pueblo, los cuales redimiste con tu gran poder, y con tu mano poderosa" (Neh. 1:10). Es la misma mano de Dios la que saca a su pueblo de la esclavitud del pecado. Los capacita para aceptar a Jesús como Aquel que los redimió cuando murió en su lugar en la cruz del Calvario. El Espíritu Santo revela constantemente que los cristianos nacidos de nuevo no sólo son hijos de Dios (Rom. 8:16), sino que también pueden obtener la victoria sobre el pecado mediante el extraordinario poder divino (1 Juan 4:4). Dios ha esculpido los nombres de sus hijos en las palmas de sus manos, y él nunca los abandonará (Isa. 49:16).

Uno de los pasajes cumbres sobre el Espíritu Santo, Salmo 139:7-10, nos recuerda que la mano de Dios nos conduce y sostiene aun en los lugares más inaccesibles de la vida. Como Pablo dice: "Porque todos los que son guiados por el Espíritu de Dios, éstos son hijos de Dios" (Rom. 8:14).

Actualmente muchos cristianos están comenzando a reconocer la asombrosa confianza que pueden tener al ser conscientes de que la mano del Señor está sobre ellos. Esa mano es fuerte para usted. Esa mano está al servicio suyo. Usted puede tomarla nuevamente hoy extendiendo la suya en un acto de fe y dándole su vida en una entrega completa a Aquel que es glorioso en poder.

Una oración para hoy: *Por favor, elévame hoy con tu mano, Señor, y dame nueva confianza en tu misericordiosa grandeza.*

BIENVENIDA, NUEVA VIDA

El Espíritu me elevó, y me llevó por la puerta oriental de la casa de Jehová, la cual mira hacia el oriente; y he aquí a la entrada de la puerta veinticinco hombres. Ezequiel 11:1.

La elevación más milagrosa que puede hacer el Espíritu Santo es cuando una persona que ha aceptado la muerte de Jesús en la cruz es levantada para caminar en una vida de resurrección espiritual. Esta experiencia ocurre cuando le permitimos al Espíritu Santo que nos vivifique junto con Jesús (Efe. 2:5; Rom. 8:11).

Durante muchos meses Esther había experimentado sentimientos crecientes de desesperación espiritual. Eventualmente estaba durmiendo muy poco y a veces se preguntaba si la única escapatoria no sería la muerte. Las mentiras del diablo se multiplicaban mientras trataba de destruirla a ella y al maravilloso ministerio de oración que el Señor le había dado. Pero Dios ha prometido una vía de escape (1 Cor. 10:13), de modo que cada uno de sus hijos puede saber cómo pasar de la cruz a la tumba vacía.

"Siento que he estado clavada en la cruz por meses y tengo que salir de allí —le dijo Esther a la amiga que estaba orando con ella—. Pareciera como que todo el peso del mundo estuviera sobre mis hombros".

"Acepta el poder resucitador del Espíritu Santo —le explicó su amiga—. Sal ahora de la cruz y de la tumba, y vive en Jesús. Conocerás el gozo de la vida resucitada".

Durante unos minutos hubo una lucha en la mente de Esther, y luego tomó finalmente el paso de fe, dándole permiso al Espíritu Santo para levantarla así como Jesús fue resucitado de los muertos. Por algún tiempo Esther había estado tratando de entender una profunda emoción que parecía estar tomando el lugar que Dios debería tener en su corazón. Ahora, al abrir los ojos, le dijo a su amiga: "Está en el lugar correcto. Mi sentimiento ha sido ahora puesto a un lado de modo que Dios llena el lugar central de mi corazón".

¡Qué gozo! ¡Qué victoria!

"¡Desearía que todo cristiano pudiera experimentar esta profunda curación por sí mismo!", exclamó Esther cuando más tarde compartió las buenas nuevas con sus compañeros de oración.

Una oración para hoy: *Mi Padre y mi Dios, acepto hoy la hermosa vida de resurrección que tú me ofreces hoy.*

UN LECTOR DE MENTES

El Señor me inspiró, me ordenó que dijera: "Esto dice el Señor: 'Eso es lo que ustedes piensan, israelitas. Yo conozco sus pensamientos' ". Ezequiel 11:5, V. Popular.

Al orar esta mañana me sentí fuertemente impresionado a llamar a algunas personas en Nueva York, con quienes me había encontrado brevemente en Florida. Fue por una serie de "errores" que el Señor había guiado a mi seminario a James y Joan, junto con su hija Debbie y sus dos niños. Todos estaban visitando Fort Lauderdale, y el domingo de mañana miraron en la sección amarilla de la Guía Telefónica para encontrar una iglesia a la cual asistir. Aunque la familia es católica, James y Joan querían asistir a una iglesia que estuviese enseñando sobre el Espíritu Santo y el ministerio de sanidad. En realidad Debbie no quería asistir para nada a la iglesia, pero dijo que si ellos lo hacían tendría que ser una iglesia católica.

La familia llegó "por equivocación" a la Iglesia Adventista ese domingo de mañana mientras yo estaba enseñando sobre el Espíritu Santo, la oración y la sanidad. Los vi entrar y sentarse en la hilera de atrás a eso de las 10:45, pero no comprendí que no eran parte de la congregación. Hacia el mediodía el seminario se fragmentó en pequeños grupos, y fue entonces cuando me encontré con James, Joan y Debbie y tuve la oportunidad de oír su experiencia y de ministrarlos junto con el pastor de la iglesia.

Esta mañana, cuando llamé para hablar con James y Joan, que ahora habían regresado a su casa, Joan estaba muy sorprendida. "James está en el hospital con una seria condición cardíaca —me explicó con tristeza—. Una de nuestras ocho tiendas se ha quemado, y el negocio está en situación muy difícil debido a la recesión. Anoche leí la historia de Pedro hundiéndose en el mar de Galilea, y sentí que yo también estaba hundiéndome. Al orar esta mañana, pedí que el Señor enviase a alguien que extendiese su mano para tomarme como lo hizo Jesús para salvar a Pedro".

A unos 4.800 kilómetros de distancia, en California, el único que puede leer las mentes y los pensamientos me ayudó a hablar las palabras necesarias de edificación, exhortación y consuelo.

La Biblia fue escrita mucho antes de la era de los teléfonos, pero el Espíritu Santo puede hoy usar esta tecnología con grandes ventajas. No sólo impulsa a las personas a llamar ocasionalmente a un amigo en el momento apropiado, sino que también les da a algunos el ministerio telefónico de tiempo completo.

Una oración para hoy: *Señor, te entrego los pensamientos y las intenciones de mi corazón.*

BIENVENIDA, VISION

Luego me levantó el Espíritu y me volvió a llevar en visión del Espíritu de Dios a la tierra de los caldeos, a los cautivos. Y se fue de mí la visión que había visto. Ezequiel 11:24.

El Espíritu Santo no sólo da visiones sobre eventos dramáticos que afectan a grandes naciones y a ciudades poderosas, sino también acerca de cambios asombrosos que pueden ocurrir en la vida de las personas mediante el poder extraordinario de Dios.

Cuando el pastor Altermatt y yo hablamos con Debbie, que "por accidente" había llegado con sus padres e hijos a mi seminario en Fort Lauderdale, pareció que el Espíritu inmediatamente nos dio la visión de que la vida de esta joven señora cambiaría dramáticamente al oír y aceptar el Evangelio maravilloso de nuestro Señor Jesucristo. En unos pocos minutos esa visión se confirmó muy positivamente.

Paso a paso el pastor Altermatt condujo a Debbie a lo largo de la presentación del Evangelio mientras ella reconocía su necesidad de Jesús. Ella reconoció que la muerte de Jesús en la cruz era para ella y que todo lo que necesitaba era abrir su corazón en un acto de plena entrega a él. En el momento apropiado, el pastor le preguntó a Debbie si había algo que le impedía aceptar a Jesús como su Salvador. Todos nos sentimos felices cuando ella contestó que no y nos arrodillamos con ella mientras oraba la oración de un pecador, dándole la bienvenida a Jesús como el Señor de su vida.

El resplandor en el rostro de Debbie y el nuevo gozo en su corazón podían reconocerse fácilmente cuando más tarde ella compartió su experiencia con todo el grupo. "No quería venir hoy a la iglesia —admitió Debbie—, pero las oraciones de mis padres han sido contestadas. Estoy muy feliz al saber ahora que hace unos minutos llegué a ser una cristiana que ha nacido de nuevo".

Toda la congregación alabó a Dios y se regocijó con este nuevo miembro de la familia de Dios. Fue un milagro que un alma fuese salvada un domingo de mañana en una iglesia adventista. El padre de Debbie resumió cómo se sentían él y su esposa cuando dijo: "No podríamos haber comprado esta experiencia ni por miles de dólares".

Como ocurrió con Ezequiel, Dios da a su pueblo una visión para que los cautivos puedan ser libres. Todos los que están prisioneros en la Babilonia del temor, la rebelión, la culpa o el pecado, pueden, como Debbie, regresar a la tierra prometida del gozo y la paz.

Una oración para hoy: *Señor, abre mis ojos para ver las almas que están listas para aceptarte como su Salvador y ayúdame a ser tu siervo para introducirlos a Jesús.*

EL ESPIRITU DE DIOS EXPULSA LOS IDOLOS

Y pondré dentro de vosotros mi Espíritu, y haré que andéis en mis estatutos, y guardéis mis preceptos, y los pongáis por obra. Ezequiel 36:27.

Fue el hecho de que las vidas de los israelitas de antaño estuvieran dominadas por la idolatría lo que finalmente los condujo al cautiverio babilónico. En medio de seis mensajes proféticos que revelan el plan para la restauración de un remanente, Dios habló de una renovación espiritual como la base para la futura capacidad del pueblo de mantenerse libre de la iniquidad y la contaminación de la adoración idolátrica.

Idolatría es amar a alguien o algo más que a Dios. Tal vez usted piense que los ídolos no le afectan, de modo que aquí va un rápido cuestionario: ¿De quiénes o de qué usted piensa más? ¿De quiénes o de qué habla más? ¿Quién o qué recibe sus afectos más cálidos y sus mejores energías? Si usted es realmente honesto consigo mismo al respecto y si no encuentra a Dios en el lugar número uno, entonces debiera agitarse una bandera roja en su mente. He aquí su mensaje: Preste atención a las advertencias del Señor contra la idolatría, e implemente la cura, o de otro modo el ídolo finalmente lo destruirá.

Dios enfrenta nuestro pecado de idolatría haciéndonos posible aceptar por la fe la muerte de Jesús en nuestro favor y recibir su perdón cuando acudimos a él con confesión y arrepentimiento. Dios hace frente a nuestra incapacidad para vivir libres de la idolatría llenándonos con la presencia interior del Espíritu Santo. El Espíritu hace que a los que él llena, vivan de acuerdo con todos los principios de la Palabra de Dios. Con el Espíritu Santo en su vida, todos los mandatos de Dios se convierten en habilitaciones y todas sus órdenes llegan a ser promesas que deleitan el corazón.

Ezequiel 36:25-28 es definitivamente una promesa del nuevo pacto, aunque Ezequiel no usa ese término. Sin embargo, usa la fórmula del nuevo pacto para describir la posición de usted en relación con Dios cuando el Espíritu Santo lo llene hoy: "Me seréis por pueblo, y yo seré a vosotros por Dios". Los ídolos más queridos han sido destruidos.

Una oración para hoy: *Revélame, Señor, todo aquello que pueda haberse convertido en un ídolo para mí y ayúdame para que ocupe el lugar que le corresponde en mi vida por el poder de tu Espíritu.*

ATERRIZANDO EN MEDIO DE HUESOS

La mano de Jehová vino sobre mí, y me llevó en el Espíritu de Jehová, y me puso en medio de un valle que estaba lleno de huesos. Ezequiel 37:1.

El Señor dio a su profeta algunas visiones más bien extrañas a fin de impresionar en la mente de su pueblo cuál era su verdadera condición espiritual y su única fuente de verdadero reavivamiento. Tuve la oportunidad de visitar el monasterio de Santa Catalina en el monte Sinaí. Allí en la famosa biblioteca hay más de 3.000 antiguos manuscritos, muchos de ellos tan secos y rotos como los huesos vistos por Ezequiel en su extraña visión. Sin embargo, entre esos manuscritos se han encontrado palabras de vida eterna.

Por ejemplo fue allí, en 1844, donde el conde Tischendorf encontró el manuscrito del año 340 d.C. que llegó a conocerse como el Códice Sinaítico. Ese documento contiene no solamente partes del Antiguo Testamento sino también el Nuevo Testamento completo, con el hermoso relato del Evangelio de vida mediante el sacrificio de Jesús y el poder resucitador del Espíritu Santo. Sí, por cierto que los huesos pueden vivir.

También en Santa Catalina se encuentra la Iglesia Bizantina de la Transfiguración, ricamente adornada. Esta iglesia contiene la Capilla de la Zarza Ardiente, que se dice que fue construida por la madre de Constantino en el 342 d.C. Algunos hermosos íconos muestran allí cómo los huesos muertos pueden vivir. Se ve a Jesús siendo bautizado por inmersión en el río Jordán. Se lo representa como muriendo en la cruz y resucitando de la tumba. Provee el don gratuito de la vida eterna.

En el convento de Santa Catalina viven unos doce monjes. Cuando finalmente mueran, serán enterrados por un año en un cementerio de cinco metros cuadrados y luego sus esqueletos serán llevados a la Casa Charnel y agregados al montículo de huesos que ya están allí. Cuando observé estos huesos desmembrados y el esqueleto de San Estéfano, que había estado sentado allí plenamente vestido desde el 580 d.C., recordé nuevamente la visión de Ezequiel. ¡Sí, es posible, mediante el poder resucitador del Espíritu Santo, que estos huesos vivan otra vez!

Una oración para hoy: *Padre, cuando la vida parezca seca y dislocada, ayúdame a recordar que hay vida en ti.*

RUIDO DE HUESOS

Y pondré mi Espíritu en vosotros, y viviréis, y os haré reposar sobre vuestra tierra; y sabréis que yo Jehová hablé, y lo hice, dice Jehová. Ezequiel 37:14.

Escuché a un buen predicador joven dar una aplicación moderna muy significativa de esta profecía. "El valle —explicó —representa la iglesia. Sin el Espíritu Santo, ésta se encuentra sin vida, con personas muertas en delitos y pecados. Pueden presentarse todas las doctrinas y enseñanzas de la iglesia mientras los miembros de iglesia oyen la 'palabra de Jehová' (Eze. 37:4), pero esto no es suficiente para producir la vida tan necesaria.

"Los huesos se sacuden juntos y están cubiertos de carne. Sin embargo, toda la organización, las ceremonias, los reglamentos y el institucionalismo —no importa cuán exitosos parezcan ser— no pueden abrir las tumbas (vers. 12). La iglesia puede levantarse como un ejército poderoso (vers. 10) y avanzar con poder conquistador para Jesús sólo cuando el Espíritu de Dios llena cada vida".

Aunque yo sabía que la aplicación primaria de esta profecía se refiere a los judíos en exilio en Babilonia y al deseo de Dios de traerlos de vuelta a su patria donde un remanente nuevamente podría vivir con vitalidad espiritual, estoy de acuerdo de todo corazón con la aplicación moderna del pastor. Ha habido ocasiones en mi propia experiencia cristiana cuando, aun como ministro, no he tenido una relación viviente con el Señor. Sabía cómo hacer y decir todo en forma correcta, pero estaba faltando verdadera vida espiritual.

Una persona en esta situación generalmente no es consciente de lo que ha ocurrido porque los muertos no saben nada (Ecl. 9:5). Pero en su amor y misericordia, Dios está guiando constantemente a su pueblo a lugares donde pueden estar expuestos al ministerio de la oración, al reavivamiento y a una nueva conciencia del Evangelio. Es emocionante ver los cambios dramáticos que pueden ocurrir cuando una persona se levanta de la tumba de la muerte espiritual. Alabo a Dios por su poder resucitador en mi propia vida, y lo invito a pedirle al Espíritu Santo que llene completamente su vida hoy.

Una oración para hoy: *Señor, no sólo te pido que sacudas los huesos de mi vida sino también que me resucites para ser parte de tu gran ejército. Lléname con tu Espíritu nuevamente hoy de modo que tu vida pueda revelarse por mi intermedio.*

LO QUE PODRIA HABER SIDO

Ni esconderé más de ellos mi rostro; porque habré derramado de mi Espíritu sobre la casa de Israel, dice Jehová el Señor. Ezequiel 39:29.

Es una tragedia que Israel como nación fracasó en cumplir las condiciones que lo habría convertido en una gran lección objetiva del extraordinario poder de su Dios ante todas las naciones circunvecinas. Ezequiel 39:29 concluye una serie de profecías de restauración que comenzaron en Ezequiel 33:23. Es un puente que une con los capítulos finales, donde el Espíritu Santo presenta corrientes de agua vivificantes que se habrían derramado del gran templo, trayendo sanidad a todas las personas (Eze. 47:12).

Es imperativo que todas las organizaciones y denominaciones cristianas aprendan la lección del antiguo Israel. No es suficiente conocer la verdad, trabajar para Dios, creer que la profecía está cumpliendo su ministerio, o recibir la promesa del Espíritu Santo. A menos que haya un continuo sometimiento a la voluntad y la dirección de Dios; una disposición para cumplir las condiciones de la fe, la gracia y el poder espiritual, y una sincera obediencia a la Palabra, Dios ciertamente puede reemplazar a los infieles suscitando a otros que cumplan su eterno propósito.

Es debido al principio de la profecía condicional (Jer. 17:7-10) que Dios ahora ministra al mundo a través de una nación de fe, el Israel espiritual. Los profetas del nuevo pacto, como Pablo y Juan el revelador, pintan un escenario en el cual tiene lugar el derramamiento final del Espíritu Santo y la resultante batalla entre el bien y el mal. Juan extrae escenas de las imágenes de Ezequiel 38 y 39 cuando ve a aquellos que, como Gog y Magog, tratan finalmente de destruir la ciudad de Dios (Apoc. 20:8).

Como siempre, se hace posible la victoria para el remanente fiel de Dios porque Dios derrama su Espíritu sobre ellos con el poder de la lluvia tardía (Joel 2:23, 28-32). No confíe para su salvación en su afiliación denominacional o en su ministerio pasado o presente. Cultive una relación diaria, cara a cara, con el Espíritu de Dios, y crezca en gracia y en el conocimiento de su Señor y Salvador Jesucristo. Entonces la denominación y el ministerio tendrán su correcto lugar.

Una oración para hoy: *Padre, así como has derramado tu Espíritu sobre mí, capacítame también para caminar en la luz de tu eterna Palabra.*

UNA VISION DE GLORIA

Y me alzó el Espíritu y me llevó al atrio interior; y he aquí que la gloria de Jehová llenó la casa. Ezequiel 43:5.

Elena Harmon tenía sólo 18 años cuando se casó con Jaime White, un predicador joven y enérgico. Fue durante sus primeros meses de casados que el Espíritu Santo le reveló a Elena algunas de las glorias del templo celestial, y fueron estas glorias las que transformaron para siempre su visión del cielo y de la tierra.

Cuando visité el hogar de los Howland en Topsham, Maine, con el presidente de la conferencia, Elmer Malcolm, hablamos de algunas de las maravillosas experiencias que el Señor les había dado a los pioneros adventistas en aquel lugar. Hablando de una visión que recibió el 3 de abril de 1847, Elena de White dijo: "Sentimos un espíritu de oración inusual. Y cuando orábamos, el Santo Espíritu cayó sobre nosotros. Estábamos muy felices. Pronto perdí contacto con las cosas terrenales y fui envuelta en una visión de la gloria de Dios". Ella continuó hablando de las glorias de los lugares santo y santísimo en el gran templo celestial y del extraordinario esplendor de la gloria del trono de Dios (A. L. White, *Ellen G. White: The Early Years*, p. 120).

A Elena de White se le dio muchas veces esta gran experiencia de vislumbrar la gloria de Dios. Por ejemplo, casi 20 años después de la experiencia que tuvo en la casa de los Howland, los White estaban visitando Rochester, donde la salud de James se empeoró tanto que comenzó a pensar en la muerte. Nuevamente Elena de White dice lo que ocurrió: "En la Nochebuena, mientras nos humillábamos delante de Dios en ferviente oración, nos pareció ver como que la luz del cielo brillaba sobre nosotros, y fui arrebatada en una visión de la gloria de Dios. Me pareció como si hubiera sido trasladada rápidamente de la tierra al cielo, donde todo era salud, belleza y gloria. Mis oídos empezaron a oír acordes musicales melodiosos, perfectos, fascinantes" (*Notas biográficas*, pp. 189-190).

No es de extrañarse que Elena de White exclamara "¡Gloria! ¡Gloria! ¡Gloria!" al ser arrebatada en visión. Como Ezequiel en la antigüedad, esta joven tuvo el privilegio de captar una vislumbre de la magnífica gloria que está reservada para todos los redimidos.

Una oración para hoy: *Educa mis ojos, Señor, para contemplar por la fe más allá de las tinieblas de este mundo al brillo permanente de tu reino eterno.*

NO ENCANDILADO POR BABILONIA

Por último se presentó Daniel, llamado también Beltsasar en honor a mi dios, y cuya vida está guiada por el espíritu del Dios santo. Daniel 4:8, V. Popular.

Nabucodonosor tenía razón. Daniel fue un hombre que dio evidencias dramáticas de que el Espíritu Santo de Dios estaba en él, como dijo Teodocio en su traducción griega de este pasaje, del siglo II de nuestra era. Aunque Daniel era un prisionero en una tierra extranjera, no estaba en un calabozo oscuro y cenagoso sino rodeado por riquezas y opulencia en el palacio del rey. A veces Satanás hace eso para confundir nuestras mentes y debilitar nuestra resistencia al mal. Los placeres del pecado pueden parecer confortables, excitantes y gratificadores... por un tiempo. Pueden alimentar nuestro ego hasta que nos sentimos importantes en la tierra del enemigo. Nuestro dinero, nuestro buen aspecto, nuestro intelecto, nuestro ingenio, nuestra personalidad, nos hacen populares, y nos deleitamos en ello hasta que el día de ajuste de cuentas nos muestra la vacuidad de todo.

Daniel no cometió el error de dejarse encandilar por el encanto de lo que le rodeaba. Aun en el asunto relativamente pequeño de la dieta, se negó a renunciar a su determinación de no contaminarse con los engaños sutiles de Babilonia. La decisión de Daniel de hacer lo correcto inspiró la composición del desafiante himno de temperancia que enseñábamos a nuestros niños hace años: "A Daniel imita; dalo a conocer; muéstrate resuelto y firme, aunque solo estés".

Afortunadamente, aparte de su experiencia en el foso de los leones, Daniel no estuvo solo, sino que fue bendecido con un pequeño grupo de amigos que oraban con él. El Espíritu Santo guió a estos hombres a una experiencia de compañerismo en la oración mientras enfrentaban una serie de severas pruebas (Dan. 2:13-18). Fue en esta forma como el Espíritu Santo pudo colocar un cerco de protección en torno a ellos, en su ambiente hermoso pero hostil. Vieron la gloria de Dios, la que en contraste reveló la oscuridad de su ambiente terrenal.

Atrévase a ser un Daniel. No baje su guardia ante una persona atractiva, un ambiente relumbrante, un convenio comercial sugestivo, una oportunidad excitante, o un descanso y una recreación tentadora. Sea fuerte en el Espíritu del Dios santo.

Una oración para hoy: *Padre, ayúdame a recordar que los dioses de este mundo a veces pueden parecer buenos, pero sólo tú eres total y eternamente digno de confianza.*

NO UN MAGO

Beltsasar, jefe de los magos, ya que he entendido que hay en ti espíritu de los dioses santos, y que ningún misterio se te esconde, decláreme las visiones de mi sueño que he visto, y su interpretación. Daniel 4:9.

"Hay actualmente tantos místicos, visionarios religiosos, psicólogos de la Nueva Era y personas llamadas profetas, que dudo que alguna vez podamos saber en quién confiar", me dijo Ramona, una alumna graduada de filosofía y psicología, de unos 40 años.

"Permítame hablarle de un hombre que vivió más de 500 años antes del tiempo de Jesús", repliqué.

"¿Por qué ir tan atrás? ¿Por qué no me habla de alguien que vive hoy en día?", repuso Ramona al mismo tiempo que su rostro traicionaba su obvio interés.

Le pedí sabiduría al Espíritu Santo y luego comencé a contar la historia de Daniel y el rey Nabucodonosor. "Ocurrió hace mucho tiempo, pero nos da la oportunidad única de verificar todos los detalles y ver que la verdad de Dios se revela claramente en medio de todos los tipos de falsificaciones".

Proseguí explicando cómo Nabucodonosor confiaba en Daniel porque había oído la asombrosa palabra de Dios concerniente al sueño de una gran imagen, el que se registra en Daniel 2. "Ramona, este sueño predijo el surgimiento y la caída de las naciones —dije—, y podemos verificar toda la información histórica y confirmar que las profecías de Daniel se escribieron mucho antes de los eventos finales que describen. Fuentes tales como los Rollos del Mar Muerto y el famoso manuscrito que el conde Tischendorf encontró en el monasterio de Santa Catalina, muestran que Daniel es ciertamente un libro auténtico del Antiguo Testamento.

"No obstante, Dios no sólo desea que conozcamos los hechos objetivos. Daniel no fue un mago sino un hijo de Dios lleno del Espíritu. En consecuencia, cuando recibió una comprensión de la profecía, Daniel bendijo el nombre de Dios. Reconoció que la verdadera sabiduría venía sólo de él. Daniel glorificó, alabó y adoró mientras reconocía la grandeza y la omnipotencia de Dios (Dan. 2:20-23). Esta es la diferencia que usted debe buscar —le expliqué a Ramona—. En el corazón y en la vida de un verdadero profeta, usted encontrará que sólo Dios es exaltado y alabado. Hay una evidencia inequívoca de una genuina devoción a él".

Una oración para hoy: *Señor, establece firmemente mi confianza en tu sabiduría y poder.*

PROBANDO PRIMERO LOS FRACASOS

Yo el rey Nabucodonosor he visto este sueño. Tú, pues, Beltsasar, dirás la interpretación de él, porque todos los sabios de mi reino no han podido mostrarme su interpretación; mas tú puedes, porque mora en ti el espíritu de los dioses santos. Daniel 4:18.

¿Tiene usted un problema con el síndrome de Nabucodonosor? Esta es la tercera vez que Nabucodonosor confesó su confianza en la conexión de Daniel con el Espíritu de Dios, pero aunque el rey testifica de las maravillas que Dios ha obrado en su favor (Dan. 4:2), todavía se dirige primero a sus magos y astrólogos (vers. 7). Es difícil romper los viejos hábitos y alianzas.

"Si este programa va a tener éxito —dijo el administrador de la iglesia—, la principal cosa que necesitamos hacer es organizar algunos comités y juntar dinero".

"¿No hemos aprendido en el pasado que el dinero y los comités no pueden hacer el trabajo? —preguntó un joven pastor—. Acudamos al Señor en oración. Busquemos fervientemente el derramamiento del Espíritu Santo. Quizás podamos pasar algunos días en oración y ayuno, y entonces veremos que ocurren milagros al bendecir Dios a sus humildes siervos".

El joven tenía razón. Los comités y los recursos financieros tienen su lugar, pero es un hábito peligroso depender de ellos porque Dios es quien nos suple con los simples medios que el Espíritu Santo puede usar.

"Cuando me siento cansada y agotada, comienzo a beber cantidad de café —confesó una dama cristiana—. Sin embargo, parece que el café ya no resuelve mis problemas".

María estaba asombrada al ver los cambios que se produjeron en su vida cuando asistió a un seminario sobre el Espíritu Santo y aprendió a dedicar tiempo a la comunicación con Dios mediante la oración significativa y el estudio devocional de la Palabra. "Hace años oí hablar de esto —dijo—, pero últimamente había descuidado a Dios".

Hay múltiples ejemplos del síndrome de Nabucodonosor. De modo que yo le pido que hoy examine sus actitudes y acciones, y acuda al Espíritu Santo, sabiendo que siempre puede ir primero a la fuente de la verdadera sabiduría e inteligencia.

Una oración para hoy: *Padre, tú eres capaz de revelar el significado más profundo de todos los misterios de la vida, de modo que nuevamente me dirijo a ti para obtener la dirección que necesito.*

RODILLAS TEMBLOROSAS EN LA FIESTA

En tu reino hay un hombre en el cual mora el espíritu de los dioses santos, y en los días de tu padre se halló en él luz e inteligencia y sabiduría, como sabiduría de los dioses; al que el rey Nabucodonosor tu padre, oh rey, constituyó jefe sobre todos los magos, astrólogos, caldeos y adivinos. Daniel 5:11.

Los miembros de la alta sociedad de Babilonia estaban de fiesta la noche cuando cayó su reino. Habían tomado los vasos de oro del templo de Dios en Jerusalén, y ahora los estaban usando en una parranda de borrachos en honor de dioses paganos corruptos. En medio de esta escena, que en varios aspectos se repite a menudo a medida que el mundo se acerca al siglo XXI, se vio que una mano sin sangre escribía en la pared, y su mensaje no fue bienvenido.

Las rodillas de Belsasar chocaban entre sí mientras temblaba con incontrolable temor. Desesperado el joven rey repitió el pecado generacional de su abuelo Nabucodonosor. Primeramente llamó a los sabios del reino, adivinos que siempre habían fracasado. La madre de Belsasar, sin embargo, recordó el síndrome de Nabucodonosor y finalmente pidió la ayuda de Daniel, el hombre de Dios lleno del Espíritu.

"La vida es una fiesta", ha dicho alguien, pero nunca parece terminar como ocurre en los avisos de cerveza. Aparte de Jesús, la diversión se convierte rápidamente en pelea, las canciones en enfermedad, el deleite en depresión. Tarde o temprano la escritura del Espíritu Santo aparece en la "pared" de la mente. Un cuerpo humano que ha sido hecho para regocijarse verdaderamente en Dios, se las ve enfrentando con temor las consecuencias de la intemperancia, la inmoralidad y la falta de decoro que no han sido perdonadas. Las "rodillas" de la mente comienzan a entrechocarse con remordimiento incontrolable, y el rostro refleja agotamiento y ansiedad. No hay más confianza. Los dioses de la diversión han fallado nuevamente.

En medio de la confusión actual todavía hay Danieles que pueden interpretar las señales de los tiempos. La voluntad de Dios es que su Santo Espíritu hable a los amigos de las diversiones antes de que pierdan el reino para siempre. Escuche hoy su voz cuidadosamente mientras todavía trae luz, comprensión y sabiduría, conectadas como siempre al amor, la aceptación y el perdón.

Una oración para hoy: *Señor, contigo la vida es grande, y cuando los cristianos se juntan pueden tener un verdadero festival de gozo sin lamentaciones.*

EVITANDO EL TEMOR IRRAZONABLE

Yo he oído de ti que el espíritu de los dioses santos está en ti, y que en ti se halló luz, entendimiento y mayor sabiduría. Daniel 5:14.

Cuando la fiesta de la humanidad finalmente se acabe, los perdidos clamarán a las rocas y a los montes para que caigan sobre ellos y los oculten del rostro del Cordero (Apoc. 6:15-17). Sólo personas que experimentan un temor profundo podrían sentirse intimidadas por un cordero, pero aquellos que padecen la depresión máxima debido a su rechazo final del Espíritu de Dios aun temen a Aquel que podría ayudarlos como nadie.

Cuando estaba visitando Irak, me senté en las ruinas de la antigua Babilonia y leí nuevamente el mensaje claro y conciso que el Espíritu Santo le dio a Daniel. Allí, en las últimas horas de Babilonia, están reveladas todas las claves para evitar el temor que finalmente es autodestructivo. Prestemos atención ahora viendo cómo Daniel, lleno del Espíritu, enfrenta sin temor al rey.

Note primeramente que Daniel no se dejó sobornar aceptando los regalos del mundo (Dan. 5:17). Si recordamos esto, las potencias del mal no podrán seducirnos. En segundo lugar, Daniel reconoció que el honor y la autoridad están realmente en la mano de Dios (vers. 21). Los comités, las juntas o los electorados pueden ser manipulados o cometer errores, pero Dios es el árbitro final de nuestro destino eterno. En tercer lugar, sólo hay locura e insensatez hasta que se reconoce el señorío de Dios en el reino del corazón (vers. 27). Cuarto, la verdadera grandeza viene mediante la humildad sincera ante Dios (vers. 22). Postrados de rodillas ante la cruz de Jesús, estamos en el lugar más elevado posible en esta vida. Cinco, la profanación de la verdadera adoración trae como consecuencia que los dioses falsos manipulen a sus víctimas (vers. 23). Si no adoramos en espíritu y en verdad, estamos expuestos al materialismo religioso, el emocionalismo vacío o el frío formalismo. Sexto, a menos que reconozcamos que Dios es el dueño de nuestra vida mediante la sangre de Jesús y a menos que él sea glorificado en nuestro cuerpo y espíritu (vers. 23; 1 Cor. 6:19-20), nuestro único futuro es la tragedia de la eterna destrucción (Dan. 5:30).

¡Alabemos al Señor que puede concedernos el Espíritu Santo para escribir hoy las maravillosas palabras de vida en nuestros corazones! Jesús ha sido "pesado en balanza" y hallado suficiente para todos.

Una oración para hoy: *Padre, te reconozco como el dador y sustentador de todo lo que tengo, y sólo me glorío en ti.*

UNA LLUVIA DE JUSTICIA

Vosotros también, hijos de Sión, alegraos y gozaos en Jehová vuestro Dios; porque os ha dado la primera lluvia a su tiempo, y hará descender sobre vosotros lluvia temprana y tardía como al principio. Joel 2:23.

"Está comenzando a llover". ¿Cuál es su primera reacción ante estas palabras? En una zona seca son causa de celebración. En un valle anegado de agua usted puede contestar: "¡Oh, no! Hemos tenido suficiente".

En la economía agrícola israelita la lluvia era esencial para la supervivencia, y la secuencia de lluvia temprana, de media estación y final o tardía era vital para el crecimiento y la abundancia de la cosecha. No es difícil, entonces, ver por qué se usa el simbolismo de las estaciones de lluvia para ilustrar el poderoso derramamiento del Espíritu Santo (Joel 2:28-29).

En realidad la expresión "lluvia temprana" de este versículo se traduce a menudo "maestro de justicia", y este es el gran ministerio del Espíritu Santo: magnificar y enseñar la justicia de Jesús en las vidas del pueblo de Dios. La justicia y la lluvia están relacionadas en los mensajes de los profetas. Isaías dice: "Rociad, cielos, de arriba, y las nubes destilen la justicia" (cap. 45:8). Oseas nos ayuda aun más para explicar el simbolismo de justicia, lluvia y Espíritu Santo. "Sembrad para vosotros en justicia, segad para vosotros en misericordia; haced para vosotros barbecho, porque es el tiempo de buscar a Jehová, hasta que venga y os enseñe justicia" (cap. 10:12).

Abra hoy su corazón para rendirse a esa maravillosa lluvia de justicia.

Podemos entender que la profecía de la lluvia tardía dada por Joel tiene un significado especial ahora, durante los tiempos dramáticos en que vivimos. De ninguna manera estamos anegados con el agua del Espíritu de Dios, y estamos empezando a ver la terminación de la sequía. Está realizándose alrededor del mundo una revelación tal de la justicia de Jesús en el hermoso mensaje del Evangelio, que más personas que nunca en la historia humana están llegando a ser nuevos cristianos: más de 78.000 por día. No sólo es emocionante ser parte de este gran movimiento del Espíritu sino también experimentar el poder victorioso de la lluvia tardía en su propia vida ahora mismo.

Una oración para hoy: *Padre, empapa la sequedad de mi vida con el pleno derramamiento de tu Espíritu de justicia y verdad.*

FUEGO AL ROJO

Y después de esto derramaré mi Espíritu sobre toda carne, y profetizarán vuestros hijos y vuestras hijas; vuestros ancianos soñarán sueños, y vuestros jóvenes verán visiones. Joel 2:28.

¿Ha visto usted alguna vez metal al rojo vivo que es derramado como fuego líquido? Esta es la manera como puede ser traducida la palabra "derramaré" en Joel 2:28. En Pentecostés el Espíritu Santo literalmente apareció como lenguas de fuego al rojo vivo, y los discípulos comenzaron un ministerio llameante con el poder del Espíritu.

La Dra. Lilia Beer es una médica de Florida a quien el Espíritu de Dios usó en una forma especial durante un año de servicio médico a la comunidad en Tijuana. A través de sus estudios bíblicos fue levantada toda una nueva iglesia de 50 miembros. Unos pocos años más tarde Lilia fue guiada por el Espíritu Santo para estudiar y orar acerca del Espíritu Santo, y como resultado encontró en su corazón una sed profunda de un nuevo derramamiento del fuego en su vida y en la iglesia.

Lilia fue alentada por Linda, que había regresado a la Iglesia Adventista después de estar una cantidad de años en una denominación pentecostal. "Creo que la Iglesia Adventista tiene las enseñanzas correctas —le había dicho Linda a la Dra. Beer—, ¿pero por qué tenemos tan poco del Espíritu Santo?"

Cuando estas dos fervientes damas comenzaron a orar juntas y con su pastor y un pequeño grupo de fervorosos miembros de iglesia, el Espíritu implantó una visión en sus mentes. Comenzó a arder dentro de ellos como un fuego al rojo vivo. "Tendremos un seminario sobre el Espíritu Santo en nuestra iglesia, y este será el comienzo de una gran obra del Espíritu en esta parte de Florida".

El Dios que da visiones y sueños honra la fe de aquellos que son obedientes a su dirección. Tuve el privilegio de conducir el seminario y ver cómo tuvo lugar el derramamiento del Espíritu. Un bautista que había sido traído al seminario por un amigo adventista, testificó: "Mi pastor ha estado enseñando este tema, pero nunca he oído algo tan claro y cierto como lo que aprendí aquí este fin de semana. ¡Alabado sea Dios porque realmente he experimentado lo que significa ser lleno con el fuego del Espíritu!"

Una oración para hoy: *Dame una visión ardiente, Señor, de lo que puede ocurrir cuando tu Espíritu es derramado.*

BIENVENIDO, PODER PARA LOS SIERVOS

Y también sobre los siervos y sobre las siervas derramaré mi Espíritu en aquellos días. Joel 2:29.

Pedro explicó los eventos sobrenaturales del día de Pentecostés citando la profecía de Joel. Interpretó la expresión "en aquellos días" como significando "en los postreros días" (Hech. 2:17), y otros escritores del Nuevo Testamento concurren en que ciertamente toda la era cristiana corresponde a los últimos días de la historia de la salvación. Esta era del Espíritu Santo fue inaugurada en Pentecostés y culmina en la segunda venida de Jesús, cuando "el sol se convertirá en tinieblas, y la luna en sangre" (Hech. 2:20).

No toda la gente que vive en la era del Espíritu Santo y en el tiempo de la lluvia tardía recibirá el derramamiento del Espíritu. El mismo está especialmente reservado para aquellos que están dispuestos a ser los siervos de Dios. A través del fruto y los dones del Espíritu, los siervos de Dios son capaces de reflejar su carácter y ministrar para él. Es por esto que lo exhorto nuevamente a orar la oración de completo sometimiento del siervo, renovando cada día el poder de Dios en su vida. "Hazme un siervo, como tú fuiste un siervo, Señor".

"Los resultados del seminario del Espíritu Santo en nuestra iglesia han sido milagrosos —me dijo la Dra. Beer mientras hablaba conmigo por teléfono desde Florida—. Ayer, al concluir el culto divino del sábado, el pastor preguntó si alguno desearía quedarse para tener una oración especial. Más de 100 personas lo hicieron, y oramos juntos por más de una hora. Las personas colocaban las manos sobre los enfermos mientras oraban por ellos, y ocurrieron algunas maravillosas experiencias de curación. Cantamos juntos quedamente en oración, y los miembros de iglesia hablaron de las grandes bendiciones que habían recibido".

La Dra. Lilia Beer me recordó de una cantidad de personas que habíamos ungido durante el seminario y luego concluyó: "Uno de mis pacientes estaba sufriendo de una pierna inflamada para lo cual yo no había podido encontrar una cura. Después del ungimiento, esta dama descubrió que su pierna se había sanado completamente y que la enfermedad no había reaparecido. Otros que habían sido escépticos de la obra del Espíritu Santo, dieron testimonios similares asombrosos sobre el poderoso ministerio del Espíritu a través de sus siervos en ese día".

Una oración para hoy: *Señor, te agradezco que puedo vivir en este tiempo cuando tus siervos pueden servir con extraordinario poder espiritual.*

PACIENTE ESPIRITU

Tú que te dices casa de Jacob, ¿se ha acortado el Espíritu de Jehová? ¿Son estas sus obras? ¿No hacen mis palabras bien al que camina rectamente? Miqueas 2:7.

¿Se ha sentido alguna vez con deseos de atacar al cartero al recibir una carta que no le gustaba? Es improbable, pero a menudo los mensajeros de Dios son tratados de esa manera. Ser portavoz de Dios no siempre es el camino a la popularidad.

Un sábado de mañana, después de predicar un mensaje positivo y lleno del Espíritu, un joven pastor se sorprendió cuando un airado miembro de iglesia lo acosó en el vestíbulo. "Usted no tenía derecho de hablarme en la manera que lo hizo en ese sermón", gritó el hombre.

El pastor le explicó al escéptico miembro que no sabía nada de su situación, sino que meramente había hablado las palabras de la Escritura que el Espíritu Santo había impresionado en su mente para ese día.

El profeta Miqueas enfrentó una situación similar. Había dado fielmente su mensaje de advertencia a Judá en un tiempo de apostasía nacional, y como resultado la gente estaba airada contra él. ¿Por qué no predicó acerca de paz y seguridad como lo hicieron los falsos profetas? ¿Era impaciente el Espíritu de Dios al advertir de un juicio venidero?

Hace una semana algunos amigos me llamaron y explicaron que mientras estaban orando, el Señor los había impresionado para que me enviaran por fax algunas parábolas que habían escrito referente a un problema con el cual yo estaba luchando. Tan pronto como llegó el fax, comprendí cuán exactamente las parábolas ilustraban los engaños y peligros de mi situación. Hubiera preferido oír que todo estaba bien, pero sus oportunas advertencias también me convencieron de la paciencia del Espíritu Santo mientras se relaciona con los hijos de Dios de un modo firme pero amante.

El Espíritu de Dios nunca actuará impulsiva o impacientemente con usted. Hará todo lo que puede para mantenerlo en el camino correcto sin violar su libre albedrío. Sin embargo, nunca piense que la paciencia del Espíritu con usted le permitirá dejarlo para que camine desprevenido por un lugar donde el enemigo de su alma pueda tener autoridad final sobre usted.

Una oración para hoy: *Padre, hoy te pido la paciencia y amante firmeza en mi trato con otros que tú constantemente me muestras a mí.*

SIN NINGUNA DUDA

Mas yo estoy lleno de poder del Espíritu de Jehová, y de juicio y de fuerza, para denunciar a Jacob su rebelión, y a Israel su pecado. Miqueas 3:8.

Muchos cristianos sienten que sería una manifestación de orgullo reconocer que están salvos por la sangre de Jesús o que están llenos del Espíritu Santo. Si encuentra difícil creer eso, póngase de pie en su iglesia un sábado de mañana y pregunte: "¿Cuántos de los que están aquí son cristianos que han nacido de nuevo?" o "¿Cuántos de ustedes son cristianos llenos del Espíritu?"

Pero admitir un hecho acerca de quién es usted no es orgullo pecaminoso sino simple realidad. Si en una iglesia en los Estados Unidos usted preguntase, "¿Cuántos de ustedes son norteamericanos?", la mayoría levantaría su mano. Reconocerían la realidad.

Después de un servicio de adoración pedí que se quedasen quienes quisieran tener la certeza de estar llenos del Espíritu Santo. Una gran porción de la congregación vino al frente y yo expliqué los pasos para alcanzar esta completa seguridad.

"En primer lugar, pida al Espíritu Santo que cree dentro de usted un profundo anhelo de esta experiencia. Usted se ha quedado aquí para orar porque esta sed ya ha comenzado a ocurrir, de modo que reconozca éste como el primer paso. Usted se está acercando a Dios en un acto de entrega total al Espíritu. Mientras este ferviente deseo esté en su corazón, dé el segundo paso, el paso de fe, y crea que él ha oído su oración pidiendo ser llenado del Espíritu Santo, y comience a agradecerle y alabarlo porque ahora ha tomado posesión de cada parte de su ser. Luego de esto él le dará la absoluta certeza de que es un hijo de Dios (Rom. 8:16)".

Después que cantamos y alabamos juntos al Señor, mucha gente quedó, con lágrimas de gozo en sus ojos, y testificó que era maravilloso tener una certeza que nunca habían conocido antes. Unas pocas semanas más tarde me encontré con uno de los hombres que habían estado presentes. "Estoy renovando mi experiencia con el Espíritu Santo cada día —me dijo rápidamente—. Jesús se ha convertido en algo especial para mí. Sé que soy un cristiano lleno del Espíritu".

Esto no es orgullo pecaminoso. Es la realidad que usted puede tener cada día.

Una oración para hoy: *Gracias, Señor, por cumplir nuevamente hoy la promesa de Lucas 11:13. Sé que tengo tu don del Espíritu.*

EL SIEMPRE ESTA AQUI

Según el pacto que hice con vosotros cuando salisteis de Egipto, así mi Espíritu estará en medio de vosotros, no temáis. Hageo 2:5.

"Esta iglesia no parece tan impresionante como aquella a la cual yo solía pertenecer. Me pregunto si el Señor realmente está obrando aquí".

He encontrado personas que han estado preocupadas acerca de ese interrogante al trasladarse a una nueva ciudad o denominación, y han sentido mucha ansiedad respecto a adorar en una estructura pequeña e insignificante. Cuando los judíos que habían visto el templo de Salomón lo compararon con el nuevo templo de Zorobabel, casi sintieron pánico. ¡Seguramente Dios no podría hacer mucho en un lugar como ese!

El profeta alentó grandemente al pueblo. Afirmó que el Espíritu Santo permanecería con ellos y que el Mesías honraría esta humilde estructura con su presencia.

No importa cuán pequeña sea su casa de adoración, puede ser una fuente de poder del ministerio del Espíritu Santo mediante el amor y la presencia de Jesús, el Deseado de todas las gentes.

Una de las trampas en la que ha caído el cristianismo ha sido girar en torno a los edificios en vez de centrarse en las personas. Desde el tiempo de Constantino hasta el presente, se han gastado vastas fortunas en levantar estructuras mientras que los fondos para el ministerio han sido escasos. El cristianismo primitivo no tuvo ese problema. Creyentes y buscadores de la verdad se reunían en casas o al aire libre, y todos sabían que serían nutridos y alimentados en esos centros de fe mientras el Espíritu Santo ministraba a través de personas a quienes llenaba con su poder.

"¡Estoy tan entusiasmado con esta iglesia!", me dijo un médico jubilado mientras yo dirigía reuniones de reavivamiento con el pastor Eoin Giller. Yo sabía que no estaba hablando acerca del edificio. "Mi esposa y yo nos mudamos cruzando el país para ser miembros aquí —continuó—. Necesitábamos el amor que sentimos en este lugar; la gente es tan amigable; el pastor realmente nos alimenta de la Palabra de Dios; el Espíritu Santo se está manifestando aquí en una forma maravillosa".

Cualquiera sea el edificio donde pueda reunirse para la adoración pública esta semana, usted puede confiar en que el Espíritu de Dios permanece con usted y lo capacitará para glorificar a Jesús.

Una oración para hoy: *No importa cómo parezcan ser los elementos externos, Señor, abriré mi corazón a tu presencia, amor y poder.*

BIENVENIDA, VERDADERA FUERZA

Entonces respondió y me habló diciendo: Esta es palabra de Jehová a Zorobabel, que dice: No con ejército, ni con fuerza, sino con mi Espíritu, ha dicho Jehová de los ejércitos. Zacarías 4:6.

Este versículo es uno de los grandes favoritos de los cristianos que están mirando constantemente al Espíritu Santo para que realice las cosas que la riqueza y la capacidad humanas no pueden hacer. El es la fuente de verdadero poder (Hech. 1:8) y de fuerza sobrenatural (Efe. 3:16).

Zorobabel enfrentaba montañas de obstáculos aparentemente insuperables, pero mediante ocho visiones nocturnas Dios le mostró a Zacarías que tendría éxito gracias a la obra del Espíritu Santo.

El Espíritu Santo está construyendo un templo nuevamente. Cuando viene a morar en nosotros en ocasión de la conversión, nos convertimos en el templo del Espíritu Santo (1 Cor. 6:19-20). El templo que él construye, sin embargo, no es el cuerpo humano sino un carácter que refleja la gloria de Dios.

"He chasqueado a Dios tan miserablemente —me dijo un amigo—. ¿Cómo me será posible alguna vez ser un cristiano cuyo corazón es totalmente íntegro para con Dios?"

Le recordé a mi amigo la promesa de Dios a Zorobabel. "Sólo puede hacerse cuando le permita al Espíritu Santo que haga la obra. Recuerde que 'somos transformados... por el Espíritu del Señor' (2 Cor. 3:18)".

Por favor, no se desanime por los obstáculos que se presenten hoy. Así como el templo de Jerusalén no estaba siendo construido a fin de traer de regreso a los judíos de la cautividad sino porque ya habían regresado, de la misma manera el Espíritu de Dios no está obrando en usted para salvarlo sino porque usted ya está salvado al aceptar el don de la vida eterna que procede de Jesús.

En algunas partes del mundo hay hermosas catedrales que han permanecido inconclusas por siglos. Mientras se completaba una parte, otra se desmoronaba. Algunas veces me he sentido así, pero entonces miro a alguna victoria obtenida y recuerdo que no debo despreciar el día de las pequeñeces (Zac. 4:10). La obra que ha comenzado mediante el extraordinario poder del Espíritu Santo será terminada cuando Jesús venga. Entonces exclamaremos "Gracia, gracia" (vers. 7), reconociendo que lo que nos salvó no fue obra nuestra sino que la salvación es un don de nuestro maravilloso Dios.

Una oración para hoy: *Arquitecto Divino, sigue trabajando en mí de modo que pueda exhibir más perfectamente la belleza de la obra de tus manos. Haz las reparaciones y los nuevos agregados que se necesitan para mi continuo ministerio.*

DESCANSAR EN TERRITORIO ENEMIGO

Luego me llamó, y me habló diciendo: Mira, los que salieron hacia la tierra del norte hicieron reposar mi Espíritu en la tierra del norte. Zacarías 6:8.

Ningún territorio del enemigo es más temible hoy que el SIDA. Es como los asirios, los babilonios y los persas a quienes Jerusalén enfrentaba desde el norte.

Unos pocos años después que Sally descubrió que su esposo era homosexual, se le diagnosticó que estaba muriendo del SIDA. Después de abandonar a su esposo, Sally se hundió en un estilo de vida entregado a la bebida, la heroína y la cocaína, y estuvo dando vueltas con una pandilla de motociclistas. Ahora, tras el diagnóstico, se llenó de ira y quería morir tan pronto como fuese posible.

Juanita Kretschmar, de los Servicios de Salud a la Comunidad de la Iglesia Adventista en Nueva York, cuenta qué fue lo próximo que ocurrió en la "tierra del norte" del enemigo. Sally decidió saltar en frente de un ómnibus y suicidarse, pero justamente cuando el vehículo se aproximaba con rapidez, disminuyó la velocidad debido a un furgón que se detuvo junto a ella. John, que ministraba con ese furgón, salió y le dijo a Sally: "Perdóneme, pero usted parece perturbada. ¿Le gustaría que orase por usted?" Por primera vez Sally pudo hablar sobre lo que le había ocurrido y la terrible ira que llenaba su vida. Después de la oración, John le dio un ejemplar de *El camino a Cristo* y le explicó que ni siquiera se había planeado que él estuviese en ese lugar ese día.

"Fui a casa y leí el libro. Me ocurrió algo diferente. Fue como si toda mi vida hubiese cambiado. Me acerqué al Señor y él contestó todas mis oraciones". Más tarde Sally le contó a Juanita en cuanto al poderoso ministerio del Espíritu Santo "en la tierra del norte". Fue como si le hubiese dicho a través de *El camino a Cristo*: "Levántate; vamos. No tienes mucho tiempo".

Seis meses más tarde Sally había ganado 25 kilos, y su cuerpo estaba funcionando normalmente. Otros dijeron que parecía estar en condiciones de correr un maratón, y sus médicos no podían explicar lo que había sucedido. Ahora, mediante el Espíritu Santo, ella trae descanso a los dolientes que están en la tierra del enemigo, cuando visita a otros pacientes del SIDA y ora con ellos.

Una oración para hoy: *Señor, como dice Sally, tú eres mi Padre, mi Hermano, mi Sanador, mi Consejero, mi Amigo.*

OYENDO AL ESPIRITU

Y pusieron su corazón como diamante, para no oír la ley ni las palabras que Jehová de los ejércitos enviaba por su Espíritu, por medio de los profetas primeros; vino, por tanto, gran enojo de parte de Jehová de los ejércitos. Zacarías 7:12.

"Tú eres muy terco", me dijo un compañero de trabajo cuando me negué a seguir un consejo que él estaba dando. Yo no lo llamaba terquedad sino determinación. No podía ver ningún problema, ¿de modo que por qué tendría que cambiar? Más tarde descubrí que aunque él no tenía toda la razón en lo que había dicho, yo también fui insensato al no haber escuchado el consejo de un amigo.

Su amigo el Espíritu Santo sabe cómo se siente alguien cuando ve que su consejo es ignorado. El siempre tiene razón, y amonesta y enseña movido por el amor. ¿Pero escuchamos? Cuando no lo hacemos, los problemas en los cuales luego nos encontramos no son falta suya sino nuestra.

Se les había aconsejado a Ricki y Phillis que no se casasen. Ambos se habían casado una vez o dos antes, y tenían serios problemas de personalidad por lo que ciertamente no eran compatibles en absoluto. Su pastor había orado y razonado con ellos extensamente, pero todo fue en vano. Ahora, un año más tarde, todo estaba hecho un desquicio. Sus discusiones se habían vuelto violentas. Cuando chocan corazones tan duros "como el diamante", empiezan a volar las chispas. Ricki había golpeado a Phillis unas pocas veces, y ella le tenía miedo. Lo había dejado y estaba tramitando el divorcio. El la estaba hostigando constantemente, diciéndole que la amaba, pero nada daba resultado.

Había sólo una solución para un corazón de diamante, y era permitir que el Espíritu Santo obrase una conversión que diese lugar a un corazón de carne (Eze. 36:26-27). Esto significa comprender el Evangelio, arrepentirse y experimentar un diario sometimiento a Dios. Un corazón de carne será fuerte para la verdad pero suave y sumiso a la dirección del Espíritu, quien a menudo guiará a través del consejo y el interés de amigos de confianza y de líderes espirituales respetados.

Puedo decir por experiencia, como quizás usted también lo ha descubierto, que es mejor seguir la dirección del Espíritu Santo que pedirle ayuda a Dios para rehacer los fragmentos más tarde.

Una oración para hoy: *Ablanda mi corazón con aceite, Señor, preparándolo para hacer tu voluntad. Dame sabiduría para escuchar a los consejeros espirituales.*

BIENVENIDO, ESPIRITU DE GRACIA

Y derramaré sobre la casa de David, y sobre los moradores de Jerusalén, espíritu de gracia y de oración; y mirarán a mí, a quien traspasaron, y llorarán como se llora por hijo unigénito, afligiéndose por él como quien se aflige por el primogénito. Zacarías 12:10.

El penúltimo versículo acerca del Espíritu Santo en el Antiguo Testamento es uno de los más significativos de toda la Biblia. Es una profecía concerniente al derramamiento del Espíritu después de la crucifixión de Jesús. Aquí por primera vez se vinculan el Espíritu y la gracia. En Hebreos 10:29 es llamado el Espíritu de gracia, y muchas referencias del Nuevo Testamento indican que a menudo puede entenderse "gracia" como el poder extraordinario del Espíritu Santo. Cuando en Hechos 4 los discípulos recibieron un gran derramamiento del Espíritu, "abundante gracia era sobre todos ellos" (cap. 4:33). Más tarde el Señor le confirmó a Pablo: "Bástate mi gracia; porque mi poder se perfecciona en la debilidad" (2 Corintios 12:9).

"He estado orando para que me llene el Espíritu Santo —dijo un joven, pero miraba perplejo al primer efecto de su ferviente oración—. Ahora me parece que me siento peor que nunca. Veo mi propia pecaminosidad más que nunca antes y me siento realmente mal por la manera como he tratado a Jesús".

Se sorprendió cuando yo contesté: "¡Alabado sea el Señor!" Luego leímos juntos Zacarías 12:10, y yo le expliqué que la primera obra del Espíritu Santo es mostrarnos a Jesús y que el Espíritu nos hace experimentar una profunda tristeza por la manera como nuestros pecados traspasaron a nuestro maravilloso Salvador.

Sin embargo, el Espíritu de gracia no nos deja lamentándonos. Como dijo Isaías, él nos da "óleo de gozo en lugar de luto, manto de alegría en lugar del espíritu angustiado" (Isa. 61:3).

¡Qué Dios tan grande tenemos!

Aun cuando éramos pecadores, Jesús fue traspasado y murió para pagar la penalidad, no sólo de nuestros pecados, sino de los de todo el mundo. "El Espíritu de gracia y suplicación —le dije a mi joven amigo y le recuerdo a usted hoy— le hace posible alabar a Dios por el perdón, la salvación y la certeza de que usted es un hijo de Dios".

Una oración para hoy: *¡Aleluya! Gracias, Jesús, por estar dispuesto a ser crucificado para que yo pueda tener el gozo indescriptible de la vida eterna.*

EL ESPIRITU DEL VERDADERO MATRIMONIO

¿No hizo él uno, habiendo en él abundancia de espíritu? ¿Y por qué uno? Porque buscaba una descendencia para Dios. Guardaos, pues, en vuestro espíritu, y no seáis desleales para con la mujer de vuestra juventud. Malaquías 2:15.

Después de orar a lo largo de casi 100 versículos maravillosos del Antiguo Testamento referentes al Espíritu Santo, nos encontramos considerando el último que sería escrito por un período de más de 400 años. Habría ahora cuatro siglos silenciosos de expectativa y esperanza durante los cuales la gente debería vivir en fortaleza y pureza como el remanente de Israel del Espíritu.

Dios estaba profundamente interesado en que su pueblo permaneciese leal a sus votos matrimoniales con él y que no fuese entrampado por el adulterio de la idolatría. Así como un esposo tiene la responsabilidad de ser fiel a su esposa, también Dios deseaba que su pueblo le fuese fiel. La infidelidad siempre trae su propio castigo: aflicción, soledad, autorrecriminaciones, enfermedad física y emocional, separación de la familia, problemas financieros, culpa y angustia, pérdida de la certeza de la salvación. Esta no era la "descendencia" que Dios quería para sus amados. El destino que les había asignado mediante el poder de su Espíritu era ser su especial tesoro, sus joyas (Mal. 3:17).

El deseo de Dios para nosotros, como parte de su remanente del Espíritu hoy, es exactamente el mismo que tuvo para su pueblo al fin del Antiguo Testamento. Estamos aguardando con esperanza y expectación el regreso de Jesús. Este evento habrá de ocurrir tan seguramente como el primer advenimiento de Jesús, pero ¿estamos viviendo en el Espíritu o somos infieles amando a otros dioses?

Cuando mi hija menor, Sharon, era pequeña, acostumbraba llamarla Tesoro. Ahora que ya es una madre a veces me recuerda ese hecho y me dice que era algo muy especial para ella. Permita que el Espíritu Santo le recuerde hoy que usted es uno de los tesoros de Dios. El enemigo de las almas tratará de robarle ese gozo tentándolo a ser infiel a Dios y a aquellos con quienes usted está unido en una relación especial. Permita que el amor y el perdón de Jesús lo rodeen con la completa certeza de su unidad con Dios hoy.

Una oración para hoy: *Grande es tu fidelidad, Señor, hacia mí. Gracias por mostrarme cuán especial soy yo para ti.*

COMENZANDO EL NUEVO TESTAMENTO

El nacimiento de Jesucristo fue así: Estando desposada María su madre con José, antes que se juntasen, se halló que había concebido del Espíritu Santo. Mateo 1:18.

Se introduce al Espíritu Santo en forma repentina y asombrosa al comienzo del Nuevo Testamento. Sin una palabra de advertencia o introducción, encontramos que se le acredita el embarazo de una joven. Mientras obviamente se esperaba que los lectores de los Evangelios estuviesen familiarizados con la obra del Espíritu de Dios en base a la lectura del Antiguo Testamento, eso mismo no se aplica necesariamente durante los siglos subsiguientes. Aun los discípulos de Efeso no habían oído mucho en cuanto al Espíritu Santo.

El ministerio de Jesús como está registrado en los cuatro Evangelios provee el puente entre el Espíritu Santo en el Antiguo Testamento y la era del Espíritu Santo que comienza con los primeros 28 capítulos del libro de Hechos. En los Evangelios Jesús moldea el ministerio en equipo con el Espíritu que caracterizará al verdadero cristianismo entre el Pentecostés y la segunda venida.

Como sucedió con la encarnación de Jesús, el verdadero cristianismo es concebido por el Espíritu Santo toda vez que comienza a crecer y prosperar. La semilla para los grandes movimientos misioneros siempre ha sido plantada y nutrida por el Espíritu antes que por la voluntad de los misioneros. Los obreros de Dios que han tenido más éxito siempre han reconocido que el Espíritu los ha precedido. Si esto no ha ocurrido, entonces ninguna cantidad de predicación o enseñanza puede llevar fruto.

Lo que ocurrió en la encarnación y en el establecimiento y difusión del cristianismo en general, también es cierto para cada individuo. El Espíritu Santo comienza una obra milagrosa en nuestros corazones de modo que podamos aprender de Jesús y aceptarlo como nuestro Salvador. Sin que el Espíritu comience la obra, lo que sucede tan repentina e inexplicablemente como la encarnación, jamás podremos captar o aceptar el maravilloso plan de salvación. Será para nosotros meramente otra teoría, otra posibilidad intelectual. Es por esto que es tan importante que los que no han sido salvados sean receptivos al ministerio apacible del Espíritu del Dios viviente.

Una oración para hoy: *Santo Espíritu, crea dentro de mí el suelo fértil que permitirá que el amor de Jesús crezca y florezca.*

BIENVENIDO, ESPIRITU DE JESUS

Y pensando él en esto, he aquí un ángel del Señor le apareció en sueños y le dijo: José, hijo de David, no temas recibir a María tu mujer, porque lo que en ella es engendrado, del Espíritu Santo es. Mateo 1:20.

Permanecí de pie junto a la tumba de Sojourner Truth y me maravillé nuevamente ante el milagro de una vida transformada por una visión de Jesús. Tras su conversión, Sojourner Truth, que había nacido como esclava en Nueva York y que había servido a varios amos antes de ser puesta en libertad en 1828, comenzó a hablar a grandes multitudes acerca de su experiencia con el Señor. En cierta ocasión, sin embargo, cuando comprendió que había olvidado la presencia del Espíritu Santo, se llenó de un profundo temor y "se retrajo espantada de la mirada terrible" que percibió como procedente de Aquel a quien ella había considerado como un Amigo.

Así como Dios dio un sueño para quitar el temor de José, así esta joven captó una nueva vislumbre de Jesús. Preste atención mientras ella cuenta la historia en su autobiografía: " '¿Quién eres tú?' fue el grito de su corazón, y toda su alma estaba en profunda oración pidiendo que este personaje celestial se le pudiese revelar y permanecer con ella. Finalmente, después de unir alma y cuerpo en la intensidad de este deseo, hasta que el aliento y las fuerzas parecían desfallecer y ella no podía mantener más su posición, le vino una respuesta que le decía claramente: 'Es Jesús'. 'Sí', respondió ella, 'Es Jesús'.

"Previamente a estos ejercicios de la mente, ella había oído mencionar a Jesús en lecturas o conversaciones, pero de esto no había recibido ninguna impresión de que él fuese alguien más que un hombre eminente, como un Washington o un Lafayette. Ahora se le apareció a su encantada visión mental como tan dulce, tan bueno, y en todo sentido tan hermoso, ¡y la amaba tanto! ¡Y cuán extraño que él siempre la había amado y ella nunca lo había sabido!" (*Narrative of Sojourner Truth*, p. 67).

No es de sorprenderse que Sojourner Truth haya tenido un ministerio poderoso. Se convirtió en una voz vigorosa contra la esclavitud, habló elocuentemente en favor de los derechos de la mujer, y trabajó para hacer de su país un lugar donde la libertad fuera una realidad para todos. No sólo amaba predicar el Evangelio, sino que vivía el Evangelio con el poder del Espíritu Santo, quien había hecho posible el nacimiento de Aquel que libera a los cautivos.

Una oración para hoy: *Calma mis temores, Señor, con una nueva percepción de mi amante Salvador.*

ESPIRITU Y FUEGO

Yo a la verdad os bautizo en agua para arrepentimiento; pero el que viene tras mí, cuyo calzado yo no soy digno de llevar, es más poderoso que yo; él os bautizará en Espíritu Santo y fuego. Mateo 3:11.

Se siente la tentación de pensar que el fuego se refiere a las lenguas en Pentecostés o al entusiasmo que el Espíritu produce en aquellos a quienes llena. Parece, sin embargo, que el fuego que acompaña a la recepción del Espíritu Santo simboliza el efecto purificador y refinador del sufrimiento y las dificultades en la vida del creyente. Sé que esto no impresiona como buenas nuevas, pero es una realidad de la vida espiritual.

Cuando el Espíritu Santo obra poderosamente en nuestra vida, la "paja" del egoísmo y el pecado pueden quemarse (Mat. 3:12). Por favor, recuerde que esta experiencia no es la base de su salvación sino el fruto que lo capacita para reflejar el carácter de Jesús.

En una reunión de reavivamiento en el área de la Bahía Sur de Los Angeles, oí a Beth cantar el hermoso "Canto de la Viña", en el cual ella le decía al Refinador divino que el solo deseo de su corazón era la santidad. Cuando lo cantaba, recordé un libro que Janet, la dirigente del pequeño grupo de Beth, me había dado unos pocos meses antes: *Gold Tried in the Fire* (Oro probado en el fuego). Este libro me había ayudado a entender que la obra del Espíritu Santo durante los fuegos de la aflicción es lo que ayuda a producir en mí el verdadero carácter cristiano (1 Ped. 1:7; Apoc. 3:18).

Si usted es como yo, naturalmente querrá escapar del fuego, pero pasar por él ahora como una persona salvada y con el poder del Espíritu Santo significa escapar de los fuegos finales que no refinan sino que destruyen (Apoc. 20:9).

La venida del Espíritu Santo no es neutral, sino que a menudo causa fieros conflictos al despertar la oposición del enemigo. Jesús dijo que había venido para enviar fuego sobre la tierra, y en su bautismo de fuego en la cruz, Jesús fue inmerso en el sufrimiento causado por un mundo pecador y rebelde (Luc. 12:49-50). Recuerde, sin embargo, que cuando usted es bautizado con el Espíritu Santo y con fuego, usted tiene, mediante Jesús, la capacidad de sobrevivir que tuvieron los tres hebreos en el horno ardiente de Babilonia.

Una oración para hoy: *Mi Padre y mi Dios, en el calor de la batalla acepto el aislamiento de tu manto de perfecta justicia.*

BIENVENIDA, MANSA PALOMA

Y Jesús, después que fue bautizado, subió luego del agua; y he aquí los cielos le fueron abiertos, y vio al Espíritu de Dios que descendía como paloma, y venía sobre él. Mateo 3:16.

¿Por qué una paloma? He observado águilas calvas en Alaska. Son poderosas y majestuosas. En Australia me he sentado a estudiar las ruidosas y fascinantes cacatúas. Pero esta semana en Tucson, Arizona, he notado las palomas comiendo las aceitunas maduras en los árboles que rodean la casa del veterinario Paul Neff. Como corderos, las palomas son mansas y sin pretensiones. Son tranquilas y no agresivas.

La paloma era el símbolo rabínico para la nación de Israel. Ahora se convertiría en el símbolo de la presencia del Espíritu Santo en la iglesia cristiana. Aunque a veces el Espíritu viene como un viento impetuoso y poderoso o como un violento terremoto, es más semejante a una paloma en sus relaciones interpersonales con las personas a quienes unge. No fuerza su presencia a nadie, pero viene solamente cuando es invitado. No asume el control de ninguna vida a menos que se le ruegue específicamente que lo haga. No hace una cantidad de ruido sobre sí mismo, sino que siempre glorifica a Jesús. Puede ser entristecido y ahuyentado por acciones hostiles, pero siempre está dispuesto a volver rápidamente.

"Estaba tan nervioso respecto al Espíritu Santo que no lo invité a entrar en mi vida", me confió un pastor de mucho éxito. "Sin embargo, ahora he encontrado personalmente que es un amigo maravilloso, y un socio muy importante en mi ministerio".

En un congreso campestre una dama de edad me expresó el gozo que había descubierto en su compañerismo con el Espíritu Santo. "Me atrae junto a Jesús y siempre está allí para ayudarme en mis oraciones y en el estudio de la Biblia. No me empuja a hacer nada, sino que me guía suavemente para ministrar a otros".

Un joven que asistía un viernes de noche a una reunión de oración con otros 30 jóvenes, compartió esto con todo el grupo: "El Espíritu Santo es muy especial para mí. Parece que siempre me asegura que soy un amado hijo de Dios y que puedo tener la seguridad de que Jesús es mi Salvador personal".

Usted puede relacionarse con el Espíritu Santo como con un amigo especial que nunca lo ofenderá o lo avergonzará en ninguna manera.

Una oración para hoy: *Suave Espíritu, lléname nuevamente con tu serena confianza y fortaleza. Gracias por la seguridad de mi lugar en tu familia.*

TENTACION INDESEADA

Entonces Jesús fue llevado por el Espíritu al desierto, para ser tentado por el diablo. Mateo 4:1.

El hecho de que Jesús fue llevado al desierto indica cierta reticencia de su parte. Podemos comprender sus sentimientos, porque sabemos que la tentación no es un juego. Los tres años y medio de intenso conflicto de Jesús con el enemigo estaban comenzando, y su humanidad no estaba esperando con interés esa experiencia. Puedo imaginarme a Jesús diciéndole al Espíritu Santo: "Necesito tu ayuda ahora para dirigirme al lugar de batalla y comenzar la cuenta regresiva hasta el Calvario".

Pero el enemigo esperó hasta el momento más vulnerable para atacar. Después de 40 días de ayuno, el cuerpo de Jesús estaba clamando por alimento con una intensidad tan exigente como las ansias de un adicto.

Hace un tiempo leí sobre las nuevas puertas de vidrio de seguridad que fueron instaladas en un departamento de Washington de un funcionario de alto rango del gabinete de los Estados Unidos. El Servicio Secreto había declarado que eran muy necesarias las puertas de $58.000 dólares, pero cuando un oficial que controlaba los gastos del gobierno examinó el valor de las nuevas puertas de seguridad, descubrió que siempre estaban abiertas y sin custodia. En otras palabras, que eran un desperdicio de dinero.

En el desierto de la tentación, Jesús usó un sistema de seguridad que el Espíritu Santo pone a disposición de cada hijo de Dios. El cerró las puertas de la tentación al decir: "Escrito está", y la victoria resultante de Jesús fue el comienzo de la derrota final de Satanás.

Aunque después de nuestro bautismo por agua o del Espíritu, el enemigo generalmente intensificará sus ataques sobre nosotros, podemos tener la certeza de que el Espíritu Santo no nos conducirá a ninguna situación de tentación. En realidad, Jesús nos enseñó a orar que *no* seamos metidos en tentación sino que se nos libre del mal. Si por nuestra insensatez llegamos a la situación en la que la tentación parece irresistible, entonces el Espíritu Santo puede todavía traer a nuestra mente las palabras de la Escritura que funcionarán como un poderoso sistema de seguridad. El desierto de la tentación puede florecer con las flores de la victoria y el gozo.

Una oración para hoy: *Gracias, Señor, que estuviste dispuesto a comprender la intensidad de la tentación y pudiste ser victorioso con las mismas armas que están a mi alcance.*

SUS PALABRAS EN TU BOCA

Mas cuando os entreguen, no os preocupéis por cómo o qué hablaréis; porque en aquella hora os será dado lo que habéis de hablar. Porque no sois vosotros los que habláis, sino el Espíritu de vuestro Padre que habla en vosotros. Mateo 10:19-20.

Aun las palabras que el Espíritu Santo dé en una crisis no garantizan que la vida de quien habla será siempre preservada (Mat. 10:21). Dos mil años de historia cristiana nos hablan de millones que han muerto por su fe en Jesucristo. Pero las palabras del Espíritu Santo garantizan que los perseguidores oirán a un testigo fiel de la verdad que más tarde puede llevar fruto. El Espíritu Santo da "palabra y sabiduría, la cual no podrán resistir ni contradecir todos los que se opongan" (Luc. 21:15). ¡Alabado sea el Señor!

Armando Valladares pasó 22 años en prisiones cubanas. Sufrió hambre, fue torturado y amenazado con la ejecución. Sólo su fe en Dios lo sostuvo milagrosamente. En su libro *Contra toda esperanza*, Valladares cuenta la historia de un predicador protestante, Gerardo, a quien ellos llamaban el Hermano de la Fe. Cada noche en Boniato él dirigía a los hombres en oración y canto, y cuando los guardias venían para castigar a los prisioneros y detener la reunión, él cantaba: "¡Gloria, gloria, aleluya!" "El Hermano de la Fe había estado en La Cabaña y en la Isla de Pinos —dice Valladares—. El mismo era su sermón más conmovedor. Siempre nos alegraba, nos llamaba a las reuniones de oración, lavaba la ropa de los enfermos, y ayudaba a muchos hombres a enfrentar la muerte con fortaleza y serenidad. Sobre todo nos enseñaba a no odiar; todos sus sermones llevaban ese mensaje".

El Espíritu Santo le dio a Gerardo muchas palabras fieles para hablar a sus capturadores, y cuando ellos lo castigaban "los ojos del Hermano de la Fe parecían arder; sus brazos se abrían al cielo, pareciendo atraer perdón para sus torturadores". Todavía estaba perdonando a sus atormentadores cuando las balas de sus ametralladoras desgarraron su pecho en 1975. Como Esteban, el diácono lleno del Espíritu Santo, Gerardo había hablado las palabras que el Espíritu Santo había puesto en su boca, y ahora cayó dormido en paz para esperar la gran mañana de la resurrección (ver Hech. 6:10; 7:54-60).

Una oración para hoy: *Señor, aun si este es un día de paz y relativa prosperidad, ayúdame a ser fiel en hablar tu palabra de sabiduría.*

MONOPOLIO DEL ESPIRITU

He aquí mi siervo, a quien he escogido; mi Amado, en quien se agrada mi alma; pondré mi Espíritu sobre él, y a los gentiles anunciará juicio. Mateo 12:18.

No requiere mucho tiempo reconocer la poderosa obra del Espíritu Santo en la vida y el ministerio de Jesús. En el Evangelio de Mateo se citan por lo menos quince profecías de Isaías, o se hace referencia a ellas, mostrando que Jesús ciertamente era el cumplimiento de las predicciones que fueron dadas concernientes a la asombrosa obra del Mesías.

Sin embargo, el ministerio lleno del Espíritu no era sólo para Jesús. Aunque Jesús se movía enteramente en el Espíritu, no reclamó un monopolio del Espíritu Santo. Les confió a sus seguidores la mayor parte de su obra en favor de los gentiles, como se menciona en esta profecía, los cuales estarían llenos del Espíritu desde el tiempo de Pentecostés.

Hace algunos años algunos pastores estaban reunidos para planear una gran campaña evangelística en su ciudad. Mientras se discutían posibles oradores, muchos de los pastores estuvieron de acuerdo en que el hombre que debía invitarse era Dwight L. Moody, el muy exitoso evangelista. Un pastor joven, que era más bien negativo, comentó: "Por la manera como hablan algunos de ustedes, podría pensarse que el Sr. Moody tiene el monopolio del Espíritu Santo".

El silencio llenó la sala por un momento, y luego uno de los pastores replicó: "No, el Sr. Moody no tiene el monopolio del Espíritu Santo, pero el Espíritu Santo tiene el monopolio del Sr. Moody".

A causa de este monopolio, el ministerio de Moody llegó a millones exaltando a Jesús en su vida de servicio lleno del Espíritu.

Como Jesús, el Sr. Moody e incontables otros cristianos llenos del Espíritu a través de los siglos, nosotros podemos abrir hoy nuestras vidas al maravilloso monopolio del Espíritu Santo. No hay monotonía en este ministerio. Es la obra más excitante de la tierra. Como sus siervos y los amados de Dios, podemos encontrar gozo en nuestro ministerio y adoración, sabiendo que el Señor está desarrollando sus planes proféticos para el mundo a través de nosotros. Podemos ser una parte de la profecía tan seguramente como lo fue Jesús mismo.

Una oración para hoy: *Vengo nuevamente en un acto de plena entrega, Señor, pidiéndote que tomes completa posesión de mi vida.*

DERROTANDO A LOS DEMONIOS

Pero si yo por el Espíritu de Dios echo fuera los demonios, ciertamente ha llegado a vosotros el reino de Dios. Mateo 12:28.

Mientras Jesse y Tom salían del salón donde habían estado orando durante más de una hora tras una reunión de reavivamiento, Jesse preguntó: "¿Tú eres un ministro del evangelio?"

Se asombró cuando Tom Hamilton le replicó: "No, Jesse, soy un abogado".

Pero Tom tiene un ministerio que el Espíritu Santo había usado esa noche para traer una gran victoria sobre la vida de Jesse. Jesús, mediante el Espíritu Santo, siempre libera a los cautivos, cuando ellos acuden a él en busca de ayuda.

En una reunión al día siguiente entrevisté a Jesse mientras él me contaba su historia de posesión demoníaca, drogas, luchas de pandillas y angustias de familia. El había pertenecido a una infame pandilla de motociclistas que había estado involucrada en sacrificios rituales demoníacos y en crímenes y violencia de todo tipo. En realidad, unas pocas noches antes, él había venido a la iglesia con una pistola para matar a los pastores a quienes consideraba responsables de que su esposa hubiese dejado el hogar. Esa noche alguien había llamado a la policía, y se habían necesitado cuatro oficiales para controlarlo. Los pastores Eoin y Mitch habían orado por Jesse, y él había encontrado algún alivio, pero en su reunión con Tom Hamilton el maligno fue finalmente vencido.

Mientras Jesse testificaba ante el grupo, todos podían ver cuán poderosamente el Espíritu Santo se había trasladado a la vida de este hombre cuya sangre había manchado la alfombra de la iglesia en la noche de su pelea con la policía. Lloraba mientras presentaba a su hijo, quien estaba con él por primera vez en 17 años, y alababa a Dios porque había encontrado libertad en Jesús. El diablo no había querido abandonar su territorio, pero la victoria fue tan segura como cuando Jesús sanó al hombre endemoniado, según se registra en Mateo 12.

Aunque quizás usted no sea enfrentado por una persona endemoniada, como les pasó a los pastores Eoin y Mitch o a Tom Hamilton, puede experimentar situaciones en las que sienta que Satanás lo está tentando y acusando. Cuando esto ocurra, recuerde que siempre puede ser victorioso mediante la sangre de Jesús y el poder del Espíritu Santo.

Una oración para hoy: *Señor, reconozco a Jesús como mi poderoso Salvador, quien tiene poder supremo sobre todas las agencias de las tinieblas.*

BLASFEMIA CONTRA EL ESPIRITU

Por tanto os digo: Todo pecado y blasfemia será perdonado a los hombres; mas la blasfemia contra el Espíritu no les será perdonada. Mateo 12:31.

Los dirigentes religiosos habían acusado a Jesús de expulsar los demonios por el poder de Satanás, y Jesús no tomó esta acusación livianamente porque sabía a dónde podía llevar este tipo de pensamiento. Sabía que aquellos que rechazan la clara evidencia del poder de Dios, se encontrarán del lado de aquel que nunca guía a un alma al arrepentimiento y el perdón sino sólo a la destrucción.

No sé qué había hecho el Hno. P, pero le escribió a Elena de White porque estaba profundamente preocupado de que era culpable del pecado imperdonable. Ella le escribió muchas palabras de gran aliento. Le explicó que nuestro Dios es amante y perdonador y que salva al pecador arrepentido por su gracia, haciendo siempre disponible su justicia mediante la fe. Ella ilustró este hecho maravilloso con las acciones del padre cuando el hijo pródigo regresó al hogar. Elena de White le explicó al Hno. P que nunca nos debemos colocar del lado de Satanás al no creer que Dios nos acepta cuando nosotros, mediante el poder del Espíritu Santo, acudimos a la luz que resplandece de la cruz.

Lea ahora parte de esta carta que se refiere a la discusión de Jesús en el texto de hoy: "Hno. P, usted pregunta si ha cometido el pecado que no tiene perdón en esta vida o en la venidera. Contesto que no veo la menor evidencia de que éste sea el caso. ¿En qué consiste el pecado contra el Espíritu Santo? En atribuir voluntariamente a Satanás la obra del Espíritu Santo" (*Joyas de los testimonios*, t. 2, p. 265).

Es fácil, pero extremadamente peligroso, juzgar la obra del Espíritu Santo doquiera esté teniendo lugar actualmente. Si no armoniza con nuestro sistema o con nuestras opiniones preconcebidas, nos sentimos inclinados a decir que es de Satanás. A menudo se han rechazado reavivamientos porque no encuadran con el statu quo de las organizaciones de la iglesia. En vez de cometer este error, dejemos el juicio a Dios y seamos plenamente receptivos al Espíritu y a la verdad en nuestros propios corazones y vidas.

Una oración para hoy: *Padre, ayúdame a ser lento para juzgar a otros y rápido para abrir nuevamente mi corazón al amante ministerio de tu Espíritu.*

BIENVENIDO, PERDON

A cualquiera que dijere alguna palabra contra el Hijo del Hombre, le será perdonado; pero al que hable contra el Espíritu Santo, no le será perdonado, ni en este siglo ni en el venidero. Mateo 12:32.

¿Ha experimentado la agonía de pensar que ha cometido un pecado que no puede ser perdonado? Alguna vez en la vida muchos cristianos se encuentran en la posición de preguntarse si sus pecados son demasiado malos como para que Jesús pueda resolverlos. Tome aliento. Todo aquel que ha captado una vislumbre de Jesús y de su amor no puede soportar el pensamiento de ser separado eternamente de él. Por otra parte, aquellos que no se preocupan de las cosas espirituales parecen poco preocupados por las consecuencias eternas del pecado imperdonable.

Esta es la razón por la cual siempre me siento animado cuando alguien se me aproxima, como lo hizo Dale. "Soy adicto a la pornografía —confesó con lágrimas en los ojos—. Estoy profundamente preocupado porque creo que he cometido el pecado imperdonable".

Dale se sorprendió cuando le respondí: "¡Alabado sea el Señor! Esta es una señal de que el Espíritu Santo tiene acceso a su corazón, Dale, y todavía es capaz de convencerlo de pecado. Su profunda preocupación es una segura indicación de que el Espíritu Santo lo esta guiando a la victoria y a la certeza de la salvación en Jesús".

La Sra. McCutcheon me preguntó si yo podía hablar con su hija Betty. "¿Cuál es el problema?", pregunté.

"Está viviendo en pecado y eso no le preocupa en absoluto".

"Podemos orar que Satanás sea restringido y que el Espíritu del Señor pueda hablar a su corazón —expliqué—. Pero Dios no forzará su presencia en la vida de Betty. Ella debe abrirle su corazón".

A menudo los cristianos se sorprenden al enterarse de que hay pecados que llevan a la muerte y otros que no (1 Juan 5:16-17). Antes Juan había declarado que los pecados que no conducen a la muerte son aquellos que se confiesan a Dios y que son limpiados por la sangre de Jesús (1 Juan 1:7-9). De modo que podemos descubrir rápidamente que el único pecado que es imperdonable es aquel que no es confesado ni cubierto por la sangre.

Alabado sea Dios por el Espíritu Santo, que nuevamente hoy convencerá de pecado y nos guiará suavemente a nuestro amante Salvador.

Una oración para hoy: *Escudríñame, oh Dios, y luego dame un cuadro claro de mi esperanza en Jesús.*

EL ESPÍRITU MUESTRA QUIEN ES EL SEÑOR

El les dijo: ¿Pues cómo David en el Espíritu le llama Señor, diciendo: Dijo el Señor a mi Señor: Siéntate a mi derecha, hasta que ponga a tus enemigos por estrado de tus pies? Mateo 22:43-44.

¿Quién es su Señor, su Maestro? Cuando usted reconoce a Jesús no sólo como Salvador sino también como Señor en su vida, usted habrá dado un paso gigantesco hacia la comprensión y la experiencia del verdadero poder del cristianismo. Este reconocimiento es posible sólo mediante el ministerio del Espíritu Santo.

Cuando Adolfo Hitler subió al poder, una gran parte de la iglesia alemana lo reconoció como el "Führer", pero Martin Niemöller, pastor evangélico protestante, dijo, mientras el Espíritu del verdadero Dios llenaba su corazón: "Herr Hitler, usted no es mi Führer sino Dios". Niemöller había aprendido lo que era el trágico error del silencio contra el enemigo. "En Alemania vinieron a prender a los comunistas, y yo no hablé porque no era comunista. Luego vinieron por los judíos, y no hablé porque yo no era judío. Luego vinieron por los gremialistas, y yo no hablé porque no era un gremialista. Luego vinieron por los católicos, y yo no hablé porque era un protestante. Luego vinieron por mí, y para entonces no había quedado nadie para hablar".

Niemöller pasó ocho años en los temidos campos de concentración de Sachsenhausen y Dachau. Una de las últimas órdenes de Hitler fue la de que se ejecutase a este fiel pastor que proclamó en el Espíritu, como lo hizo David, el señorío de Jesucristo y el derecho de la Iglesia de estar separada del control del Estado. Afortunadamente, Niemöller fue liberado por los aliados antes de que se llevase a cabo su ejecución. Su compatriota en favor del señorío de Cristo, Dietrich Bonhoeffer, autor de *The cost of discipleship* (El costo del discipulado), no fue tan afortunado. Fue ejecutado justamente antes del rendimiento de Alemania, en mayo de 1945.

Si usted ha aceptado a Jesús como su Salvador, afirme nuevamente hoy su decisión de que él sea el Señor de su vida no importa cuál fuere el costo. Entonces su Espíritu lo guiará para que camine en el sendero de un cristianismo victorioso.

Una oración para hoy: *Padre, voluntaria y gozosamente te doy el derecho de tener hoy plena autoridad sobre cada aspecto de mi vida.*

BIENVENIDAS, TODAS LAS NACIONES

Por tanto, id, y haced discípulos a todas las naciones, bautizándolos en el nombre del Padre, y del Hijo, y del Espíritu Santo. Mateo 28:19.

Como muchos otros cristianos, estuve una cantidad de veces en la Abadía Westminster, en Londres, orando junto a la tumba del gran misionero David Livingstone. Este hombre había tomado seriamente la comisión evangélica de llevar a todo el mundo el mensaje de salvación y la libertad personal de todas las personas. Livingstone había pensado primero que podría ir a China, pero el Señor cerró esa puerta y abrió otra al gran continente de Africa. Su ministerio ha inspirado a miles a seguir la gran comisión.

Livingstone nació en Blantyre, Escocia, y a la edad de diez años comenzó a trabajar en una hilandería de algodón para ayudar a sostener a su familia. Sus padres, dice él, le habían enseñado la teoría de la salvación gratuita por la expiación de nuestro Salvador, pero el cambio que vino en su vida cuando el Espíritu Santo lo indujo a aceptar esto, fue dramático.

"El cambio fue como lo que podría suponerse que ocurriría si fuese posible curar un caso de 'ceguera de color' ", escribió él en un libro suyo que fue un best-séller. Continuó luego: "La perfecta gratuidad con la cual se ofrece en el libro de Dios el perdón de todas nuestras culpas, suscitó [en mí] sentimientos de afectuoso amor hacia Quien nos compró con su sangre, y un profundo sentido de obligación hacia él" (Citado por J. H. Worcester en *The Life of David Livingstone*, p. 8).

Durante más de 30 años en Africa, en medio de terribles privaciones personales, Livingstone hizo discípulos y bautizó en el nombre del Padre, del Hijo y del Espíritu Santo. Reconoció que toda la Trinidad estaba incluida en este gran ministerio evangélico y que era el Espíritu Santo quien lo capacitaba para cumplir la comisión.

Pero nunca estuvo lejos de sus pensamientos su amor por Jesús. En su cumpleaños, el 19 de marzo de 1872, no mucho más que un año antes de su muerte, Livingstone escribió: "Mi Jesús, mi Rey, mi vida, mi todo; nuevamente te consagro todo mi ser. Acéptame y concédeme, oh, bondadoso Padre, que antes de que este año concluya pueda terminar mi tarea" (*Id.*, p. 97).

Una oración para hoy: *Santa Trinidad, sé que es posible cumplir tu comisión evangélica sólo cuando tenga una relación personal contigo. Hoy hago nuevamente esa completa entrega y compromiso de vivir para ti.*

RECIBIENDO EL ESPIRITU

Yo a la verdad os he bautizado con agua; pero él os bautizará con Espíritu Santo. Marcos 1:8.

La Biblia enseña claramente que el Espíritu Santo viene a morar en usted en ocasión de la conversión (ver, por ejemplo, Efe. 1:13; Eze. 36:27; Rom. 8:9). En los tiempos del Nuevo Testamento la conversión y el bautismo por agua ocurrían estrechamente juntos, de modo que el bautismo por agua y la aceptación del don del Espíritu estaban ligados algunas veces.

Pero un estudio de las biografías de cristianos a quienes Dios ha usado poderosamente, aun en los tiempos modernos, revela que inevitablemente hubo un tiempo en su experiencia cuando llegaron a ser plenamente receptivos al poder total y al control del Espíritu Santo en su vida, y fue este evento el que a menudo ellos llamaron el bautismo o la recepción del Espíritu.

Me gusta la manera en que Dennis Bennett explica la diferencia entre *tener* el Espíritu y *recibir* el Espíritu. "Un hombre puede abrirse paso a la fuerza dejando a un lado a mi secretaria y entrar en mi oficina y sentarse mientras yo estoy muy ocupado en mi escritorio. Sé que él está allí, pero continúo trabajando, no reconociendo su presencia. Después de unos pocos minutos suena mi teléfono y alguien en el otro extremo de la línea pregunta: '¿Tiene usted a un hombre en su oficina?', y procede a describir a mi visitante. Yo contesto: 'Sí, él está allí, pero no he dejado a un lado mi trabajo para darle la bienvenida. Todavía no lo he recibido'.

"Pero luego supongamos que dejo mi trabajo a un lado y le doy a mi visitante una cordial bienvenida y le dedico mi atención indivisa y le pregunto: '¿Por qué usted está aquí y cómo puedo servirle?' Entonces mi visitante puede ponerse de pie con una amable sonrisa y estrechar mi mano y decir: 'Oh, estoy tan contento de que usted finalmente me ha recibido, porque tengo para usted un cheque de un millón de dólares y quisiera dárselo. Y tengo un importante mensaje de un amigo a quien usted no ha visto por un largo tiempo, además de muchas otras cosas buenas que deseo compartir con usted, ahora que usted me ha recibido' " (*The Holy Spirit and You*, p. 18).

Si usted se ha convertido y consecuentemente tiene el Espíritu Santo en su vida, lo animo a que lo reciba hoy dándole su total atención. Usted se sorprenderá ante los resultados.

Una oración para hoy: *Bienvenido nuevamente hoy, Espíritu Santo. Por favor toma control de cada parte de tu morada.*

ABRIENDO VIOLENTAMENTE EL CIELO

Y luego, cuando subía del agua, vio abrirse los cielos, y al Espíritu como paloma que descendía sobre él. Marcos 1:10.

Cuando nuestro pequeño grupo oró mientras estudiábamos los primeros versículos de Marcos, Denise se sintió muy impresionada por el hecho de que el cielo parecía haber sido desgarrado y abierto de modo que pudiera aparecer la mansa Paloma. "Desgarrado me suena violento", nos dijo Denise mientras algunos de nosotros en el grupo comenzábamos a pensar sobre esto por primera vez. Era como si la Paloma hubiese aparecido finalmente a través de una barrera, así como un polluelo sale enérgicamente del interior del huevo.

"Pensemos en algunas otras ocasiones cuando tiene lugar este desgarramiento en el comienzo de la iglesia cristiana", sugerí.

Otro miembro del grupo recordó que hubo un desgarramiento al término del ministerio de Jesús. "Entonces el velo del templo se rasgó en dos, de arriba abajo" (Mar. 15:38). Alguien más pensó en los resultados del ministerio del Espíritu Santo que a menudo separaba ciudades enteras. "Y la gente de la ciudad estaba dividida [desgarrada aparte]: unos estaban con los judíos, y otros con los apóstoles" (Hech. 14:4).

Cuando nuestro grupo se reunió la siguiente semana, Denise no pudo esperar para compartir lo que había descubierto en su estudio de la Biblia en la casa. "Estaba leyendo en Apocalipsis 6:14 —explicó— y descubrí que el cielo nuevamente se va a desgarrar en la segunda venida de Jesús. Escuchen lo que dice: 'Y el cielo se desvaneció [se dividió] como un pergamino que se enrolla; y todo monte y toda isla se removió de su lugar'. El ministerio de Jesús tiene un 'desgarramiento' al comienzo, al medio y al final".

"¿Qué lección encierra esto para nosotros hoy?", pregunté.

Joe siempre estaba lista para dar una rápida respuesta. "Cuando el Espíritu Santo trae a Jesús a nuestras vidas, somos separados violentamente del egoísmo y el pecado. A veces, desafortunadamente, esto puede causar división en las iglesias, las familias y las amistades. Hay una separación de la complacencia del laodiceanismo y el letargo espiritual. Somos separados del fracaso y el control de Satanás e introducidos a la victoria en Cristo. ¡Alabado sea el Señor!"

Una oración para hoy: *Gracias, Señor, no sólo por tener un ministerio que nos separa de lo malo sino que también sana y venda a los quebrantados de corazón.*

VENCIENDO A LAS BESTIAS SALVAJES

Y luego el Espíritu le impulsó al desierto. Y estuvo allí en el desierto cuarenta días, y era tentado por Satanás, y estaba con las fieras; y los ángeles le servían. Marcos 1:12-13.

En el desierto de la tentación siempre hay bestias salvajes esperando para herir y destruir. Una de las más salvajes es la lujuria, porque la lujuria siempre trae como resultado la depresión. Como dice Oswald Chambers: "La depresión brota de una de dos fuentes: o he satisfecho la lujuria o no lo he hecho. La lujuria significa que debo tener algo inmediatamente. La lujuria espiritual me hace demandar una respuesta de Dios, en vez de buscar a Dios quien da la respuesta" (*My Utmost for His Highest*, 7 de Febrero).

Otras bestias salvajes del desierto incluyen la baja estima, el perfeccionismo y la falta de confianza. En este lugar desierto la gente se siente inferior, no amada ni deseada. Estas emociones a menudo conducen a sentimientos suicidas y a una inclinación hacia el comportamiento autodestructivo.

Algunas veces las personas son llevadas al desierto por recuerdos de incesto, abuso infantil, actividad demoníaca o cúltica, religión legalista, inmoralidad o conducta adictiva. La depresión siempre caracteriza al desierto, porque en la depresión no parece haber agua viva de esperanza, ni árboles con sombra que protejan del sol ardiente de la total desesperación. Las bestias salvajes en el desierto a menudo asumen la forma de otras personas: un cónyuge incrédulo o infiel, padres abusivos, hijos desobedientes, persecución por parte de compañeros de trabajo o de la escuela, vecinos hostiles, falsos pastores religiosos o amigos infieles.

Por imposible que parezca, el desierto puede regocijarse y florecer como la rosa (Isa. 35:1). La rosa que conocemos hoy (probablemente no la misma flor mencionada en la Escritura) es un arbusto espinoso, pero produce lo que muchos consideran que son las más hermosas flores del mundo. Sólo es posible salir del desierto mediante el Espíritu Santo, que nos capacita para aferrar la realidad de que somos hijos de Dios. Somos importantes para Dios. Jesús habría recorrido el desierto e ido al Calvario por cualquiera de nosotros, aun sólo por usted. ¡Qué rosa en el desierto es esa certeza! En Jesús se encuentra la absoluta seguridad de salvación que vuelve el desierto en una canasta de flores fragantes y frutas deliciosas para aquellos que aceptan las plenas implicaciones del Evangelio.

Una oración para hoy: *Señor, desvanece la depresión y el abatimiento al tomar yo conciencia de que tus ángeles nos ministran con pan y agua.*

¿POR EL PODER DE QUIEN?

Pero cualquiera que blasfeme contra el Espíritu Santo, no tiene jamás perdón, sino que es reo de juicio eterno. Marcos 3:29.

"Mi esposa piensa que yo estoy loco", dijo Edwin mientras hablaba sobre la forma maravillosa como Dios está obrando en su vida, ahora que se ha percatado de que el Espíritu Santo lo está llenando cada día.

"Las cosas que están haciendo las así llamadas denominaciones del Espíritu Santo son del diablo", exclamó un pastor jubilado mientras discutía con un joven pastor los dones espirituales sobrenaturales que eran evidentes dentro de otras iglesias en la ciudad.

"Ese 'sanador por fe' está lleno de un espíritu impío y hace esto sólo para su propio lucro", advirtió Jean mientras trataba de convencer a su amiga Paula que no asistiese a una reunión de oración especial en su iglesia adventista local.

Jesús enfrentó esos mismos tres grados de acusación. Su familia dijo que estaba fuera de sí (Mar. 3:21). Los líderes religiosos dijeron que estaba actuando por el poder de Satanás (vers. 22). También declararon autoritariamente que tenía un espíritu inmundo, significando que sus acciones externas eran un manto para dominar mediante un poder interior corrupto, autogratificante (vers. 30).

Cuando la carta de Marcos fue dirigida a los primeros cristianos, ellos estaban enfrentando las mismas acusaciones por parte de las autoridades judías y romanas que Jesús había enfrentado cuando había obrado poderosamente con el poder del Espíritu Santo. Para aquellos cristianos, y para todos los creyentes en épocas posteriores, era importante saber que Jesús había dado advertencias muy severas contra esta actitud de rechazo del Espíritu Santo.

Unos pocos meses más tarde en el ministerio de Jesús, los discípulos revelaron que habían tenido un problema similar. Se encontraron con un hombre que estaba echando demonios en el nombre de Jesús, y le habían prohibido que continuase porque no pertenecía al sistema de ellos. Pero Jesús les informó: "No se lo prohibáis; porque... el que no es contra nosotros, por nosotros es" (Mar. 9:38-40).

Dios ha escogido trabajar mediante instrumentos imperfectos, pero si se necesita detener una obra, él puede hacerlo en su propio momento y manera. Hasta entonces, siempre podemos aplicar la prueba que dice: "Por sus frutos [no rumores] los conoceréis" (Mat. 7:20).

Una oración para hoy: *Padre, ayúdame siempre a estar dispuesto a hacer tu trabajo, aun si personas bien intencionadas lo juzgan mal y se oponen a él.*

ENEMIGOS EN EL CAMINO

Porque el mismo David dijo por el Espíritu Santo: Dijo el Señor a mi Señor: Siéntate a mi diestra, hasta que ponga a tus enemigos por estrado de tus pies. Marcos 12:36.

Sonna había sido molestada en su lugar de empleo por un gerente que parecía determinado a hacer los días de trabajo de ella tan difíciles como fuese posible. Una noche hablamos en nuestro pequeño grupo sobre los métodos de ataque de Satanás y concluimos en que él trata de muchas maneras de hacer la vida de un cristiano tan difícil como sea posible. "Ciertamente estoy siendo muy hostigada —nos dijo Sonna—. Esto me aíra y desalienta, y me siento inclinada a renunciar a mi cargo".

"Afirmar el señorío de Jesús frente al enemigo es uno de los secretos del éxito", sugerí, recordándole que el verdadero enemigo con quien estaba tratando no era el gerente de su oficina sino fuerzas malignas. "Cuando venga este ataque, en vez de reaccionar con ira y lágrimas, vaya a un lugar privado donde pueda repetir en voz alta una declaración de su creencia en Dios, especialmente centrada en Jesucristo".

Aparentemente éste era un propósito de los credos de la iglesia cristiana primitiva. Uno de los primeros, el Credo de los Apóstoles, dice: "Creo en Dios el Padre todopoderoso, Creador de los cielos y la tierra, y en Jesucristo, su Hijo unigénito, nuestro Señor, que fue concebido por el Espíritu Santo y nacido de la Virgen María; sufrió bajo Poncio Pilato, fue crucificado, murió y descendió al infierno; al tercer día se levantó de los muertos, ascendió al cielo y está sentado a la diestra del Padre, de donde vendrá para juzgar a los vivos y a los muertos. Creo en el Espíritu Santo, la santa iglesia católica [universal], la comunión de los santos, el perdón de los pecados, la resurrección del cuerpo y la vida perdurable".

Cuando el problema se presentó nuevamente en el trabajo, Sonna siguió la sugerencia y se sintió emocionada con los resultados. "Sentí que mi corazón se llenó de paz y calma. No fue algo dramático, sino más bien como una suave calidez y confianza. Mi testimonio de fe en el señorío de Jesús me fortaleció y ciertamente derrotó el ataque del enemigo. Ahora puedo continuar con mi trabajo, sabiendo que lo estoy haciendo con el poder del Espíritu Santo".

Una oración para hoy: *Frente a todos los enemigos, alegre y firmemente te reconozco como mi Señor y mi Dios.*

TODOS LOS CRISTIANOS BAJO ARRESTO

Pero cuando os trajeren para entregaros, no os preocupéis por lo que habéis de decir, ni lo penséis, sino lo que os fuere dado en aquella hora, eso hablad; porque no sois vosotros los que habláis, sino el Espíritu Santo. Marcos 13:11.

Aunque estadísticas confiables nos indican, trágicamente, que cada año casi medio millón de cristianos son muertos por su fe, la mayoría de los más de mil millones de cristianos quizás jamás tengan que hablar por Jesús ante un tribunal hostil.

Sin embargo, antes que nos arrellenemos confiados en nuestros confortables asientos, sería bueno recordar que es muy improbable que el enemigo de las almas nos deje tranquilos tan fácilmente. En efecto, todos los cristianos han sido acosados por los ejércitos impresionantes del maligno. Aquellos cristianos que no permitieron que el Espíritu Santo reprendiese la tentación y afirmase la fe en Jesús, se han encontrado encerrados en la cárcel del pecado y la oscuridad espiritual.

Quin Sherrer y Ruthanne Garlock contaron de Paulina, quien constantemente estaba cediendo a la adicción de hacer compras sin control. Sin embargo, el cautiverio a esta conducta compulsiva fue finalmente roto cuando ella permitió que el Espíritu Santo hablase por medio de ella.

Después de confesar su pecado, Paulina declaró en voz alta: "Satanás, tú ya no tienes más un asidero en mi vida haciéndome codiciosa de cosas que no necesito. Renuncio a este ídolo y declaro que la fortaleza ha sido destruida por la autoridad de Jesucristo. La adicción a comprar innecesariamente no me dominará más. Reconozco este cautiverio de debilidad generacional, y por la sangre de Jesús lo corto". Luego oró: "Padre celestial, te cedo a ti esta área de mi existencia, confiando en ti que este cautiverio ha sido quitado de mi vida. Gracias que por el poder del Espíritu Santo y de acuerdo con tu Palabra, podré caminar en obediencia a ti y victoriosamente. Te hago a ti, y sólo a ti, el Señor de mi vida. En el nombre de Jesús, Amén" (*A Woman's Guide to Spiritual Warfare*, p. 108).

¡Alabado sea Dios! Este mal ya no fue capaz de aprisionar por más tiempo a esta hija de Dios.

Una oración para hoy: *Señor, dependeré nuevamente de ti para que me des las palabras que debo hablar ante las presiones persuasivas de la tentación.*

BIENVENIDAS, SEÑALES QUE SIGUEN

Y estas señales seguirán a los que creen: En mi nombre echarán fuera demonios; hablarán nuevas lenguas; tomarán en las manos serpientes, y si bebieren cosa mortífera, no les hará daño; sobre los enfermos pondrán sus manos, y sanarán. Marcos 16:17-18.

Mientras haya creyentes, estas señales serán evidentes en la iglesia cristiana. Esta parece ser la esencia de la promesa de Jesús. Algunos han desafiado esta creencia, declarando que estos versículos de Marcos no están incluidos en los manuscritos más dignos de confianza del Nuevo Testamento. Si bien es cierto que el antiguo historiador Eusebio y el erudito bíblico latino Jerónimo dudaron de este pasaje —y no se encuentra en el Códice Vaticano ni en el Sinaítico—, la mayoría de otros importantes manuscritos y escritores cristianos antiguos lo aceptaron como auténtico. Como dice un erudito actual: "Este pasaje ciertamente representa la experiencia y la expectación de la iglesia primitiva" (John Rea, *The Holy Spirit in the Bible*, p. 131).

Otros como San Agustín, el obispo del norte de Africa que vivió del 354 al 430 d.C., han declarado que las señales sobrenaturales del Espíritu no continuaron después del establecimiento de la iglesia en el primer siglo. La historia revela cuán inexacta es esa hipótesis. En realidad, San Agustín mismo tuvo que modificar su opinión cuando en un período de dos años ocurrieron más de 70 señales en su propia parroquia. Todos estos eventos milagrosos fueron documentados cuidadosamente e incluyeron curaciones de parálisis, cáncer del seno, hernias, ceguera y posesión demoníaca.

La pionera adventista Elena de White, que había visto cómo habían ocurrido señales extraordinarias bajo el poder del Espíritu Santo, citó Marcos 16:17-18, y dijo: "La promesa es tan abarcante como el mandato. No porque todos los dones hayan de ser impartidos a cada creyente. El Espíritu reparte 'particularmente a cada uno como quiere'... El Evangelio posee todavía el mismo poder, y ¿por qué no habríamos de presenciar hoy los mismos resultados?" (*El Deseado de todas las gentes*, p. 763).

Como un verdadero creyente en Jesús, no hay razón por la cual usted no pueda también ver hoy en su ministerio el cumplimiento de la promesa de Marcos 16:17-18. No hay duda de que estamos viviendo en una época cuando Dios nuevamente nos sorprenderá con milagros poderosos.

Una oración para hoy: *Gracias, Padre, por las señales que siguen al Evangelio, no como un despliegue barato sino como una confirmación de tu poder infalible.*

AUN DESDE LA MATRIZ

Porque será grande delante de Dios. No beberá vino ni sidra, y será lleno del Espíritu Santo, aun desde el vientre de su madre. Lucas 1:15.

¿Cómo sería tener un bebé lleno del Espíritu? ¿Lloraría alguna vez o necesitaría que se le cambiasen los pañales? Cuando el niño creciese, ¿se caería y lastimaría al aprender a caminar? ¿Necesitaría esta criatura que se la disciplinase, o sería el niño perfecto?

Preguntas como éstas indican algunos de los conceptos errónes que tenemos acerca del Espíritu Santo. Escuchen algunos otros que oí recientemente. "El Espíritu Santo desciende sólo sobre gente perfecta". "Si la gente es llena del Espíritu Santo, no caerá en pecado o no cometerá errores serios". "Las personas que están llenas del Espíritu Santo son siempre fuertes y nunca se desaniman".

Si usted se ha sentido tentado a pensar de esa manera, por favor examine nuevamente las vidas llenas del Espíritu de Moisés, Elías y David. Observe los desacuerdos acalorados entre Pablo y Bernabé, o entre Pablo y Pedro. Estudie la historia de los conflictos entre John Wesley y George Whitefield, grandes predicadores llenos del Espíritu, o las diferencias entre los pioneros Jaime y Elena White. El mismo Juan el Bautista terminó en dudas en cuanto a Jesús y envió a algunos de sus discípulos para hablar con Jesús y disipar interrogantes (Luc. 7:19).

No observamos las faltas de gente llena del Espíritu a fin de excusar el pecado o para culpar al Espíritu Santo, sino más bien para recibir aliento del hecho de que Dios puede usar instrumentos imperfectos en una forma muy poderosa si ellos se rinden a él. Sin duda Elisabet vio mucho del aspecto humano del pequeño Juan, pero pudo regocijarse en todo momento con la promesa de Gabriel de que su hijo estaba lleno del Espíritu.

Los padres de la actualidad, aun cuando luchan con las difíciles tendencias de la naturaleza humana de sus hijos, también pueden creer que estos pequeños que han sido consagrados a Dios pueden ser llenos del Espíritu Santo aun desde el seno de su madre.

Una oración para hoy: *Padre, ayúdame a ver en cada niñito el potencial extraordinario de una vida llena del Espíritu y a comprender que esta es la razón por la cual el enemigo concentra tantos esfuerzos sobre los niños.*

LA MISTERIOSA CONCEPCION

Respondiendo el ángel, le dijo: El Espíritu Santo vendrá sobre ti, y el poder del Altísimo te cubrirá con su sombra; por lo cual también el Santo Ser que nacerá, será llamado Hijo de Dios. Lucas 1:35.

¿A quién habría escogido usted para que fuese su madre? Durante siglos las jóvenes de Israel habían orado pidiendo ser la madre del Mesías. Ahora Jesús, en su posición previa a la encarnación como Segunda Persona de la Trinidad, había hecho la asombrosa elección de quién lo llevaría como un diminuto óvulo fertilizado, lo nutriría como un embrión creciente y un feto, lo daría a luz en Belén, y guiaría su crecimiento durante dos o tres décadas. María fue la niña bienaventurada que el Cielo escogió, y el Espíritu Santo inició y supervisó todo el proceso.

Tanto María como Jesús sufrieron constantes sospechas y burlas por las circunstancias del nacimiento del Salvador. Jesús, el Santo de Dios, escogió conocer por experiencia lo que significa ser ridiculizado como niño ilegítimo en una sociedad que consideraba esto como una terrible desgracia.

Las circunstancias de nacimiento pueden determinar una gran diferencia en la vida. De uno de los recientes presidentes de los Estados Unidos se dijo que "nació con buena estrella", mientras que otras personas comienzan la vida en forma tan negativa que parecieran condenados al fracaso antes de comenzar. Recuerde, sin embargo, que no importa dónde lo colocó el nacimiento en la escalera socioeconómica, frente a la cruz y junto a la tumba toda la humanidad está al mismo nivel.

El conde Nicolás Ludwig Graf von Zinzendorf era un joven príncipe adinerado mientras que David era un humilde carpintero, sin embargo, cuando el poder del Altísimo los cubrió e inició y supervisó su experiencia del nuevo nacimiento en la Sajonia del siglo XVIII, llegaron a ser hermanos en el corazón y en el ministerio poderoso para el Señor. Muchos ridiculizaron su fe y su nacimiento espiritual, incluyendo líderes de la iglesia, pero la unción del Espíritu Santo los capacitó para dar nacimiento al movimiento misionero moravo que cambió la vida y el destino de millones.

Una oración para hoy: *Como en la creación y en la encarnación, Espíritu Santo, cubre mi vida con tu poder sobrenatural para que pueda continuar con la certeza de que soy un hijo de Dios.*

SALTANDO DE GOZO

Y aconteció que cuando oyó Elisabet la salutación de María, la criatura saltó en su vientre; y Elisabet fue llena del Espíritu Santo. Lucas 1:41.

¿Se ha sentido alguna vez con el deseo de saltar de alegría? Ese puede ser el efecto del ministerio de Jesús a través del poder del Espíritu Santo. Es difícil mantener sus pies en tierra cuando Jesús comienza a obrar en su vida. En realidad, como leemos en Lucas 1:41-44, Juan incluso tuvo un ministerio de gozo prenatal. Jesús específicamente les dice a sus seguidores que salten de gozo en medio de la persecución. Cuando el Espíritu de Jesús capacitó a Pedro y Juan para sanar al cojo en Jerusalén, éste no sólo saltó sino que entró al templo "andando, y saltando, y alabando a Dios" (Hech. 3:8).

Jonathan Edwards, en su libro *Faithful Narrative of a Surprising Work of God* (Narración fiel de una sorprendente obra de Dios), cuenta de los resultados inesperados de la predicación de George Whitefield en las colonias norteamericanas a mediados del siglo XVIII: "Desde ese entonces ha habido con frecuencia... un inevitable salto de gozo" (citado por John White en *When the Spirit Comes With Power*, p. 94).

Aun algunos que pensarían que es indigno saltar en la iglesia saben lo que es sentir que sus corazones salten de gozo cuando testifican de la poderosa obra del Espíritu Santo. El 25 de mayo de 1895 Elena de White estaba hablando en un servicio de adoración en North Fitzroy, Australia. Dos hermanos se habían interesado en el mensaje adventista y asistido a un campestre reciente, pero sus esposas mostraron poco interés. En realidad, una "había sido criada en la Iglesia Presbiteriana, y se le había enseñado a pensar que era muy impropio para las mujeres hablar en una reunión, y que el que una mujer predicase era totalmente fuera de los límites del decoro".

Al fin de su sermón Elena de White se sintió impresionada a hacer un llamado. Ella informó: "El Espíritu Santo estuvo en la reunión, y muchos fueron conmovidos por su profunda intervención". Entonces ocurrió un gran milagro. Las dos esposas se adelantaron cuando se hizo el llamado, respondiendo a la vigorosa impresión del Espíritu del Señor. "Cuando los hermanos A. vieron que sus esposas se adelantaban, dijeron que se sentían con ánimo de saltar y alabar a Dios. A duras penas pudieron dar crédito a sus propios ojos" (*Review and Herald*, 30 de julio, 1895).

Una oración para hoy: *Bondadoso Padre, que nunca pierda tu gozo que me hace sentir como caminando y saltando y alabando tu santo nombre.*

HABLANDO POR EL ESPIRITU

Y Zacarías su padre fue lleno del Espíritu Santo, y profetizó, diciendo: Bendito el Señor Dios de Israel, que ha visitado y redimido a su pueblo. Lucas 1:67-68.

Cuando se acercaba el sábado 25 de mayo de 1895, Elena de White, debido a un severo resfrío y una ronquera, se preguntaba si podría hablar como estaba programado en el servicio de adoración en North Fitzroy, Australia. Sin embargo, decidió dirigirle al Señor una ferviente petición y comenzó a reclamar la promesa de Lucas 11: "Pedid, y se os dará... ¿Cuánto más vuestro Padre celestial dará el Espíritu Santo a los que se lo pidan?" (Luc. 11:9-13).

Ella creyó que Dios cumpliría sus promesas, de modo que seleccionó un pasaje de la Escritura para su sermón, pero cuando se levantó para hablar, la porción de la Escritura se le desvaneció de la mente y en su lugar el Espíritu Santo la guió a usar el pasaje de 2 Pedro 1 concerniente a la gracia de Dios. Ella testificó: "Fui capacitada mediante la ayuda del Espíritu Santo para hablar con claridad y poder. Al término de mi discurso, me sentí impresionada por el Espíritu de Dios a extender una invitación para que se adelantasen todos los que deseaban entregarse plenamente al Señor" (*Review and Herald*, 30 de julio, 1895).

Entre los 30 que se adelantaron estaban las esposas de los dos hermanos A. Estas damas habían estado resistiendo al Espíritu, pero ahora se rindieron plenamente a Dios.

El hijo de Elena de White, Willie, se sorprendió de que ella hiciera este llamado inesperado, porque no estaban presentes otros pastores que ayudasen a orar en favor de las personas que se adelantaran. El Espíritu se manifestó ahora con poder profético en Willie, haciendo que su madre diese este testimonio: "Nunca lo había oído hablar con mayor poder o con un sentimiento más profundo que en esa ocasión. Llamó a los hermanos Faulkhead y Salisbury para que viniesen adelante, y nos arrodillamos en oración. Mi hijo tomó la iniciativa, y el Señor seguramente dictó su petición, porque él parecía orar como si estuviese en la presencia de Dios" (*Ibíd.*).

No se sorprenda si el mismo Espíritu que escogió hablar a través de Zacarías, de los White y de los dos hermanos australianos, decide hoy hablar mediante usted.

Una oración para hoy: *Señor, te bendigo hoy mientras tú me capacitas para orar y hablar con el poder extraordinario de tu Espíritu.*

ESPERANDO Y VELANDO

Y he aquí había en Jerusalén un hombre llamado Simeón, y este hombre, justo y piadoso, esperaba la consolación de Israel; y el Espíritu Santo estaba sobre él. Lucas 2:25.

Mientras Simeón esperaba al Consolador o Paracleto de Israel, otro Consolador, el Espíritu Santo, ya estaba con él, dándole la fuerza y la fidelidad para mantenerse velando y orando.

El reavivamiento galés de 1904, que muchos eruditos consideran que fue el último gran reavivamiento que influyó sobre gran cantidad de personas de todas las edades y clases, fue encendido por el joven Evan Roberts, quien esperó y oró por el derramamiento del Espíritu Santo. No se nos dice cuánto tiempo Simeón había esperado a Jesús, pero sabemos que Roberts oró por años pidiendo estar presente en la reunión en la que el Espíritu Santo viniese con la plenitud del poder reavivador.

"Durante trece años —escribió Evan Roberts— oré pidiendo el Espíritu; y esta es la forma como fui inducido a orar. William Davies, el diácono, dijo una noche en la sociedad [un grupo pequeño]: 'Acuérdense de ser fieles. ¿Qué pasaría si descendiese el Espíritu y usted estuviera ausente? ¡Recuerden a Tomás! ¡Qué pérdida sufrió!' " (Stephen Olford, *Heart-Cry for Revival*, p. 113).

Roberts recordó luego su fidelidad durante sus años de adolescente hasta que el fuego del reavivamiento comenzó cuando él tenía 26 años. "Me dije a mí mismo: 'Tendré el Espíritu'; y en medio de todo tipo de clima y a pesar de todas las dificultades, fui a las reuniones. Muchas veces, al ver a otros muchachos andando en los botes en la playa, me sentí tentado a dejar la iglesia y unirme a ellos. Pero no. Me dije: 'Recuerda tu resolución', y seguí yendo. Asistí fielmente a las reuniones de oración durante diez u once años y pedí un reavivamiento. Fue el Espíritu quien me impulsó a pensar así" (*Ibíd.*).

Así como el Espíritu indujo a Simeón a esperar la venida del Mesías y guió a los discípulos para que aguardasen en Jerusalén el bautismo del Espíritu en el día de Pentecostés, de la misma manera guía a cristianos sinceros de todos los tiempos para que esperen fervientemente, como Evan Roberts, el derramamiento especial del Espíritu. "Tengo una visión de toda Gales siendo elevada al cielo —le dijo Roberts a su cuñado—. Vamos a ver el reavivamiento más poderoso que Gales jamás haya conocido, y el Espíritu Santo viene pronto, de modo que debemos estar listos".

Una oración para hoy: *Ayúdame a que escoja estar en las reuniones de tu pueblo, Señor, donde tú derramarás tu Espíritu en el poder de la lluvia temprana y tardía.*

UNA VISION DE CERTEZA

Y le había sido revelado por el Espíritu Santo, que no vería la muerte antes que viese al Ungido del Señor. Lucas 2:26.

Cuando el Espíritu da una visión de posibilidades futuras, el pueblo fiel de Dios ve la visión como una realidad. Simeón lo hizo. No había duda en su mente que él sostendría al Mesías en sus brazos.

Dee Dee, esposa del pastor Walter Nelson, creía que Dios le había impresionado que cierta casa en Kaneohe, Hawai, era el lugar que él pondría a disposición de esta familia con tres muchachos en crecimiento. Aunque no tenían los fondos suficientes para efectuar la compra, Dee Dee estaba convencida de que Dios proveería, y visualizó la manera en que la casa podría ser remodelada para adecuarse a sus necesidades. Milagrosamente esa visión se convirtió en realidad, como tuve oportunidad de descubrirlo al disfrutar de la deliciosa hospitalidad de esta talentosa anfitriona y de su familia.

El joven galés Evan Roberts tuvo una visión, no de sostener al Mesías como Simeón ni de una casa para la familia de un pastor, como fue vista por Dee Dee Nelson, sino del fuego de un reavivamiento. En su libro *Heart-Cry for Revival* (Clamor del corazón por un reavivamiento), Stephen Olford cuenta la historia de lo que ocurrió cuando la visión de Roberts se hizo realidad: "En cierta reunión matinal a la que asistió Evan Roberts, el evangelista, en una de sus peticiones, imploró que el Señor nos 'doblegara'. El Espíritu pareció decirle a Roberts: 'Eso es lo que tú necesitas, doblegarte'.

"Y él describe así su experiencia: 'Sentí una fuerza viviente que se introducía en mi pecho. Crecía y crecía, y yo estaba por estallar. Mi pecho estaba ardiendo. Lo que ardía era ese versículo: 'El amor de Dios ha sido derramado'. Caí sobre mis rodillas y mi transpiración manaba copiosamente. Pensé que la sangre estaba derramándose'... Mientras tanto él exclamaba: '¡Oh Señor, doblégame! ¡Doblégame!', y entonces repentinamente la gloria se manifestó" (p. 113).

El Espíritu Santo se siente tan a gusto dándole una visión de gente y casas como de eventos espirituales importantes. El le ayudará a ver el poderoso potencial que hay más allá de lo que parece posible en base a la fuerza y la sabiduría humanas. Simeón sabía que antes de morir vería al Salvador. Quizás algunos se burlaban de esta certeza, pero con Dios la visión se convirtió en realidad.

Una oración para hoy: *Mi Señor y Dios, te agradezco que tú puedes nuevamente abrir mis ojos a todas las cosas maravillosas que son posibles hoy mediante tu Espíritu.*

MOVIDO POR EL ESPIRITU

Y movido por el Espíritu, vino al templo. Lucas 2:27.

El Espíritu Santo no sólo mueve espiritualmente a las personas sino también geográficamente, si es necesario. Simeón se trasladó al área del templo a fin de estar allí cuando llegase el bebé Jesús. Felipe se fue a otro lugar después que hubo bautizado al dirigente de Etiopía. Elías fue trasladado a la gloria en un carro de fuego.

Después que Evan Roberts fue ungido tan poderosamente por el Espíritu Santo en Blaenanerch, Gales, en 1904, el Espíritu lo trasladó sin demora al lugar donde comenzaría su ministerio. "De ahí en adelante —dijo—, la salvación de las almas llegó a ser lo que pesaba sobre mi corazón. Desde ese momento ardía de un intenso deseo de ir por todo Gales" (Stephen Olford, *Heart-Cry for Revival.* p. 113). Inmediatamente el Espíritu trasladó a Roberts a su hogar en Loughor, donde comenzó a celebrar reuniones de oración "que en asunto de días atrajeron a multitudes mientras un reavivamiento se extendía a toda la región" (*Ibíd.*).

El Espíritu Santo llevó a Evan Roberts de reunión a reunión a través de Gales. "Las capillas estaban colmadas, con centenares más que quedaban fuera. Su aparición en estas reuniones a menudo causaba mucho fervor religioso y entusiasmo, y unas pocas palabras de exhortación o una breve oración eran suficientes para encender de fervor a la congregación. La gente prorrumpía en cantos y luego en testimonios, seguidos de oración, y luego nuevamente de cantos" (*Id.,* p. 114).

Joseph Kemp, el pastor de la Capilla Charlotte en Edimburgo, fue impulsado por el Espíritu Santo a visitar las reuniones de reavivamiento en Gales. Escuche lo que ocurrió: "Pasé dos semanas observando, experimentando, absorbiendo, escudriñando mi propio corazón, comparando mis propios métodos con los del Espíritu Santo; y luego volví a mi gente en Edimburgo para decir lo que había visto" (*Id.,* p. 116). Inmediatamente el reavivamiento comenzó a extenderse por Escocia. Los resultados fueron milagrosos. No sólo se llenaron las iglesias, pero, como testificó Kemp, el reavivamiento "ha dado tanto a jóvenes como a viejos un nuevo amor por la Biblia. El tiempo no alcanzaría para contar de las vidas purificadas, de los hogares cambiados, y de la perspectiva radiante para centenares" (*Id.,* p. 116).

Este es el movimiento del Espíritu que Dios tiene para nosotros mientras lo buscamos en oración hoy.

Una oración para hoy: *Señor de amor, te pido hoy que me capacites para estar exactamente en el lugar que tú tienes para mí en el centro del reavivamiento y la reforma.*

LA SANGRE Y EL FUEGO

Respondió Juan, diciendo a todos: Yo a la verdad os bautizo en agua; pero viene uno más poderoso que yo, de quien no soy digno de desatar la correa de su calzado; él os bautizará en Espíritu Santo y fuego. Lucas 3:16.

Si usted ha cantado recientemente "Firmes y Adelante", puede haber pensado en el Ejército de Salvación, quien hace más de 100 años comenzó su poderoso ministerio en favor de los pobres y necesitados. El repiqueteo de una campana junto a uno de los más de 15.000 peroles de Navidad en los Estados Unidos, quizás no se parezca mucho a una guerra, pero el lema del Ejército de Salvación es "Sangre y Fuego" y caracteriza la dinámica de reavivamiento y beneficencia social de William Booth, el fundador del Ejército.

Booth se convirtió en una Capilla Wesleyana en Nottingham, Inglaterra, cuando tenía 15 años y fue lleno del Espíritu Santo en las reuniones de reavivamiento de James Caughey, un predicador norteamericano visitante. Poco después, Booth y algunos jóvenes amigos se lanzaron a evangelizar a los pobres en una reunión al aire libre y en reuniones de pequeños grupos, en cabañas. Después de su casamiento con Catherine Mumford en 1855, su singular equipo ministerial marchó adelante con el poder extraordinario del Espíritu Santo. En efecto, se ha dicho que los métodos de Booth se basaban en el sentido común, el Espíritu Santo y la Palabra de Dios.

Pronto esta pareja llena del Espíritu abandonaría la seguridad de un empleo con su denominación y confiaría enteramente en el Espíritu del Señor. Más tarde él recordó: "Renuncié a mi cargo y salí de la casa, sin salario, con una esposa delicada y cuatro niños menores de cinco años" (John Woodbridge, editor, *More Than Conquerors*, p. 261). ¡Qué gran cosecha de almas se ha producido como resultado de ese paso de fe!

El general y la señora Booth siempre reconocieron que su Ejército fue la "creación del Espíritu Santo", y en 1892 él exhortó así a sus oficiales: "Entregaos completamente a Dios. Seguid velando y orando y creyendo por mí, por vosotros mismos, por todo el Ejército en casa y en el extranjero, por el poderoso bautismo del fuego ardiente" (*Christian History*, número 26, p. 28). Actualmente, en más de 90 países alrededor del mundo, 3 millones de soldados y oficiales del Ejército de Salvación, han aceptado "Sangre y Fuego" como el lema de su ministerio cristiano práctico, lleno del Espíritu.

Una oración para hoy: *Bautízame nuevamente, Señor, con el Espíritu y el fuego de modo que pueda servirte de acuerdo con los dones espirituales que tú escogerás usar por mi intermedio.*

UNA PALOMA EN LA TORMENTA

Y descendió el Espíritu Santo sobre él en forma corporal, como paloma, y vino una voz del cielo que decía: Tú eres mi Hijo amado; en ti tengo complacencia. Lucas 3:22.

David Livingstone había regresado al Africa en 1858, pero William Booth estaba convencido de que la mansa Paloma, el Espíritu Santo, debía tener la oportunidad de traer el Evangelio a "los paganos que vivían a la mano en la muy oscura Inglaterra" (*Christian History*, número 26, p. 34). Millones que vivían en pobreza abyecta, en la suciedad de terribles barrios pobres, trabajando a menudo más de 90 horas por semana, sin verdadera religión o fe en Dios, oirían de parte del General Booth y del Ejército de Salvación que ciertamente eran hijos e hijas amados de Dios.

La oscuridad de las fuerzas satánicas siempre ha tratado de borrar la luz del amor y la verdad de Jesús. Inglaterra en el siglo XIX no era una excepción, y aunque el lema del Ejército era "Sangre y Fuego", estos valientes soldados de Jesús, llenos del Espíritu, mostraron la mansedumbre de la Paloma en medio de perversas tormentas de oposición.

Cyril Barnes cuenta del Ejército sometido a un sitio hostil: "Cuando William y Catherine Booth visitaron Sheffield en enero de 1882, el éxito de sus reuniones dominicales airó tanto a los enemigos del Ejército que una pandilla local conocida como 'Los Cuchillos' decidieron asaltarlos... Tarde ese día, cuando William Booth pasaba revista a sus tropas cubiertas de sangre, barro y yema de huevo, con sus instrumentos de metal golpeados hasta el punto de que no se los podía reparar, sugirió: '¡Ahora es el momento de que se saquen fotografías!' En ese año, sólo en Inglaterra, casi 700 miembros del Ejército fueron brutalmente atacados en las calles, simplemente por predicar el Evangelio" (*Id.*, p. 16). Una cantidad de salvacionistas fueron muertos en Gran Bretaña y Estados Unidos mientras compartían el amor de Jesús.

Estar llenos del Espíritu Santo como una mansa Paloma no significa vernos libres de oposición o persecución. Significa, sin embargo, que hay fortaleza de propósito, fe vigorosa y confianza en Dios, certeza de la salvación, y una calma y paz interiores que aun las peores fuerzas del infierno no pueden sacudir.

Una oración para hoy: *Padre, ayúdame a no sentirme intimidado por aquellos que tienen una actitud negativa hacia la obra de tu Espíritu, pero dame una certeza siempre creciente de que soy tu amado hijo.*

UN ATAQUE NO SORPRESIVO

Jesús, lleno del Espíritu Santo, volvió del Jordán, y fue llevado por el Espíritu al desierto. Lucas 4:1.

Como huésped en la preciosa casa del Dr. Kazuo y Rose Teruya, disfruté de la hermosa vista desde el valle Haiku hasta Kaneohe, sobre la isla hawaiana de Oahu. A la distancia podía ver la Base Aérea de la Infantería de Marina, y mientras oía el movimiento de los aviones, pensé en el ataque por sorpresa que había castigado esa base área junto con Pearl Harbor en la mañana del 7 de diciembre de 1941.

Rose había estado viviendo en Honolulu en la época del ataque y recordaba haber visto algunos de los 353 aviones japoneses volando por encima, mientras oía las noticias de la radio sobre lo que estaba ocurriendo. En menos de dos horas terminó el ataque, y más de 2.400 norteamericanos estaban muertos. Los Estados Unidos fueron lanzados violentamente a la Segunda Guerra Mundial. Más de 50 años más tarde, los sobrevivientes todavía recuerdan el terror de aquella mañana.

No fue un ataque sorpresivo lo que lanzó a Jesús en el conflicto de tres años y medio contra el enemigo. A medida que el Espíritu Santo llenaba a Jesús, él estaba listo para la batalla. Desde los años más tempranos de Jesús, cuando estaba sobre las rodillas de su madre, el Espíritu había fortalecido su mente con la Escritura, y ahora, al ir al desierto, se hallaba listo con la Palabra exactamente de la misma manera como nosotros podemos estar listos hoy. Llenos del Espíritu Santo, no nos dormiremos al amanecer, no dejaremos nuestro lugar para ir a tomar el desayuno como ocurrió con dos operadores del ejército en la Estación de Radar Opana, diez minutos antes del ataque sobre Pearl Harbor. El Espíritu nos prepara para la victoria contra los engaños de Satanás.

Tras nuestro seminario en la iglesia de Kaneohe, pude visitar Pearl Harbor con los pastores Richard Among y Walter Nelson. "¿No hubo advertencias tempranas de este ataque?", pregunté.

"Las autoridades en Washington tenían muchas indicaciones de que se acercaba un problema, pero creían que podían resolverlo mediante negociaciones —explicó Richard—. No tuvieron en cuenta cuán engañoso puede ser el enemigo".

No hagamos hoy negociaciones con el enemigo ni tomemos riesgos. Mediante el Espíritu de Dios estemos listos para el conflicto en todo momento.

Una oración para hoy: *Manténme despierto, Padre. Que yo oculte tu Palabra en mi corazón para que no peque contra ti cuando venga repentinamente la tentación.*

BIENVENIDO, ESPIRITU MISIONERO

Y Jesús volvió en el poder del Espíritu a Galilea, y se difundió su fama por toda la tierra de alrededor. Lucas 4:14.

La pionera adventista Elena de White había visto muchas visiones del cielo, de modo que en su viaje al Pacífico austral se sorprendió al ver la hermosa vista a barlovento de la isla hawaiana de Oahu. Mirando desde Nuunau Pali, más allá de Kailua y Kaneohe, al Pacífico brillantemente azul, ella exclamó que esto era lo más semejante al cielo que había visto en ningún otro lugar de la tierra. Les recordé a mis amigos hawaianos, que compartieron esta declaración conmigo, que en ese momento ¡ella todavía no había visitado Nueva Zelanda, de donde yo soy oriundo!

La visita de la señora White a Hawai en 1891 ocurrió unos 70 años después de la llegada de los primeros misioneros, muchos de los cuales se habían convertido y habían recibido el Espíritu gracias a la predicación ardiente y reavivadora de Charles G. Finney. Cuando los misioneros llegaron a Hawai después de un viaje en barco de seis meses, desde Boston, tras recorrer unos 25.000 kilómetros, encontraron condiciones increíbles de "miseria, degradación y barbarismo entre los salvajes casi desnudos". Aunque los misioneros suplieron ropas a los conversos, no era insólito para la gente presentarse desnudos a la iglesia. El primer misionero adventista en Hawai fue Abram La Rue, quien era un ex buscador de oro ahora lleno del poder del Espíritu. Llegó a Honolulu en 1883 y pronto, con otro colportor, sembró suficiente semilla del Evangelio como para que se realizara eventualmente el bautismo de los primeros nueve creyentes en el mensaje divino de los tres ángeles.

Cuando Jesús comenzó su ministerio misionero bajo el poder del Espíritu en Galilea, enfrentó degradación y desnudez espirituales que lastimaron su corazón de amor más que el espectáculo de los primitivos nativos de Hawai en su hermoso paraíso tropical. No sólo vio enfermedad y pobreza sino el sufrimiento causado por la religión falsa e inefectiva. En la sofisticación de nuestra sociedad moderna y tecnológica, el ministerio misionero es tan urgente como lo fue en Galilea o en las Islas Hawai. La humanidad sufriente de hoy puede recibir ayuda al ver el Evangelio en acción en la vida de los cristianos llenos del Espíritu, que abren sus hogares y corazones a aquellos que necesitan amor, aceptación y perdón.

Una oración para hoy: *Santo Espíritu, por favor lléname con un espíritu misionero que me motivará a cruzar por ti océanos de barreras sociales, étnicas, culturales y religiosas.*

BIENVENIDO, MINISTERIO DE CURACION

El Espíritu del Señor está sobre mí, por cuanto me ha ungido para dar buenas nuevas a los pobres; me ha enviado a sanar a los quebrantados de corazón; a pregonar libertad a los cautivos, y vista a los ciegos; a poner en libertad a los oprimidos; a predicar el año agradable del Señor. Lucas 4:18-19.

En cumplimiento de esta increíble profecía de Isaías, Jesús se dedicó a un ministerio de curación total. Si usted ora sobre este pasaje y lo analiza cuidadosamente, descubrirá que abarca la sanidad espiritual, la sanidad emocional, la sanidad de una visión distorsionada, la sanidad de circunstancias esclavizadoras como recuerdos y adicciones, la sanidad de opresión demoníaca, y la sanidad de falsas expectativas respecto al futuro.

Cada persona necesita a menudo el poder curativo de Jesús en una o más de esas áreas. Algunos tipos de sanidad ocurren cuando el Espíritu Santo guía a almas sufrientes a la Palabra de verdad. Otros encuentran sanidad cuando se comunican con su Padre celestial en oración. Más a menudo, sin embargo, el Espíritu obra a través de cristianos que a su vez son sanadores sanados.

El abogado Tom Hamilton, que había conocido por experiencia el poder sanador de Jesús, fue usado por el Señor en Arizona para liberar a Jessie de la influencia de Satanás. De la misma manera el Señor usó al pastor Richard Among para orar en favor de un hombre que posteriormente fue sanado de cáncer en la isla hawaiana de Oahu.

En la isla de Maui me encontré con un pequeño grupo en la casa de Jeannette Coon. Donovan y Jacque Kay habían estado presentes en la iglesia de Lahaina seis meses antes cuando el pastor Barry y Norma Crabtree y una cantidad de otros miembros de iglesia se me habían unido en una oración especial por los enfermos. Todos habíamos experimentado el poder sanador de Dios de una manera u otra, y la última noche Jacque Kay testificó ante el pequeño grupo cómo había sido sanada de la enfermedad de Addison cuando oramos por ella seis meses antes. Todos en el grupo declararon que se había producido un cambio tremendo en la vida de Jeannette, nuestra anfitriona, en los seis meses desde que ella había orado y ganado la victoria sobre las cápsulas de cafeína a las que había estado adicta por 30 años.

Una oración para hoy: *Señor, por favor continúa ungiéndome con tu Espíritu de modo que pueda ser un agente de tu abarcante ministerio sanador.*

REGOCIJO REAL

Pero no os regocijéis de que los espíritus se os sujetan, sino regocijaos de que vuestros nombres están escritos en los cielos. En aquella misma hora Jesús se regocijó en el Espíritu. Lucas 10:20-21.

Los cristianos que aman al Señor no centran su regocijo en lo que ellos han hecho sino más bien en Jesús, que les ha asegurado su lugar en el cielo. El Espíritu Santo incluso guió a Jesús para que se regocijara al ver a sus discípulos comenzando a captar la certeza de quién él realmente es.

Después que el predicador escocés Joseph Kemp hubo captado el fuego del reavivamiento galés, regresó a su iglesia local y en 1905 guió a su pueblo en un movimiento de oración que trajo como resultado un poderoso derramamiento del Espíritu Santo en Edimburgo. Escuche a Kemp hablar de algunos de los dramáticos resultados: "La gente derramaba sus corazones en oración insistente. Todavía tengo que presenciar un movimiento que haya producido más resultados permanentes en la vida de hombres, mujeres y niños. Hubo irregularidades, no cabe duda; también alguna conmoción. Hubo aquello que traspasaba todas las formas prescritas y deshacía toda convencionalidad. Pero tal movimiento con todas sus irregularidades ha de preferirse por lejos al decoro aburrido, seco y monótono de muchas iglesias. Bajo estas influencias las multitudes colmaban la capilla, la cual, sólo tres años antes, mantenía un 'sombrío vacío'. Después del primer año de este trabajo, habíamos atendido personalmente a no menos que mil almas, que habían sido traídas a Dios durante las reuniones de oración" (*Heart-Cry for Revival*, p. 116).

Ahora la gente de Edimburgo, al igual que Jesús, podía regocijarse en el Espíritu. "La gente nos dice que nuestra religión no tiene gozo —dijo Kemp—. Bien, si los santos del Dios viviente no tienen gozo, ¿quién lo tiene? Jesucristo nos ha hecho ver que el gozo es una de las cualidades que él imparte a los santos de Dios. El mundo no sabe nada de ello. Por el momento pueden darle alguna diversión, pero eso no es gozo. El gozo es el don de Dios. Cuando un reavivamiento de Dios visita una congregación, trae consigo gozo" (*Id.*, p. 115).

Una oración para hoy: *Padre, el mundo ofrece hilaridad vacía, pero hoy yo acepto nuevamente tu verdadero regocijo, que trae risa interior y eterna felicidad.*

UN DADOR FELIZ

Pues si vosotros, siendo malos, sabéis dar buenas dádivas a vuestros hijos, ¿cuánto más vuestro Padre celestial dará el Espíritu Santo a los que se lo pidan? Lucas 11:13.

"La época de Navidad es la peor del año para trabajar en ventas al por menor", me dijo Lyndell, mi hija del medio, cuando estaba en la mitad de esa temporada del año en el negocio que ella administra en un gran centro comercial de Portland. "Mucha gente parece muy nerviosa en cuanto a tener que dar regalos".

No ocurre así con Dios. El se deleita en dar a sus hijos el maravilloso regalo del Espíritu Santo.

Es en la conversión, cuando un pecador invita a Jesús que sea su Salvador, que el don del Espíritu Santo se da por primera vez para morar en la vida de esa persona (Rom. 8:9-11; Efe. 1:13; Eze. 36:26-27). Muchos cristianos, sin embargo, no son conscientes de la llegada del Espíritu en la conversión y saben muy poco acerca de él. Cuando ellos realmente se percatan del Espíritu Santo y lo reciben conscientemente, este don les proporciona tal gozo que desean repetir la experiencia vez tras vez.

El Espíritu Santo obra con gran poder sólo cuando recibe la invitación a hacerlo. En realidad esto requiere un sometimiento diario al control total del Espíritu de cada parte del templo del cuerpo en el cual él ya mora (1 Cor. 6:19-20). Jesús concluye su enseñanza más vigorosa sobre la oración dando instrucciones sobre la recepción repetida del Espíritu Santo. Primeramente, nos enseña a pedir día tras día por "el pan nuestro de cada día" (Luc. 11:3). En segundo lugar, cuenta la historia de un hombre que pidió persistentemente tres panes a medianoche, con expectación positiva. Finalmente, el tiempo presente griego en Lucas 11:9-10, 13 sugiere que Jesús estaba diciendo: "Sigue pidiendo, buscando, golpeando, y seguirás recibiendo".

¿Pidió ayer? Entonces pida nuevamente hoy y pida mañana. A veces cuando los niños piden mucho, sus padres contestan: "No me molestes". Pero Dios es lo opuesto. El dice: "Sigue pidiéndome vez tras vez. Yo deseo seguir dándote más y más del Espíritu Santo cada día".

Una oración para hoy: *Sí, Señor, nuevamente te estoy pidiendo tu fabuloso regalo de mi amigo, consolador y fortaleza: el Espíritu Santo. Gracias por oírme y contestar mi oración.*

CONFESION ESPECIFICA

A todo aquel que dijere alguna palabra contra el Hijo del Hombre, le será perdonado; pero al que blasfemare contra el Espíritu Santo, no le será perdonado. Lucas 12:10.

En la cruz Jesús perdonó todos los pecados de la humanidad al pagar el precio "no solamente por los [pecados] nuestros, sino también por los de todo el mundo" (1 Juan 2:2). Para que yo me apropie de ese perdón es necesario que confiese mi pecado cuando el Espíritu Santo produce convicción en mi corazón (1 Juan 1:9; Juan 16:8). El pecado contra el Espíritu Santo no puede ser perdonado porque se rechazan la convicción y la confesión, y las amorosas súplicas del Espíritu son resistidas. Una persona que rechaza el Espíritu Santo tiene una actitud de que a-mí-no-me-importa-nada.

"Confesar" es una palabra interesante que es importante comprender. Significa "decir la misma cosa" o "estar de acuerdo". De modo que cuando el Espíritu Santo me convence de pecado, es importante que mi confesión reconozca específicamente la comprensión exacta del pecado que el Espíritu ha colocado sobre mi corazón.

Me gusta la manera como Neil T. Anderson ilustra la importancia de la confesión específica. "Suponga que un padre sorprende a su hijo arrojando una piedra a un automóvil. El papá dice: 'Tú arrojaste una piedra a un vehículo, y esto estuvo mal". Si el muchacho responde: 'Lo siento, papá', ¿ha confesado? No realmente. Podría también decir: 'Por favor, perdóname, papá', pero ¿ha confesado en realidad? No. El no ha confesado hasta que esté de acuerdo con su padre: 'Tiré una piedra a un vehículo; estuve mal' " (*The Bondage Breaker*, p. 81).

"Cuando usted peca puede sentirse triste, pero estar triste o incluso decirle a Dios que está triste no es confesión. Usted confiesa su pecado cuando dice lo que Dios dice al respecto: 'Le di acogida a un pensamiento sensual, y eso es un pecado'; 'Traté a mi cónyuge en forma áspera esta mañana, y eso estuvo mal'; 'el orgullo me impulsó a buscar ese cargo en la junta directiva, y el orgullo no pertenece a mi vida' "(*Ibíd.*).

La confesión específica rompe los baluartes que Satanás tiene en nuestra vida y permite que cada día el Espíritu Santo glorifique a Jesús nuevamente en nosotros y a través de nosotros.

Una oración para hoy: *Al confesarte los pecados que tu Espíritu me está revelando hoy, Señor, me regocijo en el amor total, la aceptación y el perdón que siempre me das en Jesús.*

LAS PALABRAS CORRECTAS EN EL MOMENTO CORRECTO

Porque el Espíritu Santo os enseñará en la misma hora lo que debáis decir. Lucas 12:12.

¿Alguna vez ha tenido la experiencia de tener la respuesta correcta en el preciso momento en que la necesitaba? "No sé cómo ese texto acudió a mi mente". Parece que el Espíritu Santo nos da las palabras correctas justamente cuando más las necesitamos.

Hay muchos informes sobre cómo el Espíritu Santo está obrando poderosamente en el sureste de Asia. Los funcionarios de gobierno del Vietnam comunista han quedado confundidos por lo que Dios está haciendo. Un artículo de 1992 traducido de un diario vietnamés concluía de este modo: "No sabemos qué está ocurriendo [en la región montañosa], pero es algo llamado la religión de las 'Buenas Nuevas'".

Por el tiempo cuando apareció el artículo que describía la religión Buenas Nuevas, los comunistas iniciaron una intensiva "campaña de reeducación" en una villa donde un evangelista había estado predicando. Después de una sesión de seis horas, uno de los oficiales escribió dos títulos en un pizarrón: "Contra Cristo" y "Por Cristo". Luego pidió a los aldeanos que escribieran sus nombres en la columna apropiada. No hubo respuesta hasta que finalmente una anciana se dirigió al grupo: "Durante los últimos 20 años seguí el marxismo. He seguido la línea de acción del partido y he servido como su dirigente. Pero hace unos meses comprendí que Jesucristo ofrece un camino mejor".

En el momento de prueba y crisis, el Espíritu Santo no sólo le dio a esta nueva cristiana las palabras correctas para hablar sino también el valor para completar su testimonio con una acción positiva. Firmó su nombre como quien estaba "Por Cristo", y para frustración de los dirigentes comunistas toda la villa hizo lo mismo. Para esos aldeanos estaba en juego su vida. Para usted puede ser que esté en juego su empleo, su lugar en un equipo, su popularidad entre sus amigos, su posición en un comité importante, o sus notas en la escuela. Cualquiera sea la situación, puede tener la certeza de que el Espíritu le dará las mejores palabras para hablar y el valor para permanecer leal a Jesús y a las grandes verdades de su Palabra.

Una oración para hoy: *Padre celestial, guardo pasajes de la Escritura y evidencias de tu fidelidad en mi corazón y mente para ser activados cuando más se los necesite.*

LA PROMESA BIENVENIDA

Y he aquí que yo enviaré la Promesa de mi Padre sobre vosotros; y vosotros permaneced quietos [esperad] en la ciudad, hasta que seáis revestidos de fortaleza desde lo alto. Lucas 24:49, Versión de Bóver-Cantera.

Hay cuatro palabras que necesitan aclararse si vamos a descubrir el significado de este versículo sobre el Espíritu Santo citado tan a menudo. "Vamos a tener una reunión de espera", me informó un amigo pentecostal. No estaba seguro qué significa en este caso la palabra "espera". "Vamos a ser revestidos de poder", explicó el amigo. Tampoco estaba seguro en cuanto a "revestidos" y "poder" o "fortaleza". Encima de todo esto, había leído en Juan 14 al 16 unas 30 promesas que Jesús había hecho a sus discípulos, de modo que no estaba seguro a qué promesa se estaba refiriendo cuando dejó a sus discípulos.

No es difícil descubrir la identidad de la Promesa que aparece personificada en el versículo de hoy. Lucas lo hace muy claro en su primer capítulo de Hechos. Después de esperar en Jerusalén, los discípulos recibirían el Espíritu Santo prometido (Hech. 1:4-8). Era él quien los revestiría con el poder, *dúnamis*, hacedor de milagros que cambiaría vidas radicalmente, como los discípulos lo presenciaron en relación con el "arrepentimiento y el perdón de pecados" mediante la muerte y la resurrección de Jesús (Luc. 24:46-48).

Ahora bien, ¿qué diremos sobre "permaneced quietos" o "esperad"? La palabra original para "esperad" se traduce "sentaos" en la mayoría de otros pasajes de la Escritura. Pero no es sentarse pasivamente, como el término moderno "atornillado en un sofá" describe a una persona cuya principal actividad es relajarse por largo tiempo en frente de un televisor. La expresión "sentarse" del Nuevo Testamento era activa, como un ejecutivo que está sentado frente a un escritorio, un miembro del jurado sentado en el juicio, o un dirigente nacional sentado en un asiento de autoridad.

Los discípulos debían esperar activamente y preparar sus corazones con oración y con la Escritura para la recepción de la Promesa. En realidad, durante su tiempo de espera tuvieron gran gozo y "estaban siempre en el templo, alabando y bendiciendo a Dios" (Luc. 24:52-53).

Aunque la mayoría de nosotros no estamos viviendo en la ciudad de Jerusalén, tenemos que "permanecer" cada día con una actitud de oración, de expectativa positiva, aguardando un derramamiento fresco del Espíritu Santo.

Una oración para hoy: *Gracias, Señor, por tu Promesa especial. Hoy te pido nuevamente ser revestido y lleno con el Poder de lo alto.*

UNA SEÑAL PARA JUAN

También dio Juan testimonio, diciendo: Vi al Espíritu que descendía del cielo como paloma, y permaneció sobre él. Juan 1:32.

¿Por qué es que el descenso de la paloma es uno de los pocos detalles concernientes a Jesús que se menciona en todos los Evangelios? Descubrimos la razón al comienzo del registro de Juan sobre la vida de Jesús. La paloma fue una señal visible, sobrenatural, del Espíritu Santo por la cual Juan el Bautista pudo reconocer a Jesús.

Jesús y Juan habían crecido lejos el uno del otro, en dos diferentes provincias de Palestina, y, aparentemente, nunca se habían encontrado. Ambos fueron atraídos por el Espíritu Santo al lugar donde Juan, tras ver la señal de la paloma, presentaría a Jesús a la humanidad perdida como "el Cordero de Dios, que quita el pecado del mundo" (Juan 1:29).

Aunque no se menciona al Espíritu como descendiendo nuevamente en forma de paloma, ciertamente continuó con su ministerio de identificar, proclamar y glorificar a Jesús como nuestro maravilloso Salvador. Para la mayoría de las personas Jesús es identificado por el Espíritu Santo en la Palabra de Dios o en la vida de otro cristiano. Para unos pocos, como Sundar Singh, de la India, el Espíritu Santo revela al Jesús viviente en persona.

Sundar Singh nació en 1889 en una familia hindú sikh, y a temprana edad asumió seriamente el compromiso de encontrar la verdad espiritual. A los 14 años llegó a estar muy opuesto al cristianismo y quemó públicamente una Biblia, página por página. En medio de un profundo desánimo en cuanto a la religión, oró para que Dios se le revelase, y permaneció por horas en oración, esperando ver quizás a Krishna o a Buda. Para su asombro apareció una gran luz en su habitación y en la luz el Espíritu Santo reveló "no la forma que yo esperaba —informó Singh—, sino el Cristo viviente a quien había considerado como muerto".

La seguridad de la certeza de Jesús permaneció en este adolescente de 15 años mientras servía al Señor en la India y alrededor del mundo con el poder extraordinario del Espíritu Santo, hasta que Singh desapareció casi 25 años más tarde mientras estaba en una misión cristiana en el país cerrado de Tibet.

Una oración para hoy: *Padre, en tu Palabra y en cristianos llenos del Espíritu busco señales del Espíritu que nuevamente glorifiquen a Jesús en mi corazón y en mi entendimiento.*

CUANDO JESUS BAUTIZA

Y yo no le conocía; pero el que me envió a bautizar con agua, aquél me dijo: Sobre quien veas descender el Espíritu y que permanece sobre él, ése es el que bautiza con el Espíritu Santo. Juan 1:33.

Si usted fue bautizado por inmersión, recordará que un ministro del Evangelio o algún otro cristiano estaba con usted en el agua, bautizándolo en el nombre del Padre, del Hijo y del Espíritu Santo. Ningún ser humano, sin embargo, puede bautizarlo con el Espíritu Santo. Este es el ministerio y el deleite de Jesús mismo.

Así como el bautismo por agua es un testimonio externo de la experiencia del nuevo nacimiento, de la misma manera el bautismo del Espíritu Santo es un testimonio dinámico de la plenitud de la presencia del Espíritu que ha venido para morar en la vida de un cristiano en ocasión de la conversión. Los cristianos que son bautizados con el Espíritu Santo sabrán que esto ha ocurrido, y lo mismo pasará con aquellos que ven el nuevo fruto y los dones en la vida del cristiano lleno del Espíritu.

A menudo los teólogos han debatido si el bautismo del Espíritu Santo es un evento que ocurre sólo una vez o si puede ocurrir muchas veces en la vida de cada cristiano. La Biblia ciertamente enseña que usted puede ser llenado repetidamente con el Espíritu de Dios, y usted puede cantar con certeza el himno de W. A. Ogden:

> "Bautízanos de nuevo
> con poder de lo alto,
> con amor, ¡oh reavívanos!
> Amado Salvador, acércanos.
> Humildemente te imploramos, Señor Jesús,
> Con amor y con el Espíritu bautízanos hoy".

Me agrada la manera como R. A. Torrey, superintendente del Instituto Bíblico Moody, explicó esto cuando dijo: "Sin embargo, si confinamos la expresión 'bautismo con el Espíritu Santo' a nuestra primera experiencia, seremos más exactamente bíblicos, y estaría bien hablar de un bautismo pero de muchas experiencias de ser vueltos a llenar. Pero yo preferiría por lejos que alguien hablase de nuevos o recientes bautismos del Espíritu, adhiriéndose a la verdad supremamente importante de que necesitamos ser llenados repetidamente con el Espíritu Santo, que la posición de aquel que insistiese tanto en la fraseología exacta que perdiese de vista la verdad de que se necesita ser llenado repetidamente" (R. A. Torrey, *The Person and the Work of the Holy Spirit*, p. 181).

Una oración para hoy: *Como cristiano, Señor, comienzo este día alabándote por sumergirme completamente en tu Espíritu y en tu amor.*

NACIDO DE AGUA Y DE ESPIRITU

Respondió Jesús: De cierto, de cierto te digo, que el que no naciere de agua y del Espíritu, no puede entrar en el reino de Dios. Juan 3:5.

A menudo la gente se jacta de su linaje familiar. Si vamos suficientemente atrás, la mayoría de nosotros estamos relacionados con algún personaje famoso —o infame—, siendo el más importante, naturalmente, el Adán original. Al proceder de Adán todos tenemos una herencia como parte de la humanidad perdida (Rom. 3:23; 5:15-19). Pero Jesús vivió y murió sobre la tierra para que cada persona pueda ser parte de un nuevo linaje, el de vida eterna en la familia de Dios (Rom. 6:23; 8:9-16).

Jesús dijo que para ser considerado como un hijo de Dios, es necesario nacer otra vez. Este nuevo nacimiento no es de "sangre", no desciende físicamente desde Adán. No es de "voluntad de carne", que es el impulso sexual; ni de "voluntad de varón", que es el deseo de una persona de tener descendientes. Es totalmente la obra del Espíritu de Dios (Juan 1:13; 6:63).

Charles Colson, ex ayudante especial del presidente de los Estados Unidos, era conocido como el encargado de trabajos inescrupulosos para Richard Nixon. Debido a su papel central en el escándalo de Watergate, Colson pasó siete meses en la cárcel y, después de su liberación, comenzó el ministerio de Compañerismo en la Prisión.

Escuche a Colson hablar del comienzo de su experiencia de ser nacido de agua y del Espíritu: "Con mi rostro ahuecado en mis manos y la cabeza inclinada hacia adelante, contra el volante, me olvidé del machismo y de los temores de ser débil. Y cuando lo hice, comencé a experimentar un maravilloso sentimiento de ser liberado.

"Luego vino la extraña sensación de que el agua no sólo estaba corriendo por mis mejillas, sino que pulsaba también por todo mi cuerpo, limpiando y refrescando mientras pasaba... Y entonces oré mi primera verdadera oración. 'Dios, no sé cómo encontrarte, ¡pero voy a tratar! Ahora no soy mucha cosa, pero de alguna manera quiero darme a Ti'. No sabía cómo decir más, de modo que repetí vez tras vez las palabras: 'Tómame'" (Charles Colson, *Born Again*, p. 117).

Si usted no lo ha hecho todavía, déle hoy a Dios la oportunidad de regalarle la experiencia de nacer de nuevo.

Una oración para hoy: *Padre, te alabo hoy que mediante Jesús tengo la plena certeza de una vida nueva en tu maravillosa familia.*

BIENVENIDO, NUEVO NACIMIENTO

Lo que es nacido de la carne, carne es; y lo que es nacido del Espíritu, espíritu es. Juan 3:6.

"Si recibo una llamada telefónica a medianoche, por favor despiértenme —les pedí a mis anfitriones californianos, el Dr. Jim Cady y su esposa Kim—. Mi hija Sharon está por tener un bebé en Australia, y me ha prometido llamarme e informarme personalmente cuando me convierta en abuelo por primera vez".

Sí, aun en este mundo superpoblado, la mayoría de los nacimientos todavía significan regocijo y excitación, por lo menos así me pareció cuando finalmente recibí la noticia de que Megan, mi "pequeña" nietita de algo más de cinco kilos, había nacido.

El nuevo nacimiento es aun más excitante. Ser nacido del "agua" representa el aspecto purificador completo de la regeneración, que el Espíritu Santo obra en nosotros mediante la Palabra (Juan 15:3; 1 Ped. 1:23). Ser nacido del "Espíritu" representa el aspecto renovador del ministerio regenerador del Espíritu Santo, mientras crea en nosotros un nuevo corazón y espíritu que ama lo bueno y odia el mal (Eze. 36:25-27; Tito 3:4-7).

He gozado leyendo en cuanto a la excitación del nuevo nacimiento en la historia de Henrietta Grant, hija de una familia de esclavos afro-americana. Esta gráfica descripción viene de la transcripción de una entrevista que está hoy guardada en los archivos de la Universidad Estatal del Noroeste, en Louisiana.

"Bueno, cuando el Espíritu me tomó, era entre las 3 y media y las 4 menos cuarto de la mañana. Me levanté a las 12 y oré y le dije a Dios, 'Conviérteme'. A las 4, el ministro de la Iglesia Bautista en el campo, en la zona pantanosa de Lafourche, vino a mi puerta con el difunto Mole, el diácono de la iglesia... Grité mucho, hasta que desperté todo el lugar. Desperté a todos los que estaban en las cabañas, aun a mi esposo. No me hicieron nada, sólo dijeron: 'Le tomó la religión'... Cuando ese Espíritu me golpeó, vi brillar una luz. Usted habla de gritar... Cuando yo conté mi conversión, esa iglesia realmente gritó para mí. Cuando me sumergieron en esa agua, hubo más gritos en abundancia" (Kerr y Mulder, editores, *Conversions*, p. 157).

¡Aleluya!

Una oración para hoy: *Hoy crea nuevamente en mí un nuevo corazón y un nuevo espíritu, Señor, de modo que pueda continuar cantando tus alabanzas.*

BIENVENIDO, SOPLIDO DEL VIENTO

El viento sopla de donde quiere, y oyes su sonido; mas ni sabes de dónde viene, ni a dónde va; así es todo aquel que es nacido del Espíritu. Juan 3:8.

La capital de Nueva Zelanda a menudo es llamada la Ventosa Wellington. Su hermosa ubicación en la parte más austral de la Isla Norte la expone a los vientos que han sido conocidos como capaces de arrojar a la gente al suelo y de dar vuelta los vehículos. En esta ciudad usted seguramente puede decirle adiós a su sombrero a menos que lo tenga firmemente asegurado.

El viento o el aliento era un símbolo común del Espíritu Santo a lo largo de los tiempos bíblicos. Cuando en Ezequiel 37 los huesos se juntaron para formar cuerpos sin vida, sólo el viento o aliento del Espíritu de Dios fue lo que pudo hacerlos vivir. Hay una fuerte relación entre la obra creadora del Espíritu y el viento o aliento de Dios. Eliú, un amigo de Job, reconoció que era el aliento del Altísimo lo que le había dado vida (Job 33:4). Cuando Jesús primero dio el Espíritu a sus discípulos, sopló sobre ellos (Juan 20:22), y en el día de Pentecostés el Espíritu vino como un poderoso viento que corría (Hech. 2:2). Como con el viento en Wellington, muchas vidas fueron dadas vueltas por el gran poder de Dios.

Jesús agrega otra dimensión al simbolismo del viento. Respecto al nacimiento humano, siempre hay una madre que generalmente se puede identificar con facilidad, y por supuesto, el desarrollo y madurez humanos pueden medirse y observarse. Pero el origen de la experiencia del nuevo nacimiento no puede descubrirse clínicamente ni puede explicarse el crecimiento en el Espíritu Santo en términos de peso y altura. En otras palabras, su conversión y crecimiento como un cristiano son misterios absolutos para quienes no tienen discernimiento espiritual.

"¿Qué te ha ocurrido?" Randy acababa de convertirse en un nuevo cristiano y sus amigos en la oficina estaban asombrados ante la notable transformación en su vida. Ninguno de ellos era cristiano, y en realidad pensaban que la religión era una broma, pero la experiencia de Randy fue el comienzo de una nueva investigación de la verdad para una cantidad de estos jóvenes.

Una oración para hoy: *Padre, ayúdame a no demandar una explicación lógica de todo sino a deleitarme en los misterios de tu gracia salvadora.*

EL ESPIRITU SIN MEDIDA

Porque el que Dios envió, las palabras de Dios habla; pues Dios no da el Espíritu por medida. Juan 3:34.

Sería tentador creer que todo aquel que está lleno del Espíritu Santo tiene el Espíritu sin medida. ¿Puede Dios darle a cualquier persona la presencia y el poder del Espíritu Santo en forma totalmente ilimitada? Es como preguntar si un balde puede contener toda el agua del océano Pacífico. Un millón de baldes podrían estar llenos de agua del océano, pero todavía habría mucho más agua que podría colocarse en baldes que cubriesen toda la superficie de los continentes e islas del planeta Tierra.

El contexto de Juan 3:34 muestra claramente que estos versículos están hablando de Jesús. El es el único que ha recibido el Espíritu sin medida, porque solamente en él mora toda la plenitud de la Deidad corporalmente (Col. 2:9). Sólo él es el resplandor de la gloria de Dios y la expresa imagen de su persona. Sólo Jesús sostiene todas las cosas en el universo por la palabra de su poder (Heb. 1:3).

En vista de esto, es importante que cada cristiano lleno del Espíritu recuerde la advertencia de Pablo a los creyentes de Roma. Antes de hablarles de los maravillosos dones de servicio que habían recibido del Espíritu Santo, les recordó que habían recibido sólo una "medida de fe" y que no debían pensar de sí mismos más elevadamente de lo que correspondía (Rom. 12:3). Es triste ver a cristianos llenos del Espíritu actuando a veces como una elite espiritual.

Pablo en ninguna manera empequeñeció el ungimiento del Espíritu en la vida de los creyentes. En realidad, los amonestó a ser llenos del Espíritu (Efe. 5:18). Pero él quiere que recordemos que aunque Dios ha puesto a nuestra disposición el extraordinario poder del Espíritu Santo, tiene una eternidad de recursos ilimitados para nosotros, que trascienden todo lo que posiblemente podemos experimentar en este tiempo. La pregunta importante es: ¿Nos hemos dado a Dios "sin medida"? Si es así, Dios nos llenará nuevamente con la absoluta plenitud de nuestra capacidad.

Una oración para hoy: *Señor, en un acto de sometimiento pleno te abro mi vida de modo que hoy pueda estar totalmente bajo el control de tu Espíritu Santo.*

EL VERDADERO ESPIRITU DE ADORACION

Dios es Espíritu; y los que le adoran, en espíritu y en verdad es necesario que adoren. Juan 4:24.

"No saco nada de los servicios de adoración", me explicaba un joven estudiante universitario mientras se quejaba porque en el colegio cristiano en donde yo enseñaba se requería la asistencia obligatoria a la iglesia y a los diferentes cultos. La adoración, como el amor, no puede ser legislada o impuesta. Un culto es una adoración espontánea a Dios por parte de un corazón que se siente atraído por amor al Padre celestial.

Una persona ciega jamás podrá sentarse con asombro reverente para observar la gloria de una puesta de sol sobre una laguna tropical. Alguien que es totalmente sordo no puede sentirse absorto por la música de una gran orquesta sinfónica. Similarmente, no es posible adorar realmente a Dios a menos que el Espíritu Santo haya abierto los ojos y los oídos espirituales a la verdad de la belleza y el amor de Dios.

Le expliqué al estudiante que el colegio no le requería adoración sino sólo asistencia. Sin embargo, la ferviente esperanza de los dirigentes de la institución era que los estudiantes de alguna manera abriesen su alma al Espíritu Santo durante el servicio religioso, de modo que ciertamente éste pudiese transformarse para cada uno de ellos en una hora de adoración.

"No ha resultado para mí", dijo el estudiante, de modo que oramos juntos, rogando que este joven abriese su vida al maravilloso amor de Jesús y al gozo glorioso de la verdadera adoración.

Es fácil suponer que los rituales y ceremonias externos son la base de la verdadera adoración. A menudo se imponen sobre otros las preferencias personales de adoración y los prejuicios culturales. Se han considerado más importantes ciertos lugares de adoración que la adoración en sí. Se programa la hora de los cultos como si el amor y la adoración a Dios pudiesen compartimentalizarse del resto de la vida.

Hacia el fin del semestre, aquel joven universitario habló conmigo una vez más. "Esos servicios de adoración ciertamente se han convertido en una verdadera bendición para mí", declaró con obvia sinceridad.

"¿Qué determinó la diferencia?", pregunté.

Fue un motivo de gozo oírlo hablar de su nueva relación personal con Dios y cómo el Espíritu lo había inducido a pasar tiempo a solas, orando y creciendo espiritualmente para conocer a su Señor a través de las Escrituras.

Una oración para hoy: *Gracias, Padre, por el ferviente deseo que tu Espíritu crea en mi corazón para que me goce al adorarte.*

VIDA O MUERTE EN LA IGLESIA

El espíritu es el que da vida; la carne para nada aprovecha; las palabras que yo os he hablado son espíritu y son vida. Juan 6:63.

Antes de comprender lo que significaba ser lleno del Espíritu Santo, A. J. Gordon, el famoso predicador de Boston, luchó contra la falta de vida espiritual en su ministerio y en la iglesia. ¿Puede usted comprender su frustración mientras él explica en su autobiografía cómo trató de traer vida a su congregación mediante las obras de la carne?

"Bien recordamos aquellos días cuando se insistía en el trabajo fatigoso hasta el punto de llegar a la desesperación. Debe impulsarse a los oyentes al arrepentimiento y la confesión de Cristo; por lo tanto debe dedicarse más esfuerzo al sermón,... ponerse más agudeza en sus frases, aplicar más estudio a la manera de presentarlo. Y luego venía el chasco de que pocos eran convertidos, si alguno lo era, por todo esto que había costado una semana de sólido esfuerzo. Y ahora debía dedicarse atención a la reunión de oración como la posible sede de la dificultad: tan pocos asistiendo a ella y tan poca disposición para participar en sus servicios.

"El próximo domingo un púlpito flagelante debe ir al ataque, y ponerse en el látigo el aguijón más agudo que las palabras puedan expresar. ¡Ay, la asistencia no aumenta, y en vez de espontaneidad en la oración y el testimonio hay un silencio que casi parece malhumor! Luego la administración va mal y surge oposición entre los oficiales de la iglesia, de modo que debe efectuarse una junta de los dirigentes para conseguir que los miembros voten como debieran" (*How Christ Came to Church*, p. 36). El resultado inevitable para A. J. Gordon fue un completo agotamiento.

En medio de sus problemas el Dr. Gordon miró por la ventana de su estudio y vio los ómnibus con troles o poleas conectados mediante líneas delgadas a los cables de electricidad que están arriba. En ese momento comprendió que podía conectarse al poder extraordinario del Espíritu Santo como su fuente de vida espiritual. Ahora, en vez de tratar de usar al Espíritu Santo para suplementar sus obras de la carne, se rindió completamente al Espíritu para que lo usara a él. Los resultados fueron dramáticos, no sólo en su iglesia de Boston sino también en un prolongado ministerio con grandes ganadores de almas tales como D. L. Moody.

Una oración para hoy: *Padre, reconozco hoy que no hay vida en mis obras más celosas a menos que estén conectadas a la corriente de tu poder espiritual.*

DE SED A RIOS QUE CORREN

En el último y gran día de la fiesta, Jesús se puso en pie y alzó la voz, diciendo: Si alguno tiene sed, venga a mí y beba. El que cree en mí, como dice la Escritura, de su interior correrán ríos de agua viva. Juan 7:37-38.

El primer paso para llegar a ser lleno del Espíritu Santo es experimentar en lo más íntimo de su ser un deseo profundo, sediento y ferviente por el maravilloso don de Dios. Jesús ilustró el insistente pedido del Espíritu Santo que viene del reconocimiento de una gran necesidad, con la historia del hombre que busca pan de su amigo (Luc. 11:5-13). Ahora, mientras la gente veía a los sacerdotes derramando agua del estanque de Siloé, Jesús les prometió agua viva, esto es, agua pura que mana de una fuente inextinguible. El pensamiento de esta agua, en vez del agua del mundo que es contaminada, estancada e incierta, crea en el pueblo de Dios una sed de ser llenos vez tras vez con el Espíritu Santo.

El siguiente paso para convertirse en un hermoso canal para la corriente del Espíritu es hacer la transición de una entrega completa a aceptar el don por fe y a comenzar a alabar a Dios porque él ha oído su oración y le ha dado una medida rebosante del Espíritu para este día o para una necesidad extra especial. Ahora se cumplirá la siguiente parte de la promesa, y en cualquier forma en que Dios decida hacerlo, usted se convertirá en una fuente no de una corriente diminuta sino de ríos múltiples de ministerio impulsados por el Espíritu Santo.

Los ríos de agua que fluyan de usted serán primariamente palabras que usted hablará. Palabras de sanidad, palabras de consuelo, palabras de edificación, palabras de enseñanza, palabras amantes, todas ellas fluirán en una manera que llevarán el ministerio de Jesús a otras almas necesitadas. El sabio Salomón dijo: "Aguas profundas son las palabras de la boca del hombre; y arroyo que rebosa, la fuente de la sabiduría" (Prov. 18:4).

Aquellos que son llenos del Espíritu hablan entre sí con salmos, himnos y canciones espirituales (Efe. 5:18-19). Hablan palabras llenas de esperanza y gozo que captan la atención de los incrédulos y ministran a aquellos que son parte del cuerpo de Cristo (1 Cor. 14:26).

Una oración para hoy: *Señor, haz que mi vida fluya con las palabras que son Espíritu y Verdad de modo que otros puedan ser renovados y vigorizados.*

LA FUENTE ABIERTA

Esto dijo del Espíritu que habían de recibir los que creyesen en él; pues aún no había venido el Espíritu Santo, porque Jesús no había sido aún glorificado. Juan 7:39.

Cuando viajo alrededor del mundo enseñando seminarios sobre el ministerio del Espíritu Santo, a menudo la gente me ofrece prestarme un automóvil de modo que pueda manejar al lugar de reunión o visitar sitios de interés. Ciertamente no soy dueño de ninguno de esos vehículos, pero puedo recordar el hecho de que allá en mi casa poseo un automóvil. No tengo que devolver mi vehículo a otra persona después de un período de uso temporario; es mío.

Pareciera como si durante todo el tiempo del Antiguo Testamento el Espíritu Santo hubiera estado en préstamo a aquellos que recibieron el beneficio de su poder. Estaba allí como una posesión temporaria, como un automóvil prestado. Pero Jesús prometió que se estaba aproximando el tiempo cuando el Espíritu sería dado a sus seguidores como un bien permanente. Como dijo Pedro en el día de Pentecostés, el don del Espíritu Santo es para todos los que acepten el llamado del Señor y lleguen a ser parte de la familia de Dios (Hech. 2:38-39). Así como mi automóvil puede seguir siendo mi propiedad mientras yo viva, de la misma manera el Espíritu Santo continúa siempre como parte de mi vida mientras yo decida permanecer vivo como un hijo de Dios (Rom. 8:9). El Espíritu Santo nunca necesita ser canjeado por un nuevo diseño. Siempre está más al día que el modelo del año que viene.

Cuando Jesús es glorificado, se da el Espíritu como un amigo maravilloso para morar en la vida de cada cristiano. Históricamente esto ocurrió cuando Jesús ascendió al trono del Padre y recibió su posición gloriosa anterior como un miembro de la Deidad (Juan 17:5; Hech. 2:33-36). Personalmente, tiene lugar la glorificación de Jesús en nuestras vidas cuando recibimos a Jesús como nuestro Salvador. Jesús oró pidiendo ser glorificado en aquellos que creyeran en él, y esta glorificación de Jesús es la obra del Espíritu Santo en los creyentes (Juan 17:9-10; 16:14).

A veces la gente me presta un automóvil que es mucho más costoso que lo que yo podría poseer. Otros vehículos son tan defectuosos que me alegro de que no son míos. Pero el Espíritu Santo es exactamente correcto, confiable y suficiente para cada necesidad en mi vida y ministerio.

Una oración para hoy: *Gracias, Señor, por el maravilloso don del Espíritu que me capacita hoy para avanzar y trabajar para ti.*

MAYORES OBRAS QUE JESUS

De cierto, de cierto os digo: El que en mí cree, las obras que yo hago, él las hará también; y aun mayores hará, porque yo voy al Padre. Juan 14:12.

Esta es una promesa sorprendente y desconcertante. Jesús implica que todos los creyentes pueden hacer las mismas obras que él hizo, y aun mayores. La posibilidad de sobrepasar la calidad y el alcance de las obras de Jesús parece improbable. ¿Qué obras mayores pueden hacerse que curar a muchas personas de sus enfermedades, aflicciones y aun de los malos espíritus? Jesús no sólo dio vista a los ciegos, limpieza a los leprosos, y la capacidad de oír a los sordos y de caminar a los lisiados, sino que también resucitó a los muertos y predicó el Evangelio a los pobres (Luc. 7:21-22).

La mayoría de los eruditos bíblicos están de acuerdo en que la expresión "mayores obras" debe referirse a la cantidad y extensión geográfica de las obras que ocurrirían a manos de los creyentes cuando el Evangelio se extendiese por todo el mundo. En cumplimiento de la promesa de Jesús, el Evangelio ha llegado a usted. Pero por favor recuerde que este es un Evangelio hacedor de milagros. Todas las obras que hizo Jesús todavía están disponibles como parte del paquete de poder del Espíritu Santo para su vida y ministerio.

Poco después de haber regresado a los Estados Unidos desde Australia, Elena de White contó de una visión que el Señor le había dado sobre un gran cumplimiento de las palabras proféticas de Jesús registradas en Juan 14:12. Al comienzo del siglo XX había sólo 55.000 miembros adventistas, pero hoy hay casi 8 millones alrededor del mundo a quienes se aplican estas palabras: "En visiones de la noche pasó delante de mí un gran movimiento de reforma en el seno del pueblo de Dios. Muchos alababan a Dios. Los enfermos eran sanados y se efectuaban otros milagros. Se advertía un espíritu de oración como lo hubo antes del gran día de Pentecostés. Veíase a centenares y miles de personas visitando las familias y explicándoles la Palabra de Dios. Los corazones eran convencidos por el poder del Espíritu Santo, y se manifestaba un espíritu de sincera conversión" (*Joyas de los testimonios*, t. 3, p. 345). ¡Qué gozo es hoy ser parte de esta profecía de realizar obras mayores que las de Jesús!

Una oración para hoy: *Padre, que la obra mayor de todas sea completada en mí por el poder de tu bondadoso Espíritu.*

BIENVENIDO, AYUDADOR

Y yo rogaré al Padre, para que os dé otro Ayudador (otro Consolador), que esté con vosotros siempre. Juan 14:16, Nueva Reina-Valera 1990.

El vocablo griego para "Ayudador", *parakletos*, es una de esas palabras que es muy difícil de traducir. Algunas versiones de la Biblia la traducen como "Consolador", mientras que otras usan "Consejero" o "Abogado". La *Nueva Biblia Española* agrega "Defensor" y la *Biblia de Jerusalén* emplea "Paráclito". Sin embargo, cualquiera sea el nombre que usted le dé, él es en realidad su amigo el Espíritu Santo, y ciertamente tiene todos los atributos comprendidos en este nombre especial que Jesús le dio.

Aunque el Ayudador trabaja directamente *en* nosotros como cristianos, también trabaja *para* nosotros mediante otros cristianos. Especialmente en el pequeño grupo de "domésticos de la fe", como los encontramos en el Nuevo Testamento, el Espíritu Santo trae consuelo, fuerza, consejo, admonición y edificación. Si usted está siguiendo el modelo bíblico de ministerio y pertenece a un grupo espiritual pequeño, estará de acuerdo en que el Espíritu Santo cumple su papel como el Paracleto, especialmente mediante las oraciones y el apoyo de sus amigos en el grupo.

Después de una reunión de reavivamiento de un sábado de noche en el sur de California, uno de los socios de oración de Ministerios del Poder Trinitario discernió que otro miembro del grupo estaba luchando con algunos problemas personales, los cuales la estaban haciendo dudar de que Dios la hubiera aceptado plenamente y de que es posible disfrutar verdadero gozo y felicidad en el Señor. Pronto el grupo de oración se reunió en torno a esta luchadora de la fe y la oración, y comenzó a ser usado en forma poderosa para traer el consuelo, el consejo y la ayuda positiva del Espíritu Santo. Finalmente, cerca de la medianoche, fue tiempo de regocijarse en la fe por el ministerio de sanidad revelado mediante el cuidado y el interés de este pequeño grupo de cristianos llenos del Espíritu.

¿Tiene usted un grupo de amigos como éste? ¿Es usted mismo un instrumento del ministerio del Espíritu Santo? Si la respuesta a ambas preguntas es no, entonces ore para que Dios abra el camino a fin de que usted llegue a ser parte de la riqueza del compañerismo de los grupos pequeños, que son agentes del ministerio del *Parakletos*.

Una oración para hoy: *Señor, gracias por darme el mejor Ayudador que una persona jamás puede tener y también por la seguridad de que él vivirá conmigo para siempre.*

CON USTED O EN USTED

El Espíritu de verdad, al cual el mundo no puede recibir, porque no le ve, ni le conoce; pero vosotros le conocéis, porque mora con vosotros y estará en vosotros. Juan 14:17.

El Espíritu Santo está de muchas maneras con todas las personas, rodeándolas con la influencia del amor de Dios. Aquellos que aún no han aceptado a Jesús como su Salvador personal, no importa quiénes sean, son recipientes de la atención especial del Espíritu Santo. El está con ellos, haciendo accesible la posibilidad de que sean guiados a leer la Biblia o alguna otra literatura cristiana o que entren en contacto con una persona llena del Espíritu que pueda presentarlos a Jesús. ¿Está usted orando por un amigo o un ser querido? Recuerde que el Espíritu Santo ya está trabajando en el corazón de esa persona.

Cuando un no cristiano acepta la Biblia como la Palabra de Dios y encuentra en ella el Evangelio, el Espíritu Santo guía a esta persona a aceptar a Jesús como su Salvador. Por supuesto, el Espíritu Santo nunca forzará a una persona ni la tratará con insensibilidad, sino que siempre honrará el libre albedrío de cada individuo dando la libertad de escoger entre dar el paso de fe o rechazar la invitación de Dios en esa oportunidad. Si se da el paso de fe, entonces en ese momento el nuevo cristiano se convierte en la morada del Espíritu Santo (ver Efe. 1:13; Eze. 36:26-27; Rom. 8:9; 1 Cor. 6:19-20; 2 Cor. 1:21-22; Hech. 2:38-39).

Démosle un carácter personal a esto porque usted está involucrado en estas palabras de Jesús. He visto un gozo real en los rostros de muchas personas alrededor del mundo cuando comprenden por primera vez que en verdad el Espíritu Santo está viviendo en ellos desde el momento de la conversión. ¿Está usted mismo seguro al respecto? ¿Esa experiencia es una realidad para usted ahora? Si no lo es, abra su Biblia en los textos que he dado y ore al estudiarlos, pidiendo al Espíritu Santo que esté con usted y lo guíe a la maravillosa certeza de esta verdad.

El mundo no comprenderá qué ha ocurrido cuando usted celebra la gozosa certeza de que el Espíritu Santo está ahora en usted como parte de su vida cristiana, pero usted lo sabrá y se regocijará porque realmente es la morada del Espíritu del Dios viviente.

Una oración para hoy: *Te alabo, Jesús, porque tú me has dado este maravilloso don del Espíritu Santo para que sea un amigo que esté en el centro de mi vida cada día.*

BIENVENIDO, MAESTRO

Mas el Consolador, el Espíritu Santo, a quien el Padre enviará en mi nombre, él os enseñará todas las cosas, y os recordará todo lo que yo os he dicho. Juan 14:26.

Un buen maestro comprende los diversos estilos de aprendizaje mediante los cuales diferentes personalidades pueden descubrir e internalizar mejor la verdad. Un inventario de estilos de aprendizaje ha definido cuatro maneras básicas por las cuales el Espíritu Santo llega a los corazones y mentes al enseñar todas las cosas. ¿Dónde se ve usted en este inventario hoy?

Primero, él obra con los *experimentadores concretos*, que necesitan ejemplos reales, prácticos, que les ayuden a entender los principios espirituales. Al oír historias que abarcan escenas familiares, pueden identificarse con ellas y personalizar la enseñanza. El Espíritu Santo enseña hoy a estudiantes orientados hacia las personas mediante historias de la vida real tomadas de la Escritura y de la vida moderna. El énfasis no es teórico.

Luego están los *experimentadores activos*, que aprenden más fácilmente haciendo. Así como Jesús envió a los 70 evangelistas a tener alguna experiencia práctica (Luc. 10:1-17), de la misma manera el Espíritu Santo enseña a menudo a los experimentadores activos haciendo que dirijan un grupo de estudio de la Biblia, que hagan encuestas de puerta en puerta, o se ocupen en alguna otra experiencia directa, como el ministerio de orar con un compañero.

Tercero, el Espíritu se deleita en enseñar a los *conceptualizadores abstractos*. A estas personas les gusta un estudio sistemático de la Palabra, basado en la autoridad divina, que incluirá el análisis de un pasaje versículo por versículo y que resultará en opiniones firmes respecto a la verdad propuesta. Estas personas a menudo llevan un diario de sus oraciones de modo que aún la experiencia espiritual de tener comunión con Dios puede ser documentada y analizada.

Finalmente, están los *observadores reflexivos*, que no dan una respuesta inmediata y espontánea a la verdad sino que escuchan cuidadosamente las conferencias y discusiones, y luego se toman tiempo para pensar en lo que han oído. Tal vez escuchen una cantidad de veces las cintas de las reuniones y les guste investigar en la casa en preparación para un estudio o reunión de un grupo pequeño (ver *Discipleship Journal*, Marzo/Abril 1993, pp. 19-21).

El Espíritu Santo no sólo desea que usted disfrute su estilo de aprendizaje, sino que en un grupo pequeño le enseñará a identificarse y relacionarse con personas que les encanta aprender de otras maneras.

Una oración para hoy: *Señor, te agradezco por comprenderme y trabajar conmigo tal como soy.*

PERMITAME PRESENTARLE A JESUS

Pero cuando venga el Consolador, a quien yo os enviaré del Padre, el Espíritu de verdad, el cual procede del Padre, él dará testimonio acerca de mí. Juan 15:26.

Si yo le presento a un amigo a quien realmente quiero que usted conozca y aprecie, trataré de encontrar un punto de interés común que provea un vínculo inmediato. Tal vez existe una afiliación a una religión o a una iglesia, un deporte o un *hobby*, un trasfondo nacional o familiar, una similitud ocupacional o educacional que constituirán la base para una rápida afinidad. Cuanto más importante sea para mí el que ustedes se hagan amigos, más esforzadamente haré las diligencias necesarias para revelar los puntos en común.

El Espíritu Santo sobresale por su capacidad para relacionar a la gente con Jesús, y lo hace de una manera que es progresivamente reveladora. Cuanto más conocemos a Jesús, mayor es la habilidad del Espíritu Santo para mostrarnos los atributos del carácter de Jesús que estimulan nuevos niveles de amistad y amor en nuestros corazones.

Colin, el *experimentador concreto*, encuentra a Jesús como un amigo muy atractivo y un Salvador comprensivo en relatos, en un estudio de la Biblia que destaca las relaciones, y en los eventos reales de la vida diaria. Annette, la *activa experimentadora*, desarrolla una amistad con Jesús mientras ayuda a otros que necesitan educación práctica y crecimiento espiritual. El Espíritu Santo no le dice a Annette: "Debes sentarte y escuchar las grabaciones de 20 sermones si quieres conocer a Jesús". Más bien le dice: "Aquí hay un ministerio de servicio para el cual tienes que prepararte y luego llevarlo a la práctica".

El Espíritu Santo presenta a Jesús a Arturo, el *conceptualizador abstracto*, y desarrolla la amistad entre ellos por una profunda exploración de la Palabra. Esto puede involucrar un estudio inductivo de la Biblia, sermones, seminarios e investigación sistemática. Rhonda, la *observadora reflexiva*, crece lentamente en una relación con Jesús contemplando calladamente lo que ha aprendido en grupos pequeños o con sermones grabados y numerosos libros sobre la vida cristiana.

Quizás alguien ha tratado de guiarlo para desarrollar una profunda amistad con Jesús en una forma que no le ha atraído, y usted ha permitido que eso lo aparte de Jesús. Por favor, recuerde que el Espíritu Santo no comete ese error, sino que tiene una manera que es la mejor para usted.

Una oración para hoy: *Santo Espíritu, pinta en mí hoy un cuadro fresco y brillante de Jesús.*

BIENVENIDA, CONVENIENCIA

Pero yo os digo la verdad: Os conviene que yo me vaya; porque si no me fuese, el Consolador no vendría a vosotros; mas si me fuere, os lo enviaré. Juan 16:7.

Debe haber sido difícil convencer a los discípulos que para ellos sería conveniente que Jesús se fuera. Estaban juntos como grupo con una Persona maravillosa. Su amor era infalible. Su enseñanza era inspiradora. Su curación era mejor que la de cualquier plan de seguro médico. Podía proveer alimento en momentos de emergencia. ¿Quién desearía que se fuese una persona así?

Pero había un problema que los discípulos no comprendían plenamente. Jesús había escogido voluntariamente renunciar a su omnipresencia; en consecuencia, cuando ellos estuviesen esparcidos por todas partes, él no estaría presente corporalmente con todos ellos al mismo tiempo. El estar lejos de Jesús habría perturbado a los discípulos, por lo tanto se habrían sentido inclinados a agruparse en torno a él antes que ir a lugares distantes de la tierra.

La ventaja de los discípulos al recibir el Espíritu Santo es también la nuestra. Doquiera vivamos o ministremos, el Espíritu Santo estará con nosotros plena y completamente como si no hubiera otra persona en la tierra. ¡Qué ventaja!

Todo esto es más fácil si pensamos en una simple ilustración que uso a menudo. La televisión está disponible actualmente en la mayoría de los lugares del mundo. Muy probablemente hay imágenes de televisión que se están transmitiendo en el cuarto donde usted se encuentra ahora. Para probar esto, usted puede encender un televisor portátil en su lugar de reuniones y descubrirá que puede recibir toda la imagen directamente "del aire", sin estar conectado con ninguna fuente exterior. Si hubiera 100 personas con televisores portátiles en su lugar de reuniones, o en la casa de al lado, o en un suburbio, todas ellas podrían recibir la imagen completa, no meramente una centésima parte de ella.

El ofrecimiento de Jesús de la ventaja del Espíritu Santo está a su disposición ahora mismo. Si usted todavía no lo ha hecho hoy, sintonice su antena de oración y reciba la plenitud del Espíritu de Dios. Al hacerlo, verá que aparece en foco el cuadro completo del amor y la verdad de Jesús.

Una oración para hoy: *Padre, ayúdame a tomar tu cuadro de amor y verdad fuera del mundo, en el poder omnipresente del Espíritu Santo.*

CONVICCION, NO ACUSACION

Y cuando él venga, convencerá al mundo de pecado, de justicia y de juicio.
Juan 16:8.

Tony era un hombre casado que se encontró en una estrecha amistad con una dama a quien respetaba grandemente como una dirigente en su iglesia. Mientras oraban y estudiaban la Biblia juntos, comenzó a formarse un apego mutuo y repentinamente comprendieron que la relación se estaba volviendo potencialmente peligrosa. Aunque no había ninguna inmoralidad implicada, Tony y Samona empezaron a sentirse angustiados y culpables, pero en su amor el Señor los habilitó para resolver la situación de modo que pudieran regocijarse en su victoria.

Satanás fue rápido para atacar a esta pareja dolorida con acusaciones perversas, haciéndoles sentir que estaban eternamente perdidos y que sería mejor si estuviesen muertos, fuera de la iglesia, o plenamente entregados al pecado. Sin embargo, el Espíritu Santo no obró de esa manera. Les ayudó a Tony y a Samona a ver a Jesús como su maravilloso Salvador, quien perdonó su debilidad y les extendió su amor incondicional.

Como un cristiano que desea estar en buenas relaciones con Dios, ¿cómo puede usted distinguir las acusaciones de Satanás de la convicción del Espíritu Santo? "¿Se siente usted culpable, sin valor, estúpido o inepto? Esa es una tristeza provocada por una acusación porque esos sentimientos no reflejan la verdad. Judicialmente, usted ya no es más culpable; usted ha sido justificado mediante su fe en Cristo, y no hay condenación para los que están en Cristo. Usted no es sin valor; Jesús dio su vida por usted. Usted no es estúpido o inepto; usted puede hacer todas las cosas mediante Cristo... Pero si usted está triste porque su conducta no refleja su verdadera identidad en Cristo, esa es la tristeza de acuerdo con la voluntad de Dios la cual está destinada a producir arrepentimiento. Es el Espíritu Santo que lo está llamando a admitir sobre la base de 1 Juan 1:9: 'Querido Señor, cometí un error'. Tan pronto como usted confiesa su falta y se arrepiente, Dios dice: 'Me alegro que compartiste eso conmigo. Estás limpio; ahora sigue adelante con la vida'. Y usted sale de la confrontación libre. La tristeza desaparece, y usted tiene una resolución nueva y positiva de obedecer a Dios en el área de su fracaso" (*The Bondage Breaker*, pp. 146-147).

Una oración para hoy: *Por favor, continúa convenciéndome de pecado, Santo Espíritu, de modo que pueda siempre saber que estoy en buenas relaciones contigo.*

HABLANDO DE SI MISMO

Pero cuando venga el Espíritu de verdad, él os guiará a toda la verdad; porque no hablará por su propia cuenta, sino que hablará todo lo que oyere, y os hará saber las cosas que habrán de venir. Juan 16:13.

Por tercera vez Jesús llama al Espíritu Santo el Espíritu de verdad. Nuestra comprensión de la verdad es progresiva porque él ilumina gradualmente nuestras mentes. Esta es la razón por la cual es extremadamente importante que no juzguemos a otros en base a dónde estamos en nuestra percepción de la verdad. Todos estamos en diferentes lugares en nuestra experiencia de aprendizaje con el Señor.

El Espíritu Santo tuvo que guiarme a una nueva comprensión de la verdad respecto a este versículo. Por muchos años de mi ministerio usé una versión de la Biblia que decía: "No hablará de sí mismo". Tomando estas palabras literalmente y descuidando compararlas con el significado original, me encontré diciéndole a la gente que el Espíritu Santo no tendrá nada que decir de sí mismo sino que más bien hablará sólo de Jesús. En realidad, enseñaba que si la gente estaba hablando mucho sobre el Espíritu Santo, esta era una indicación de que no tenían en absoluto el verdadero Espíritu.

Me quedé perplejo, sin embargo, cuando descubrí más de 260 referencias al Espíritu Santo en el Nuevo Testamento y 17 ó 18 en un solo capítulo (Rom. 8). Luego el Espíritu Santo me ayudó a ver que el versículo está diciendo que él no enseña en base a su propia autoridad, independientemente del Padre y del Hijo, sino que más bien enseña la verdad como un portavoz para ellos. Ahora cuando dirijo seminarios sobre el Espíritu Santo, tengo que pedir disculpas por el error que había estado enseñando en ignorancia.

Al orar hoy por la dirección del Espíritu de verdad, usted puede encontrar que él comenzará a abrir su mente y corazón a algunas nuevas revelaciones. Justamente ayer un amigo me dijo: "He tenido que reevaluar recientemente lo que está en el centro de todo mi sistema de creencia".

Alguna enseñanza que usted ha defendido dogmáticamente, quizás tendrá que ser vista en una luz diferente. Pero recuerde que en Jesús la verdad lo libertará.

Una oración para hoy: *Padre, hoy dame el valor de aceptar la belleza nueva y fresca de tus verdades para mí.*

Junio 5

BIENVENIDA, GLORIFICACION DE JESUS

El me glorificará; porque tomará de lo mío, y os lo hará saber. Juan 16:14.

Se ha dicho que ningún libro aparte de la Biblia ha influido más sobre el cristianismo como *El peregrino*, de John Bunyan. Esta clásica alegoría fue escrita, junto con muchos de sus otros 60 libros, durante sus 12 años en la cárcel de Bedford, donde Bunyan se encontró tras su arresto en 1660 por encabezar una reunión espiritual de un grupo pequeño de más de cinco personas.

John Bunyan había crecido "sin Dios, indiferente y tan grandemente dado a la blasfemia que era una fuente de terror para otros" (*They Found the Secret*, p. 17). Pero en su famosa autobiografía, *Grace Abounding to the Chief of Sinners* (Gracia abundante para el principal de los pecadores), este hojalatero una vez iletrado nos dice cómo el Espíritu Santo glorificó a Jesús en su conversión y durante toda su vida.

"¡Oh, me pareció, Cristo! ¡Cristo! No había nada sino Cristo ante mis ojos". Bunyan continuó: "No estaba ahora (solamente) mirando por este y el otro beneficio de Cristo en forma separada, como el que proviene de su sangre, de su sepultura o de su resurrección, sino considerándolo como un Cristo completo; es en él en quien se reúnen todas éstas, y todas sus demás virtudes, relaciones, cargos y operaciones, y él se sentó a la diestra de Dios en el cielo.

"Fue glorioso para mí ver su exaltación, y el valor y el predominio de todos sus beneficios...

"Más aún, el Señor también me guió al misterio de la unión con el Hijo de Dios... Fue por esto también que mi fe en él, como también mi justicia, fue más confirmada en mí; porque si él y yo éramos uno, entonces su justicia era mía, sus méritos míos, su victoria también mía. Ahora pude verme en el cielo y en la tierra al mismo tiempo; en el cielo por mi Cristo, por mi cabeza, por mi justicia y vida, aunque en la tierra en mi cuerpo o persona" (pp. 101-102).

El apóstol y John Bunyan estaban de acuerdo en cuanto al maravilloso ministerio glorificador del Espíritu Santo: "Por tanto, nosotros todos, mirando a cara descubierta como en un espejo la gloria del Señor, somos transformados de gloria en gloria en la misma imagen, como por el Espíritu del Señor" (2 Cor. 3:18).

Una oración para hoy: *Santo Espíritu, por favor glorifica a Jesús en mi vida transformada hoy de modo que, como John Bunyan, pueda verme en el cielo y en la tierra al mismo tiempo.*

BIENVENIDO, ALIENTO DE DIOS

Y habiendo dicho esto, sopló, y les dijo: Recibid el Espíritu Santo. Juan 20:22.

En 1644, a la edad de 16 años, John Bunyan fue reclutado para servir como soldado en el ejército parlamentario británico. Unos pocos años más tarde, sin embargo, el aliento del Espíritu de vida de Jesús vino a él, y Bunyan se convirtió en un gran guerrero cristiano de la palabra hablada y escrita.

John Bunyan cuenta cómo el Señor usó a "tres o cuatro pobres mujeres sentadas en una puerta, bajo el sol, hablando sobre las cosas de Dios", para crear dentro de él un deseo de conocer al Salvador (*Grace Abounding to the Chief of Sinners*, p. 26). Estas mujeres ciertamente sabían qué significaba tener el aliento del Espíritu de Dios en ellas, como Bunyan más tarde testificó: "Y, me pareció, hablaban como si el gozo las hiciese hablar; hablaron con tanto agrado del lenguaje de la escritura, y con tal apariencia de gracia en todo lo que dijeron, que fueron para mí como si hubiesen encontrado un nuevo mundo" (*Id.*, p. 27).

Los discípulos de Jesús encontraron un nuevo mundo cuando fueron plenamente convertidos y recibieron el Espíritu, el cual Jesús alentó simbólicamente sobre ellos. De la misma manera, el Espíritu Santo se convirtió en una vida poderosa en la vida de Bunyan. El *Comentario de la epístola de San Pablo a los gálatas*, de Martín Lutero, con sus hermosas enseñanzas sobre el ministerio y el fruto del Espíritu, se transformó en el libro más valioso de Bunyan después de la Biblia. En efecto, al encontrar el fruto del gozo y el servicio en Gálatas, reclamó el derecho de predicar "sobre la base de la obra del Espíritu dentro de él y el reconocimiento de la iglesia de su llamamiento" (Richard L. Greaves, *Christian History*, t. 5, N.º 3, p. 10).

Como la mayoría de los discípulos, John Bunyan no tuvo una educación formal. Sin embargo, para este siervo especial de Dios "la operación interior del Espíritu Santo fue plenamente suficiente para sondear los misterios más profundos de Dios, secretos que estuvieron ocultos para los más grandes intelectos a menos que sus mentes fueran iluminadas por el Espíritu" (*Id.*, p. 9).

De la misma manera, el Espíritu Santo lo equipará nuevamente hoy para un ministerio cristiano gozoso adaptado exactamente a quién es usted, y bajo la dirección del Espíritu, usted descubrirá continuamente nuevas profundidades de significado en la Palabra.

Una oración para hoy: *"Alienta en mí, Aliento de Dios, lléname con nueva vida, para que pueda amar lo que tú amas, y hacer lo que tú harías".*

LOS HECHOS DEL ESPIRITU SANTO

En el primer tratado, oh Teófilo, hablé acerca de todas las cosas que Jesús comenzó a hacer y a enseñar, hasta el día en que fue recibido arriba, después de haber dado mandamientos por el Espíritu Santo a los apóstoles que había escogido. Hechos 1:1-2.

El libro de Hechos, con más de 50 referencias al poderoso Espíritu del Señor, muestra qué cosas extraordinarias pueden hacer hombres y mujeres corrientes cuando están llenos de la presencia de la Tercera Persona de la Deidad. Aun antes de que se completaran los 28 capítulos de Hechos, la nueva religión del cristianismo se había convertido en una fuerza imparable, aun frente a la oposición y la persecución más severas.

Actualmente todavía estamos escribiendo el capítulo 29 de los Hechos del Espíritu Santo. Y la misma Persona y poder que hizo explotar el cristianismo en la escena mundial se está moviendo con vigorosa efectividad para llevarnos a la gran culminación de la historia cuando Jesús venga otra vez.

Note cuán delicadamente comienza Lucas la transición entre el ministerio de Jesús y el del Espíritu Santo. Aparentemente durante 40 días Jesús había estado introduciendo el Espíritu Santo a los discípulos y había estado usando al Espíritu como su Instructor para dirigir el seminario "Comenzando una Nueva Religión". El programa de estudios se había concentrado en todos los detalles del reino espiritual de la gracia y de la gloria, el poderoso reino de Dios, exceptuando información clasificada sobre los tiempos y sazones finales (vers. 3, 6-7). Ahora que los discípulos conocían tan bien al Espíritu Santo, lo reconocerían instantáneamente cuando viniese para llenarlos diez días después de la partida de Jesús. No vino como un extraño sino como un amigo especial.

En preparación para que el Espíritu Santo lo llene incluso con más poder espiritual para su vida y ministerio que lo que usted ha experimentado antes, puede ser necesario darle a Jesús la oportunidad de usar su Espíritu para instruirlo en un período de oración y de estudio concentrado y extenso. Lea cada versículo de la Biblia sobre el Espíritu Santo, y pídale al Espíritu que se le revele en la Palabra, mostrándole especialmente aquellas cosas que se refieren al reino de Dios. Entonces, cuando él venga con el poder de la lluvia tardía, usted lo reconocerá y lo recibirá con gozo.

Una oración para hoy: *Señor, te agradezco por darme el privilegio de vivir en los que parecen ser los años finales y culminantes del poder de tu Espíritu.*

BIENVENIDA, PROMESA

Y estando juntos, les mandó que no se fueran de Jerusalén, sino que esperasen la promesa del Padre, la cual, les dijo, oísteis de mí. Hechos 1:4.

"Haz promesas raramente y cúmplelas fielmente", se me aconsejó hace muchos años. En la última reunión de Jesús con sus discípulos antes de la crucifixión, él hizo promesas en forma abundante. En efecto, en Juan 14 al 16 leemos más de 30 promesas maravillosas, las que Jesús no sólo cumplió fielmente sino que las hizo posibles mediante la Promesa más asombrosa de todas: la Persona de su amigo y mío, el Espíritu Santo.

Jesús llamó al Espíritu Santo la "Promesa de mi Padre" (Luc. 24:49), y Pablo lo llama el "Espíritu Santo de la promesa" (Efe. 1:13). Pedro prometió la Promesa a todas las personas, de todos los tiempos, que aceptan a Jesús como su Salvador (Hech. 2:38-39), y Pablo dice que esta promesa es recibida por fe (Gál. 3:14). Usted puede estar absolutamente seguro que esta promesa se cumplirá para usted hoy cuando abra su corazón y vida a Jesús.

En el siglo XVII John Wilmot, conde de Rochester, escribió sobre la puerta de la recámara de Carlos II: "Aquí yace nuestro soberano señor el rey, en cuya promesa nadie confía". Parece que las promesas de los dirigentes políticos no se han vuelto más dignas de confianza con el transcurso de tres o cuatro siglos. Como dijo Benjamín Franklin cuando escribió sobre el hecho de que ni siquiera puede finalmente confiarse en la promesa de la permanencia de la Constitución de los Estados Unidos: "En este mundo nada es cierto excepto la muerte y los impuestos" (*Carta a Jean: Baptiste Le Roy*, Noviembre 13, 1789).

No ocurre así con Dios. Todas sus promesas son tan absolutamente dignas de confianza como su perfecto carácter.

El clásico economista John Stuart Mill escribió una vez que no hay tal cosa como absoluta certeza, pero 2.000 años de historia han probado que podemos tener completa confianza en la presencia y el poder del Espíritu Santo en las vidas de todos aquellos que le han tomado a Jesús su palabra y reclamado el Espíritu como su Amigo especial. Esta promesa no es como una soga de arena sino que es tan totalmente confiable como el sol, la luna y las estrellas.

Una oración para hoy: *Padre, teniendo la certidumbre de que tu Promesa es infalible, hoy reclamo nuevamente tu maravillosa presencia en mi vida, sabiendo que tu Espíritu Santo me llenará con completa confianza, esperanza y gozo.*

BAUTISMO DEL ESPIRITU SANTO

Porque Juan ciertamente bautizó con agua, mas vosotros seréis bautizados con el Espíritu Santo dentro de no muchos días. Hechos 1:5.

Todos los Evangelios registran la predicción de Juan de que Jesús bautizaría a sus seguidores con el Espíritu Santo. Este nuevo bautismo no eliminaría el bautismo de agua, pero sería una dimensión adicional, separada, que capacitaría a los cristianos para ir adelante, no sólo sabiendo que estaban salvos y perdonados por el sacrificio de Jesús sino también que eran dotados de poder para la victoria y el ministerio.

Joseph Harvey Waggoner asistió a la escuela por sólo seis meses, pero se educó a sí mismo tan efectivamente que se transformó en un prolífico escritor. Siendo un joven redactor de una revista política en Wisconsin, llegó a ser un adventista en 1852 y fue bautizado y llenado con el Espíritu de tal modo que él caminaría más de 80 kilómetros para compartir las grandes verdades de la Palabra de Dios. "J. H." fue uno del comité de tres que recomendó el nombre Adventista del Séptimo Día para la denominación. También escribió y editó muchos de los libros y revistas que capacitaron a esta joven iglesia a avanzar en el poder del Espíritu Santo.

En 1877 Waggoner escribió un interesante librito sobre el oficio y las manifestaciones del Espíritu Santo. En él expresó su interés en que su iglesia no se confundiera respecto al bautismo del Espíritu. Aparentemente, algunos estaban diciendo que el bautismo de agua era el cumplimiento de la promesa del bautismo del Espíritu Santo. "Esta posición es muy engañosa —advirtió Waggoner—, y puede convertirse, y a menudo así ocurre, en el fundamento de una ilusión muy triste... En todos los casos donde el bautismo [por agua] es considerado como la evidencia del don del Espíritu, el profeso penitente se adormece en la seguridad carnal, confiando solamente en su bautismo como la evidencia de su favor con Dios" (*The Spirit of God*, p. 35).

Waggoner citó una cantidad de pasajes del libro de los Hechos concernientes a aquellos que fueron bautizados con el Espíritu Santo y luego concluyó que esta experiencia es siempre un asunto de una "experiencia personal consciente" (*Id.*, p. 36).

¿Ha sido usted bautizado con el Espíritu Santo? Si es así, usted lo sabrá, tan seguramente como usted sabe si ha sido bautizado o no por inmersión en agua.

Una oración para hoy: *Querido Señor, te alabo por el extraordinario poder de tu Espíritu que inunda mi vida nuevamente hoy.*

BIENVENIDO, PODER TESTIFICADOR

Pero recibiréis poder, cuando haya venido sobre vosotros el Espíritu Santo, y me seréis testigos en Jerusalén, en toda Judea, en Samaria, y hasta lo último de la tierra. Hechos 1:8.

¿El Espíritu Santo es dado primariamente para que los cristianos puedan testificar de Jesús? La respuesta puede ser sí o no. Es no si creemos que el desarrollo del fruto del Espíritu, la santificación cristiana y el poder de la oración no tienen parte en nuestro testimonio de Jesús. La respuesta es sí si creemos que todo lo que somos y hacemos de alguna manera testifica ante otros en favor o en contra de Jesús.

En el siglo XVIII John Wesley enseñó que el bautismo del Espíritu es una "segunda obra de gracia" posterior a la conversión que trae entera santificación a la vida del cristiano, de modo que la naturaleza pecaminosa pueda ser erradicada y la vida, perfeccionada. Los metodistas del siglo XIX llamaron a esto la "segunda bendición". Aunque los primeros adventistas venían de un trasfondo metodista, se opusieron a la enseñanza de la santidad de la carne humana y destacaron más bien la verdad bíblica de la victoria sobre el pecado y el desarrollo de un carácter semejante al de Cristo mediante el poder del Espíritu Santo.

Durante el siglo XIX, mediante autores y predicadores evangélicos tales como A. J. Gordon, F. B. Meyer, Andrew Murray, Dwight L. Moody y R. A. Torrey, se puso énfasis en una nueva comprensión del bautismo del Espíritu. Quizás usted ha leído algunos de sus libros inspiradores sobre este tema y ha descubierto su enseñanza de que el poder del Espíritu viene sobre los cristianos para que puedan ser poderosos en el testimonio y en el servicio para su Señor.

Estos escritores y los pioneros adventistas enseñaron que, en la regeneración, el Espíritu Santo imparte vida y, si recibe esto, usted está salvado por la sangre de Jesús. El bautismo del Espíritu Santo le da poder y lo capacita para el servicio. La obra del Espíritu Santo dentro de usted trae constante limpieza del pecado y victoria sobre el mundo, la carne y el diablo. El bautismo del Espíritu no lo hace a usted más salvo, sino que le da dones y lo hace útil para el servicio de Dios.

Una oración para hoy: *Padre, por el poder del Espíritu Santo hazme un testigo cristiano efectivo todo el camino desde la "Jerusalén" de mi hogar hasta el lugar más distante de mi esfera de influencia.*

NO REALMENTE UNA RELIGION

Varones hermanos, era necesario que se cumpliese la Escritura en que el Espíritu Santo habló antes por boca de David acerca de Judas, que fue guía de los que prendieron a Jesús. Hechos 1:16.

Observe cuán cuidadosamente Lucas, en el libro de Hechos, edifica el fundamento para el poderoso ministerio del Espíritu Santo. Primero, recuenta cómo Jesús usó el Espíritu como su instructor en el curso de Cómo Comenzar una Nueva Religión (cap.1:2). Luego, registra cómo Jesús informó a los discípulos que la fuente del poder que haría explotar su pequeña secta en una religión mundial sería el Espíritu Santo (vers.8). Finalmente, Lucas recuerda a sus lectores que el libro de texto que usarían los seguidores de Jesús es realmente el resultado de la obra del Espíritu Santo de buscar a la humanidad durante más de 1.000 años.

Aunque el cristianismo se considera como una de las grandes religiones del mundo, no es una religión en absoluto si se define a la "religión" como una manera en la cual la gente busca a Dios, con el énfasis en el esfuerzo humano. En contraste, el cristianismo son las buenas nuevas de Dios buscando a la gente, llamando, ¿Dónde estás tú?, como lo hizo con Adán y Eva en el jardín del Edén. Con el poder del Espíritu Santo, el cristianismo nos enseña que Jesús vino a buscar a la humanidad perdida e hizo posible nuestra eterna salvación mediante su vida sin pecado y su muerte expiatoria en la cruz.

Yo no conocía mucho sobre Dios hasta que llegué a ser parte de una congregación adventista como un adolescente. Intelectualmente acepté las enseñanzas de la iglesia, pero las estaba usando para encontrar y hacer efectivo mi camino a Dios. Como muchos otros jóvenes con quienes me encontré en la iglesia, ciertamente no tuve éxito en absoluto, aunque todos habíamos sido bautizados para ser parte de la cultura religiosa.

Cierta noche estaba parado fuera de un cine, fumando un cigarrillo durante el intermedio, cuando finalmente escuché al Espíritu Santo, quien me estaba convenciendo de mi condición con las mismas palabras de la Escritura que había aprendido en una clase juvenil. Al cabo de unos pocos días di mi vida completamente al Dios que me había encontrado, perdonado y salvado por la sangre de Jesús.

¿Por qué no le permite a Dios que lo encuentre hoy?

Una oración para hoy: *Gracias, Señor, por buscarme mediante tu Palabra inspirada por tu Espíritu.*

BIENVENIDO, PENTECOSTES

Cuando llegó el día de Pentecostés, estaban todos unánimes juntos. Y de repente vino del cielo un estruendo como de un viento recio que soplaba, el cual llenó toda la casa donde estaban sentados. Hechos 2:1-2.

Antes de los días cuando usted podía visitar un aeropuerto y observar y escuchar cómo despegaban y aterrizaban los enormes jets tamaño jumbo, el evento más estremecedor (por lo menos para un niño) era ubicarse en una estación de ferrocarril del campo y sentir cómo temblaba todo cuando el atronador expreso a vapor pasaba a toda velocidad.

Los 120 hombres y mujeres que habían estado juntos en oración ferviente durante diez días en la antigua Jerusalén, aparentemente no sabían que el día de la fiesta de Pentecostés iba a ser el día cuando el Espíritu rugiría sobre ellos con la fuerza combinada de un Boeing 747 y un tren expreso. Fue un evento repentino e inesperado. Lucas usa palabras que significan ruido intenso y viento violento para describir los efectos del sonido.

En el Antiguo Testamento, el Espíritu Santo había venido como un soplo suave de viento. Ahora vino como un santo huracán, como un tornado de intensidad sobrenatural.

Tenía unos 18 años cuando por primera vez supe lo que significa ser lleno del Espíritu Santo. Por un tiempo había conocido acerca de Jesús y las doctrinas de la iglesia, pero sólo recientemente había aceptado a Jesús como mi Salvador personal. Después de disfrutar durane cierto tiempo la certeza de la salvación y la expectativa del regreso de Jesús, encontré que dos grandes deseos llenaban mi corazón. El primero era ser como Jesús, y el segundo era poder trabajar en alguna forma especial para él. Mientras estudiaba y oraba, me resultó claro que estos dos deseos podrían convertirse en realidad sólo a través del poder del Espíritu Santo.

Muchas veces había estado en la plataforma de nuestra pequeña estación de trenes en Nueva Zelanda cuando el expreso a Rotorua pasaba tronando, pero cuando el Espíritu vino y llenó mi vida en respuesta a la oración ferviente fue como si el día de Pentecostés hubiese venido nuevamente con extraordinario poder.

Una oración para hoy: *Señor, junto con tu pueblo a quien yo conozco, ponme en oración ferviente para el gran huracán o la suave brisa del poder del Espíritu Santo.*

LENGUAS DE FUEGO EN EL TEMPLO

Y se les aparecieron lenguas repartidas, como de fuego, asentándose sobre cada uno de ellos. Hechos 2:3.

¿Alguna vez ha sentido como si el fuego se ha apagado en la congregación de su iglesia local? ¿Le parece como si el culto de cada sábado es meramente la vieja rutina, y que todo sigue igual? Mucha gente, así parece, vienen primariamente con el propósito de irse. Se concentran en cuándo esto terminará de modo que puedan salir de allí. Miles salen anualmente para no regresar nunca.

En el día de Pentecostés en Jerusalén, el Espíritu Santo inició un fuego en el templo que brilló con ardiente intensidad, en contraste con el ceremonialismo aburrido y el ritualismo rutinario que habían transformado en una farsa la palabra "festival" en la religión judía. No hay duda de que actualmente el Espíritu Santo desea hacer lo mismo con nuestras formas vacías de adoración.

Quizás usted ha pensado que los discípulos estaban en el aposento alto cuando aparecieron las lenguas de fuego, pero hay buenas evidencias de que en realidad estaban en el templo. Los escritores del Evangelio a menudo se referían al templo con el término *casa*, y es improbable que una casa judía corriente o un salón construido en una azotea eran suficientemente grandes como para dar cabida a 120 personas. Junto con esto, los seguidores de Jesús estaban diariamente en el área del templo y especialmente se encontrarían allí para la conclusión de la Fiesta de las Semanas o Pentecostés. Tan pronto como el Espíritu Santo llenó a los discípulos, una gran multitud se reunió para oírlos hablar, lo cual sólo pudo tener lugar en la amplia área abierta del atrio del templo y no en las calles estrechas y serpenteantes de la antigua ciudad.

Dios desea que las lenguas de fuego ardan hoy en las congregaciones y reuniones cristianas. En Pentecostés la llama se dividió de modo que una porción descansó sobre cada uno de los 120 que estaban allí unidos y en un mismo lugar. Así también el Espíritu capacita al fuego de la Palabra de Dios (Jer. 20:9; 23:29) para que hoy arda con intensidad en las vidas de los verdaderos discípulos, consumiendo el orgullo egoísta y el frío formalismo que dominan a muchas iglesias. Como resultado, multitudes en su comunidad se sentirán atraídas a oír con asombro la proclamación llena del Espíritu del Evangelio eterno.

Una oración para hoy: *Padre, ayúdame a ser una antorcha ardiente de tu amor y de tu gracia en mi congregación y vecindario.*

HABLANDO POR EL ESPIRITU

Y fueron todos llenos del Espíritu Santo, y comenzaron a hablar en otras lenguas, según el Espíritu les daba que hablasen. Hechos 2:4.

Muchas veces, al enseñar y predicar en diferentes países alrededor del mundo, he pedido en oración esta capacidad de hablar en idiomas extranjeros en vez de tener que usar un intérprete. En más de una ocasión se me ha informado que un intérprete estaba dando su propio mensaje en vez del que yo estaba diciendo. En Brasil el Señor me bendijo muchas veces con un traductor maravilloso, Daniel Perria dos Santos. Un día su encantadora hijita, Daniella, le dijo a su madre en portugués: "Pobre Willamese [como me llamaba] no puede hablar bien, de modo que mi papito tiene que decirle a la gente lo que está diciendo".

En el día de Pentecostés los discípulos no tuvieron problemas de comunicación. Aparentemente todos los oradores que atrajeron a la multitud en el atrio del templo eran galileos (vers. 7), quienes repentinamente comenzaron a hablar en las lenguas diversas y complejas de las naciones que rodeaban el Mediterráneo. Puedo imaginármelos llamando a sus oyentes: "Ahora bien, ¿se pueden reunir en esta área todos los que hablan árabe?" Mientras 16 grupos de "varones piadosos" (vers. 5) comenzaron a arremolinarse, tratando de dividirse en grupos bajo la dirección de algunos galileos sin educación, otros (vers. 13) que vieron la confusión, pero que aparentemente no habían oído el milagro de las lenguas, juzgaron atropelladamente que los discípulos estaban borrachos.

En San Luis Obispo tuve el privilegio de parar en la casa de Ron y Marla Rasmussen mientras realizaba reuniones de reavivamiento en la iglesia que ellos pastoreaban. Una noche escuché cómo hablaban sus dos encantadoras hijitas, Laurita y Danita. Una informaba a una amiga: "¡El pastor Williams habla con un accidente británico!" Afortunadamente su madre hizo rápidamente la corrección y dijo que yo hablaba con acento neozelandés. Cualquiera fuese el acento, a veces a los niños les costaba entender. No ocurre así cuando el Espíritu Santo nos da la oportunidad de compartir el mensaje de amor de Dios. Aun con su propio lenguaje, él lo capacitará para hablar en forma tan inteligible que todos los que son receptivos al Espíritu del Señor entenderán.

Una oración para hoy: *Santo Espíritu, por favor, dame hoy palabras que comunicarán claramente a Jesús a todos los que están dispuestos a escuchar.*

A LAS NUEVE DE LA MAÑANA

Estos no están borrachos como ustedes creen, ya que apenas son las nueve de la mañana. Hechos 2:15, V. Popular.

Cuando Dios hace lo inesperado, los incrédulos siempre parecen encontrar algo de lo cual dudar. Como Pedro le recordó a la multitud, era irrazonable siquiera pensar que a esa hora del día un gran grupo de personas devotas estarían bajo la influencia del alcohol. En realidad estaban poseídas por otra clase de espíritu, un Poder que sacudiría todo el Imperio Romano.

Cuando el pastor episcopal Dennis J. Bennett recibió el bautismo del Espíritu Santo en 1960, produjo una conmoción en toda su denominación. Muchos, incluso en su congregación de California, pensaron que estaba borracho, y eventualmente fue obligado a renunciar y a aceptar otro trabajo pastoral en el área de Seattle. El libro de Bennett, *Nine O'clock in the Morning* (A las nueve de la mañana), en el que describe los malos entendidos que pueden surgir cuando el Espíritu Santo cae sobre los miembros de una congregación conservadora, tradicional, todavía es un best-séller.

Me agrada la manera como el pastor Bennett describe lo que ocurrió cuando los discípulos fueron acusados de estar borrachos. "[El Espíritu de Dios] los abrumó —esto es lo que significa la Escritura cuando dice que 'cayó sobre ellos', o 'vino sobre ellos'—, bautizando sus almas y cuerpos con el poder y la gloria que ya estaba morando en sus espíritus... Desbordó de ellos hacia el mundo que los rodeaba, inspirándolos a alabar y glorificar a Dios, no sólo en sus propias lenguas sino también en nuevos idiomas, y al hacer eso, avasalló sus lenguas para emplearlas para su propio uso, liberó sus espíritus, renovó sus mentes, refrescó sus cuerpos y trajo poder para testificar" (*The Holy Spirit and You*, pp. 28-29).

Como los discípulos, nosotros también podemos ser apartados en cuerpo, alma y espíritu por el Espíritu Santo (1 Tes. 5:23; 2 Tes. 2:13). El Espíritu Santo, que vino para morar en nosotros en la conversión, puede tener acceso a cada parte de nuestro cuerpo, mente y personalidad con nuestro consentimiento, de modo que podamos participar en un testimonio dramáticamente nuevo para Jesús. Cuando esto ocurra, no se sorprenda si algunos escépticos sugieren que usted está borracho.

Una oración para hoy: *Padre, ayúdame a no intimidarme por la incredulidad de otros sino a ser fuerte y lleno de certeza en mi testimonio por ti.*

LA JUVENTUD DA LA BIENVENIDA AL ESPIRITU

Y en los postreros días, dice Dios, derramaré de mi Espíritu sobre toda carne, y vuestros hijos y vuestras hijas profetizarán; y vuestros jóvenes verán visiones, y vuestros ancianos soñarán sueños. Hechos 2:17.

A los 18 años, siendo un joven aprendiz de carpintería, fui lleno del Espíritu Santo en respuesta a mis fervientes oraciones. Cuando el Espíritu vino sobre mí, caí ante el Señor y abrí mi corazón plenamente para servirle. Aunque no había informado a nadie de mi experiencia, pronto se me acercó mi pastor para pedirme que predicase una serie de reuniones evangelísticas. Cuando le recordé que me sentía muy nervioso en cuanto a hablar en público y que ni siquiera había predicado un sermón, él prometió ayudarme a preparar un tema para el servicio de adoración del próximo sábado. Me mostró cómo el sermón debe tener una introducción, un cuerpo principal con una serie de puntos claros, y una conclusión que resumiría lo que hubiera tratado de decir. Finalmente, me ayudó a encontrar ilustraciones adecuadas.

Tan pronto como comencé a predicar fui nuevamente lleno del Espíritu Santo. Me reveló que había recibido un don para hablar espiritualmente que quedaría conmigo durante más de 25 años de predicar a congregaciones grandes y pequeñas alrededor del mundo. Aunque al predicar mis primeros sermones conocía muy poco acerca de los métodos de evangelismo público, la gente se convertía, como ha ocurrido con muchos miles más al usar el Señor este ministerio a lo largo de los años.

Si usted es una persona de muchos años de experiencia en la iglesia, ¿está abierto a la posibilidad de que Dios use a los jóvenes en alguna forma especial? ¿Les está ayudando a saber a diferentes jóvenes que han nacido de nuevo y que están llenos con el Espíritu Santo? ¿Hay adolescentes en su congregación local a quienes se los puede animar a profetizar, compartiendo con grupos grandes o pequeños palabras de "edificación, exhortación y consolación" (1 Cor. 14:3)?

El pastor y los miembros de la junta de la iglesia que me pidieron que empezase a predicar eran personas mayores que "soñaron sueños" de ver a la iglesia avanzar con el poder del Espíritu Santo. Vieron que la energía y entusiasmo de una juventud llena del Espíritu ayudarían a hacer posible ese sueño, y ellos no fueron chasqueados. Ni lo será usted cuando facilite el camino para que los jóvenes sirvan al Señor.

Una oración para hoy: *Mi Señor y mi Dios, ministra en mi favor hoy mediante uno de tus hijos e hijas jóvenes.*

UN SIERVO JOVEN ENTUSIASMADO

Y de cierto sobre mis siervos y sobre mis siervas en aquellos días derramaré de mi Espíritu, y profetizarán. Hechos 2:18.

Si Pedro pudo sostener que el derramamiento del Espíritu Santo en el día de Pentecostés era el cumplimiento de la profecía de Joel, ¿cuánto más podemos afirmarlo nosotros, que vivimos cerca del día cuando "el sol se convertirá en tinieblas, y la luna en sangre" (vers. 20)? Sí, aun al acercarnos al siglo XXI, los siervos de Dios están siendo llenados con el Espíritu Santo para el servicio y el ministerio. Tanto siervos como siervas oran para ser capaces de profetizar, y cuando su oración es contestada Dios los usa para hablar palabras de "edificación, exhortación y consolación" (1 Cor. 14:3).

A veces miro nuevamente las notas de los primeros sermones que prediqué siendo un aprendiz de carpintería de 18 años, y comprendo que fue un milagro que Dios pudiera usarlas. Las reuniones evangelísticas habían sido anunciadas en el diario, sin que se incluyera el nombre del orador. Algunas personas de la compañía de construcción donde yo estaba empleado, asistieron a la reunión de apertura y se sorprendieron al encontrar que el predicador era uno de sus compañeros de trabajo.

Hablé sobre la profecía de Daniel y expliqué que el regreso de Jesús era tan cierto como el surgimiento y la caída de Babilonia, Medo-Persia, Grecia y Roma. El Señor me dio palabras proféticas vigorosas para el auditorio, al declarar que la única manera como una persona presente podía estar lista para encontrar a Jesús era llegando a conocerlo ahora como su Salvador personal. Esa noche, cuando un pequeño grupo de personas aceptaron a Jesús, mis compañeros de trabajo se sorprendieron de que un joven carpintero pudiera ser usado tan efectivamente como un siervo de Dios.

Todavía me sentía emocionado en cuanto a las reuniones cuando regresé al edificio en construcción el lunes de mañana. Pero ya había corrido la voz entre el mundo de los comerciantes, quienes empezaron a burlarse del "sacudidor de la Biblia" que había en medio de ellos. Algunos trataron de derramar cerveza sobre mí, para que pareciese que yo había estado bebiendo. Otros maldijeron y juraron e hicieron mi trabajo tan difícil como les fue posible, pero nada pudo quitarme el gozo de ser un joven siervo del Señor, lleno del Espíritu.

Una oración para hoy: *Señor, te agradezco por las maneras como tú vas a usarme durante las próximas 24 horas.*

LA SEÑAL DE BIENVENIDA

Así que, exaltado por la diestra de Dios, y habiendo recibido del Padre la promesa del Espíritu Santo, ha derramado esto que vosotros veis y oís. Hechos 2:33.

Estábamos esperando que llegase la reina Elizabeth II para la gran celebración en la histórica villa maorí de Waitangi en la hermosa bahía de las Islas, en el norte de Nueva Zelanda. No podríamos ver el lugar donde dejaría su automóvil y comenzaría a caminar, pero sabíamos que se izaría la bandera y los cañones saludarían para indicar que el gran evento había ocurrido.

Aunque los discípulos no pudieron ver lo que estaba pasando en el cielo, el derramamiento del Espíritu Santo en el día de Pentecostés fue para ellos la dramática señal de que Jesús nuevamente había sido recibido en forma plena en su cargo de gloria y poder en el trono de Dios.

En Juan 14, estando limitado por su humanidad, Jesús había orado al Padre para que él —el Padre— diese el Espíritu Santo a sus discípulos (vers. 16). Jesús prometió que el Padre enviaría el Espíritu Santo en el nombre de Jesús (vers. 26). En Juan 15, Jesús ahora prometió que enviaría el Espíritu Santo, pero que el Espíritu procedería del Padre (salir de, despachado desde), (vers. 26). Finalmente, en Juan 16 Jesús declaró nuevamente que él sería quien enviaría el Espíritu a sus seguidores (vers. 7).

Como era de prever, desde los primeros siglos del cristianismo los teólogos han tenido ardientes discusiones sobre si el Espíritu Santo viene del Padre o del Hijo, y las iglesias Ortodoxa Oriental y Católica Romana se separaron por éste y otros problemas. Pero Pedro en su sermón pentecostal, que fue inspirado por el mismo Espíritu Santo, dijo que Jesús recibió el Espíritu Santo del Padre y luego lo derramó como una poderosa cascada de poder testificador y de amor sobre sus discípulos que estaban esperando. El día de Pentecostés no fue un día para una controversia teológica sino más bien un momento de gran triunfo para el Evangelio. La bandera estaba flameando y el saludo resonó fuertemente. El cristianismo recién nacido celebraba la glorificación del Señor Jesucristo.

Una oración para hoy: *Señor, desde tu glorioso trono celestial sigue derramando tu Espíritu sobre mí mientras espero tu poder testificador para este nuevo día.*

BIENVENIDO, EL MEJOR REGALO

Pedro les dijo: Arrepentíos, y bautícese cada uno de vosotros en el nombre de Jesucristo para perdón de los pecados; y recibiréis el don del Espíritu Santo. Hechos 2:38.

¡Qué regalo! El Espíritu ha sido llamado a menudo el mayor regalo de todos porque sin él, la muerte de Jesús en la cruz no habría sido más que un evento histórico. El Espíritu hace posible que los pecadores aprendan de Jesús y lo acepten como su Salvador. Encima de toda esta bendición provista por el Espíritu Santo, el Espíritu mismo es en realidad un don increíble que viene directamente a la vida de una persona cuando ésta llega a ser un cristiano que ha nacido de nuevo (Eze. 37:26-27; Rom. 8:9; 2 Cor. 1:21-22).

Pedro vinculó el bautismo por agua con el don inicial del Espíritu Santo que viene a morar en la vida de uno, porque en los tiempos de Nuevo Testamento la experiencia del nuevo nacimiento, el verdadero arrepentimiento y el bautismo por agua aparentemente ocurrían todos dentro del mismo contexto. Esta fue la experiencia de por lo menos 3.000 personas en el Día de Pentecostés (Hech. 2:41). Tan pronto como el etíope confesó su fe en Jesús, fue bautizado (Hech. 8:37-38). Lidia, la comerciante de Tiatira, fue bautizada con su casa tan pronto como abrió su corazón a las cosas que Pablo enseñó (Hech. 16:14-15). El carcelero de Filipos y su casa fueron bautizados la misma noche que creyeron en el Señor Jesucristo (Hech. 16:31-33). Hoy, debido a que la conversión y el bautismo por agua a menudo están separados por meses o más, a veces hay confusión respecto al papel del Espíritu Santo en estos eventos maravillosos.

Si usted ha sido bautizado por inmersión, recordará qué ocurrió. El espíritu de egocentrismo que estaba en el trono de su vida simbólicamente murió y fue enterrado bajo el agua, y usted se levantó con un nuevo Espíritu en el trono: el Espíritu Santo de vida en Jesucristo.

Algunos jóvenes que fueron bautizados recientemente en Los Angeles estaban tan emocionados con su nueva vida en Jesús que salieron del agua exclamando: "¡Aleluya!", mientras el don del Espíritu llenaba sus vidas. Alabado sea Dios hoy por su maravilloso Don de poder. ¿Por qué no permitir al Espíritu Santo que lo llene nuevamente de energía para el compañerismo y el ministerio?

Una oración para hoy: *Señor, como dice el antiguo himno: "Bautízanos de nuevo con poder de lo alto". Sí, "con amor y el Espíritu bautízanos hoy".*

EL ESPIRITU SANTO PARA LOS QUE ESTAN LEJOS

Porque para vosotros es la promesa, y para vuestros hijos, y para todos los que están lejos; para cuantos el Señor nuestro Dios llamare. Hechos 2:39.

San Luis Obispo, en la costa central de California, está muy lejos de la antigua Jerusalén, pero como dijo Pedro, el Espíritu Santo está a disposición de todos aquellos a quienes Dios llamare en cualquier lugar o época de la historia humana. Cuando la familia de la iglesia se reunió allí para un reavivamiento y un seminario sobre el Espíritu Santo, advertí a la gente que en respuesta a muchas oraciones ésta sería una experiencia que cambiaría la vida. Cuando viene un reavivamiento, siempre es un evento dramático y transformador. El Espíritu Santo ciertamente no chasqueó a la gente que se reunió del área de San Luis Obispo/Arroyo Grande. En efecto, una madre soltera llegó a ser conocida como la "dama milagrosa" después de sólo un día de reuniones.

Rosie había pasado 17 años en escuelas de iglesia, pero había vagado lejos de Dios después de haberse graduado del colegio. Pronto se convirtió en una agnóstica y por muchos años practicó un estilo de vida sin Dios. Ahora, durante el último año, Rosie había asistido ocasionalmente a la iglesia pero tenía algunas áreas importantes de su vida que no estaba dispuesta a rendir a Dios, incluyendo su deseo de seguir fumando. Durante la primera reunión el Espíritu Santo convenció a Rosie de que podía rendirse totalmente a Dios y tener la plena certeza de la salvación y del poder para vencer. El sábado de mañana el Espíritu Santo continuó hablando al corazón de Rosie. Y cuando se hizo el llamado, ella se adelantó para indicar su deseo de ser llena del Espíritu Santo. Finalmente, en una reunión especial de oración y ungimiento el sábado de tarde, Rosie se rindió totalmente a Dios y experimentó el milagro de una curación completa.

Durante la siguiente semana de reuniones, todo el grupo se regocijó muchas veces cuando Rosie compartió su testimonio: "¡Estar perdida y luego ser encontrada es un milagro tan grande! ¡Alabado sea Dios por su paz y su amor y su gracia!" Sí, el Espíritu Santo nuevamente había llegado a alguien que estaba muy lejos. Y el testimonio de Rosie en cuanto al poder victorioso de Dios sobre su corazón reacio y su hábito de fumar, inspiró a muchos otros a permitir que el Espíritu Santo obrase grandes milagros en sus vidas.

Una oración para hoy: *A veces me parece estar lejos de ti, Padre, pero te agradezco que aun entonces tú estás siempre llamándome de vuelta y ofreciéndome el maravilloso don de tu Espíritu.*

LLENADO DE NUEVO

Entonces Pedro, lleno del Espíritu Santo, les dijo: Gobernantes del pueblo, y ancianos de Israel... Hechos 4:8.

"Pastor, siento que no es posible para el Espíritu Santo usarme en ninguna manera especial".

Cuando le pregunté a Marvin la razón de su categórica declaración, replicó: "Hace dos años caí en pecado y terminé negando a Jesús. Creo que podrían pasar muchos años antes de que Dios confíe en mí para que le sirva nuevamente".

Me alegré de recordarle a Marvin la experiencia de Pedro, a quien Dios había llenado con el Espíritu Santo en el Día de Pentecostés. "Marvin, fue sólo 50 días después de que Pedro había negado a Jesús con maldiciones y juramentos que Dios lo escogió para ministrar por intermedio de él en una forma poderosa".

Poco después de Pentecostés el Señor decidió llenar a Pedro nuevamente. Fue necesario ahora, en la crisis en el templo que siguió a la curación del cojo, que el Espíritu Santo nuevamente tomase posesión completa de la mente de Pedro. Considerando la manera como Lucas escribió esto en el idioma original del texto, él implicó que ésta fue una acción repentina y temporaria que le dio poder a Pedro en ese momento más allá de la capacidad humana usual. Lucas diferencia entre esta experiencia y la plenitud del Espíritu que parece caracterizar toda la vida de una persona que es completamente saturada del Espíritu y que revela su fruto y sus dones.

Marvin estaba enfrentando una cantidad de situaciones en las cuales él necesitaría una medida adicional del Espíritu Santo, si es que iba a ministrar a personas que estaban luchando con el mal, la depresión profunda, crisis familiares y severos problemas de salud. Un pequeño grupo se reunió alrededor de este fervoroso joven y oró para que Dios lo llenase nuevamente con el Espíritu Santo. Cuando ungimos a Marvin con aceite, comenzó a llorar y alabar a Dios. "Señor, creo que has hecho por mí lo que hiciste con Pedro —oró—. Y sé que tú no sólo continuarás llenándome para tu servicio sino que llenarás a cualquier persona que acude con mansedumbre y sumisión a tu voluntad".

Se le ha pedido a Marvin que predique y comparta su testimonio en una cantidad de iglesias. A través de su ministerio laico, el Espíritu Santo ha traído esperanza y sanidad a muchas vidas.

Una oración para hoy: *Señor, cuando me siento como Pedro o Marvin, que he lastimado a mi mejor amigo, ayúdame a recordar cuán maravillosamente tú usaste a estos hombres cuando ellos se rindieron nuevamente a ti y fueron llenados con tu Espíritu.*

VALOR FRENTE A UN DECRETO DE MUERTE

Cuando hubieron orado, el lugar en que estaban congregados tembló; y todos fueron llenos del Espíritu Santo, y hablaban con denuedo la palabra de Dios. Hechos 4:31.

¿Tiene usted un grupo de oración de amigos con quienes se reúne regularmente y a quienes puede acudir en una crisis, así como pudieron hacerlo Pedro y Juan? He aquí otra pregunta interesante: Si usted y su grupo de oración estuvieran enfrentando un decreto de muerte y su lugar de reunión fuese rodeado por ejércitos enemigos, ¿sobre qué estarían orando?

Pienso que yo oraría: "Señor, por favor sácame de aquí en salvo. Llévame a un lugar donde tengo libertad para proclamar tu Palabra".

El equipo de oración de Hechos 4 oró una oración radicalmente diferente. Pidieron valentía para hablar la palabra de Dios en el mismo lugar donde sus vidas estaban siendo amenazadas. Pidieron que señales y prodigios revelasen el poder del nombre de Jesús. ¿Estamos dispuestos a hacer eso ahora en la paz relativa de nuestro vecindario, oficina, escuela u hogar? ¿Lo haremos frente al peligro de las pandillas, el crimen, la presión del grupo, los asociados celosos, la desunión familiar? ¿A pesar de la posibilidad de desempleo o fracaso material?

El Espíritu Santo no chasqueó a aquellos cristianos en la antigua Jerusalén. El lugar donde estaban orando fue sacudido, y pudieron hablar con intrepidez. Sin duda alguna el Espíritu Santo también les dio sabiduría y tacto a estos fieles testigos de modo que su valentía no llegó a ser brusquedad y su sinceridad ferviente no se convirtió en insensibilidad.

Una abuela anciana del área de Los Angeles se estaba reuniendo con su grupo de oración cuando las balas comenzaron a volar por la casa. Ella fue la única que no se arrojó al suelo en busca de protección. Después que se encontraron 14 agujeros de bala en la casa, algunos del grupo comenzaron a hablar sobre la idea de mudarse del área.

"Ellos no me van a asustar —oí testificar a la abuela—. Voy a quedarme aquí mismo y a testificar a mi comunidad. Vamos a sacudir todo este lugar para Jesús".

Una oración para hoy: *Gracias, Señor, por la fuerza interior para no intimidarme por las presiones de aquellos que quisieran silenciar mi testimonio por ti.*

GRACIA ABUNDANTE Y MARAVILLOSA

Y con gran poder los apóstoles daban testimonio de la resurrección del Señor Jesús, y abundante gracia era sobre todos ellos. Hechos 4:33.

"Abundante gracia", representando al poder del Espíritu Santo, es poder sin medida. Si usted pudiera pedirle una explicación a un hombre que se había hundido en el nivel más bajo de la humanidad, que había sido flagelado por la Marina Británica por haber sido un desertor, que había llegado a ser el capitán de un velero que traficaba esclavos, que había castigado, torturado y ultrajado a su cargamento humano, él le diría que "abundante gracia" es la gracia sublime que salvó a alguien que estaba perdido y cegado por el pecado.

Cuando John Newton tenía 23 años, el Espíritu Santo lo indujo a dar su vida plenamente al Señor Jesús, y el cambio fue tan dramático que los cristianos, más de 200 años más tarde, todavía son impactados por él. Si usted se pregunta si la experiencia de Newton con la "abundante gracia" lo ha afectado, sencillamente recuerde que uno de los cantos cristianos mejor conocidos es el de Newton, con estas inspiradoras palabras: "Sublime gracia del Señor, me levantó del mal. Fui ciego, mas hoy puedo ver; perdido, y él me halló".

Miles se convirtieron cuando oyeron predicar a Newton en la pequeña iglesia que eventualmente pastoreó en Olney, Inglaterra. Muchos de los 300 himnos que escribió, todavía son populares hoy. Newton, junto con Alexander Hamilton y Thomas Jefferson, recibió un título honorífico en 1792 de parte de lo que ahora es la Universidad Princeton, pero nada significó tanto para él como la maravillosa gracia de Dios. El poder del Espíritu Santo lo había levantado de la muerte espiritual a la vida resucitada en Jesús.

Como dijo John Wesley, un amigo de Newton, en su famoso duodécimo sermón: "La expresión 'por la gracia de Dios' a veces debe entenderse como ese amor gratuito, esa misericordia inmerecida, por la cual yo, un pecador, soy ahora reconciliado con Dios por los méritos de Cristo. Pero en este lugar más bien significa ese poder de Dios, el Espíritu Santo que 'produce así el querer como el hacer, por su buena voluntad' "(Wesley, *Sermons*, t. 1, p. 105).

Sí, esa gracia sublime, el poder del Espíritu Santo, ¡todavía tiene poder y está hoy a su disposición!

Una oración para hoy: *Gracias, Señor, que tu Espíritu aun puede elevar a un pecador de la cuneta más profunda de la degradación a la victoria más elevada contigo.*

NO MENTIR AL ESPIRITU SANTO

Y dijo Pedro: Ananías, ¿por qué llenó Satanás tu corazón para que mintieses al Espíritu Santo, y sustrajeses del precio de la heredad? Hechos 5:3.

"Todo rindo a ti", dice el viejo himno. Y a veces lo cantamos, aunque en realidad no le hemos rendido a Dios ni siquiera la mitad. El evangelista Luis Palau cuenta la historia de un millonario respetado que se levantó en un almuerzo y testificó: "Debo todo al Señor. Cuando era joven, se me hizo un llamado a entregar todo. Joven y pobre como era, todo lo que tenía se lo rendí a Cristo. No tenía mucho dinero, pero lo puse sobre la mesa, junto con todas mis posesiones, y dije: 'Cristo, te doy todo de vuelta a ti'. Fue después de eso que Dios comenzó a bendecirme, y ahora soy un hombre rico".

En ese momento, una voz desde el fondo de la sala exclamó: "Lo desafío a hacerlo de nuevo".

Luis Palau concluye: "¿Se ha preguntado alguna vez por qué la mayoría de los que responden al llamado de 'entregar todo' son jóvenes? No tienen mucho que entregar, quizás tres camisas, dos pantalones y las llaves del automóvil de su papá. Pero cuando usted llega a la mitad de la vida y posee una casa y dos automóviles y un departamento junto a la playa, es una historia diferente" (*Say Yes!*, p. 110).

No sabemos qué edad tenían Ananías y Safira o cuánto poseían, pero cuando cantaron "Todo rindo a ti" y dieron sólo una porción a la obra del Señor, estaban engañando no meramente a sus amigos cristianos sino, como dijo Pedro, estaban mintiendo al Espíritu Santo.

Luego cayó el peor golpe imaginable sobre esta pareja engañosa cuando Pedro les recordó que el Espíritu Santo es realmente Dios, junto con el Padre y el Hijo. Habían mentido a Dios. Dios no les había requerido que diesen todo el valor de su propiedad; ésa había sido su propia decisión. Su actitud engañosa, sin embargo, reveló corazones que en realidad estaban lejos de estar dispuestos a ser completamente honestos con Dios y los hombres.

Posiblemente podemos engañarnos a nosotros y a otros cuando cantamos "Todo rindo a ti", pero ciertamente no podemos embaucar a Dios.

Una oración para hoy: *Padre, te pido que me ayudes a considerar con oración las promesas que te hago y a honrarlas fielmente.*

ARRUINADOS POR UNA CULPA NO RESUELTA

Y Pedro le dijo: ¿Por qué convinisteis en tentar al Espíritu del Señor? He aquí a la puerta los pies de los que han sepultado a tu marido, y te sacarán a ti. Hechos 5:9.

¿Podrían haber sido perdonados Ananías y Safira? No hay duda en cuanto a eso. Jesús había muerto por sus pecados, así como por los pecados de todo el mundo. Pero habían rechazado los llamados del Espíritu al arrepentimiento y habían decidido poner a prueba su genuinidad y poder. Y, como lo dice el título del libro del orador de televisión George Vandeman, *La culpa puede ser letal.*

Debido a las elevadas normas de conducta y de actitudes del cristianismo conservador, éste puede producir más culpa que cualquier otro sistema de filosofía o religión. Y tiene también la solución más efectiva para la culpa: el sacrificio de Jesús por los pecados de toda la humanidad. Pero si los cristianos no creen y aceptan totalmente el perdón que tienen en Jesús, su culpa no resuelta —y a menudo irrazonable— destruirá su paz mental y los llevará a una profunda depresión, desánimo y desesperación. Aun puede destruirlos como hizo con Ananías y Safira.

El profesor y psicólogo cristiano Roy W. Fairchild dice: "La causa de mucha depresión es la culpa patológica y neurótica, en la que la persona angustiada siente mucho más culpa que la que las circunstancias parecieran justificar. Por ejemplo, personas en sus años 50 ó 60 que exageran las faltas de su adolescencia —lo cual se convierte ahora en el centro de su pensamiento y los convence de su 'pecaminosidad' irredimible—, están experimentando una depresión neurótica. Cuando van al pastor, a menudo desean ser disciplinadas, diciendo en efecto: 'No soy bueno. No merezco felicidad. Tienen que hacerme pagar por mis pecados' " (*Finding Hope Again*, pp. 30-31).

Usted puede estar absolutamente seguro de que la culpa no necesita ser letal. El Espíritu Santo ciertamente no es un asesino que le quitó la vida a una pareja de engañadores en la antigua Jerusalén. En realidad, el ministerio del Espíritu de Dios es traer, aun al mayor de los pecadores, la seguridad de la paz mental y de la vida eterna en Cristo Jesús.

Una oración para todos: *Gracias, Señor, por tu infalible perdón y gracia aun frente a los peores pecados.*

¿QUE VIENE PRIMERO?

Y nosotros somos testigos suyos de estas cosas, y también el Espíritu Santo, el cual ha dado Dios a los que le obedecen. Hechos 5:32.

¿Obedecemos para que podamos recibir el Espíritu Santo o recibimos el Espíritu Santo para que podamos obedecer?

Por muchos años, basado en el texto de hoy, yo enseñé que era necesario primero obedecer a Dios, y luego se le daría el Espíritu Santo a la persona que estuviera observando todos los mandamientos de Dios. Esta enseñanza errónea me capacitó para juzgar a aquellos que profesaban estar llenos del Espíritu. Si no estaban obedeciendo todo lo que estaba en la Palabra de Dios, como yo lo veía, entonces yo decía que debían estar llenos de un espíritu impío.

Para vergüenza mía, descubrí hace unos pocos años que éste era uno de una cantidad de textos sobre el Espíritu Santo que yo había estado usando mal. Kevin Wilfley me ayudó a entender esto. "La palabra traducida 'obedecen' en este versículo no es la misma que la que aparece traducida en este otro versículo: 'Hijos, obedeced en el Señor a vuestros padres' [Efe. 6:1] —explicó Kevin—. La palabra que Pedro usó en Hechos 5:32 significa someterse voluntariamente a una autoridad como a un buen amigo".

Ahora bien, estas son buenas noticias, porque significa que el Espíritu Santo es dado a personas que pueden no estar siguiendo cada mandamiento, regla o norma de la conducta cristiana, pero que son receptivas a la dirección de Dios. ¡Alabado sea el Señor que el Espíritu Santo nos da el poder para obedecer!

Recientemente un ministro del Evangelio compartió con un buen amigo un dilema que estaba enfrentando: "He sido convencido de mi necesidad de vencer cierta debilidad de carácter que he detectado en mi vida, pero no estoy seguro que realmente quiero hacer algo al respecto".

El Espíritu Santo capacitó al amigo del ministro a dar una muy buena respuesta: "Sencillamente dile al Señor que estás dispuesto a ser hecho dispuesto. Si tú haces eso, el Espíritu Santo te ayudará a hacer el resto".

Sí, usted puede tener la seguridad de que el Espíritu Santo siempre es dado a toda persona que está dispuesta a ser hecha dispuesta.

Una oración para hoy: *Padre, ayúdame a estar siempre consciente de que estoy viviendo dentro de tu voluntad para mi vida en este momento y que es tu Espíritu el que hace posible esto.*

LOS SIETE ESPECIALES

Buscad, pues, hermanos, de entre vosotros a siete varones de buen testimonio, llenos del Espíritu Santo y de sabiduría, a quienes encarguemos de este trabajo. Y nosotros persistiremos en la oración y en el ministerio de la palabra. Hechos 6:3-4.

"Nombremos a Arnold como diácono —decidió la junta de la iglesia—. Hará un excelente trabajo manteniendo limpia la propiedad de la iglesia". No sabemos de dónde salió ese concepto de diácono como encargado de limpieza, guardián y recolector de la ofrenda, pero ciertamente no es bíblico. Cuando Pablo le escribió a Timoteo, pudo testificar que los diáconos que él conocía tenían "mucha confianza en la fe" (1 Tim. 3:13). No había edificios que cuidar. Su ministerio era práctico y poderoso en el Espíritu Santo.

Los doce apóstoles sintieron una responsabilidad de ser siervos, o diáconos, del ministerio espiritual en favor de las multitudes que estaban entrando en la nueva religión. Los siete hombres llenos del Espíritu fueron escogidos para ser siervos, o diáconos, del ministerio práctico a la gran cantidad de nuevos conversos que necesitaban alimento en la fe y un cuidado tierno y amante. Algunos necesitaban ayuda financiera; otros, aconsejamiento; otros, información positiva para el crecimiento espiritual. Por esta razón era imperativo que los siete fuesen de buena reputación, llenos del Espíritu Santo y de sabiduría.

Hace años las escuelas estatales de Nueva Zelanda tenían cada semana clases de Biblia obligatorias para los alumnos. Yo asistí a la clase anglicana y recuerdo haber estado sentado en la parte posterior del aula, escuchando al anciano archidiácono Hodgson que trataba de explicar algunas enseñanzas cristianas abstractas a 50 ó 60 jóvenes inquietos. Nunca había oído de un diácono, menos de un archidiácono, y me preguntaba si el término de alguna manera se aplicaba a la construcción de un edificio. En realidad, estaba cerca de lo correcto. El diácono fiel y lleno del Espíritu Santo supervisará todo el ministerio práctico de la familia de la fe. Verá que los creyentes sean edificados espiritualmente, atendidos y consolados. Y si la iglesia tiene un edificio, involucrará a todos los miembros en su mantenimiento.

Si su congregación tiene diáconos como los primeros siete, ciertamente será bendecida con el ministerio del Espíritu Santo.

Una oración para hoy: *Ayúdame, Señor, a apreciar a los hombres y mujeres que tú usas tan efectivamente en el ministerio cristiano práctico. Te alabo por su fidelidad y su leal testimonio por Jesús.*

DESTACANDO LA IGUALDAD ETNICA

Agradó la propuesta a toda la multitud; y eligieron a Esteban, varón lleno de fe y del Espíritu Santo, a Felipe, a Prócoro, a Nicanor, a Timón, a Parmenas, y a Nicolás, prosélito de Antioquía; a los cuales presentaron ante los apóstoles, quienes, orando, les impusieron las manos. Hechos 6:5-6.

Los asistentes a un congreso de una asociación grande de la División Norteamericana estaban divididos en cuanto a la representación étnica en la junta directiva. ¿Debieran los asiáticos, afroamericanos, caucásicos e hispanos tener subgrupos en dicha junta, o ésta debiera estar formada en base al voto popular para cada persona?

Las disputas políticas todavía no habían entrado en la iglesia cuando en la antigua Jerusalén resultó necesario escoger a siete hombres como "vicepresidentes" prácticos del cristianismo. Pero había habido algunas preocupaciones étnicas. Se tenía la impresión de que las viudas que hablaban griego no recibían un trato justo. En ese entonces ya había miles de cristianos, principalmente judíos que hablaban hebreo, pero cuando se reunieron y escogieron a los hombres que debían llenar estos importantes cargos para toda la iglesia, eligieron a siete hombres con nombres helenísticos, indicando que procedían de la minoría de habla griega.

Después que los apóstoles oraron y pusieron las manos sobre los siete, los diáconos aparentemente iniciaron enseguida su ministerio para todo el cuerpo de creyentes, no sólo para el grupo de su minoría étnica. El extraordinario poder del Espíritu obrando en estos ministros diáconos los capacitó para jugar un papel muy significativo en el esparcimiento de la Palabra de Dios, de modo que "el número de los discípulos se multiplicaba grandemente en Jerusalén; también muchos de los sacerdotes obedecían a la fe" (vers. 7).

Después que el congreso de la asociación terminó y los diferentes grupos étnicos estuvieron equitativamente representados, un delegado me dijo que había sido obvia la manifestación del Espíritu en la reunión y que un espíritu de unidad y amor indicaba que los frutos para el reino de Jesús en esa parte del país serán abundantes.

Una oración para hoy: *Padre, aunque todos somos uno mediante la sangre de Jesús, ayúdame a reconocer que las razas, los sexos y las culturas tienen características y diferencias peculiares que los hacen especiales.*

ROSTRO DE ANGEL

Pero no podían resistir a la sabiduría y al Espíritu con que hablaba... Entonces todos los que estaban sentados en el concilio, al fijar los ojos en él, vieron su rostro como el rostro de un ángel. Hechos 6:10, 15.

¿Ha visto usted alguna vez un rostro que le ha impresionado como si fuese el de un ángel? Tal vez fue el rostro encantadoramente inocente de un niño o el de una mujer llamativamente hermosa o el de un hombre bien parecido. En uno de los primeros congresos adventistas al que asistí, cuando vi el rostro negro, los ojos resplandecientes y la sonrisa blanca y brillante del pastor Kata Rangoso, de las islas Salomón, me pareció que había visto a un ángel.

Como Esteban, Kata Rangoso era un hombre de buen testimonio, lleno del Espíritu Santo y de sabiduría. Su padre había sido un jefe de tribu canibalista y un cazador de cabezas, pero, bajo la influencia de los misioneros, fue uno de los primeros en proscribir los sacrificios humanos de los niños. A los 12 años, Kata Rangoso comenzó su educación con un misionero adventista pionero, el capitán G. F. Jones, y pronto reveló la mente alerta y la total consagración al Señor Jesús, que lo capacitarían para llegar a ser un gran dirigente cristiano.

Al comienzo de la Segunda Guerra Mundial, Kata Rangoso quedó a cargo de la obra adventista en las Islas Salomón, y antes de mucho sus firmes convicciones religiosas lo condujeron a una relación conflictiva con el oficial británico al frente del ejército en el lugar. Después de ser maltratado severamente, Rangoso y su ayudante, Londi, fueron arrojados a una prisión y abandonados para morir. Por toda la isla los adventistas se reunieron para orar, y en respuesta a esas oraciones parece que esa noche los dos prisioneros vieron a un ángel.

Alrededor de las 10:00 p.m. un hombre con un manojo de llaves caminó frente a los guardias armados y abrió las puertas. Llamando a Rangoso y Londi, los guió a través de las puertas y por un sendero hasta la playa, donde les mostró una canoa vacía que los llevaría a la casa. Cuando se volvieron para agradecerle, había desaparecido, aunque pudieron ver el sendero iluminado por la luna por más de 30 metros. Más tarde descubrieron que las únicas llaves que pudieron haberse usado para abrir las puertas habían estado toda la noche en un gancho junto al oficial.

Una oración para hoy: *Señor, te alabo porque tu cerco de ángeles siempre protegerá la fe de tus hijos que confían en ti.*

RECHAZANDO AL RESCATADOR

¡Duros de cerviz, e incircuncisos de corazón y de oídos! Vosotros resistís siempre al Espíritu Santo; como vuestros padres, así también vosotros. Hechos 7:51.

Hoy es popular echarle la culpa a nuestros padres de la mayoría de nuestros problemas. A veces esta culpa es válida, pero por otra parte, dicha actitud puede ser meramente una excusa de nuestras propias dificultades actuales. Parece, sin embargo, que Esteban reconoció que los dirigentes judíos de sus días habían sido programados por sus antepasados de corazón duro para rechazar al Espíritu Santo. Aparentemente tenían emociones que habían sido afectadas por siglos de orgullo piadoso, y ahora, cuando su sistema religioso se estaba ahogando en un mar de tradicionalismo y animosidad, una vez más rechazaron a su rescatador: el Espíritu Santo.

Al reunirnos para celebrar seminarios en la isla hawaiana de Maui, a menudo escuché al pastor Barry y Norma Crabtree contarnos las experiencias maravillosas que el Señor les había dado durante su vida de ministerio y servicio misionero. El Espíritu Santo había obrado muchos milagros en sus vidas, y la vida misma de Norma es un milagro. Los padres de Norma, los Ferris, fueron misioneros por largo tiempo en las islas del Pacífico. Cuando llegaron por primera vez a las islas Salomón, fueron transportados a su nuevo lugar de trabajo en el pequeño barco de la misión, el *Kima*, cuyo capitán era el joven maestro Kata Rangoso. Rangoso era un navegante muy experimentado y conocía todos los lugares seguros a través de los arrecifes de coral, pero de alguna manera el bote golpeó en la noche contra una roca, y la pequeña Norma, de tres años, fue arrojada a las aguas oscuras.

Uno de los miembros de la tripulación se zambulló en la laguna para tratar de rescatar a Norma, pero no la pudo encontrar. Tan pronto como Rangoso comprendió la situación, se zambulló profundamente en el agua y la buscó en la oscuridad en medio de las ramas traicioneras del coral. Después de volver a la superficie en busca de aire, Kata Rangoso, orando desesperadamente en favor de la niñita, se zambulló de nuevo bajo el agua. Repentinamente su mano tocó el vestido y el cabello de la pequeña, y así Norma se salvó.

Mientras los dirigentes judíos escuchaban a Esteban, ellos también podrían haber sido salvados, pero resistieron a su rescatador, el Espíritu Santo, quien los habría conducido a salvo al reino de amor de Jesús.

Una oración para hoy: *Mientras soy sumiso a tu Espíritu, Señor, sé que me levantarás aunque parezca que estoy luchando hoy con el fracaso.*

MURIENDO POR JESUS

Pero Esteban, lleno del Espíritu Santo, puestos los ojos en el cielo, vio la gloria de Dios, y a Jesús que estaba a la diestra de Dios. Hechos 7:55.

Kata Rangoso enfrentó la muerte en las islas Salomón porque con el poder del Espíritu Santo insistió en obedecer a Dios antes que a un oficial británico que controlaba el área cuando las fuerzas japonesas se movían para atacar. Como Esteban, el pastor Rangoso había orado fervientemente a su Dios: "Jehová, soy tu siervo. Este es un tiempo terrible, porque la sangre de los hombres está siendo derramada. Si tú sabes que mi trabajo aquí o en algún otro lugar no está terminado, sálvame Jehová... Por favor, borra los pecados de los hombres que están haciendo mal. Pero yo me pongo en tus manos para hacer lo que tú quieras conmigo. Amén" (*No Devil Strings*, pp. 75-76).

Si usted puede orar la oración de Rangoso, también puede ser liberado del temor a lo que el enemigo pueda hacer.

Rangoso fue arrojado por encima de un tambor de gasolina de 180 litros y castigado hasta que la sangre manaba de su espalda. Entonces, cuando se puso de pie, el oficial golpeó la cara del pastor con la culata de su revólver. Una niña isleña que estaba presente, comenzó a llorar. "¡Oh, maestro! —dijo en un inglés corrompido— parar, no matar Rangoso. El buen pastor pertenece al séptimo día. Parar, no matar más".

Reuben E. Hare cuenta la historia de lo que le ocurrió luego a este pastor lleno del Espíritu cuando nuevamente rehusó desobedecer a Dios. "Se formó el escuadrón de fusilamiento. Kata Rangoso fue colocado en posición, y calladamente esperó que se diese la orden fatal. El oficial instruyó al pelotón de fusilamiento que disparase cuando él contase hasta tres. En medio de un dramático silencio comenzó a contar: '¡UNO! ¡DOS!...' De alguna manera no salió la palabra; no podía decir 'tres'. Empezó de nuevo: '¡UNO! ¡DOS...' Todavía su lengua se negó a decir la palabra fatal. Con una rabia violenta gritó: 'Presten atención esta vez: ¡UNO! ¡DOS!...' y por tercera vez falló su lenguaje. En realidad, el oficial estaba mudo, y no habló para nada por casi tres días" (*Fuzzy-Wuzzy Tales*, p. 43).

Sí, hace mucho tiempo Esteban murió a causa de su testimonio por su amado Jesús, pero en 1943, en una hermosa isla del Pacífico austral, Dios decidió conservar la vida de uno de sus siervos de los días modernos.

Una oración para hoy: *Padre, mi vida está en tus manos. Por favor, úsame tanto tiempo como tú veas que te puedo servir en forma efectiva.*

LOS DIRIGENTES SE ASEGURAN

Los cuales, habiendo venido, oraron por ellos para que recibiesen el Espíritu Santo. Hechos 8:15.

Jerusalén rápidamente se estaba convirtiendo en un gueto cristiano mientras miles de nuevos creyentes se agolpaban junto a los lugares y a la gente en el centro nervioso de la nueva religión. Saulo pronto cambió todo eso. No sólo consintió alegremente al asesinato de Esteban, sino que también entró en cada lugar de culto que pudo localizar, arrestando violentamente a cada cristiano a quien podía echar mano. Sin embargo, para desmayo del enemigo, Dios, como siempre, extrajo bien del mal cuando los creyentes fueron esparcidos, transformando la tragedia en un triunfo misionero. Con el poder del Espíritu Santo "iban por todas partes anunciando el evangelio" (Hech. 8:4).

Felipe, otro diácono lleno del Espíritu, encabezó la embestida del cristianismo en el territorio de Samaria. Jesús había sembrado alguna semilla allí, y ahora, cuando Felipe ministró con un deslumbrante despliegue de señales y maravillas, las multitudes se convencían concerniente al "reino de Dios y el nombre de Jesucristo" (vers. 6, 12). Había gran gozo en la ciudad y gran cantidad de personas eran bautizadas en el nombre de Jesús. El fruto de la amarga persecución fue ciertamente dulce.

Mientras tanto, entre los dirigentes de la iglesia en Jerusalén había preocupación de que los cristianos samaritanos podrían no haber recibido la experiencia del Espíritu Santo que los creyentes de Jerusalén habían disfrutado desde Pentecostés. Inmediatamente se comisionó a Pedro y Juan a que hiciesen la caminata de dos días y de 65 kilómetros para orar por el poderoso derramamiento del Espíritu Santo entre estos nuevos conversos. El Espíritu Santo era un amigo tan especial y un poder dinámico en la vida de los apóstoles, que estaban ansiosos de que ningún cristiano perdiera la bendición.

¿Qué ocurriría hoy si dirigentes llenos del Espíritu se asegurasen de que cada persona recién bautizada está plenamente consciente de que él o ella es un miembro lleno del Espíritu en el cuerpo de Cristo? El poder que se liberaría al conectar el Espíritu y la verdad asombraría al mundo y nos capacitaría como cristianos nacidos de nuevo para participar en las verdaderas señales y maravillas que precederán a la segunda venida de Jesús.

Una oración para hoy: *Te pido, Señor, que me llenes de nuevo en este día con la fuerza y el amor que proceden de la certeza de estar completamente controlado por el Espíritu Santo que mora en el interior.*

SOLO EN EL NOMBRE DE JESUS

Porque aún no había descendido sobre ninguno de ellos, sino que sola-
mente habían sido bautizados en el nombre de Jesús. Hechos 8:16.

¿Cometió Felipe un error cuando bautizó en el nombre de Jesús, o era ésta una forma válida de bautismo? Aunque de acuerdo con Mateo, Jesús había instruido a sus discípulos a bautizar en el nombre del Padre, el Hijo y el Espíritu Santo (Mat. 28:19), la iglesia cristiana primitiva aparentemente bautizaba a los nuevos conversos en el nombre de Jesús y consideraba el hecho de que el nuevo cristiano fuese completamente llenado del Espíritu Santo como un evento separado y distinto.

En el día de Pentecostés, Pedro había exhortado a sus oyentes a ser bautizados en el nombre de Jesús para el perdón de los pecados y para la recepción del don inicial del Espíritu Santo (Hech. 2:38). Pero éste no era el equivalente de la poderosa unción del Espíritu Santo que Pedro y Juan fueron a proporcionar a los samaritanos que ya habían sido bautizados por inmersión.

Más tarde, como Pedro lo presenció en la casa de Cornelio, los nuevos conversos recibieron el bautismo del Espíritu Santo (Hech.11:16) antes de recibir el bautismo de agua en el nombre de Jesús (Hech. 10:44-48). Pablo recibió el Espíritu Santo y fue bautizado en agua, invocando el nombre de Jesús (Hech. 9:17; 22:16). Cuando Pablo ministró a los discípulos en Efeso ellos fueron bautizados en el nombre de Jesús y entonces, después de una oración especial, recibieron el derramamiento del Espíritu Santo (Hech. 19:5-6).

Quizás usted, como los samaritanos mencionados en Hechos 8, ha sido bautizado sólo en el nombre del Señor Jesús. Por una cantidad de años yo estaba en esa situación como un adolescente. Había sido convertido y era la morada del Espíritu Santo, pero no comprendía la plenitud de su extraordinario poder. Si esta es su situación, pídales a algunos amigos y dirigentes de la iglesia llenos del Espíritu que se reúnan con usted para adorar, estudiar la Palabra y orar. Juntos, pidan a Dios que derrame su Espíritu sobre usted en la manera en que él decide revelarse a sí mismo en ese momento. Al dar usted el paso de fe, creyendo que Dios lo ha llenado, lo alabará con una certidumbre que nunca ha disfrutado antes.

Una oración para hoy: *Querido Dios, ayúdame a no estar satisfecho con menos que la plenitud de lo que tú tienes para mí hoy.*

PON TU MANO SOBRE MI CABEZA

Entonces les imponían las manos, y recibían el Espíritu Santo. Hechos 8:17.

"Pastor, ¿podría por favor colocar su mano sobre mi cabeza y orar para que yo reciba el bautismo del Espíritu Santo?" El joven que me hizo este pedido era muy ferviente y sincero.

"Andrés —repliqué—, ciertamente me sentiré feliz de orar por ti de esta manera, pero primero de todo hablemos sobre algunos hechos bíblicos concernientes a la imposición de las manos".

Le expliqué a Andrés que en el Nuevo Testamento el acto de imponer las manos sobre una persona se realizaba en tres maneras diferentes. A menudo Jesús y los primeros cristianos colocaban las manos sobre los enfermos mientras oraban por su curación. Ese gesto también se usaba en el momento de la consagración u ordenación a un ministerio específico. Luego, como Andrés había descubierto, la imposición de las manos a menudo acompañaba a una oración especial para que una vida fuese llenada con el poder extraordinario del Espíritu. Aun en los tiempos del Antiguo Testamento el toque de una mano humana simbolizaba la transferencia de poderes o cualidades de un individuo a otro. Los padres transferían bendiciones a sus hijos de esta manera, y el pecador penitente colocaba su mano sobre la cabeza del animal que iba a ser sacrificado.

"Mientras la imposición de las manos era una de las doctrinas fundacionales de la iglesia primitiva (Heb. 6:1-2), que hoy ha sido olvidada por muchos cristianos, es solamente simbólica y no contiene ninguna cualidad mística o mágica —le recordé a Andrés—. En realidad, hay muchos casos en los que el Espíritu Santo fue derramado en una forma poderosa sin ninguna referencia a la imposición de las manos [por ejemplo, Hech. 2 y 10], de modo que no es absolutamente esencial".

Tras nuestra breve conversación, Andrés y yo, junto con varios otros, nos arrodillamos en oración y colocamos todos nuestras manos sobre este joven, pidiéndole específicamente al Señor que derramase su Espíritu sobre él. Hubo luego lágrimas de gozo y cantos de alabanza cuando Andrés testificó que ciertamente había recibido la bendición por la cual habíamos orado.

Una oración para hoy: *Padre, ayúdame a interesarme en otros y tocar a aquellos que necesitan indicaciones de compañerismo y fuerza de parte de aquellos que están llenos con tu Espíritu.*

COMPRANDO PODER ESPIRITUAL

Cuando vio Simón que por la imposición de las manos de los apóstoles se daba el Espíritu Santo, les ofreció dinero. Hechos 8:18.

La historia de la iglesia nos cuenta lo ocurrido con miles de individuos ambiciosos que pensaron que, al igual que Simón, podían comprar poder espiritual. Aun hoy la riqueza de algunos cristianos los coloca en cargos de autoridad en congregaciones locales y en asociaciones de iglesias. Como resultado, a veces se sacrifica la verdadera espiritualidad en el altar de la religión materialista, y ésta, "como una corporación, mueve la iglesia de Dios".

El negocio de Simón era un embuste religioso, y como mago era capaz de ejercer control y disfrutar de gran prestigio entre la gente. Como un empresario exitoso, la riqueza de Simón lo había capacitado para importar nuevos trucos, mayormente juegos de mano, de partes distantes del Imperio Romano. Ahora parecía que había llegado uno a donde él estaba, y Simón quería conseguir a cualquier precio el ardid de imponer las manos.

Pero él estaba equivocado. Primero, el Espíritu Santo no es transferido a través de manos humanas sino que es un don de Jesús a cada corazón que se rinde plenamente a Dios. Segundo, el Espíritu Santo no puede ser comprado por dinero, posición o popularidad. Es gratuito para todos aquellos que son salvados por el sacrificio de Jesús. El Espíritu Santo no es un asunto comercial sino una Persona de poder y amor.

El comentador bíblico Adam Clarke, escribiendo a comienzos del siglo XIX, recogió de los padres apostólicos una historia humorística, aunque trágica y no confirmada, sobre la suerte de Simón. En una antigua tradición cristiana se dice que Simón no se arrepintió sino que fue a Roma, donde se jactó delante del emperador Claudio que podía volar. Durante su exhibición de vuelo, Pedro y Pablo, que supuestamente estaban presentes, oraron para que fracasase el engaño de Simón; en ese momento éste se precipitó a tierra y "murió poco después a causa de sus heridas" (*Clarke's Commentary*, t. 5, p. 742).

De la misma manera, cualquier sistema de religión que profesa controlar la distribución del Espíritu Santo, se estrellará. Recordemos nuevamente que el Espíritu es el don gratuito de Dios directamente disponible a todas las personas hoy.

Una oración para hoy: *Querido Señor, líbrame completamente de pensar que cualquiera de mis obras o méritos pueden ganarme siquiera uno de tus preciosos dones.*

LA SEÑAL QUE PROVOCO LA SIMONIA

[Y Simón dijo]: Dadme también a mí este poder, para que cualquiera a quien yo impusiere las manos reciba el Espíritu Santo. Hechos 8:19.

Aparentemente había clara evidencia de que los creyentes samaritanos habían sido llenados con el Espíritu Santo. Simón había visto esa evidencia y quería adquirir esa habilidad espiritual con dinero, de ahí que se le ha dado el nombre de "simonía" a la práctica religiosa corrupta de tratar de comprar el poder espiritual o una posición de esa índole.

¿Cuál fue la señal convincente que había visto Simón? Su reacción indica que algo sobrenatural fue inmediatamente evidente, y Pedro nos da un indicio en cuanto a cuál era la evidencia cuando le dice a Simón: "No tienes tú parte ni suerte en este asunto" (vers. 21). La palabra traducida "asunto" es *logos*, que significa "palabra", "tipo de conversación". El erudito evangélico F. F. Bruce concluye que "el contexto no nos deja ninguna duda de que la recepción del Espíritu entre los samaritanos se vio acompañada de manifestaciones externas como las que habían marcado su descenso sobre los primeros discípulos en Pentecostés" (*The Book of Acts*, p. 181).

Aunque el don de lenguas todavía puede ser una evidencia instantánea del bautismo del Espíritu Santo, es importante prestar atención a la advertencia del respetado erudito pentecostal John Rea cuando dice: "La gente puede desear o ser animada por otras personas a buscar una manifestación de lenguas. Si hablan unas pocas sílabas ininteligibles, se les dice que han sido bautizados en el Espíritu Santo. Pero puede ser un Pentecostés sin arrepentimiento, un Pentecostés sin Cristo. Si pasan por alto la obediencia a Cristo y su cruz, si no hay arrepentimiento y remisión de pecados, bien puede ser que la experiencia que reciban sea una falsificación" (*The Holy Spirit in the Bible*, p. 193).

Simón quería el don sin una verdadera relación con el Dador. Algunos tienen todavía el mismo problema 20 siglos más tarde. Por otra parte, podemos estar seguros de que aun hoy todos los dones del Espíritu están disponibles sin demora para toda persona que acude al Señor en un acto de genuino sometimiento al poder extraordinario de Dios.

Una oración para hoy: *Ayúdame a sentirme contento, Señor, con cada indicación de tu presencia en mi vida.*

EL ESPIRITU DICE "VE"

Y el Espíritu dijo a Felipe: Acércate y júntate a ese carro. Hechos 8:29.

El llamado del Espíritu Santo dirigiendo a hombres y mujeres al servicio misionero ha sido muchas veces tan claro como el llamado a Felipe a encontrarse con el funcionario del gobierno de Etiopía. Como declara Harold Lindsell en *Missionary Principles and Practice* [Principios y práctica misionera], la historia de John G. Paton, misionero pionero al Pacífico austral, ilustra el poder impulsor de la obra del Espíritu Santo.

El siglo pasado un sínodo de la Iglesia Presbiteriana Reformada de Escocia estaba buscando un misionero para las islas caníbales de las Nuevas Hébridas (ahora Vanuatu). Hicieron una votación entre los miembros del sínodo, pero cuando se contaron los votos los resultados no fueron concluyentes. Cuando una nube de tristeza comenzó a caer sobre el sínodo, John G. Paton dijo: "El Señor sigue diciéndome: 'Puesto que no puede conseguirse ninguno mejor calificado, levántate y ofrécete tú'. Pero yo estaba terriblemente atemorizado... y sin embargo sentí una creciente certeza de que éste era el llamado de Dios a su siervo y... la voz dentro de mí sonaba como la voz de Dios" (p. 66). Lindsell concluye: "Ciertamente el Espíritu Santo estaba hablando al corazón de Paton, llamándolo, y al mismo tiempo concediéndole la certeza en su corazón de que ésta era la voluntad de Dios para su vida" (*Ibíd.*).

Aunque centenares de grupos de personas alrededor del mundo no han oído aún el Evangelio, algunas de las áreas más necesitadas son las vastas ciudades del planeta, donde hacia el año 2010 vivirán más de tres personas de cada cuatro. Algunas de las enormes áreas pobladas de las 42 megaciudades del mundo no tienen evangelización cristiana que traiga esperanza y salud a las masas de una humanidad doliente y perdida.

¿Estamos hoy escuchando el llamado del Espíritu Santo? ¿Estamos dispuestos como Felipe, John G. Paton y otros miles, de ir cuando el Espíritu dice que vayamos? Quizás Dios no lo esté llamando hoy a cruzar el océano para ser un misionero. Tal vez lo esté llamando a cruzar barreras socioeconómicas, culturales, étnicas o de orgullo para abrir centros de pequeños grupos de servicio en comunidades y barrios que están en un radio de 150 kilómetros de su casa.

Una oración para hoy: *Santo Espíritu, haz que sea sensible a tu voz cuando llama hoy con amor y seguridad.*

ARREBATADO POR EL ESPIRITU SANTO

Cuando subieron del agua, el Espíritu del Señor arrebató a Felipe; y el eunuco no le vio más, y siguió gozoso su camino. Hechos 8:39.

El 13 de junio de 1793, el Espíritu del Señor arrebató a Guillermo Carey de su ministerio bautista en Moulton, cerca de Northampton, Inglaterra, y lo llevó a un servicio misionero de más de 40 años de cambio de nación y de vida, en la superpoblada India.

Guillermo Carey inspiró el movimiento misionero moderno con su visión de continentes para Cristo. El había sostenido su ministerio bautista trabajando como zapatero y maestro de la villa, pero mientras Carey se convirtió en un experto en lenguas bíblicas también estudió cuidadosamente el mapa mundial de cuero y papel que estaba en su pared. Nunca pudo abandonar su mente la convicción ardiente de que "Dios amó al mundo".

En una conferencia de ministros religiosos Carey se puso de pie y urgió a comenzar un movimiento misionero que llevase el Evangelio a un mundo moribundo sin Jesús. El anciano presidente de la conferencia se sintió mortificado con Guillermo Carey y dijo: "Siéntese, joven, usted es un miserable entusiasta. Cuando Dios desee convertir a los paganos, puede hacerlo sin su ayuda".

Pero el Espíritu Santo estaba hablando fuertemente al corazón de Carey, y pronto su respuesta positiva al Espíritu lo arrebataría, de modo que aquellos que tratasen de apagar al Espíritu no verían más a Carey.

El 31 de mayo de 1792, predicó en Nottingham su ahora famoso sermón. F. W. Boreham resume así el mensaje de Carey: "¡No nos atrevamos a separarnos sin hacer algo! ¡Extendamos las cuerdas! ¡Fortalezcamos las estacas! ¡Esperemos grandes cosas de Dios ¡Intentemos grandes cosas para Dios! ¡Heme aquí; envíame a mí, envíame a mí!" (*A Bunch of Everlastings*, p. 165).

El mismo Espíritu Santo está hablando hoy al pueblo de Dios acerca de las 42 megaciudades que hay alrededor del mundo. Vastas multitudes están viviendo y muriendo sin Jesús. Es tiempo de intentar grandes cosas para Dios con el poder del Espíritu Santo. Ahora mismo Dios puede estar preparándolo a usted para trabajar con una o más de un millón de nuevas casas-iglesias que podrían abrirse este año como centros evangelísticos en los barrios pobres, los apartamentos y los suburbios de las ciudades del mundo.

Una oración para hoy: *Padre, cámbiame en mis actitudes y valores de modo que pueda tener una parte en la urgente misión de tu iglesia.*

BAUTIZADO POR UN EVANGELISTA LAICO

Fue entonces Ananías y entró en la casa, y poniendo sobre él las manos, dijo: Hermano Saulo, el Señor Jesús, que se te apareció en el camino por donde venías, me ha enviado para que recibas la vista y seas lleno del Espíritu Santo. Hechos 9:17.

El 1.º de octubre de cada año la Iglesia Ortodoxa Griega celebra el martirio de Ananías, quien, según ellos creen, fue uno de los 70 discípulos enviados por Jesús durante el tiempo de su ministerio. ¿Pero por qué Dios usó a una persona que muy probablemente fue un oscuro laico, y no uno de los apóstoles más prominentes, para bautizar a Saulo? Ciertamente algunas circunstancias insólitas rodean el renacimiento del converso más prestigioso del cristianismo primitivo.

He caminado una cantidad de veces a lo largo de la calle llamada Derecha en la antigua Damasco, disfrutando las vistas y olores que hacen que una ciudad árabe sea tan fascinante para un occidental. Esta es la ciudad más antigua del mundo habitada continuamente, y la calle Derecha sigue la misma ruta que tenía cuando Pablo, el dirigente del Partido de Exterminación de los Cristianos, entonces ciego, fue llevado allí tras su dramático encuentro con Cristo en algún sitio de su viaje de 240 kilómetros desde Jerusalén.

Saulo fue lleno del Espíritu Santo bajo las manos de un laico sólo tres o cuatro días después de su transición de ser un fariseo dirigente que estaba lleno de intentos homicidas. Cuando hay una verdadera conversión, Dios no impone un largo tiempo de prueba antes de bautizar a un nuevo converso con su Espíritu Santo. La afirmación de Dios es tan rápida como su salvación mediante la sangre de Jesús. Un nuevo cristiano puede ser uno de los testigos más poderosos para el reino de Dios.

Otro hecho sorprendente que emerge en la experiencia de Saulo es que muy probablemente los dirigentes oficiales de la iglesia cristiana no lo habrían aceptado, ni impuesto las manos sobre él, o bautizado, como lo hizo Ananías. En efecto, semanas más tarde, aunque Pablo había arriesgado su vida por Jesús en Jerusalén, los apóstoles no estaban dispuestos a creer que él era realmente un verdadero discípulo. Pero Ananías había estado abierto a la voz de Dios y como resultado tuvo el privilegio de bautizar al hombre que llegó a ser el más poderoso y productivo de todos los apóstoles.

Una oración para hoy: *Gracias por la seguridad que me das hoy, Padre, que tu Espíritu puede llenar y usar a toda persona que está dispuesta a obedecerte.*

BIENVENIDA, COMODIDAD

Las Iglesias por entonces gozaban de paz en toda Judea, Galilea y Samaria; se edificaban y progresaban en el temor del Señor y estaban llenas de la consolación [confort] del Espíritu Santo. Hechos 9:31, Biblia de Jerusalén.

¿Qué significa ser un cristiano confortable? A veces en los hoteles he tratado de dormir sobre colchones que ciertamente no eran confortables. O eran duros como el piso, o se sentían como una bolsa de pelotas de tenis o estaban hundidos como una hamaca floja. La mañana demoraba mucho en llegar y cuando lo hacía, estaba acompañada de múltiples dolores y molestias. Sí, estoy definidamente en favor de la comodidad. Pero los cristianos cómodos a veces se duermen en su vida espiritual.

"Hermano Ashbury, ¿estaría dispuesto a ayudar con una contribución grande para el fondo de construcción de nuestra nueva iglesia?", le pregunté a un constructor jubilado de unos 70 años.

"Pastor, siento chasquearlo, pero sólo me queda un millón de dólares y lo necesito para tener una jubilación confortable y segura".

"Del otro lado de la ciudad hay una comunidad de más de 100.000 personas sin siquiera una casa-iglesia para un pequeño grupo, que sea un hogar de esperanza o un centro de cuidado amante en el nombre del Señor Jesús. ¿Alguien podría mudarse a un apartamento o casa en esa zona para iniciar un ministerio de amor?", fue el desafío que le hizo a su congregación el pastor de una iglesia grande de ciudad.

"Lo sentimos, pastor —fue la respuesta unánime—. Todos estamos muy cómodos en este lugar. Para nosotros sería un inconveniente mudarnos".

Livingston, Carey, Judson, Paton, Taylor y un centenar de misioneros más, dejaron la comodidad de la Inglaterra del siglo XIX para llevar el Evangelio a millones alrededor del mundo. Jesús dejó la comodidad del cielo para morir una muerte muy inconfortable en la cruz. ¿Cuál es, entonces, el *confort* o consuelo del Espíritu Santo que llenó a las iglesias cristianas primitivas? Es la seguridad del amor, el dulce conocimiento de que Alguien comprende y nos cuida en las circunstancias más difíciles de la vida. Es la certeza de que aun en las tribulaciones más penosas y en las batallas del ministerio y la guerra espiritual tenemos un Amigo fiel cuyo afecto por nosotros no depende de nuestras realizaciones o éxito (2 Cor. 1:3-7).

Una oración para hoy: *Te alabo, Señor, por el amor incondicional de esas personas que tú usaste para traer a tus hijos el consuelo del Espíritu Santo.*

BIENVENIDA, VOZ

Y mientras Pedro pensaba en la visión, le dijo el Espíritu: He aquí, tres hombres te buscan. Hechos 10:19.

Algunos días parecen fusionarse entre sí hasta el punto de que pronto no pueden recordarse como nada más que parte de la vieja rutina. Otros días son tan extraordinarios que años más tarde podemos recordar con exacta precisión todo lo que ocurrió en ellos.

El día registrado en Hechos 10 ciertamente fue único e inolvidable para Pedro. Primero, él estaba excepcionalmente hambriento mientras esperaba su almuerzo. Segundo, recibió una asombrosa visión de un paracaídas invertido lleno de bestias salvajes, reptiles y aves. Tercero, mientras el zoológico aéreo ascendió y bajó tres veces, Pedro recibió la orden de matar esas criaturas y convertirlas en su almuerzo. Encima de todo esto, tres gentiles llegaron a la puerta y pidieron ver a Pedro, quien todavía estaba atrincherado en su prejuicio étnico. ¿Ha tenido usted alguna vez un día como ese?

En medio de la confusión, Pedro oyó hablar al Espíritu Santo, trayendo significado a todos los extraños eventos del día.

En Simi Valley oí a Ana hablar de algunos días que ella nunca olvidará. Su hija había experimentado un doloroso divorcio y había sido alejada afectivamente de su iglesia y de su madre. Ahora, después de tres meses, Ana no tenía idea de las andanzas de su hija. En completa desesperación Ana oró: "Señor, no tengo manera de ponerme en contacto con mi hija, pero doquiera ella esté en este momento, por favor llámala por nombre y hazle saber que yo la amo".

Dos días más tarde, la hija de Ana llamó y dijo: "Tú probablemente pensarás que estoy mal de la cabeza, pero hace dos días estaba sola en la casa y oí claramente tu voz llamando mi nombre. He pensado acerca del significado de esto y siento que Dios quiere que te hable nuevamente".

En respuesta al llamado del Espíritu Santo, la hija de Ana está de regreso en el hogar. De la misma manera, en respuesta a la voz del Espíritu en uno de los días más memorables de Pedro, los gentiles en la casa de Cornelio llegaron a la familia de Dios.

En medio de un día de eventos mundanos y diversos, usted también puede oír la voz de Dios.

Una oración para hoy: *Al escuchar tu voz, Señor, ayúdame a oír distintamente los pasos de vuelta al hogar que tú quieres que dé hoy.*

CONOCIENDO LA DIRECCION CORRECTA

Cómo Dios ungió con el Espíritu Santo y con poder a Jesús de Nazaret, y cómo éste anduvo haciendo bienes y sanando a todos los oprimidos por el diablo, porque Dios estaba con él. Hechos 10:38.

¿Le ha dado Dios alguna vez a alguien la dirección de usted? Note que el Espíritu Santo reveló su conocimiento de direcciones en Jope (cerca de la moderna Tel Aviv). El comandante de un regimiento del ejército romano recibió en visión la dirección exacta de Pedro, quien viajó a la casa del gentil en la ciudad mediterránea de Cesarea, donde compartió las buenas nuevas sobre Jesús en una concurrida reunión celebrada en la casa de Cornelio.

Si Pedro no hubiese prestado atención a la voz del Espíritu Santo, no habría reconocido a los tres romanos que llegaron a su puerta como una oportunidad notable para extender el Evangelio a los gentiles. Quizás Dios le ha dado a alguien su dirección en la casa o en su trabajo o en la escuela, y alguna forma sutil de prejuicio ha anulado su disposición a hablar de las extraordinarias obras de Jesús con el poder del Espíritu Santo. La persona que vino por "coincidencia" era demasiado joven (o vieja), demasiado rica (o pobre), demasiado educada (o no educada), o de un color, raza, grupo étnico o cultura diferentes a los suyos. No fue que usted lo rechazó; sencillamente no reconoció que ese individuo era una oportunidad. *¿Por qué él o ella habrán de escucharme?*, probablemente pensó usted.

El Espíritu Santo conoce la dirección correcta para la predicación del Evangelio. Es la dirección de cada persona del planeta Tierra. Como el Espíritu Santo le reveló a Pedro, "Dios no hace acepción de personas" (vers. 34). En efecto, Pedro explicó que Jesús "anduvo haciendo bienes y sanando a todos los oprimidos por el diablo" (vers. 38).

A menudo la dirección que Dios ha dado a alguien para que él o ella pueda encontrarse conmigo y oír del gran ministerio de Jesús, ha sido la de un ómnibus, un avión o un tren. Dios nos coloca juntos y entonces, mientras respeta nuestro libre albedrío, provee oportunidades para testificar. El Espíritu Santo lo hace fácil. El no espera ni desea que yo le imponga información a otra persona. Sencillamente me pide que espere y escuche para captar alguna señal de que este es el tiempo y lugar que él ha escogido para que esta alma oiga que el poder de Jesús puede quebrantar la opresión del pecado y del mal.

Una oración para hoy: *Señor, por favor dame tus palabras para que las hable cuando entre en contacto con personas a quienes tú has escogido para que yo ministre hoy.*

UN PENTECOSTES GENTIL

Mientras aún hablaba Pedro estas palabras, el Espíritu Santo cayó sobre todos los que oían el discurso. Hechos 10:44.

¿Ha visto alguna vez postrarse a las multitudes y adorar a un hombre? Yo he visto ocurrir esto una cantidad de veces cuando la gente se encuentra en la presencia del Papa. Incluso se postrarían en la calle gritando: "¡Papa, Papa!" Cuando Cornelio se postró y adoró a Pedro, el apóstol inmediatamente lo levantó y le dijo: "No lo hagas. Yo también soy un hombre". Las noticias de los milagros de Pedro pueden haber llegado a Cornelio, pero Pedro sabía que si Cornelio caía sólo ante el Señor Jesús, entonces el Espíritu Santo podría caer sobre Cornelio y llenarlo hasta rebosar con el extraordinario poder de Dios.

Así como la rápida aceptación del Evangelio incluso por miembros de la KGB en la ex Unión Soviética indicaba que algunos ya eran creyentes secretos, también es posible que Cornelio era un creyente en Jesús aun antes de haberse encontrado con Pedro y sus seis amigos. Pedro, en su conversación preliminar con Cornelio, tras el incidente del postramiento ante el apóstol, comprendió que Cornelio y su familia y asociados ya conocían la historia de Jesús (Hech. 10:37). Y el Espíritu Santo pronto confirmó eso tomando posesión de ellos, como lo sugiere la palabra de Lucas correspondiente a "cayó".

El derramamiento del Espíritu Santo sobre los gentiles ocurrió unos seis años después del Pentecostés. Aparentemente los discípulos habían aceptado la comisión evangélica con el significado de "Id a todo el mundo y predicad a los *judíos en toda nación* donde han sido dispersados". Ahora Dios les mostró en forma concluyente que la expresión "*todos* los que en él creyeren, recibirán perdón de pecados" (vers. 43), significa *toda persona en el mundo*. ¡Aun los gentiles! Si usted no es un judío, puede estar contento de que la iglesia cristiana primitiva finalmente captó el mensaje.

No hay una fórmula fija para el derramamiento colectivo del Espíritu Santo. En Hechos 2 y 4 ocurrió después de extensos períodos de oración. En Hechos 8 tuvo lugar después de la imposición de las manos. Aquí en Hechos 10 el Espíritu fue derramado en medio del sermón. Cualquiera sea el método que Dios elija para usar hoy, regocíjese en él y adore a Dios con la alabanza de la adoración y la acción de gracias.

Una oración para hoy: *Padre, me postro ante ti, abriendo nuevamente mi vida hoy a la recepción de tu Santo Espíritu.*

UNA GRAN SORPRESA

Y los fieles de la circuncisión que habían venido con Pedro se quedaron atónitos de que también sobre los gentiles se derramase el don del Espíritu Santo. Hechos 10:45.

Aun los cristianos más devotos a veces se asombran al descubrir que Dios puede obrar fuera de su denominación o sistema de creencia religioso. La gente coloca a Dios dentro de una caja con varias declaraciones doctrinales y credos como muros sólidos, y cree que es imposible para él funcionar fuera de estos límites. Los cristianos judíos que fueron a una casa gentil con Pedro se asombraron que Dios dio el don del Espíritu Santo a gente despreciada por su raza y religión. Pero Dios tiene muchas sorpresas para los cristianos, aun hoy.

"No tenía planes de estar aquí este sábado", me dijo Lena durante un seminario del Espíritu Santo que estaba enseñando en la nueva iglesia de Penticton, en la hermosa Columbia Británica. "Sé que el Señor me ha guiado aquí hoy, porque me gozo al aprender más acerca del Espíritu Santo". Luego observé el asombro en los rostros de los adventistas de su pequeño grupo mientras Lena contaba su primera experiencia con el Espíritu Santo.

"Anteriormente fui una católica romana y primero fui llenada del Espíritu Santo al comienzo del movimiento carismático en la Iglesia Católica —explicó Lena—. Dedicábamos una cantidad de tiempo a la oración y éramos profundamente fervientes en nuestra relación con el Señor. Cuando fui bautizada con el Espíritu Santo comencé a hablar en lenguas y disfruté grandemente al alabar y bendecir a Dios. Eramos muy fervientes en cuanto a nuestro estudio de la Biblia y a menudo nos encontrábamos en grupos pequeños para estudiar y orar. El escudriñamiento sincero de las Escrituras, pidiendo por la iluminación del Espíritu Santo, me condujo eventualmente a ver más de la verdad de Dios, y hoy soy una cristiana adventista del séptimo día".

Sin duda incontables personas están en diferentes etapas del mismo sendero que Lena recorrió. El Espíritu de Dios las está guiando y llenando, y no debemos sorprendernos o juzgarlas cuando emergen como sinceros buscadores de la verdad y la justicia.

Una oración para hoy: *Señor, ayúdame a estar libre del pensamiento estrecho que confinaría tu obra a las restricciones que mis ideas preconcebidas colocan en ella.*

UNA SEÑAL INDISPUTABLE

Porque los oían que hablaban en lenguas, y que magnificaban a Dios. Entonces respondió Pedro: ¿Puede acaso alguno impedir el agua, para que no sean bautizados estos que han recibido el Espíritu Santo también como nosotros? Hechos 10:46-47.

Una vez más el don de lenguas reapareció como la señal que el Espíritu Santo había sido derramado. Había ocurrido en Jerusalén, Samaria y ahora con los gentiles en Cesarea. Obviamente no había otra prueba inmediata que Dios pudiese dar a los escépticos cristianos judíos que su aceptación de estos no judíos, la que era tan completa como su aprobación de los discípulos en el día de Pentecostés. Los cristianos judíos percibieron que los gentiles en la casa de Cornelio repentinamente comenzaron a hablar fluidamente en idiomas que nunca habían aprendido, y les oyeron alabar y magnificar a Dios en esas lenguas. La evidencia era indisputable aun para las escépticas mentes judías.

La pregunta importante ahora es: ¿Qué diremos sobre esto hoy? ¿Son las lenguas todavía la señal? Muchos pentecostales dirán que sí, aunque Pablo parece decir que no todos los cristianos llenos del Espíritu recibirán el don de lenguas (1 Cor. 12:10, 30). Los carismáticos dirán que cualquiera de los dones espirituales sobrenaturales, incluyendo el de lenguas, puede ser la señal, aunque Pablo dice que los dones son para la edificación de la iglesia, antes que para una evidencia externa de la recepción del Espíritu (1 Cor. 14:12).

Muchos evangélicos dirán que todos los dones espirituales sobrenaturales, incluyendo el de lenguas, cesaron al fin del primer siglo y que la evidencia de que las personas son llenas del Espíritu es que obedecerán la Palabra de Dios. Una vez más, sin embargo, notamos que Pablo dice que a aquellos que esperan la venida de Jesús no les faltará ninguno de los dones espirituales (1 Cor. 1:7). La obediencia, por otra parte, es un fruto que se desarrollará a lo largo de toda una vida y que es hecho posible por la presencia interior del Espíritu Santo.

Hoy, como siempre, es importante no buscar o demandar una señal sino más bien permitir que Dios indique, en la manera que él quiera hacerlo, que todavía está llenando a su pueblo con su Espíritu.

Una oración para hoy: *Ven, Espíritu Santo, y llena mi vida nuevamente hoy, dándome cualquier don espiritual que tú quieras para enriquecer mi vida y ministerio para ti.*

UN MENSAJE DEL ESPIRITU

Y el Espíritu me dijo que fuese con ellos sin dudar. Fueron también conmigo estos seis hermanos, y entramos en casa de un varón. Hechos 11:12.

Al comienzo de una semana, Ana Withers, una fiel militante de la oración intercesora, sintió la fuerte impresión de que su pastor, Jere Wallack, debía guiar a la congregación en oración el próximo sábado con un énfasis especial sobre el mensaje de Dios a Moisés en la zarza ardiente. Durante la semana aumentó la ugencia de su impresión, hasta que el viernes decidió llamar al pastor Wallack y decirle lo que el Señor le estaba hablando. El pastor no estaba en la casa cuando llamó Ana, de modo que en vez de dejar un mensaje en su máquina de respuestas, decidió dejar que el Señor entregara el mensaje.

Sin que Ana o el pastor lo supieran, Laura, la directora de música de la iglesia, había elegido "Estamos en tierra santa" como el himno final antes de la oración pastoral de clausura, y la secretaria de iglesia había colocado el nombre del pastor Wallack como la persona que ofrecería la oración ese sábado de mañana en Simi Valley, justamente antes de que yo predicara el sermón sobre el testimonio interior del Espíritu Santo.

"Mi corazón se llenó repentinamente con el mensaje de la conversación entre Dios y Moisés en la zarza ardiente, rodeado de 'tierra santa' ", me dijo más tarde el pastor. Cuando invitó a la congregación a adelantarse y compartir con él en el momento de la oración, habló las palabras que el Espíritu Santo estaba impresionando sobre su mente. Como el Señor le había dicho también a Ana más temprano en la semana, éste era el mensaje de Dios a Moisés en la zarza ardiente. "Confíen en Dios —dijo el pastor a su congregación—. El seguramente estará con ustedes y los liberará de la esclavitud y opresión del pecado. Reciban su mensaje. No discutan. ¡Escuchen! ¡Acepten! ¡Y sigan!"

Cuando se hizo el llamado, noté que hubo una tremenda respuesta de parte de la gente. En medio de la multitud llegó Ana y se arrodilló ante el Señor. Se sentía tan abrumada ante el hecho pasmoso de que Dios entregara el mensaje de la zarza ardiente al pastor justamente en el momento correcto, que tuvo que sacarse sus zapatos antes de caminar hasta el frente de la iglesia.

Una oración para hoy: *Gracias, Señor, que así como tú hablaste a Moisés, Pedro y Cornelio, también hoy puedes hablar todavía a tus siervos fieles.*

UN DESCENSO A VECES DIFERENTE

Y cuando comencé a hablar, cayó el Espíritu Santo sobre ellos también, como sobre nosotros al principio. Hechos 11:15.

Catherine Marshall, viuda del Dr. Peter Marshall, el pastor presbiteriano escocés que llegó a ser capellán del Senado de los Estados Unidos, cuenta de la comprensión que experimentó en su preparación para el tiempo cuando el Espíritu Santo caería sobre ella y tendría un profundo efecto sobre su vida.

"Hay pasos definidos que deben darse si vamos a recibir el bautismo del Espíritu —escribe Catherine en su libro *The Helper* [El Ayudador]—. Debe haber una sed real que traiga como resultado el pedir específicamente este don a Jesús mismo. Debe haber arrepentimiento, perdón y ruptura con la antigua vida de uno. Debe estar la disposición de la voluntad para obedecer, y el deseo y la intención de usar la vida de uno... para ministrar a otros" (p. 67).

"Mientras investigaba la experiencia de otros cristianos sobre esto —dice ella—, aprendí que algunos han tenido manifestaciones de la presencia del Ayudador —como sentimientos semejantes a una serie de sacudidas eléctricas, olas de un amor líquido derramándose por el cuerpo de uno, sentimientos de gozo imposible, el hablar un lenguaje celestial—, mientras que otros no tuvieron nada" (*Id.*, p. 69).

Su investigación en la vida de algunos que indudablemente estuvieron llenos del Espíritu, tales como Dwight L. Moody, John Wesley, Evan Roberts, y otros en su propio tiempo durante la década de 1940, le mostró a Catherine que no hay una única forma correcta por la cual el Espíritu Santo se revela a sí mismo. Ciertamente el Espíritu Santo no juega juegos de exhibicionismo vacío.

"De modo que supe —concluye ella— que aunque no tendría que negar su validez, debería estar en guardia contra el demandar una experiencia altamente emocional o dramática como prueba inicial de mi bautismo en el Espíritu. Nuestro triunfante Señor no necesita probar nada. Si Jesús quería concederme alguna evidencia dramática, perfecto. Pero yo esperaría por su habilidad para escoger el momento oportuno para cualquier manifestación de la presencia del Ayudador" (*Ibíd.*).

Como Pedro testificó ante los otros dirigentes de la iglesia cristiana primitiva, el Espíritu Santo vino sobre los creyentes gentiles no en la forma que ellos demandaban sino como él consideró mejor para las necesidades de ellos en aquel momento.

Una oración para hoy: *Señor, dame la fe para recordar que tú siempre haces lo que puede traer el mayor bien en todas las circunstancias.*

BIENVENIDO, SUAVE ESPIRITU

Entonces me acordé de lo dicho por el Señor, cuando dijo: Juan ciertamente bautizó en agua, mas vosotros seréis bautizados con el Espíritu Santo. Si Dios, pues, les concedió también el mismo don que a nosotros que hemos creído en el Señor Jesucristo, ¿quién era yo que pudiese estorbar a Dios? Hechos 11:16-17.

Catherine Marshall era muy ferviente en su deseo de ser llena del Espíritu Santo y pasó todo un verano estudiando todo lo que dice la Escritura sobre el Ayudador. Eventualmente, sin embargo, llegó el día cuando supo que deseaba tener su propia experiencia personal.

"Puesto que en ese momento no tenía ningún grupo que me impusiese las manos, en forma muy callada y sin dramatismo pedí el don del Espíritu —explica ella—. El marco fue mi dormitorio sin que estuviera presente ningún otro ser humano... Nada manifiesto ocurrió ese primer día. No experimenté olas de amor líquido o gozo extático. Pero luego en los siguientes pocos días, callada pero seguramente, el Huésped celestial me hizo conocer su presencia en mi corazón" (*The Helper*, pp. 68-69).

Catherine Marshall continúa contando respecto a la evidencia creciente en su vida de que el Espíritu Santo la estaba realmente llenando. Las palabras que hablaba eran diferentes. Sentía una dirección en las decisiones de su vida. El Espíritu se convirtió en un agente creativo importante en sus escritos y ministerio.

¿Qué diremos de manifestaciones dramáticas como las que Pedro encontró irrefutables en la experiencia de los gentiles en Cesarea? "Algunas de éstas iban a venir más adelante —dice Catherine Marshall en su libro (*Id.*, p. 70)—. Otras jamás las he experimentado todavía". Cuando la gente le preguntaba sobre el don de lenguas, ella les decía: "Todo lo que Pablo tiene para decir sobre las lenguas refleja un punto de vista sensato y equilibrado. Por un lado, se niega a darle a este don un énfasis o importancia indebidos; por otra parte, no lo rechazará" (*Id.*, p. 153).

El Espíritu Santo comprende qué es necesario en cada situación. En la casa de Cornelio era necesaria una señal tangible inmediata. En la casa de Catherine Marshall el Espíritu podía venir y ser reconocido en una forma callada y suave. Asimismo él siempre sabrá cuál es la mejor manera para revelársele a usted. Puede venir como un viento poderoso o como una suave paloma.

Una oración para hoy: *Gracias, Señor, por tratar tan comprensivamente conmigo, aun en las áreas espirituales más importantes de mi vida.*

INICIANDO UN MINISTERIO COMO EL DE BERNABE

Porque era varón bueno, y lleno del Espíritu Santo y de fe. Y una gran multitud fue agregada al Señor. Hechos 11:24.

Un ministerio como el de Bernabé es extremadamente importante para que usted sobreviva como un miembro espiritualmente fuerte del cuerpo de Cristo. Si su iglesia o comunidad no tiene un ministerio como el de Bernabé, es posible que el Señor pueda estar guiándolo a usted para que inicie esta parte del cristianismo justamente donde usted vive.

Bernabé era una persona que nutría espiritualmente y alentaba, y es mencionado unas 30 veces en el Nuevo Testamento. Lo encontramos por primera vez en Hechos 4:36, donde es presentado como un "hijo de consolación" o un "hijo de profecía". En el marco del Nuevo Testamento, una persona con el don de profecía hablaba palabras de "edificación, exhortación y consolación" (1 Cor. 14:3), y parece que los apóstoles reconocieron inmediatamente que José de Chipre tenía esta habilidad especial de edificar espiritualmente. El fue un modelo de uno de los ingredientes más importantes, y sin embargo más descuidados, del verdadero cristianismo: un amor genuino, protector y solícito que ministra sin motivos ulteriores.

Cuando los apóstoles en Jerusalén oyeron del gran número de conversiones que estaban ocurriendo en Antioquía, enviaron a Bernabé para consolidar al nuevo grupo de creyentes. Estaba lleno del Espíritu Santo y también tenía el don espiritual de una gran fe. Cuando vio lo que la mano del Señor había hecho en Antioquía, inmediatamente inició un concierto de alabanza y "exhortó a todos a que con propósito de corazón permaneciesen fieles al Señor" (Hech. 11:23). Este despliegue de amor y solicitud cristiana fue tan poderoso que "una gran multitud fue agregada al Señor" (vers. 24).

Un ministerio como el de Bernabé debiera ser una parte vital de cada iglesia hoy, cuando la soledad y la depresión tienen asida a nuestra sociedad como una epidemia. Ministros como Bernabé se esforzarán para ayudar en la iglesia y la comunidad, trayendo a la gente en grupos pequeños donde los amigos escucharán, orarán y velarán por el bien de otros. También participarán en un ministerio de ayuda de persona a persona en favor de aquellos que no pueden unirse a un grupo. Aun un llamado telefónico corriente puede ser suficiente para salvar una vida mediante palabras de "edificación, exhortación y consolación" (1 Cor. 14:3).

Una oración para hoy: *Padre, guíame hoy a aquellos a quienes puedo ministrar en amor y para afirmarlos. También dame amigos como ésos.*

UN PROFETA QUE NO NECESITA DISCULPARSE

Y levantándose uno de ellos, llamado Agabo, daba a entender por el Espíritu, que vendría una gran hambre en toda la tierra habitada; la cual sucedió en tiempo de Claudio. Hechos 11:28.

Nuevamente Dios nos sorprende cuando su Espíritu inspira la primera profecía predictiva registrada después de Pentecostés. Agabo era uno de los profetas que predicaban y enseñaban, y que eran una parte vital del temprano ministerio cristiano. Estos hombres y mujeres enseñaban la Palabra en una manera que edificaba grandemente a la iglesia. Ocasionalmente Dios usaría a uno de estos profetas para hablar respecto al futuro.

El 25 de marzo de 1993, un terremoto de 5,7 en la escala de Richter sacudió durante 45 segundos a Oregon y gran parte de la zona noroeste de los Estados Unidos. El epicentro estuvo a sólo 20 kilómetros de nuestra casa, de modo que allí todo fue sacudido violentamente. Pronto la gente empezó a preguntarse por los temblores ulteriores, y un ministro cristiano hizo circular una profecía, supuestamente de Dios, de que el 3 de mayo un terremoto de 8 ó 9 en la escala de Richter devastaría Portland, Oregon, como un castigo por ser un centro de satanismo. Los medios de comunicación le dieron una atención prominente a la predicción, pero cuando la profecía no se cumplió, el "profeta" desapareció y se fue a Montana, volviendo más tarde para pedir disculpas por TV.

Agabo no necesitó disculparse por su profecía. Tal como él predijo, pronto ocurrió la segunda de cuatro hambrunas desastrosas habidas durante el reinado de Claudio César, confirmando la exactitud de la presciencia del Espíritu Santo.

¿Pero por qué predecir un hambre y no algún evento religioso dramático? ¿Por qué no una profecía como la del Apocalipsis de Juan? Hay una cantidad de razones importantes para ello. El rápido cumplimiento de la profecía confirmó nuevamente la conducción sobrenatural que Dios le daba a su iglesia. Una hambruna de esta proporción era un evento natural sobre el cual no podía alegarse que hubiese control o manipulación humana. El hecho del hambre fue y es un acontecimiento verificable en los registros históricos del Imperio Romano. Y, más allá de todo esto, le dio a los cristianos la oportunidad de preparar ayuda práctica por adelantado para aquellos que serían los más afectados.

Una oración para hoy: *Dame la calma, Señor, para recordar que aun las calamidades de la naturaleza pueden usarse para tu gloria cuando estoy preparado para ayudar a los que sufren desesperadamente de necesidad.*

PODER, ORACION Y SERVICIO

Ministrando éstos al Señor, y ayunando, dijo el Espíritu Santo: Apartadme a Bernabé y a Saulo para la obra a que los he llamado. Hechos 13:2.

"¿Cuál es la liturgia de su iglesia?", me preguntó un pastor episcopal. En términos adventistas, él estaba indagando en cuanto al orden que seguimos en nuestro servicio religioso. En el versículo de hoy Lucas usa una palabra griega traducida "ministrando", de la cual procede el término "liturgia". Su significado primario no es un orden formal de la adoración ceremonial sino oración y alabanza espontáneas. Este ministerio de adoración y alabanza bendice a Dios y en retribución trae las bendiciones de Dios a su pueblo.

He descubierto que las iglesias que crecen ponen siempre un énfasis significativo en la oración y la alabanza. Escuche a un pastor de una de las iglesias que más rápidamente crece hoy: "Como un evangelista de equipo estoy a cargo de los esfuerzos evangelísticos y misioneros de la iglesia. De modo que se me pregunta a menudo: '¿Cuál es el programa de evangelismo de la iglesia?' Mi respuesta siempre sobresalta a los pastores y dirigentes laicos. ¡El programa evangelístico de la iglesia es la reunión diaria de oración!... Cada mañana de lunes a viernes nos reunimos a las 5:00 y a las 6:00 para orar. Concordamos en oración unida que el Espíritu Santo hará su bendita obra de atraer a la gente a Cristo. Nos acomodamos para ver entrar la cosecha. Nos preparamos para ello estando seguros de que los consejeros y los equipos de seguimiento están listos para ministrar a la cosecha que traerá el Señor... También el primer viernes de noche de cada mes se dedica a una reunión de oración de toda la noche" (David Shibley, *Let's Pray in the Harvest*, pp. 14-16).

La iglesia en la antigua Antioquía fue ciertamente bendecida con una liturgia de oración y alabanza, y, como resultado, el Espíritu Santo habló mediante uno de los profetas, dando instrucciones a la iglesia para reconocer especialmente al equipo del ministerio de sembrar y cosechar formado por Bernabé y Pablo. Una concentración en la oración y la alabanza en la comunidad de su iglesia tendrá el mismo efecto. El Espíritu Santo revelará su voluntad concerniente a su ministerio y a los dones espirituales de cada persona en su pequeño grupo o congregación. Como resultado, la cosecha será abundante.

Una oración para hoy: *Padre, te alabo por darme el privilegio de ser capaz de bendecirte en verdadera adoración y servicio.*

ENVIADOS POR EL ESPIRITU

Ellos, entonces, enviados por el Espíritu Santo, descendieron a Seleucia, y de allí navegaron a Chipre. Hechos 13:4.

Como los cristianos en Antioquía, los adventistas pioneros necesitaron y recibieron instrucciones del Espíritu Santo. A fines de 1873 Jaime y Elena White nuevamente cruzaron el continente norteamericano y una vez más participaron en el ministerio en California. Pero el trabajo era lento, y era muy difícil encontrar los fondos para necesidades especiales.

El grupo de fervientes misioneros de la costa este conocían el secreto de poder espiritual. "¡Cómo luchamos! Cómo oramos con deseo ferviente para que el Señor abriera caminos por medio de los cuales pudiéramos hacer avanzar la obra en California, porque vimos que las ideas de los obreros eran estrechas y restringidas", escribió más tarde Elena de White (citado por A. L. White, *Ellen G. White: The Progressive Years*, p. 419).

Entonces llegó la instrucción del Espíritu Santo como había ocurrido con Bernabé y Pablo. "Celebramos una reunión en el cuarto de arriba de una casa en Oakland, en la hora cuando se acostumbraba tener oración. Nos arrodillamos para orar, y mientras estábamos orando, el Espíritu de Dios llenó la habitación como una marejada, y pareció que un ángel estaba señalando a través de las montañas Rocallosas a las iglesias en esta parte de América [la oriental].

"El Hermano [John I.] Tay, que ahora está durmiendo en Jesús, se levantó de sus rodillas, con su rostro tan blanco como la muerte, y dijo: 'Vi a un ángel señalando a través de las montañas Rocallosas' " (*Ibíd.*).

En obediencia a la instrucción del Espíritu, Elena de White regresó al Este donde el Señor la usó en una forma poderosa en congresos, reuniones de temperancia y recaudación de fondos para el ministerio en California. Cuando John Tay vio la visión del ángel, había sido un adventista por sólo alrededor de un año. Doce años más tarde el Espíritu Santo envió a este hombre de 54 años, que realizó su travesía en seis barcos, a la remota isla de Pitcairn, en el Pacífico austral. Cinco años más tarde inició el ministerio de los tres ángeles en las hermosas islas Fidji.

¿Quién presta atención hoy mientras el Espíritu Santo busca para enviar misioneros a las vastas masas de población en las grandes ciudades del planeta Tierra?

Una oración para hoy: *Señor, en medio de las ocupaciones de la vida ayúdame a ser sensible a tus sugerencias e instrucciones.*

UNA MIRADA QUE CONVENCE

Entonces Saulo, también llamado Pablo, lleno del Espíritu Santo, lo miró fijamente. Hechos 13:9, V. Popular.

En 1759 se le pidió a Howell Harris, un predicador metodista escocés lleno del Espíritu, que se uniese a la milicia de Beaconshire en preparación para una posible invasión de Gran Bretaña por parte de los ejércitos católicos franceses. Vino con él un grupo de 24 jóvenes de su comunidad cristiana en Trevecka, y Harris se convirtió en un oficial que predicaba toda vez que el Señor proveía la oportunidad.

Cuando su regimiento llegó a Great Yarmouth, se le dijo a Harris que un predicador metodista había sido maltratado cruelmente cuando trató de celebrar una reunión al aire libre en esta población. Harris se sintió estimulado a la acción y pidió al pregonero de la aldea que anunciase que otro metodista predicaría en el mercado. Se reunió una gran multitud, armada con piedras, pedazos de ladrillos, terrones de tierra, y otros proyectiles, decidida a herir severamente o aun matar al audaz predicador.

Cuando Harris y sus soldados se unieron a la airada y amenazadora multitud, se le dijo que el predicador no había llegado. "Entonces tendrán un sermón de un soldado", replicó Howell Harris. Al principio el gentío pensó que era una broma cuando este oficial del ejército y sus soldados comenzaron a cantar himnos de alabanza. Luego, como Pablo en la isla de Chipre, Harris miró fijamente a la multitud y, con el poder extraordinario del Espíritu, les predicó el Evangelio de Jesucristo. Pronto la turba hostil se calmó y escuchó calladamente mientras se sentía la influencia del Espíritu en muchos corazones.

Algunos, como el procónsul en Pafos, creyeron y fueron convertidos ese día en Great Yarmouth, y ése fue el primero de muchos servicios religiosos que Harris condujo en esa ciudad. En realidad, pronto se organizaron pequeños grupos de creyentes en esta aldea costera inglesa, llena de prejuicio y odio contra el nuevo movimiento de reavivamiento de la fe cristiana, y se construyó una capilla metodista para la gloria de Dios.

Casi 20 siglos después de Pablo y dos después de Howell Harris, el Espíritu Santo todavía puede dar a sus testigos una mirada de intensa convicción y profunda sinceridad.

Una oración para hoy: *Señor, que la certeza de mi fe resplandezca a través de mi rostro toda vez que comparta tu gran mensaje de verdad, perdón y amor en Jesús.*

EL GOZO DEL SEÑOR

Y los discípulos estaban llenos de gozo y del Espíritu Santo. Hechos 13:52.

Parece que una gran parte del cristianismo moderno sufre de una severa alergia al gozo. Fuera de un edificio de iglesia muchos cristianos parecen bastante felices, pero cuando se juntan para una reunión es como si repentinamente tuvieran que impresionar a un Dios que ellos creen que es una Deidad sin humor, triste, aterradora, a la que debe aplacarse a cualquier costo. La visión que Martín Lutero tenía de Dios era ciertamente diferente. El declaró enfáticamente: "Al querido Dios le agrada toda vez que tú te regocijas o te ríes desde el fondo de tu corazón" (citado por Donald E. Demaray, *Laughter, Joy, and Healing Source*, p. 67).

Cuando comenzó el gran reavivamiento en el tiempo de Esdras y Nehemías, tuvo que decírsele a la gente que dejase de llorar y lamentar, y que estuviera feliz. "El gozo de Jehová es vuestra fuerza", exhortaron los predicadores, y como resultado, la gente hizo aquello para lo cual la humanidad fue hecha: se regocijaron grandemente (Neh. 8:10, 12).

Jesús vino para dar "gloria en lugar de ceniza, óleo de gozo en lugar de luto" (Isa. 61:3). Sus discípulos estaban llenos de gozo aun en las peores circunstancias (Luc. 24:52; 1 Tes. 1:6), y el ministerio del Espíritu Santo trajo el fruto de gozo toda vez que su poder obró en las mentes y corazones.

Los discípulos, llenos con el Espíritu Santo, también estaban continuamente llenos de gozo. Esto significa que estar con ellos en una reunión de la iglesia habría sido una experiencia feliz. Aunque no habría frivolidad hueca, sí habría alabanza gozosa y risa encantadora, como también lágrimas de verdadero arrepentimiento y solemne consagración. Como dijo una vez James S. Stewart, famoso ministro escocés y profesor en la Universidad de Edimburgo: "Cuando la adoración cristiana es insípida y lúgubre, Jesucristo ha sido excluido, esa es la única explicación" (*Id.*, p. 68). Dios quiere que su pueblo esté gozoso en su "casa de oración" (Isa. 56:7).

Una cristiana joven y llena del Espíritu escribió lo siguiente sobre su experiencia personal con el Señor: "A nosotros nos toca ejercitar la fe; pero el sentimiento gozoso y sus beneficios han de sernos dados por Dios" (*Primeros escritos*, p. 72).

Si usted no lo ha hecho todavía, permita que el Espíritu Santo lo llene hoy con su fruto de gozo.

Una oración para hoy: *Señor, haz que sonría ante las tormentas de la vida, gracias al gozo que tú has colocado en mi corazón.*

TRATANDO CON LEGALISTAS

Y Dios, que conoce los corazones, les dio testimonio, dándoles el Espíritu Santo lo mismo que a nosotros; y ninguna diferencia hizo entre nosotros y ellos, purificando por la fe sus corazones. Hechos 15:8-9.

¿Se ha encontrado alguna vez con un legalista? Es muy fácil reconocer a los legalistas porque creen que la gente se salva por Jesús más algo adicional. Algunos legalistas tienen múltiples "más".

"Pastor, yo puedo decirle quién se salvará en esta iglesia", me informó un ferviente joven legalista.

Estaba intrigado, de modo que le pregunté: "¿Cómo puede estar tan seguro?"

Su respuesta me aturdió como un legalismo directo. "¡Observo para ver quién come queso en el *potluck!*" (almuerzo de compañerismo cristiano).

Aunque creo en la conveniencia de practicar los principios de una vida sana, estoy seguro que todavía se aplica la verdad que Pedro explicó en el primer concilio de Jerusalén: somos salvos sólo mediante la gracia de nuestro Señor Jesús (Hech. 15:11).

El Espíritu Santo guió a la iglesia cristiana primitiva para tratar con sus legalistas en una forma muy diplomática. El Espíritu podría haber dado a un apóstol la respuesta para los legalistas fariseicos, y su disentimiento podría haber sido sofocado sin discusión. Pero el Señor guió a los dirigentes de la iglesia para que convocaran una sesión de la "Asociación General". Llegaron representantes de todas las iglesias, y se dio tiempo para "mucha discusión" (vers. 7).

Cuando la multitud advirtió que ningún razonamiento humano podía traer una solución, Pedro, Pablo y Bernabé testificaron sobre el poder extraordinario del Espíritu Santo entre los gentiles incircuncisos. Los cristianos gentiles habían recibido el testimonio del Espíritu así como los cristianos judíos circuncidados (Rom. 8:16). El Espíritu Santo también había obrado milagros y maravillas para los cristianos gentiles (Hech. 15:12). Dios conoce el corazón.

"Usted dice que Dios está derramando su Espíritu sobre aquellos adventistas que comen queso, pastor. No puedo creerlo", me dijo enfáticamente el joven de mi historia. Años más tarde pidió disculpas por su espíritu juzgador y crítico, pero desafortunadamente algunas almas sensibles habían sido ofendidas y nunca volvieron a nuestra familia de iglesia.

Una oración para hoy: *Gracias, Señor, por tu don gratuito de la salvación. Que yo nunca, para mí o para otros, agregue o sustraiga de ninguno de los elementos esenciales de la verdadera vida cristiana.*

EL ESPIRITU SANTO Y NOSOTROS

Porque ha parecido bien al Espíritu Santo, y a nosotros, no imponeros ninguna carga más que estas cosas necesarias. Hechos 15:28.

Uno de los predicadores más exitosos que se graduó del colegio del mundialmente famoso pastor Charles H. Spurgeon, en Londres, fue Archibald Brown. El Espíritu Santo bendijo ricamente el ministerio de Brown, y miles llenaron su iglesia en Londres para oír su poderosa predicación de la Palabra de Dios. Después de la muerte de Archibald Brown se encontró el secreto de su gran poder espiritual en la Biblia bien gastada que él había usado por muchos años. En el margen, junto a Hechos 15:28, había escrito: "¡Ah, cuán importante es una sociedad con el socio mayor, el Espíritu Santo! Sin su sociedad, ninguna vida de fe u obra evangélica tiene valor".

Usted no tiene que ser un pastor oficial dentro de la denominación para tener una sociedad con el Espíritu Santo. Si usted se lo pide, el Espíritu Santo será su socio mayor en su oficina, escuela, hogar, negocio, profesión u oficio. Su vida secular encontrará verdadera fuerza en su conocimiento de la certeza espiritual que existe en lo más íntimo de su ser. Aun lo mundano se transformará en un ministerio, y habrá un nuevo sentido de propósito en todo lo que usted haga. Jesús será glorificado y exaltado.

Por supuesto, si un predicador no tiene este sentido de sociedad con el Espíritu Santo, el resultado será devastador para su habilidad en comunicar un cristianismo poderoso. G. Campbell Morgan, renombrado pastor de la capilla Westminster en Londres, dijo lo siguiente en su comentario sobre Hechos: "Si aquellos que predican el Evangelio no están dotados de este poder invisible y la iglesia no refleja al mundo esta luz eterna y misteriosa que ha recibido, ambos serán siempre deficientes, inútiles y tan fríos como la muerte, aunque su apariencia externa parezca ser inmaculadamente perfecta y buena.

"Si realmente queremos llenar Londres con el Espíritu Santo, sin falta debiéramos hacer nuestro negocio en sociedad con el Espíritu Santo" (*The Acts of the Apostles*, comentario sobre Hech. 5:30, 32).

Las palabras de Morgan también se aplican a su ciudad o comunidad. Es tiempo que el cristianismo deje de ser meramente una parte de la cultura para dar evidencia de que es un poderoso socio con Dios.

Una oración para hoy: *Santo Espíritu, estoy contento hoy de ponerme bajo tu dirección y liderazgo en cada área de mi vida.*

CUANDO EL ESPIRITU DICE NO

Y atravesando Frigia y la provincia de Galacia, les fue prohibido por el Espíritu Santo hablar la palabra en Asia. Hechos 16:6.

"Si alguien me hubiese dicho hace seis meses que yo no sólo estaría en la iglesia hoy sino que realmente estaría dirigiendo un grupo de oración, me habría reído de él".

Cuán a menudo he oído palabras como esas de personas a quienes Dios está ahora usando en una manera maravillosa.

"¿Qué ocurrió?", pregunto generalmente, y la explicación siempre muestra la infalible sabiduría del Espíritu.

"Dios tuvo a alguien para compartir su amor conmigo en el momento apropiado. Aun unas pocas semanas antes, yo no habría escuchado y podría haberle pedido a la persona que se fuese".

Joe Aldrich, presidente de la Escuela Multnomah de la Biblia y autor de *Life-Style Evangelism* (Evangelismo Estilo de Vida), habla acerca de cruzar fronteras tradicionales para llegar al mundo incrédulo. Debemos ser sensibles a la habilidad del Espíritu Santo para escoger el momento oportuno para cada vida, y no precipitarnos para ir a "Asia" antes de que el Espíritu esté listo para guiarnos allí. Preste atención a este ejemplo práctico que da Aldrich.

"Cuando sus vecinos lo acompañan para cenar, no se sienta compelido a 'decir' algo espiritual. Muchos parecen sentir que si no han compartido su 'testimonio' antes de que la velada haya terminado, han fracasado. No es así. Una pareja que vimos que llegó a confiar en Cristo, necesitó tres años de cuidadoso cultivo. Durante la mayor parte de ese período, las cosas espirituales estuvieron excluidas. Pronto resultó obvio que no estábamos en libertad para discutir esos asuntos. Durante ese tiempo probablemente comimos juntos por lo menos treinta veces. ¡Me gustaría que usted pudiese encontrar hoy a esta pareja! ¡La paciencia da resultado!" (pp. 206-207).

Puede parecer difícil de creer, pero necesitamos ser tan sensibles al Espíritu Santo diciendo no a algunos de nuestros planes de testificación que nos agradan, como lo somos cuando el Espíritu dice sí. Si él cierra puertas hoy y hace claro el hecho de que éste no es el momento conveniente para compartir alguna verdad del Evangelio, no derribe la puerta a golpes ni se sienta derrotado. Recuerde, como pronto lo descubrieron Pablo y su equipo misionero, que cuando una puerta se cierra, siempre Dios abre otra.

Una oración para hoy: *Guíame hoy mediante tu Espíritu, Padre, de modo que no me desanime por las puertas cerradas en los corazones y las mentes a mi alrededor.*

LO SIENTO, NO HAY VISA

Y cuando llegaron a Misia, intentaron ir a Bitinia, pero el Espíritu no se lo permitió. Y pasando junto a Misia, descendieron a Troas. Y se le mostró a Pablo una visión de noche: un varón macedonio estaba en pie, rogándole y diciendo: Pasa a Macedonia y ayúdanos. Hechos 16:7-9.

Si usted es un viajero internacional experimentado, sabrá la importancia de dos documentos vitales. Su pasaporte identifica quién es usted y de dónde viene, y una visa, estampada en su pasaporte, le da permiso para entrar en su país de destino. Durante una gira mundial que me llevó a cumplir compromisos como orador e investigador en unos 30 países, descubrí que no tenía una visa para Irán. Sin la milagrosa intervención del Señor, habría quedado varado en Iraq por un largo tiempo.

Cuando Pablo y su equipo llegaron al límite con Bitinia, el Espíritu Santo dijo: "Lo siento mucho, no hay visa". Afortunadamente el grupo no quedó encallado en un aeropuerto extranjero. Simplemente dieron vuelta y caminaron por la ruta a Troas. Quizás Dios lo está dirigiendo hoy hacia Troas, y usted se siente chasqueado. El pensamiento de Bitinia es excitante: el libro que usted quería escribir; el amigo a quien deseaba visitar; el familiar con quien quería compartir su fe; la casa que deseaba comprar; el nuevo trabajo que usted estaba anhelando tanto. "Lo siento mucho, no hay visa", parece decir el Señor.

La noche de chasco de Pablo fue iluminada repentinamente por una visión increíble, y toda la situación cobró un nuevo significado. El llamado a Macedonia provocó una explosión del Evangelio en una de las áreas más cultas e importantes del Imperio Romano.

Su llamado macedónico quizás no venga inmediatamente después que el Espíritu de Jesús cierre el camino a una aspiración acariciada, pero usted puede estar seguro de que el Espíritu Santo nunca cierra una puerta sin abrir otra.

En 1834 David Livingstone fue aceptado por la Sociedad Misionera de Londres como un médico misionero a China, pero la puerta se cerró por la Guerra del Opio. "Lo siento mucho, no hay visa". Sin embargo, el Señor estaba abriendo otra puerta. Roberto Moffat inspiró a Livingstone con una visión de Africa, y usted conoce el resto de la historia.

Una oración para hoy: *Abre mis ojos, Señor, para ver la realidad como tú la ves, conociendo el fin desde el principio. Haz que hoy tenga conciencia de caminar con Jesús.*

ESTOY CONTIGO

Y cuando Silas y Timoteo vinieron de Macedonia, Pablo estaba entregado por entero a la predicación de la palabra, testificando a los judíos que Jesús era el Cristo. Hechos 18:5.

En medio de una terrible aflicción, el tener conciencia de la presencia de Jesús puede sostener su vida. Ese es uno de los ministerios más importantes del Espíritu Santo.

Pablo y su equipo enfrentaron en Corinto una oposición violenta a la proclamación del Evangelio, pero él estaba motivado por el Espíritu Santo para predicar la Palabra. Este fue un punto decisivo para Pablo, quien dijo: "Desde ahora me iré a los gentiles" (Hech. 18:6).

Cuando Pablo enfrentó la perspectiva de un rumbo nuevo en su ministerio, y en cierto modo atemorizador, el Señor le habló en una visión y le dijo: "Yo estoy contigo" (vers. 10). Jesús, que había escogido retener su humanidad, le pasó al Espíritu Santo el gozo de representarlo ante todo su pueblo e incluso de morar en él (Juan 15:26; 16:7, 14; Sal. 139:7-10). El tener conciencia de que Jesús está con su pueblo, mediante su Espíritu, los ha capacitado para llevar su Palabra a las situaciones más pavorosas de la vida.

David Livingstone comprendió la certidumbre de la presencia de Jesús, como descubrimos en la anotación de su diario del 14 de enero de 1856: "Está anocheciendo. Sentí mucha aflicción de espíritu ante la perspectiva de que todos mis esfuerzos por el bienestar de esta gran región y esta prolífica población sean desbaratados mañana por los salvajes. Pero leí lo que Jesús dijo: 'He aquí yo estoy con vosotros todos los días, hasta el fin del mundo'. Esta es la palabra de un caballero del honor más estricto y sagrado, ¡de manera que con eso se acabó el asunto!" (Seaver, *David Livingstone, His Life and Letters*, p. 256).

Livingstone prosiguió para llevar el Evangelio a los caseríos indígenas representados por el humo de un millar de hogueras, y como él testificó más tarde en la Universidad de Glasgow: "Sobre estas palabras [que Jesús siempre estaría presente] arriesgué todo, ¡y nunca fallaron!" (citado por F. N. Boreham, *A Bunch of Everlastings*, p. 131).

Tampoco fallarán hoy cuando el pueblo de Dios enfrenta el desafío de las 42 megaciudades del mundo y de los miles de grupos étnicos todavía no alcanzados.

Una oración para hoy: *Padre, que yo nunca dé por sentada la presencia de tu Espíritu, sino que siempre me deleite en que Jesús está conmigo.*

¿CONOCE LA RESPUESTA?

Les dijo: ¿Recibisteis el Espíritu Santo cuando creísteis? Y ellos le dijeron: Ni siquiera hemos oído si hay Espíritu Santo. Hechos 19:2.

Si Pablo le formulase esa pregunta a usted, ¿podría darle una respuesta positiva. Espero que sí, porque ésta es una pregunta importante para todos los cristianos. Los discípulos en Efeso eran hombres que "creyeron", un término que se usa unas 20 veces en Hechos para referirse a aquellos que aceptan a Jesús para la salvación. Esta es la misma palabra que Pablo usó cuando más tarde escribió a la iglesia de Efeso y dijo: "Habiendo creído en él, fuisteis sellados con el Espíritu Santo de la promesa" (Efe. 1:13).

¿Ha aceptado usted a Jesús como su Salvador personal? Si es así, usted ha recibido el Espíritu Santo para que more en su corazón (Eze. 36:25-27; Rom. 8:9; 2 Cor. 1:21-22). La discusión con los doce discípulos efesios ocurrió unos 20 años después del derramamiento del Espíritu Santo en el día de Pentecostés, pero estos hombres, como Apolos (Hech. 18:24-28), tenían una experiencia pre-Pentecostés. Habían sido bautizados por Juan y habían aceptado a Jesús como su Salvador, pero no habían recibido el bautismo del Espíritu Santo. Muchos cristianos, 2.000 años más tarde, están en la misma situación, conociendo sólo una relación pre-Pentecostés con el Señor.

No hay duda de que estos doce hombres de Efeso habían oído sobre el Espíritu Santo. Juan había predicado en cuanto al Espíritu y usado referencias del Antiguo Testamento sobre el Espíritu, y había profetizado que Jesús bautizaría a sus seguidores con el Espíritu. Pero el problema se revela en su respuesta, según es mencionada en algunas versiones de la Biblia: "No, ni siquiera hemos oído si el Espíritu Santo ha sido dado". No habían oído de Pentecostés.

Supongo que usted ha oído de Pentecostés. La mayoría de los cristianos lo han hecho, ¿pero es para usted más que un evento histórico? Una comprensión intelectual de Pentecostés le será tan útil como una información teórica sobre el invento de la electricidad. Cuando la electricidad no es una teoría, pero en cambio la corriente llega a su casa y se conectan y encienden los diferentes artefactos eléctricos, entonces está a su disposición un poder extraordinario. Así ocurrirá cuando usted tenga una experiencia post-Pentecostés con el Espíritu.

Una oración para hoy: *Enciende el poder, Señor. Haz que fluya hoy a través de mi vida.*

UN PENTECOSTES EFESIO

Y habiéndoles impuesto Pablo las manos, vino sobre ellos el Espíritu Santo; y hablaban en lenguas, y profetizaban. Hechos 19:6.

Pablo había recibido su "visa" para Asia, y ahora el Espíritu Santo, en una forma visible inmediata, confirmó su disposición a llenar con su poder a la gente de este origen étnico. Así como las lenguas habían sido usadas en Jerusalén en Pentecostés, en Samaria y con los gentiles en Cesarea, fueron usadas una vez más en Efeso como una prueba innegable del derramamiento del Espíritu Santo.

Muchos cristianos creen que Dios usa hoy la misma señal inicial, pero el predicador pentecostal Mario Murillo emite una advertencia oportuna: "Algunos primeros pentecostales redujeron la espera [del Espíritu] a una tortura legalística. Creyeron que tenían que sufrir para ganar el poder del Espíritu Santo. Por otra parte, muchos carismáticos han abaratado el acto de esperar y los resultados son igualmente desastrosos.

"Un extremo frustra al que busca y añade un dolor injustificado a la espera en Dios. El Espíritu es obstruido porque está listo para darnos el don, pero nosotros estamos demasiado preocupados con autohumillarnos a fin de recibirlo. El otro extremo es el instantismo. A los que buscan [el Espíritu] se los instruye para que balbuceen unas pocas sílabas y se les dice excitadamente que lo 'han conseguido'. Esto ha impedido que muchos obtengan realmente el bautismo del Espíritu Santo. Se envía al converso de regreso a su casa con una experiencia sintética, sin haber tenido un encuentro real con el poder de Dios" (*Fresh Fire*, p. 131).

Aunque parece que es extremadamente fácil para Satanás falsificar el don de lenguas, los primeros cristianos aceptaron plenamente esta señal como una comunicación auténtica de Dios. Conectado con el fruto del Espíritu y las verdades de la Palabra de Dios, el verdadero don de lenguas ha sido usado muchas veces por Dios a lo largo de la historia registrada de la iglesia. En efecto, como ha dicho Jaroslav Pelikan, uno de los principales historiadores eclesiásticos de hoy: "La historia de la iglesia nunca ha estado enteramente sin los dones espontáneos del Espíritu Santo".

Cualquiera sea la manera como Dios decida revelarse ahora, puede estar seguro de que usted sabrá que está lleno del Espíritu Santo, tan seguramente como lo supieron los efesios.

Una oración para hoy: *Ayúdame, Padre, a evitar la tendencia a buscar una señal dramática externa de tu poder y a concentrarme en cambio en reflejar el carácter de Jesús.*

DESTINADA POR EL ESPIRITU PARA IR A CHINA

Pasadas estas cosas, Pablo se propuso en espíritu ir a Jerusalén, después de recorrer Macedonia y Acaya, diciendo: Después que haya estado allí, me será necesario ver también a Roma. Hechos 19:21.

"Si tuviera mil vidas, las daría todas por las mujeres de China". Lottie Moon, quien declaró esas palabras resueltas, fue convertida cuando tenía 18 años. Charlotte Diggs Moon había crecido como parte de la aristocracia de la Virginia anterior a la guerra civil, y se destacaba como una estudiante que hablaba francés, latín, italiano y español. También era experta en griego y hebreo. Siendo una adolescente se había resistido a todas las influencias religiosas, pero finalmente profesó fe en Jesucristo en una reunión de reavivamiento en la Iglesia Bautista de Charlottesville, el 22 de diciembre de 1858.

Lottie, como se la llamaba, se graduó de una maestría en artes en el Instituto Femenino de Albemarle, porque en la Universidad de Virginia sólo se admitía a hombres. Allí en Albemarle, en medio de sus estudios, oyó la voz del Espíritu destinándola al ministerio en favor de las mujeres en China. Después de diez años de enseñanza, Lottie finalmente se hizo a la vela para China, sostenida por mujeres consagradas de cinco iglesias de Richmond, Virginia.

En China, el valor de Lottie llegó a ser legendario. Ridiculizada como una "mujer del diablo", luchando con la enfermedad, alimentando y cuidando a las mujeres hambrientas e indigentes, ministró a la gente con el poder del Espíritu Santo. "Debemos salir y vivir entre ellos, manifestando el espíritu bondadoso y amante de nuestro Señor —dijo Lottie—. Necesitamos hacer amigos antes que podamos esperar hacer conversos" (John Woodbridge, editor, *More than Conquerors*, p. 62).

Poco antes de morir como resultado del hambre y la enfermedad, Charlotte Moon dijo esas palabras ahora famosas: "Si tuviese mil vidas, las daría todas por las mujeres de China".

¿Hay otras modernas Lotties dispuestas a ser destinadas por el Espíritu Santo para ayudar a millones de mujeres sufrientes en las ciudades gigantescas de hoy? He encontrado a unas pocas que se interesan por otros, unas pocas mujeres consagradas y sacrificadas que son amigas de las mujeres que padecen necesidad. Tienen ministerios semejantes al de Bernabé, mostrando con el poder del Espíritu Santo, el "espíritu bondadoso y amante de nuestro Señor".

Una oración para hoy: *Padre celestial, perdóname por estar dominado por planes que buscan mi propia comodidad, mientras miles no saben qué significa la felicidad más elemental.*

CAUTIVADO POR EL ESPIRITU

Ahora, he aquí, ligado yo en espíritu, voy a Jerusalén, sin saber lo que allá me ha de acontecer. Hechos 20:22.

Sadhu Sundar Singh fue conocido como "el apóstol de los pies sangrantes". Tras su conversión en 1903, a la edad de 16 años, comenzó a caminar de aldea en aldea en el norte de la India, cautivado, como Pablo, por el Espíritu Santo. El apedreamiento, los arrestos, la exposición a un clima extremo y la falta de comida, no pudieron detener a este joven que creía que Jesús pertenecía a la India y que no era un Dios extranjero. (Ver la lectura del 18 de mayo.)

Así como el Espíritu Santo guió a Pablo a Jerusalén, del mismo modo llamó a Sundar a Tibet, un país cerrado que estaba dominado por el budismo y la adoración al diablo. La suciedad y la degradación de la gente consternaron a Sundar. Lo apedrearon cuando se bañaba en agua fría, porque creían que los hombres santos nunca se lavan. Pero en medio de la hostilidad, Sundar Singh, con el poder del Espíritu Santo, trajo el conocimiento del lavamiento de la regeneración mediante Jesucristo.

Durante una temporada de entrenamiento para el ministerio en Lahore, la denominación de Singh le dijo que nunca debía volver a entrar en Tibet. Sin embargo, él se sintió compelido por el Espíritu, y les dijo a los dirigentes de su iglesia que sería inconcebible para él rechazar el llamado de Dios. Durante sus visitas subsecuentes a Tibet, fue cosido a la piel fresca de un yac y abandonado para morir estrujado cuando la piel se encogiese con el calor del sol; fue atado con ropa llena de escorpiones para que lo picasen y succionasen su sangre; y fue atado a un árbol como un cebo para los animales salvajes. Sin embargo, siempre hubo fieles cristianos secretos que lo rescataron para que su ministerio pudiese continuar un poco más.

Dos veces el Espíritu Santo llevó a Sundar Singh a predicar a Jesús a grandes multitudes en Gran Bretaña, Europa, Estados Unidos y Australia. Estaba pasmado ante el materialismo de estos países y su profunda necesidad del Evangelio a pesar de sus denominaciones tradicionalmente cristianas. Pero la India y el Tibet todavía lo estaban llamando, y finalmente, en 1929, llegó a Kalka, una pequeña aldea cerca de Simla, en Tibet; pero nunca fue visto nuevamente ni se volvió a oír de él. Cuando contaba con poco más de cuarenta años de edad, la obra de Sadhu Sing para el Señor fue completada.

Una oración para hoy: *Mi Señor y Dios, ayúdame a estar seguro en cuanto al trabajo que tú me has llamado a hacer y que nunca me desvíe de él.*

TROPEZANDO CON PROBLEMAS

Salvo que el Espíritu Santo por todas las ciudades me da testimonio, diciendo que me esperan prisiones y tribulaciones. Hechos 20:23.

Mientras los cristianos de las naciones occidentales, siguiendo un instinto básico de la humanidad, parecen buscar las maneras más fáciles y populares para predicar el Evangelio, hay creyentes llenos del Espíritu en muchas otras partes del mundo que están dispuestos a proclamar el Evangelio eterno pese a las privaciones personales y al peligro.

El norte de la India, 66 años después de Sadhu Sundar Singh, todavía es uno de los mayores desafíos del mundo para la misión global. Roberto Folkenberg, presidente de la Iglesia Adventista, informa que los Estados de Rajastán y Madhya Pradesh están entre las áreas más difíciles. "Fue en esta zona, al concluir las reuniones evangelísticas en las que habían sido bautizadas cuatro personas [en 1993], que un dirigente político presentó una queja al gobierno de que estaban ocurriendo conversiones en masa. Como resultado, se le ordenó a la policía que encarcelase al Sr. Masih, el evangelista adventista.

"El Sr. Masih y los cuatro nuevos miembros fueron llamados ante el concilio y se les preguntó si las acusaciones eran correctas. Cuando él testificó de que había sido comisionado por Jesucristo para predicar, enseñar y bautizar, fue abofeteado en el rostro.

"Durante el interrogatorio se les preguntó a los nuevos miembros si habían sido sobornados para ser bautizados, acusación que negaron vigorosamente. En realidad, testificaron, habían prometido pagar una décima parte de sus ingresos para sostener la iglesia. La prensa local escribió artículos ardientes contra el cristianismo, y la situación fue peligrosa" (Roberto Folkenberg, *Newsletter*, 14 de junio, 1993).

Así como el pueblo de Dios oró por Pablo hace 2.000 años, de la misma manera hubo muchos en 1993 que oraron por el norte de la India y por la situación del Sr. Masih. Al ser liberado de la prisión, este evangelista lleno del Espíritu fue llamado nuevamente a la estación de policía, donde, para su gran sorpresa el magistrado lo trató amablemente y simplemente le pidió que llenase una solicitud para continuar con las reuniones.

¡Alabemos a Dios porque él todavía tiene hijos suyos que no se intimidarán ante el riesgo personal y la amenaza de peligro! Aun en sus propios vecindarios los creyentes llenos del Espíritu no son cristianos de "zonas cómodas", sino personas que se arriesgan a confrontar a los enemigos de Cristo.

Una oración para hoy: *Hasta que mi trabajo para ti esté terminado, Señor, no conozco nada que pueda destruirme.*

ALIMENTANDO O TRASQUILANDO EL REBAÑO

Por tanto, mirad por vosotros, y por todo el rebaño en que el Espíritu Santo os ha puesto por obispos, para aceptar la iglesia del Señor, la cual él ganó por su propia sangre. Hechos 20:28.

Setenta millones de ovejas y 3 millones de personas, esas son las estadísticas usuales que se dan para la población de Nueva Zelanda. Las blancas ovejas pastando en los campos verdes, como una cancha de golf, contribuyen a hacer de Nueva Zelanda uno de los países más hermosos del mundo. Pero de una manera u otra debe cuidarse a cada oveja, y aunque los ganaderos de ovejas de Nueva Zelanda no guían a sus enormes rebaños como los pastores de ovejas del Medio Oriente, constantemente velan por su bienestar.

Las ovejas, sin embargo, no son cuidadas para que puedan llegar a una edad avanzada y feliz, sino para que puedan terminar siendo comida o lana para millones de personas alrededor del mundo que deben ser alimentadas y vestidas. Jesús, no obstante, no murió por su rebaño para que pudiera ser explotado para la avaricia de otros, sino con el propósito de compartir su eterno gozo.

En los primeros siglos del cristianismo, la iglesia se dividió en pequeños grupos o rebaños de creyentes. Para cada rebaño aparentemente había un pastor, quien era conocido como un anciano, pastor u obispo. El Espíritu Santo colocó el rebaño al cuidado de estos dirigentes espirituales, que no estaban sobre la iglesia sino que eran parte de ella. Eran lo que nosotros hoy llamaríamos dirigentes laicos de pequeños grupos. No trasquilaban el rebaño para construir una enorme organización o estructuras que pudiesen rivalizar con los templos paganos, sino en cambio lo alimentaban para que el rebaño pudiera ser fuerte frente al enemigo.

Cada cristiano hoy necesita el compañerismo de un rebaño y el cuidado de un pastor. Aunque una gran reunión de múltiples rebaños pequeños puede proveer una maravillosa oportunidad para un festival semanal de adoración y alabanza, no puede satisfacer la necesidad de compañerismo estrecho y cuidado pastoral. Esta es la razón por la cual el Espíritu Santo todavía está nombrando dirigentes de pequeños grupos que cuiden al rebaño y compartan con él las bendiciones de Dios.

Una oración para hoy: *Padre, ¿me estás llamando a ser un pastor? Si es así, por favor ayúdame a reunir el rebaño que tú quisieras que yo pastorease para ti.*

¿DESOBEDECIO PABLO AL ESPIRITU?

Y hallados los discípulos, nos quedamos allí siete días; y ellos decían a Pablo por el Espíritu, que no subiese a Jerusalén. Hechos 21:4.

¿Interpretaron mal los discípulos los mensajes que recibieron del Espíritu Santo, o Pablo desobedeció la instrucción de Dios en esta oportunidad? Los eruditos están divididos sobre este asunto, pese al hecho de que Pablo mismo parece entender claramente de que debía ir a Jerusalén. Aunque otros puedan dar consejos y transmitir mensajes que creen que son de Dios, en última instancia cada persona debe tomar decisiones sobre la base de sus propias convicciones y por el peso de la evidencia que le hace llegar a la conclusión personal de que es una revelación de la voluntad de Dios.

Afortunadamente, Pablo no necesitó hacer una decisión política. El no estaba en una carrera electoral para conseguir un cargo, de modo que no necesitaba calcular cuántos votos perdería al no seguir los deseos de la gente que expresa francamente sus ideas. El partido "Quédate con Nosotros" era sincero y amaba a Pablo, pero había interpretado las advertencias proféticas de Dios en cuanto a peligros futuros como significando que Pablo no debía ir a Jerusalén. En cambio, tendrían que haberlas visto como una amonestación sobre la necesidad de mucha oración y preparación espiritual.

Pensemos sobre algunas de las decisiones que usted quizás esté enfrentando en este tiempo. Tal vez usted está preguntándose con quién casarse o dónde jubilarse. Quizás tenga que decidirse en cuanto a un cambio de estudios o de carrera a mitad de la vida. Tal vez está pensando en comprar o vender una casa o un automóvil. Sí, la vida está llena de decisiones. Es sabio pedir mucho consejo. Pídales a los miembros de su pequeño grupo que mantengan su nombre en oración, de modo que usted pueda saber cuál es la voluntad de Dios. Pero no termine tomando la decisión en base a la gente a la que desea agradar o por un sentido de obligación hacia la familia o los amigos. Es su decisión, y usted debe sobrellevar los resultados.

Pablo creía firmemente que el Espíritu Santo lo estaba guiando de vuelta a Jerusalén. Aunque es posible que Pablo tomó una decisión equivocada en ese momento, así como todos lo hacemos algunas veces, Dios puede sacar algo bueno de lo malo y transformar las peores circunstancias en algo que sea para su gloria. Además, Pablo pudo seguir adelante hacia su muerte, no echando la culpa a otros sino regocijándose de que había terminado su carrera con gozo (Hech. 20:24).

Una oración para hoy: *Dame confianza, Señor, de modo que pueda caminar por la senda que es la mejor para mi vida.*

UNA PROFECIA DE MARTIRIO

Vino a vernos [Agabo], y tomando el cinto de Pablo, se ató los pies y las manos, y dijo: "Esto dice el Espíritu Santo: Así atarán los judíos en Jerusalén al dueño de este cinto, y lo entregarán en manos de los gentiles". Hechos 21:11, Nueva Reina-Valera 1990.

"Nombren el primer movimiento de reavivamiento del Espíritu Santo en la iglesia cristiana primitiva —le pregunté a un grupo grande de pastores de Oregon—. Su nombre es similar a uno de los Estados de los Estados Unidos".

Todos nos sorprendimos cuando la esposa del evangelista, Mary Walter, fue la única en saber la respuesta: Montana. El Movimiento de la Nueva Profecía, como se llamó originalmente, fue eventualmente conocido por el nombre de su fundador, Montano, de donde derivó montanismo.

Usted quizás no haya oído del Movimiento de la Nueva Profecía, o montanismo, pero es posible que haya leído sobre una de sus mártires más heroicas. Tenía sólo unos 20 años —era una joven madre con un hijito al que estaba criando—, pero cuando se preparaba para el bautismo, Perpetua fue capturada por los soldados romanos y condenada a muerte.

El movimiento de la Nueva Profecía había comenzado en Frigia alrededor del año 170 d.C., y pronto se extendió por toda la iglesia cristiana. Al principio fue tolerado, pero eventualmente fue rechazado por el obispo de Roma, principalmente debido a las falsas acusaciones de un ultraconservador llamado Praxeas. No obstante, el testimonio de este nuevo movimiento, con el poder del Espíritu Santo, condujo a muchas personas a Jesús, incluyendo a Tertuliano, famoso abogado del norte de Africa, y a Perpetua, una mujer joven, noble y culta.

Algunos montanistas, incluyendo a muchas mujeres, afirmaban que tenían el don de profecía. Esto era una amenaza para los dirigentes de la iglesia establecida, que ya se había atrincherado en el tradicionalismo; pero para estos cristianos fervientes, era la voz de Dios. Al igual que Pablo, quien enfrentó a profetas y profetisas en Cesarea, Perpetua consideró un honor sufrir y morir por el nombre del Señor Jesús. El 7 de marzo del año 205, ella fue arrojada al gran anfiteatro de Cartago y herida por animales salvajes, y finalmente fue muerta por la espada de un gladiador. Aun el padre incrédulo de Perpetua le había rogado que se retractase, pero ella había dicho: "No puedo negar lo que soy, y soy una cristiana".

Una oración para hoy: *Señor, te pido una firmeza como la de Pablo y la de Perpetua para ser lo que tú quisieras que yo fuese, no importa las consecuencias.*

LOS HECHOS CONTINUAN

Y como no estuviesen de acuerdo entre sí, al retirarse, les dijo Pablo esta palabra: Bien habló el Espíritu Santo por medio del profeta Isaías a nuestros padres. Hechos 28:25.

Después de más de 60 referencias al Espíritu Santo, Lucas no da una verdadera conclusión al libro de Hechos del Espíritu. Ciertamente, incluso nos deja preguntándonos acerca del "resto de la historia" de las superestrellas del cristianismo, Pablo y Pedro. Eusebio, obispo de Cesarea a comienzos del siglo IV, escribió una historia de la iglesia cristiana. Este historiador cristiano declara que Pablo fue decapitado y Pedro crucificado cabeza abajo, y que sus tumbas e inscripciones todavía eran visibles en su tiempo.

Pero Hechos 28 no es el fin del ministerio y el poder del Espíritu Santo. Al término del primer siglo, Juan fue lleno del Espíritu en Patmos. Justino Mártir escribió hacia 135 d.C. que los creyentes cristianos en su tiempo poseían los "dones" sobrenaturales "del Espíritu de Dios". Ireneo, obispo de Lyon (c. 130-200), escribió: "Hemos oído de muchos de los hermanos que tienen presciencia del futuro, visiones y declaraciones proféticas; otros, al colocar las manos sobre los enfermos, los sanan y les restauran la salud... Oímos de muchos miembros de la iglesia que tienen dones proféticos, y por el Espíritu hablan con todo tipo de lenguas, y hacen manifiestos los pensamientos secretos de los hombres para su propio bien, y exponen los misterios de Dios".

Cada siglo entre el comienzo del cristianismo y el presente ha tenido testigos que han hablado de las obras sobrenaturales del Espíritu Santo en sus días, a medida que el libro de los Hechos continúa escribiéndose. Estos relatos no son ficción anónima producida por grupos extremistas, sino que constituyen una evidencia de primera mano, cuidadosamente documentada, del extraordinario poder de Dios. El testimonio puede resumirse en las palabras de Severo, quien escribió sobre profecía y milagros durante el tiempo de Martín de Tours, en el siglo IV: "No he escrito nada de lo cual no tengo un conocimiento y una evidencia ciertos. En efecto, habría preferido guardar silencio antes que narrar cosas que son falsas".

El libro de Hechos continúa escribiéndose en el lugar donde usted vive hoy, y Dios le da a usted el privilegio de ser parte de él.

Una oración para hoy: *Padre, perdóname por conformarme con una forma de cristianismo, pero negando su poder para obrar milagros y cambiar vidas.*

BIENVENIDO, ESPIRITU DE SANTIDAD

Quien fue declarado Hijo de Dios con poder, según el Espíritu de santidad, por su resurrección de entre los muertos, a saber, nuestro Señor Jesucristo. Romanos 1:4, Nueva Reina-Valera 1990.

El movimiento de la Nueva Profecía, no sólo puso énfasis —en los siglos II y III del cristianismo— en los dones del Espíritu Santo, incluyendo el de profecía, sino también en la santidad personal y colectiva. "Escribiendo desde la perspectiva de la renovación metodista en la Inglaterra del siglo XVIII, John Wesley declaró que Montano era 'uno de los mejores hombres que estaban entonces sobre la tierra', quien 'bajo el carácter de un profeta, como un orden establecido en la iglesia, apareció (sin traer ninguna doctrina nueva) para reavivar lo que estaba decayendo, y reformar lo que podría estar errado' " (Howard A. Snyder, *Signs of the Spirit*, p. 23).

El Espíritu Santo ciertamente es el Espíritu de santidad, como lo declaró el primer movimiento de reavivamiento cristiano, y él no sólo bendecirá al pueblo de Dios con poder para realizar milagros sino también con un poder victorioso sobre el pecado y la mundanalidad. Tertuliano, el gran apologista del norte de Africa que llegó a ser un dirigente del movimiento de la Nueva Profecía, declaró que la santidad de la iglesia era simplemente la santidad de sus miembros. Y la *Schaff-Herzog Encyclopedia of Religious Knowledge* (Enciclopedia de conocimiento religioso de Schaff-Herzog), concluye que "el montanismo era simplemente una reacción de la iglesia antigua y primitiva contra la tendencia obvia de la iglesia de la época, que era la de establecer un pacto con el mundo y arrellanarse cómodamente en él" (t. 3, p. 1562).

La iglesia todavía enfrenta el mismo problema debido a una falta del poder del Espíritu Santo en sus miembros.

Es importante recordar, sin embargo, como lo hicieron los cristianos y predicadores primitivos, que el Espíritu de santidad es también el Espíritu de gracia. Ninguna persona se salva por la santidad privada o por la santidad colectiva de la iglesia, sino por la perfecta santidad de Jesús, la que se acredita a cada pecador que acepta personalmente el sacrificio de Jesús. El Espíritu Santo atrae a cada pecador a Jesús y revela la gracia que sólo puede hacer factible la salvación. Entonces, como lo proclamó el movimiento de la Nueva Profecía, la santidad de la iglesia o del individuo es el fruto del Espíritu Santo en la vida de cada persona salvada que está esperando ansiosamente el regreso de Jesús.

Una oración para hoy: *Espíritu de santidad, gracias por recordarme del perdón que Jesús ofrece y del poder vencedor que está siempre disponible.*

UN VERDADERO JUDIO EN EL ESPIRITU

Sino que es judío el que lo es en lo interior, y la circuncisión es la del cora-
zón, en espíritu, no en letra; la alabanza del cual no viene de los hombres, sino
de Dios. Romanos 2:29.

"Es tan lindo verte, querida", fue el saludo de Ricardo a Debbie después de
no haber estado con ella por varios días.

"Te amo, querido —contestó ella—. Te he extrañado mucho".

Palabras como "querida" y "amada" se usan a menudo como términos de
afecto. Obviamente no están describiendo un gusto externo sino una relación
especial entre dos corazones. Sin la relación, las palabras no tienen significado.

Pablo usó un juego de palabras similar cuando habló de los judíos y el Espíritu. Los judíos entendían que su nombre significa alabanza, y en efecto, creían
que ellos eran el objeto de la alabanza de Dios sobre la tierra. Pero el orgullo los
había conducido a glorificarse en la alabanza que venía de los hombres en vez
de tener la verdadera relación de corazón con Dios. Esa relación sería la fuente
de una efusión de alabanza procedente del Señor.

Extrañamente, el rito externo de la circuncisión se había convertido en un
motivo especial de orgullo para los judíos. Eventualmente, el conflicto con el
cristianismo llevó a los pensadores judíos a la misma conclusión que Pablo expresó a los romanos. Rabbi Dipman, un escritor judío, lo explicó de esta manera:
"Un cierto cristiano se burló de nosotros diciendo: 'Las mujeres, que no pueden
ser circuncidadas, no pueden ser contadas entre los judíos'. Tales personas igno-
ran que la fe no consiste en circuncisión, sino en el corazón. El que no tiene fe
genuina, no es un participante de la circuncisión judía; pero el que tiene fe genuina es un judío, aunque no esté circuncidado" (*Nizzachon*, N.º 21, p. 19).

A Ricardo le gustaba llamar "Querida" a Debbie, no por sus vestidos o per-
fume, sino a causa de su carácter y personalidad, y por su amor a él. También
el pueblo de Dios son su alabanza y gozo cuando el Espíritu interior los capacita para trascender la confianza en elementos externos como la observancia
del sábado, el diezmo o un estilo de vida saludable. En cambio, el Espíritu Santo crea en los corazones de las personas un lazo de amor con Dios. Es una
comprensión de que Dios es más grande que cualquier compartimento en el
cual la religión organizada, con sus reglas y ritos, puede tratar de encerrarlo.

Una oración para hoy: *Padre, perdóname por confiar en mis obras para*
ganar tu favor y ayúdame a recordar que tu amor es incondicional.

BIENVENIDA, UNA CATARATA DE AMOR

Y la esperanza no avergüenza; porque el amor de Dios ha sido derramado en nuestros corazones por el Espíritu Santo que nos fue dado. Romanos 5:5.

Cuando las personas se enamoran por primera vez, a menudo se sorprenden por el poder increíble de esta emoción, deseo e interés indescriptible por otra persona. "No tengo la intención de casarme jamás —le informó a sus padres una atractiva joven—. Quiero concentrarme en mi carrera sin estar preocupada por atender a un hombre".

Connie estaba sorprendida sobre cómo todo eso cambió cuando se encontró con Pedro. Estar con Pedro y compartir su vida con él llegó a ser tan importante para Connie como cualquier otra cosa que había planeado hacer. El amor ciertamente hizo la diferencia.

Como una poderosa catarata, el Espíritu Santo derrama el amor de Dios en cada corazón que llena. Es un amor que alienta, un amor que afirma, un amor que es seguro y constante. El amor de Dios es parte de él mismo, porque "Dios es amor". El corazón humano no tiene la capacidad de contener una fracción del amor de Dios, de modo que rebalsa sobre todo aquel que entra en contacto con una persona llena del Espíritu.

Pendiendo del alero del patio posterior de nuestra casa se encuentran macetas de flores que deben ser regadas diariamente. Sobre la terraza, directamente debajo de las macetas colgantes, hay más recipientes de geranios, que siempre se benefician cuando mi esposa riega las plantas que están arriba. Lo que rebalsa cae sobre ellos, de modo que reciben una doble bendición de agua para mantenerlos llenos de vida y verdor. De la misma manera, el amor de Jesús rebalsa de una vida llena del Espíritu y bendice a otros con frescura y gozo.

Lottie Moon, la brillante joven de Virginia que dio su vida por las mujeres de la China del siglo XIX, era conocida por su asombroso amor por las personas a quienes ministraba. "Cómo nos amaba", escribieron los miembros de la iglesia de P'ingtu después de su muerte. El confuciano Li Show-ting se había impresionado profundamente con el amor de Lottie y el hermoso cuadro de su Dios que había encontrado en el Nuevo Testamento. Después de su conversión, él llegó a ser un evangelista cristiano a quien el Señor usó para bautizar a más de 10.000 conversos en el norte de China.

Una oración para hoy: *Derrama tu amor en mi corazón hoy, querido Señor, de modo que pueda traer frescura a algún alma reseca.*

UN NUEVO MOTIVO Y PODER

En cambio, ahora, al morir a lo que nos tenía cautivos, quedamos libres de la Ley, para servir a Dios, en la novedad del Espíritu y no en la vejez de la letra. Romanos 7:6, Nueva Reina-Valera 1990.

Billy Graham cuenta de una experiencia que tuvo su amigo Allan Emery mientras crecía como parte de una adinerada familia cristiana en la ciudad de Boston. Un día su padre recibió una llamada diciendo que un cristiano bien conocido había sido encontrado borracho en la acera. Inmediatamente el padre envió a su chofer con la limosina para que recogiese al hombre, mientras que su madre preparaba el mejor cuarto de huéspedes.

Allan observó con sus ojos abiertos de asombro mientras se bajaba el hermoso cortinado sobre la exquisita y antigua cama imperial de cuatro postes, revelando las sábanas con artísticos monogramas. "Pero mamá —protestó—, él está borracho. Aun podría vomitarse".

"Yo sé —replicó bondadosamente su madre—, pero este hombre ha resbalado y caído. Cuando él se recobre, se sentirá avergonzado. Necesitará todo el aliento amante que podamos darle".

La familia Emery había sido liberada de la esclavitud de la ley que demandaba que un cristiano borracho fuese castigado por su pecado. Podrían haberse mofado de él o haberlo convertido en un ejemplo negativo para enseñar a otros en cuanto a los peligros del alcohol. Podrían haber pensado en su propia reputación o en su posición en la comunidad. En cambio, revelaron el amor de un Dios que trata a los pecadores como la gente más importante en el mundo. Realmente lo son, ¡Jesús murió por ellos!

La novedad del Espíritu en la vida de un cristiano que ha nacido de nuevo no significa que se excusa el pecado o se cede a él, como si no interesara más de qué modo se comporta una persona. En cambio, el Espíritu Santo crea el deseo de servir a Dios bajo la motivación del amor y con un corazón rebosante de gratitud por el perdón y el poder victorioso en cada vida llenada por el Espíritu.

Los cristianos como los Emery, que sirven en la novedad del Espíritu, tratan a otros como saben que Dios los ha tratado a ellos. En vez de imponer legalísticamente a otros obras que creen que deben cumplirse para ganar la salvación, aquellos que sirven en la novedad del Espíritu revelan la compasión y la gracia de Dios.

Una oración para hoy: *Gracias, Señor, por librarme de la religión legalista que aplastaría mi Espíritu y me haría tratar a otros diferentemente de como tú me has tratado.*

BIENVENIDO A LA CUMBRE DE LA MONTAÑA

Ahora, pues, ninguna condenación hay para los que están en Cristo Jesús, los que no andan conforme a la carne, sino conforme al Espíritu. Romanos 8:1.

A menudo he preguntado en los seminarios sobre el Espíritu Santo: "¿Cuál capítulo de la Biblia menciona el Espíritu Santo más que ningún otro?" ¿Cuál sería su respuesta? Hasta que hube estudiado sobre el Espíritu Santo por algún tiempo, habría barruntado que era Juan 14, Juan 16, Hechos 2 ó 1 Corintios 12. He descubierto que la respuesta correcta es Romanos 8, en el cual Pablo menciona el Espíritu por lo menos 19 veces.

Se le dan muchos títulos al Espíritu Santo en Romanos 8, incluyendo "el Espíritu de vida en Cristo Jesús", "el Espíritu de Dios", "el Espíritu de Cristo", "el Espíritu de aquel que levantó de los muertos a Jesús" y "el Espíritu de adopción". En Romanos 8 los cristianos "andan conforme al Espíritu", viven "según el Espíritu", "son guiados por el Espíritu" y por el Espíritu "clamamos: ¡Abba, Padre!"

Hace años el evangelista australiano George Burnside predicó un notable sermón sobre Romanos 8 en una sesión de la Asociación General. Proclamó que para él, éste es el capítulo más grande de la Biblia. Comienza con "ninguna condenación" y termina con ninguna separación; y entre ambos extremos, "todas las cosas les ayudan a bien... a los que aman a Dios". El Espíritu Santo, nos dice Pablo, hace todo esto posible mediante nuestro Señor Jesucristo.

Comience hoy a "andar conforme al Espíritu" a lo largo de todo el camino de Romanos 8. Ore una cantidad de veces a través de todo el capítulo, y pídale al Espíritu Santo que lo guíe a toda verdad concerniente a la revelación de sí mismo, del Padre y del Hijo que se encuentra en estos 39 versículos. También pídale al Espíritu que le ayude a ver dónde se encuentra usted personalmente en Romanos 8, y escriba su respuesta a cada nuevo descubrimiento que hace sobre usted mismo y su relación con Dios.

Cuando se les pregunta por qué arriesgan sus vidas para ascender a las montañas, los alpinistas ofrecen esta conocida respuesta: "Sencillamente porque están allí". Pero cuando usted llega a la cumbre de Romanos 8, recibe como recompensa un panorama soberbio de verdad y gozo.

Una oración para hoy: *Ayúdame, Padre, a encontrar tiempo para estar a solas contigo en oración y en estudio hoy, de modo que pueda disfrutar cada momento contigo.*

TRES LEYES EN ROMANOS 8

Porque la ley del Espíritu de vida en Cristo Jesús me ha librado de la ley del pecado y de la muerte. Romanos 8:2.

Después de manejar durante 25 años en el lado izquierdo del camino, encontré que manejar sobre el lado derecho en los Estados Unidos requería concentración. Uno o dos sustos serios hicieron que tres leyes me resultasen rápidamente obvias. La ley común a los 50 Estados de ese país es aplicada en forma estricta y regular: "Todo el tráfico debe manejar sobre el lado de la mano derecha". La segunda ley sigue naturalmente a la primera: "Si usted maneja del lado izquierdo del camino, muy probablemente se verá involucrado en un accidente. Si la policía lo apresa antes de que usted se mate, será arrestado y convicto de acuerdo con la primera ley".

Viajando cierta mañana con mi familia en el automóvil, salí de una estación de servicio en Spokane y procedí a tomar el lado equivocado del camino. Repentinamente se nos aproximaron de frente tres carriles del tránsito, y sólo un giro violento sobre la barrera del centro salvó nuestras vidas. Entonces entró en efecto una tercera ley. Mi familia vigilaba constantemente para que yo no volviese a cometer el mismo error. ¿No haría usted lo mismo? Se convirtieron en mis ayudantes para salvar mi vida y la de ellas.

Observe las tres leyes de Romanos 8 y note algunas similitudes y diferencias con respecto a mi situación como conductor. Primeramente está la ley de Dios, con sus justos requerimientos (vers. 7 y 4).

En segundo lugar, está la ley del pecado y de la muerte. El pastor puritano Thomas Jacomb predicó en 1672 sobre Romanos 8, y describió esta ley como una metáfora para la forma en la cual el pecado [violación de la primera ley] "asume un extraño tipo de autoridad" sobre el pecador. El dominio de este pecado, si uno no se arrepiente y lo abandona, inevitablemente conduce a la muerte.

A diferencia de las reglas del camino, toda la fuerza de "voluntad", el poder para decir "No" y la concentración, no podrán capacitarme para obedecer pefectamente la ley de Dios, de modo que entra en efecto la tercera ley de Pablo. La ley del Espíritu de vida en Cristo Jesús no sólo rechaza los reclamos que la ley del pecado y de la muerte tienen sobre mí, sino que provee el poder para cumplir los requerimientos de la primera ley, la ley de Dios.

Una oración para hoy: *Señor, te alabo por la libertad que tengo en Jesús de las consecuencias de la ley del pecado y de la muerte.*

EN EL Y EN USTED, POR EL ESPIRITU

Para que la justicia de la ley se cumpliese en nosotros, que no andamos conforme a la carne, sino conforme al Espíritu. Romanos 8:4.

"Nunca puedo vivir en forma correcta, hacer lo correcto, o estar en lo correcto", dijo un joven más bien desalentado.

"Dean, permítame decirle lo que Pablo diría si estuviera aquí hoy —repliqué—. No importa cómo usted piense o sienta en este momento, el Espíritu Santo puede hacer que los justos requerimientos de la ley se cumplan en usted".

Esto le parecía imposible a Dean hasta que comenzó a entender qué estaba enseñando Pablo en Romanos 8.

Pablo comenzó diciendo que no hay ninguna condenación para aquellos que están en Cristo. Luego declaró que *en* Cristo, una persona puede verse libre de la ley del pecado y de la muerte. ¿Qué significa estar "en Cristo", que es donde el Nuevo Testamento coloca al cristiano más de 160 veces? Al haber escuchado al pastor Jack Sequeira exponer una cantidad de veces el Evangelio en base al libro de Romanos, he apreciado su ilustración sobre lo que significa estar "en Cristo".

"Si coloco este boletín de la iglesia *en* mi Biblia —explica Jack—, entonces todo lo que le ocurre a la Biblia le ocurre también al boletín. Por ejemplo, si envío esta Biblia a mi hijo en China y los comunistas la descubren, y luego la confiscan y la queman, entonces el boletín también se quemará porque está *en* la Biblia. De la misma manera, cuando Jesús vino y tomó la humanidad, yo fui considerado como estando *en* él. Cuando él murió en la cruz, fue como si yo hubiese muerto, porque yo estaba *en* él. Cuando él vivió una vida sin pecado, yo también estaba *en* él. Cuando yo lo acepto como mi Salvador, su conducta y su muerte son tomadas en cuenta como mi perdón y completa obediencia a los justos requerimientos de la ley".

"Dean —concluí—, como dijo A. J. Gordon, famoso pastor de Boston del siglo pasado, la verdadera caminata cristiana es reproducir en nuestras vidas la justicia que ya es nuestra en Cristo [*In Christ*, p. 21]. El Espíritu Santo hace esto posible no para salvarnos, sino porque ya estamos salvos en Jesús".

Una oración para hoy: *Señor Jesús, te alabo por asestarle un golpe de muerte al poder controlador del pecado en mi vida.*

¿QUE ESTA EN SU MENTE?

Porque los que son de la carne piensan en las cosas de la carne; pero los que son del Espíritu, en las cosas del Espíritu. Romanos 8:5.

"Mi padre me prometió un juego de computadora para Navidad —me informó un muchacho del vecindario con lágrimas en sus ojos—. Vi el que quiero en el negocio y pensé en él todo el fin de semana. Me imaginé cuánto me iba a divertir con él. Pero cuando mi padre volvió al negocio para comprarlo hoy, había sido vendido, y no hay más juegos como ése disponibles".

Eso es lo que significa fijar la mente en algo. ¿Lo ha hecho usted alguna vez? Sin duda lo hemos hecho todos. El pensamiento de una persona, un cargo, una posesión o un placer ha dominado tanto nuestra mente que toda la vida comienza a girar en torno a eso. Lo que indica cuál es el poder dominante de nuestra vida no es un pensamiento bueno o malo que alberguemos en forma casual, sino aquello que es la preocupación o idea "fija" de la mente.

Cuando una persona nace de nuevo, la mente en forma natural se concentra en Jesús. La presencia interior del Espíritu Santo dirige los pensamientos y afectos a Jesús. Pero el cristiano pronto encuentra que la "carne", o la parte concupiscente de su naturaleza, todavía tiene algunas fuertes atracciones a cosas que pueden de nuevo dominar la mente. Es por esto que es tan importante que constantemente seamos llenados con el Espíritu Santo. El Espíritu Santo renueva nuestra mente y usa música espiritual, la Escritura, la oración y la relación con amigos cristianos para enfocar nuestro pensamiento en cosas de valor eterno.

"Steve —le dije al joven de nuestro vecindario—, ¿has pensado en otro nuevo juego de computadora que está ahora en el mercado y que es muy divertido, y que también ayuda a aprender muchas cosas interesantes?"

"Hábleme sobre eso. ¿Es aburrido?"

Le di toda la información que podía recordar, y salió corriendo excitadamente para hablar con su padre. Decirle que se olvidara del juego que había atrapado su mente durante el fin de semana, no habría dado resultado; pero el pensamiento de algo nuevo y mejor reemplazó la vieja obsesión. Así trabaja el Espíritu Santo para dirigir nuestras preocupaciones y deseos a cosas que son más importantes.

Una oración para hoy: *Llena mi mente, Padre, con las cosas que estimularán pensamientos y afectos espirituales positivos.*

ESCOGIENDO UN DESTINO

Porque el ocuparse de la carne es muerte, pero el ocuparse del Espíritu es vida y paz. Romanos 8:6.

Estar preocupado con las cosas de la carne, esto es, los deseos lujuriosos de la naturaleza pecaminosa egoísta, es como estar empapado con una sustancia inflamable y jugar con fósforos. La mente ocupada "de la carne" juega con el potencial de la muerte, no porque Dios la condena arbitrariamente sino porque pierde su deseo de estar con él.

Arnold Wallenkampf cuenta una parábola de un vecino que derramó sobre sus ropas el contenido de una lata de gasolina de 20 litros. Usted lo ve todo empapado y le aconseja que se cambie tan rápidamente como sea posible. "Su vecino escucha su advertencia respetuosamente. Luego le explica en forma casual que seguramente planea cambiarse, pero primero quiere quemar algunos desechos en una fogata en el patio de atrás. Usted se vuelve más insistente en su apelación para que se cambie de ropa inmediatamente. No debe acercarse al fuego con sus ropas saturadas de gasolina.

"Pero todos sus consejos amables y bienintencionados no dan resultado. Su vecino junta una pila de hojas y otros desperdicios. Pero cuando se acerca al fuego, un viento caprichoso sopla una lengua de la llama en la dirección de él. Al instante siguiente su vecino está ardiendo de pies a cabeza. Nada puede salvarlo. Es un infierno alimentado a gasolina" (*Justified*, p. 28).

Mientras la mente fija en las cosas de la carne nunca está tranquila, sino que constantemente está preocupada y llena de sospechas, la vida llena del Espíritu Santo tiene paz interior y gozo a pesar de las circunstancias externas. La razón de esta paz y gozo es la certidumbre que trae el Espíritu Santo de vida eterna en Cristo Jesús. Las personas llenas del Espíritu saben que están salvas por la sangre de Cristo, que son hijos de Dios, y que su destino de eternidad con su Señor es absolutamente cierto.

Una oración para hoy: *Te alabo, Señor, por el gozo indescriptible de conocerte y la vida y paz que has puesto gratuitamente a mi disposición a través del sacrificio de Jesús por mí.*

NO HAY OTRA OPCION

Mas vosotros no vivís según la carne, sino según el Espíritu, si es que el Espíritu de Dios mora en vosotros. Y si alguno no tiene el Espíritu de Cristo, no es de él. Romanos 8:9.

Como pastor a menudo había predicado a mis congregaciones como si fueran cristianos pero faltándoles el Espíritu Santo. "Si sólo ustedes tuviesen el Espíritu, llegarían a participar en todos mis programas favoritos", implicaba yo. No sólo estaba tratando de usar al Espíritu en vez de permitir que él me usara, sino que también estaba equivocado en lo que estaba diciéndole a la gente. Es imposible ser un cristiano nacido de nuevo y no tener el Espíritu Santo.

Pablo es muy definido en Romanos 8:9. O uno tiene el Espíritu Santo morando en el interior o esa persona no es cristiana. Esta no es una amenaza sino una realidad. La razón es clara: en la conversión el Espíritu Santo hace la transición entre ser "con" a ser "en" o dentro de una persona. Esta fue la promesa del nuevo pacto bosquejada en el Antiguo Testamento y traída a la realidad en el Nuevo (Eze. 36:25-27; Juan 14:16-17; 2 Cor. 1:21-22).

Hace unos pocos años compré una casa mediante la Administración de Veteranos. El exterior necesitaba pintura de modo que, considerando que estaba en vacación, pregunté a las autoridades si podía seguir adelante y pintar la casa, aun cuando no se habían completado todas las formalidades de la compra. Estuvieron de acuerdo sin demora, con la estipulación de que yo no podría ocupar la casa hasta que se firmaran todos los documentos. Un par de semanas más tarde, cuando se finalizaron todos los requerimientos legales, recibimos nuestra llave y nos mudamos a la casa.

En el Calvario fuimos "comprados con precio" por el sacrificio de Jesús. Pero cuando aceptamos personalmente a Jesús como nuestro Salvador y colocamos nuestras vidas voluntariamente en sus manos, el Espíritu Santo recibe la llave de nuestro templo corporal y viene a morar en nosotros (1 Cor. 6:19-20).

Ahora comparto las buenas nuevas con los cristianos de todas partes: "Ustedes ya tienen el Espíritu Santo morando [viviendo, habitando] en ustedes. Obtengan el máximo beneficio de esta extraordinaria Persona de poder e invítenla para que tenga total control de cada parte de su vida".

Una oración para hoy :_Te alabo, Espíritu Santo, por venir a mi vida desde el momento de mi conversión. Te doy permiso para llenarme totalmente hoy. Usame para servirte en la manera que mejor glorifique a Jesús._

BIENVENIDA, VIDA EN CRISTO

Si Cristo está en vosotros, el cuerpo en verdad está muerto a causa del pecado, mas el espíritu vive a causa de la justicia. Romanos 8:10.

Jesús prometió que el Espíritu Santo sería enviado en su nombre (Juan 14:26), de modo que Pablo lo llama el "Espíritu de Cristo". A través del Espíritu Santo, Jesús, que está entronizado en el cielo es considerado como estando en su pueblo. Con su Espíritu en el "hombre interior", Cristo habita en el corazón de cada cristiano nacido de nuevo por la fe (Efe. 3:16-17).

Ahora vemos por qué el enemigo de las almas no quiere que los cristianos sepan qué significa estar lleno del Espíritu Santo. Las potencias de las tinieblas comprenden que están derrotadas en la vida de una persona que es plenamente consciente de que él o ella tiene a Jesús viviendo en su interior. Aunque el cuerpo de esa persona "está muerto a causa del pecado" y está destinado a volver al polvo, hay un principio de vida en todo cristiano nacido de nuevo que jamás puede ser destruido.

Dentro de su ser, si usted ha aceptado a Jesús como su Salvador, está una fuerza vital eterna, a saber, el Espíritu Santo. El no da vida ni la fabrica. El *es* vida. El que tiene al Espíritu tiene vida, porque "el que tiene al Hijo, tiene la vida" (1 Juan 5:12). Así Pablo declara que el Espíritu en nosotros es vida "a causa de la justicia". Esta no es nuestra justicia, ni la justicia de la ley, sino la justicia de Jesucristo, quien en la conversión de la persona es considerado como justicia aun para el peor pecador.

La idea de que un cristiano debe trabajar para ganar la vida eterna es una mentira flagrante del enemigo. Primero, ¿por qué una persona necesitaría trabajar por algo que ya posee como un regalo? El Espíritu Santo es un don (Hech. 2:38; 10:45), y también lo es la vida eterna (Rom. 6:23). Segundo, trabajar a fin de merecer la vida eterna siempre conduce a una persona de vuelta a las manos del enemigo a causa del desaliento o el orgullo. Ponga su nombre en Romanos 8:10 y diga: "¡Alabado sea Dios! Jesús está en mí hoy, y aunque mi cuerpo está destinado a morir a causa del pecado, el Espíritu Santo me está llenando con la vida eterna porque la justicia de Jesús me es computada como si fuese mía".

Una oración para hoy: *Señor de amor, permíteme siempre honrar la vida de Jesús dentro de mí y vivir para glorificar su nombre.*

LEVANTADO DE LOS MUERTOS

Y si el Espíritu de aquel que levantó de los muertos a Jesús mora en vosotros, el que levantó de los muertos a Cristo Jesús vivificará también vuestros cuerpos mortales por su Espíritu que mora en vosotros. Romanos 8:11.

Ocasionalmente hay hombres, y a veces aun algunas mujeres, que se dedican a un deporte conocido como la pulseada. Generalmente dos personas se enfrentan, cabeza contra cabeza, colocan muy cerca sus codos derechos y se toman de la mano. Entonces, con un esfuerzo grande de sus músculos, ven quién puede doblegar la mano del otro y ponerla sobre la mesa.

Si bien sería trivializar el terrible conflicto entre el Espíritu Santo y las fuerzas del mal al compararlo con una pulseada, no obstante es cierto que el Espíritu Santo puede "aplastar" el brazo del pecado en cada confrontación con el mal. El mayor argumento del pecado para afirmar la victoria es la universalidad de la muerte. Este fruto del pecado reina supremo en toda la humanidad, pero el Espíritu Santo le asestó a la muerte un golpe fatal cuando levantó a Jesús de entre los muertos (Efe. 1:19-20; 1 Ped. 3:18).

Ninguno de los logros más nobles de la humanidad ha sido capaz de conquistar la tumba. Nadie ha recibido un Premio Nóbel por resucitar a un muerto. Pero Jesús mostró su total superioridad sobre el pecado y sus osadas reclamaciones. Encima de todo lo que Jesús demostró en su resurrección está el hecho de que el cuerpo que "está muerto a causa del pecado", el cuerpo mortal de un cristiano que ha nacido de nuevo, ha sido arrebatado de la mano de Satanás. Tiene vida por el Espíritu Santo: vida espiritual ahora y vida física en la mañana de la resurrección cuando esto mortal se vestirá de inmortalidad (1 Cor. 15:53).

Hace años un grupo de estudiantes graduandos de Teología que estaban conmigo para una escuela práctica de evangelismo que yo estaba enseñando, me desafiaron a competir en una pulseada. ¡Quizás sintieron que de esa manera podrían liberar algunas de sus frustraciones del aula! Mis años como constructor me habían dado un brazo bien fuerte, de modo que acepté prontamente. A algunos estudiantes les gané, y con otros perdí. Sin embargo, mi brazo pronto se cansó y me vi obligado a retirarme. Pero por favor recuerde que el Espíritu Santo nunca se cansa y siempre tendrá vida abundante para usted.

Una oración para hoy: *Padre, celebro el destino de vida que Jesús ha hecho posible para mí.*

243

DE TERRORISTA A EVANGELISTA

Porque si vivís conforme a la carne, moriréis; mas si por el Espíritu hacéis morir las obras de la carne, viviréis. Romanos 8:13.

Poco antes de la caída del comunismo, cuando las naciones de Europa Oriental controladas por la Unión Soviética reunieron a más de 3.500 funcionarios de gobierno, trabajadores sociales y personal médico para una conferencia sobre el abuso de drogas en Budapest, invitaron a Nicky Cruz para que fuese su principal orador. Nicky había sido un dirigente en la temida pandilla Mau Mau de Nueva York y había aterrorizado barrios enteros, pero mediante el poder del Espíritu Santo, este joven puertorriqueño se había convertido en un poderoso testigo de la gracia salvadora de Dios.

Parecía que Nicky estaba destinado a una muerte prematura, así como él había castigado y matado a otros en las calles. Después de uno de sus muchos arrestos, un psiquiatra del tribunal le dijo que a menos que cambiase, se encontraba en una "calle de una dirección hacia la cárcel, la silla eléctrica y el infierno". Nicky, que tenía 18 años en ese entonces, sólo se rió (*One Who Believed*, p. 72).

En su autobiografía *Corre, Muchacho, Corre*, Nicky Cruz habla de sus sentimientos antes de que el Espíritu Santo viniese a su vida. "El ruido de las peleas en las calles era sólo excedido por la pesadilla de la violencia que hervía en mi propio corazón. Yo era un animal sin conciencia, moral, razón, o ningún sentido de lo bueno o lo malo" (p. 92).

David Wilkerson, un predicador lleno del Espíritu, se sintió absolutamente sorprendido cuando Nicky dio su vida a Jesús. "La conversión más difícil de creer para mí fue la de Nicky —escribe David en *La cruz y la espada*—. Allí estaba él, con una gran sonrisa en su rostro, diciendo en su estilo forzado y tartamudeante: 'Davie, le estoy dando mi corazón a Dios' " (p. 82).

Nicky Cruz le permitió al Espíritu Santo que hiciera "morir las obras de la carne" y que le trajese una nueva vida de victoria en Jesús. En la conferencia comunista en Budapest 30 años después de su conversión, Nicky no sólo habló del gran poder del Espíritu Santo sino que extendió la invitación para que otros aceptaran a Jesús ese día. Ahora le tocó a él sorprenderse cuando más de mil personas respondieron favorablemente.

Una oración para hoy: *Padre, ayúdame a que jamás considere aun al peor pecador como un caso sin esperanza para tu Espíritu.*

GUIADOS POR EL ESPIRITU EN FORT GREENE

Porque todos los que son guiados por el Espíritu de Dios, éstos son hijos de Dios. Romanos 8:14.

Después que David Wilkerson vendió su televisor, comenzó a dedicar tiempo a la oración en vez de observar los programas que muchas noches lo habían fascinado hasta la medianoche. Inmediatamente el Espíritu Santo comenzó a dirigirlo en muchas formas notables. Se sintió especialmente atraído a una copia de la revista *Life* que mostraba los rostros de siete jóvenes que eran miembros de una pandilla en Nueva York y que habían acuchillado a muerte a una víctima de polio de 15 años. No pudo olvidar esos rostros y sabía que el Espíritu lo estaba guiando a la ciudad de Nueva York, a 560 kilómetros de distancia.

Después de meses de hacer el viaje de ocho horas a Nueva York por lo menos una vez por semana y de encontrar a muchos miembros de pandillas en las situaciones más peligrosas, David Wilkerson comenzó a comprender que no podría llegar a ellas en ninguna forma humana corriente. "Si estos muchachos iban a cambiar dramáticamente, la transformación tendría que ocurrir en sus corazones —escribe David en *La cruz y la espada* (p. 56)—. Sabía que yo nunca podría producir eso: tendría que ser la obra del Espíritu Santo. Pero tal vez podría actuar como un canal a través del cual el Espíritu Santo llegase a esos muchachos" (*Ibíd.*).

Algunas personas son controladas por el materialismo, el hedonismo o el egoísmo, pero sólo aquellos que son guiados por el Espíritu saben realmente quiénes son y adónde van. David Wilkerson sabía quién era él en Cristo Jesús, pero el Espíritu Santo le dio una visión de jóvenes obteniendo esa misma certeza en una de las urbanizaciones más grandes del mundo, Fort Greene. Este era el hogar de dos de las pandillas más perversas de Nueva York, los negros Chaplain y los hispanos Mau Mau, que no sólo habían declarado la guerra contra otros grupos sino también contra la policía.

Después de la milagrosa conversión de muchos de los miembros de estas violentas pandillas, el Espíritu Santo los guió a las oficinas centrales de la policía, donde les pidieron a los asombrados oficiales que les autografiasen sus Biblias. El Espíritu guió a estos ex drogadictos y terroristas, víctimas de la pobreza y el abuso, para que tuviesen la completa certeza de que eran hijos de Dios.

Una oración para hoy: *Guíame, Señor, a la absoluta certeza de que soy tu hijo.*

BIENVENIDO A LA FAMILIA

Pues no habéis recibido el espíritu de esclavitud para estar otra vez en temor, sino que habéis recibido el espíritu de adopción, por el cual clamamos: ¡Abba, Padre! Romanos 8:15.

Una familia es una unidad de personas que están ligadas entre sí no sólo por una relación sanguínea sino también por el amor y el respeto. En realidad, mientras que personas que están estrechamente relacionadas o aun casadas, o que han nacido en una familia, pueden no tener verdaderos lazos familiares, otros pueden ser "familia" estando unidos sólo en espíritu y por su amor común hacia el Padre celestial. Es un hermoso ministerio del Espíritu Santo unir a todos los que aceptan a Jesús como su Salvador en una familia de Dios y en el compañerismo mutuo.

Cuando David Wilkerson se encontró por primera vez con el dirigente de pandillas Nicky Cruz en las calles de Nueva York, Nicky dijo: "Vete al infierno, predicador... Te me acercas, predicador, y te mataré" (*Run Baby, Run*, p. 122). Nicky era uno de 18 hijos que habían nacido en una familia en Puerto Rico. A los 15 años se había trasladado a Nueva York y pronto estaba viviendo en las calles, donde demostró su dureza con un ciclo interminable de drogas y violencia brutal. Su única familia era la temida pandilla de los Mau Mau, hasta que el Espíritu Santo le presentó a Jesucristo.

Comentando la reunión en la que él fue convertido, Nicky dice: "El [Wilkerson] comenzó a hablar y todo era acerca del Espíritu Santo. El predicador dijo que el Espíritu Santo podía entrar en las personas y limpiarlas. Dijo que no importaba qué hubiesen hecho, el Espíritu Santo podía hacerles empezar de nuevo, como bebés" (*The Cross and the Switchblade*, p. 93). Aunque encontró difícil creer que él pudiera ser amado por Dios y nacer en una nueva familia, Nicky se adelantó y aceptó a Jesús. El Espíritu de adopción obró otro milagro de gracia salvadora y ahora, con gozo, Nicky podía orar a su nuevo Padre en el cielo.

Desde su conversión Nicky Cruz nunca ha dejado de guiar a jóvenes a la familia de Dios. Después de tres años de instrucción bíblica en California, regresó a su ex gueto de Nueva York para dirigir el ministerio del Desafío de los Adolescentes. Seis años más tarde volvió a California para empezar el ministerio Alcanzando a la Juventud, y desde entonces ha hablado a más de 21 millones de personas alrededor del mundo, presentándolas mediante el Espíritu a "Abba, Padre".

Una oración para hoy: *Padre, que yo pueda conocerte con la familiaridad respetuosa y confortable de un verdadero "Papito".*

BIENVENIDO, TESTIGO INTERIOR

El Espíritu mismo da testimonio a nuestro espíritu, de que somos hijos de Dios. Romanos 8:16.

Cuando John Wesley desembarcó en Georgia después de un cruce muy agitado del Atlántico, fue enviado al obispo moravo Spangenberg para recibir consejo espiritual. Una de las primeras preguntas que Spangenberg le formuló fue: "¿Tiene usted el testigo en su interior? ¿El Espíritu de Dios da testimonio con su espíritu de que usted es un hijo de Dios?" (*The John Wesley Treasury*, p. 65).

Wesley, que más tarde llegó a ser el fundador de la Iglesia Metodista, no sabía qué contestar. ¿Sabría usted? Por muchos años, aun como un pastor de iglesia, yo habría estado perplejo ante la pregunta.

La Biblia hace claro que el testimonio del Espíritu es una certeza de salvación que el Espíritu Santo comunica a la conciencia espiritual o entendimiento de toda persona a quien llena (1 Juan 5:6, 10-13). Sin embargo, ninguna persona se salva sobre la base de tener un sentimiento de que él o ella es un hijo de Dios. La salvación viene por la fe en Jesucristo, y un fruto de esa salvación es la presencia interior del Espíritu Santo. El Espíritu Santo crea dentro de la persona a la que llena, una "perceptividad espiritual que es una habilidad intuitiva para reconocer a Dios". Saben sin la menor duda que son parte de su familia mediante la vida y la muerte de Jesús.

Un artículo de *Signs of the Times* en 1893 declaró: "Ahora 'el Espíritu mismo da testimonio a nuestro espíritu, de que somos hijos de Dios', es el lenguaje de Pablo en Romanos 8:16... Dios no haría depender a su pueblo de una conjetura, o un deseo o una débil esperanza de que podrían ser sus hijos; él desea que tengan una evidencia segura, una evidencia absolutamente irrecusable. El cristiano no necesita andar a tientas en la ceguedad o la duda. Dios le dará una evidencia tan clara que no será presunción hacer esa aseveración o descansar sobre la seguridad de que es un hijo de Dios" (6 de febrero, 1893).

¡Qué poderosa declaración de certidumbre! No se avergüence de decir hoy: "Soy un hijo de Dios".

Una oración para hoy: *Te alabo, Señor, que puedo cantar "¡Bendita certeza, Jesús es mío!", con la confianza del testimonio interior del Espíritu.*

LA DULCE ESPERANZA DE UN CRISTIANO

Y no sólo sufre el universo, sino también nosotros, que ya tenemos el Espíritu como anticipo de lo que vamos a recibir. Sufrimos profundamente, esperando el momento de ser adoptados como hijos de Dios, con lo cual serán liberados nuestros cuerpos. Romanos 8:23, V. Popular.

Mientras manejaba a través del pesado tráfico en una supercarretera de Los Angeles, escuché una cinta del pastor Jack Sequeira explicando el Evangelio en Romanos. "Cuando usted habla del cielo —explicaba Jack—, usted puede notar cuál es la diferencia entre un cristiano carnal y uno que entiende el Evangelio y está lleno del Espíritu Santo. El cristiano carnal piensa sobre el cielo en términos de mansiones y calles de oro mientras que el cristiano lleno del Espíritu espera verse libre de un cuerpo que lo hace chasquear a Jesús".

Para el apóstol Pablo, el gozo del cielo, aparte de estar con Jesús, era que tendría un cuerpo nuevo, una nueva naturaleza, que nunca le impediría hacer siempre la voluntad perfecta de Dios.

Cuando el pastor Sequeira y su familia se trasladaron primero a Etiopía, su casa en el colegio tenía un naranjo que crecía en el patio de atrás. Sin embargo, cuando maduró la primera naranja, la familia se chasqueó al descubrir que la fruta era demasiado agria para comerla. La hija menor de Jack tuvo una idea brillante para resolver el problema: alimentar el árbol con azúcar. De modo que en preparación para la nueva temporada, la familia fertilizó alrededor del árbol con azúcar, asegurándose de que se lo regaba en abundancia. Pero cuando vinieron los nuevos frutos, eran tan agrios como el anterior. El azúcar no había cambiado la naturaleza del árbol. Sólo un nuevo árbol podía llevar fruta dulce.

Dentro del cristiano que ha nacido de nuevo, el Espíritu Santo produce la dulce fruta del amor, el gozo, la paz, la paciencia, la bondad, la tolerancia, la fe y el dominio propio. Cuán delicioso es este fruto, pero parece que las tendencias egoístas y pecaminosas de la carne están siempre pugnando por la supremacía. Toda la cultura, la educación o los programas políticos del mundo no pueden endulzar la agrura de la naturaleza humana rebelde. Es por eso que como Pablo, aguardamos ávidamente el día maravilloso de la resurrección cuando tendremos cuerpos nuevos para disfrutar la eternidad.

Una oración para hoy: *Gracias, Señor, por las dulces primicias de tus frutos en mi vida y por la esperanza gozosa de una nueva naturaleza que siempre se deleitará en ti.*

BIENVENIDO, FUERTE ESPIRITU DE ORACION

Y de igual manera el Espíritu nos ayuda en nuestra debilidad; pues qué hemos de pedir como conviene, no lo sabemos, pero el Espíritu mismo intercede por nosotros con gemidos indecibles. Romanos 8:26.

¿Ha necesitado alguna vez levantar un objeto pesado? Pablo nos dice que este es el ministerio del Espíritu Santo, especialmente cuando trabaja a través de las oraciones del pueblo de Dios. El Espíritu Santo nunca presenta la excusa, como hacen algunos de nuestros amigos, de tener la espalda dañada y no poder ayudar a levantar la carga.

Adam Clarke, el predicador metodista, erudito y comentador bíblico, al escribir hace casi 200 años explicó la palabra que Pablo usa para "ayuda" en este versículo. "[Esta] palabra significa el tipo de ayuda que dos personas cualesquiera se dan entre sí, quienes llevan mutuamente la misma carga o la llevan entre ambas. El que ora, recibe ayuda del Espíritu de Dios; pero el que no ora, no recibe dicha ayuda. Cualquiera pueda ser nuestra fuerza, debemos valernos de ella, aun mientras dependamos muy implícitamente de la fuerza de Dios mismo" (*Clarke's Commentary*, t. 6, p. 100).

Hace años éramos dueños de un piano pesado, que siempre era un motivo de preocupación cuando nos mudábamos de casa en casa en nuestro ministerio evangelístico en Australia. Generalmente les costaba levantarlo a cuatro o cinco hombres, de modo que en cierta ocasión nos sorprendimos cuando llegaron sólo dos hombres para transportar el piano hasta el camión que estaba esperando. Uno era muy corpulento y musculoso, mientras que el otro era muy pequeño, de modo que nos preguntábamos qué ocurriría. Para nuestro asombro, el hombre grande colocó una enorme faja de cuero alrededor de sus hombros y espalda y alrededor del piano, y entonces, con muchos resoplidos y gruñidos, levantó el piano y comenzó a sacarlo de la casa hacia atrás. El hombre fuerte pudo levantar el piano, pero no podía ver hacia dónde estaba yendo, de modo que el hombre pequeño guiaba y movía el extremo delantero del piano en la dirección correcta hasta que sin un raspón, el piano fue puesto en salvo en el camión.

De la misma manera, Pablo nos dice que el Espíritu Santo nos ayuda en toda situación de nuestras vidas. Pero no puede ayudar a nuestras oraciones si no oramos. Pablo usa una palabra que significa un esfuerzo de equipo, no importa cuán pequeña pueda ser nuestra parte.

Una oración para hoy: *Te alabo, Espíritu Santo, por estar dispuesto a formar un equipo conmigo en oración de modo que pueda beneficiarme con tu gran fuerza.*

DEMASIADO DOLORIDO PARA ORAR CON PALABRAS

Mas él que escudriña los corazones sabe cuál es la intención del Espíritu, porque conforme a la voluntad de Dios intercede por los santos. Romanos 8:27.

¿Alguna vez se ha encontrado por casualidad con alguien que necesitaba ayuda? Tal vez el automóvil de una dama se ha roto o alguien se ha caído en un sendero de montaña y se ha fracturado una pierna. Tal vez es un hombre o una mujer sin techo que ha sido castigado y robado. La persona estaba demasiado afligida o con un dolor demasiado grande como para saber qué decir o hacer, pero usted pudo prestar la ayuda que se necesitaba desesperadamente.

Cuando Pablo en Romanos 8:26 y 27 discute el ministerio del Espíritu Santo, usa dos veces una palabra que se traduce como "interceder" en algunas versiones. Como escribió A. T. Robertson: "Es una palabra pintoresca sobre el rescate hecho por alguien que 'por casualidad se encuentra' con una persona... que está en dificultad y 'en su favor' suplica 'con gemidos inexpresables'... o con 'suspiros que frustran las palabras'"(*Word Pictures in the New Testament*, t. 4, p. 377).

El Espíritu no intercede por los hijos de Dios ante el Padre como en Hebreos se describe que lo hace Jesús. Más bien, dentro del corazón de cada persona a la que llena, el Espíritu Santo crea un profundo deseo de enfrentar las situaciones de la vida de acuerdo con la voluntad de Dios.

A menudo en las crisis de la vida el Espíritu Santo descubre que ni siquiera podemos hablar en oración. Como el hombre en la historia de Jesús, a quien asaltaron y robaron en su camino a Jericó, nosotros yacemos lastimados y sangrantes al costado del camino de la vida. Nuestros gemidos y suspiros indican nuestra desesperada necesidad, y cuando viene el "buen samaritano", el Espíritu Santo, venda nuestras heridas y se interesa por nuestro cuidado en la posada del infalible amor de Jesús.

Dedique tiempo a hablar con su amigo el Espíritu Santo, y pídale que le ayude a orar. Puede hacerlo en cualquier momento. Sencillamente diga: "Querido Ayudador, no estoy seguro qué es lo mejor en estas circunstancias. Ni siquiera sé qué orar. Hay dolores y esperanzas en mi vida que realmente no comprendo. De modo que te pido que crees en mi interior un deseo ferviente de ser totalmente sumiso a tu voluntad y de estar plenamente dispuesto a seguir tu dirección. Te alabo y te agradezco en el nombre de Jesús".

Una oración para hoy: *Padre, por favor guíame a un pequeño grupo de amigos donde pueda dar y recibir verdadera ayuda y amor incondicional.*

CONCIENCIA CONFIRMADA POR EL ESPIRITU

Verdad digo en Cristo, no miento, y mi conciencia me da testimonio en el Espíritu Santo. Romanos 9:1.

"Juraré sobre esa pila de Biblias que lo que digo es cierto". Si usted ha oído a una persona hablar de ese modo, sabrá que él o ella quiere dar definidamente la impresión de que no está mintiendo. "Mi conciencia es clara como el cristal", dirá otro. ¿Es la conciencia "el guardián en el individuo de las reglas que la comunidad ha desarrollado para su propia preservación", como escribió una vez Somerset Maugham, o es la voz de Dios?

Pablo estaba tan entusiasmado con el tema que seguidamente discutiría con los romanos, que comenzó el capítulo 9 con un triple juramento que contesta algunas preguntas concernientes al Espíritu Santo y la conciencia humana. Primero, Pablo jura que está diciendo la "verdad... en Cristo". Luego está el juramento negativo de Pablo: "No miento". Tercero está el juramento en forma conjunta con otro testigo: "El testimonio de mi conciencia y el testimonio del Espíritu Santo en mí están de acuerdo".

En Romanos 2:15, Pablo dice que los paganos tienen un testimonio conjunto, una relación de testificación mutua, entre la ley y su conciencia. En Romanos 9:1 Pablo, como todos los cristianos nacidos de nuevo y llenos del Espíritu, tiene el testimonio conjunto entre el Espíritu Santo y su conciencia. La gente normal sabe lo que ha hecho o pensado, y su conciencia —educada por el ambiente cultural, la crianza familiar y las normas religiosas— aprueba o desaprueba sus acciones. Las preguntas finales, entonces, para el cristiano lleno del Espíritu son: ¿Qué me dice el Espíritu Santo acerca de este acto? ¿Cómo esto armoniza con los principios que el Espíritu ha inspirado en la Palabra de Dios?"

En 1885 James Russell Lowell escribió:

"En vano llamamos tonterías a las antiguas nociones,
y sometemos nuestra conciencia a nuestro comportamiento;
los Diez Mandamientos no se menearán
y robar *continuará* siendo un robo".

Más allá de los buenos y malos sentimientos de la conciencia está el testimonio del Espíritu Santo. Una conciencia puede doblarse y la ley de Dios, quebrantarse, pero el Espíritu Santo siempre permanece recto y veraz.

Una oración para hoy: *Señor, debido a la unión entre mi vida y el Espíritu Santo, que yo tenga una conciencia sin ofensa ante Dios y ante las demás personas.*

CUANDO LA TEMPERATURA ESPIRITUAL ES ALTA

En lo que requiere diligencia, no perezosos; fervientes en espíritu, sirviendo al Señor. Romanos 12:11.

"Su cara está resplandeciendo", le dije recientemente a un amigo.

Un rostro resplandeciente generalmente significa que los ojos están chispeantes, los labios sonrientes, y hay un aspecto general de satisfacción y gozo en el semblante. El resplandor de mi amigo venía del interior mientras el amor encontraba expresión en acciones y palabras. Así ocurre cuando una vida está llena del Espíritu Santo. Como una radiante corona de oro, el resplandor del Espíritu atrae la atención de todos los que ven su belleza.

El periodista y predicador laico Sherwood E. Wirt pasó quince años escribiendo para la revista *Decisión* de Billy Graham. En su libro *Afterglow* (Resplandor crepuscular) Wirt cuenta del brillo de amor que vino a su vida después de ser lleno del Espíritu Santo el 9 de enero de 1972. Dos canadienses que habían participado en un reavivamiento en Winnipeg, llegaron a la iglesia de Sherwood Wirt en Minneapolis y después del servicio religioso invitaron a la gente a unírseles para una reunión de "resplandor crepuscular" en el subsuelo. Un total de 25 hombres y mujeres se reunieron para orar y ministrar el uno al otro.

En la reunión, Sherwood se abrió y expresó el sentimiento de que algo realmente estaba faltando en su vida, y parecía ser la pieza más importante. Pronto la gente se reunió a su alrededor para orar, y cuando le pusieron las manos, él le pidió al Señor que lo llenase con el Espíritu Santo. No hubo una gran explosión de excitación, sino más bien la callada operación del Espíritu. Más tarde Sherwood escribió que uno de los canadienses, Evelyn, le sonrió cuando hubo terminado el período de oración. " 'Probablemente usted no tiene ahora una sensación mayor de haber recibido una bendición —dijo—. No se preocupe. El sentimiento vendrá más tarde, ¡y cómo!' Tenía razón. Vino. Y nunca se fue" (p. 15).

No hay duda que el resplandor del Espíritu es el resplandor del amor. Como dice Wirt: "La llama del Espíritu es la llama del amor. La unción del Espíritu es la unción del amor. El bautismo del Espíritu es el bautismo del amor. La recepción del Espíritu es la recepción del amor" (*Id.*, p. 93).

Una oración para hoy: *Brilla a través de mi vida, Espíritu Santo, de modo que otros puedan reconocer la verdadera simplicidad y belleza del amor de Jesús.*

CARACTERIZANDO EL REINO DE DIOS

Porque el reino de Dios no es comida ni bebida, sino justicia, paz y gozo en el Espíritu Santo. Romanos 14:17.

¿Ha luchado usted alguna vez con un concepto del reino de Dios que está basado en elementos externos? Una religión, iglesia, o individuo formula una lista de requisitos para el reino y luego hace de eso el fundamento para juzgar si una persona es parte o no de la familia de Dios. El resultado puede ser devastador para la unidad y el amor cristianos. Pablo estaba interesado en que los cristianos se edificasen mutuamente (Rom. 14:19). En cambio, por su actitud juzgadora, se estaban lastimando entre sí (vers. 4).

Como dice Joe Aldrich en *Life-Style Evangelism* (Evangelismo Estilo de Vida): "El legalista edifica cuidadosamente su propio patrón de vida, y luego trata de hacerlo normativo para toda la comunidad cristiana" (p. 45).

Pablo ilustra este problema con la comida y la bebida. Ya sea que se usen mal leyes sobre alimentos religiosos o principios de una vida saludable, los resultados son los mismos: la gente se ofende cuando el criterio para pertenecer al reino se centra en elementos externos.

La buena comida y bebida son importantes para alcanzar el máximo bienestar físico y mental, y pueden afectar a la sensibilidad espiritual, pero en última instancia el reino de Dios no es un asunto de lo que una persona come o bebe, sino es "justicia, paz y gozo en el Espíritu Santo".

El Espíritu testifica continuamente a aquellos a quienes llena que son salvos porque se les atribuye la justicia de Cristo. Aunque esta justicia es convertida en una vida justa por el poder del Espíritu Santo, los salvos saben que las obras justas no son la base de su salvación sino el fruto de ella. Como resultado de esta certeza, el Espíritu Santo garantiza que los salvados tengan paz con Dios por medio del Señor Jesucristo. Y la seguridad y paz naturalmente se traducen en una sensación interior de gozo inconmovible.

Si usted ha aceptado a Jesús como su Salvador, déle hoy nuevamente la bienvenida al gozo del Espíritu Santo en su vida. No se desanime por las normas de otros, pero permita que el Espíritu lo guíe a toda verdad. Mientras él le revela qué es lo mejor para usted en este momento, resista la tentación de imponer esto a otros. Permita que el Espíritu Santo los guíe también en el sendero de la justicia, la paz y el gozo.

Una oración para hoy: *Gozosamente, Señor, caminaré en la senda que tú has escogido para mi vida.*

BIENVENIDO, ESPIRITU SANTO DE ESPERANZA

Y el Dios de esperanza os llene de todo gozo y paz en el creer, para que abundéis en esperanza por el poder del Espíritu Santo. Romanos 15:13.

El famoso poeta inglés Alexander Pope escribió en 1733 en su obra más celebrada, *Un ensayo sobre el hombre*: "La esperanza brota eterna en el corazón humano". Pero al fin de la década de los años 80, en este siglo, un promedio de más de 500.000 adolescentes norteamericanos intentaba suicidarse cada año. La esperanza obviamente no pudo brotar eterna en sus corazones.

El Espíritu derrama tanta esperanza en las vidas de aquellos que confían en la gracia salvadora de Dios, que los tales rebosan de gozo y paz. Sólo pocas horas antes de que muriese Louis Machlin, conocido médico de Portland, su esposa Becky le dijo: "Te veré en la mañana".

La afirmación de esperanza de Louis fue vigorosa y cierta. En realidad, su esperanza había crecido durante sus últimos años, cuando él llegó realmente a entender el Evangelio y el bautismo del Espíritu Santo. Y la esperanza había rebosado de su vida para alcanzar a todos aquellos con quienes él se relacionaba.

¿Por qué, en una sociedad con tanta abundancia de iglesias, medio millón de adolescentes quieren suicidarse cada año? A menudo las iglesias se han destacado por programas antes que por fomentar la edificación personal. Han exaltado reglas y normas en vez del amor, la aceptación y el perdón. El presidente Lyndon Johnson dijo en su primer mensaje al país: "Desafortunadamente muchos norteamericanos viven en los suburbios de la esperanza, algunos a causa de la pobreza, otros a causa de su color, y demasiado de ellos a causa de ambos factores". Pero estas personas constituyen un porcentaje muy pequeño de aquellos que intentan quitarse la vida. Más a menudo "los que tienen", antes que "los que no tienen", pierden la esperanza en una sociedad materialista.

Como dice el Dr. Roy W. Fairchild, profesor de vida espiritual y psicología en el Seminario Teológico de San Francisco: "La esperanza no es meramente un anhelo de tener lo que nos está faltando actualmente, sino más bien un deseo de experimentar más plenamente lo que ya hemos recibido" (*Finding Hope Again*, p. 52).

Lo que hemos recibido mediante la vida y la muerte de Jesús puede experimentarse plenamente, en verdadera esperanza y gozo, por el poder del Espíritu Santo. ¡Alabado sea el Señor!

Una oración para hoy: *Dios de esperanza, me regocijo en el conocimiento de que contigo la vida es siempre digna de ser vivida.*

LA GOZOSA SECUENCIA DE SALVACION

Para ser ministro de Jesucristo a los gentiles, ministrando el Evangelio de Dios, para que los gentiles le sean ofrenda agradable, santificada por el Espíritu Santo. Romanos 15:16.

Como un joven evangelista invertía la secuencia de salvación que encontramos en Romanos 15. Primero le enseñaba a la gente la verdad y bosquejaba ante ellos lo que consideraba que eran todos los requerimientos que Dios esperaba de aquellos a quienes salvaría. Entonces esperaba para ver si estaban dispuestos a ser obedientes, y si comenzaban a observar el sábado, pagar el diezmo, practicar la reforma pro salud, etc., indicaba que tenían esperanza de salvación.

Finalmente, les decía, si cumplían todos estos requerimientos suficientemente bien, esto demostraba algún progreso en la santificación. Por lo tanto, podían regocijarse un poco, pero no demasiado, ¡porque estaban inseguros de que saldrían airosos en el tiempo de angustia!

Alabado sea el Señor por el gozo de descubrir el maravilloso enfoque que usaba Pablo cuando ministraba a los gentiles con el poder del Espíritu. Primero, cuando los gentiles oían sobre Jesús y lo aceptaban como su Salvador, podían regocijarse y alabar al Señor (Rom. 15:7-11). En el momento en que Jesús se convertía en el Señor de sus vidas, tenían plena esperanza en él por el poder del Espíritu (vers. 12-13). Ahora, gracias al Evangelio, los gentiles eran considerados como santificados delante de Dios, aun cuando, obviamente, todavía tenían mucho que aprender y muchas victorias por alcanzar (vers. 16). Finalmente, por el hecho de que estaban salvos por Jesús y se regocijaban en él, llegaban ahora a obedecer las verdades que el Espíritu Santo les revelaba progresivamente. Hacían esto felices, no para ser salvos sino porque sabían que estaban salvos (vers. 18).

¿Qué secuencia está siguiendo usted en su propia vida y en el testimonio a otros? Si usted todavía no ha hecho la transición, sé que le aguarda una sorpresa maravillosa cuando pase de la secuencia legalista a la secuencia del Evangelio, de gozo y esperanza en Jesús. Este es el ministerio del Espíritu Santo. Entone alabanzas a Dios al recordar que el Espíritu lo presenta siempre a Dios como una persona santa.

Una oración para hoy: *Señor, me regocijo nuevamente hoy en la absoluta seguridad de la salvación que tengo como un "gentil" en Jesús.*

PODEROSAS SEÑALES Y PRODIGIOS

Con potencia de señales y prodigios, en el poder del Espíritu de Dios; de manera que desde Jerusalén, y por los alrededores hasta Ilírico, todo lo he llenado del evangelio de Cristo. Romanos 15:19.

Hubo por lo menos diez clases de señales y prodigios relacionados con la predicación del Evangelio en el libro de los Hechos. No sólo fueron los incrédulos sacudidos al presenciar el don de lenguas, sino que también hubo evidencia de sanamientos, visiones, resurrecciones y otros milagros. Catorce veces en el libro de los Hechos se mencionan señales y prodigios en relación con la predicación del Evangelio, y su efecto en el crecimiento de la iglesia fue explosivo.

Para mediados del siglo XIX, la mayoría de las iglesias habían redactado credos que excluían las señales y los prodigios. Cuando dones milagrosos como el don de sanidad y el de las profecías comenzaron a manifestarse en la Iglesia Adventista en sus comienzos, las denominaciones principales los criticaron como peligrosos y falsos. Como respuesta a estas críticas, el joven predicador Jaime White escribió una enérgica declaración en 1864, que fue incluida en el prefacio del libro *Spiritual Gifts* (Dones espirituales, tomos 3 y 4). "En las iglesias populares estos dones han sido sustituidos por credos humanos... Nosotros también deseamos exaltar la Biblia, y les diríamos a aquellos que nos acusan de tomar los dones en vez de la Biblia, que no estamos satisfechos con una parte del Tomo sagrado, sino que reclamamos toda la Biblia como nuestra, toda la Biblia, dones y todo lo demás... Es evidente que si se recibiesen los dones, destruirían los credos humanos, y si se recibieran los credos, éstos dejarían fuera los dones" (pp. 29-30).

Algunos cristianos evangélicos, basando sus creencias en las notas de la Biblia de Scofield, aseveran que las señales y prodigios terminaron a fines del primer siglo. La esposa de Jaime White, Elena, corrigió esta interpretación cuando el Espíritu Santo la inspiró a escribir acerca del tiempo actual: "En visiones de la noche pasó delante de mí un gran movimiento de reforma en el seno del pueblo de Dios. Muchos alababan a Dios. Los enfermos eran sanados y se efectuaban otros milagros" (*Joyas de los testimonios*, t. 3, p. 345). Pero luego, haciendo una advertencia sobre el peligro de ser engañados, escribió: "El pueblo de Dios no son los únicos que tendrán poder para hacer milagros en los últimos días" (*Manuscrito 19*, p. 54).

No permita que los peligros impidan que usted espere un milagro hoy.

Una oración para hoy: *Señor, estoy dispuesto a presenciar tus señales y prodigios, especialmente si resultan en vidas transformadas y victorias espirituales.*

LAS ORACIONES DE AQUELLOS QUE AMAMOS

Os ruego, hermanos, por nuestro Señor Jesucristo y por el amor del Espíritu, que me ayudéis orando por mí a Dios. Romanos 15:30.

Poco después del año 60 d.C., Pablo declaró su ferviente deseo de que los fieles de Roma, quienes habían sido llenos de amor por el Espíritu Santo, agonizaran en oración intercesora por él. A comienzos del siglo XX, James D. Vaughan sintió el mismo deseo urgente tal como se lo expresa en este hermoso himno:

> "Oh, que oren por mí,
> que mi alma al cielo lleven,
> que ante mi Dios intercedan,
> aquellos a los que amo".

Al comenzar el siglo XXI, tenemos una necesidad imperiosa de guerreros de la oración intercesora. Necesitamos saber que otros oran sinceramente por nosotros y con nosotros. En el ambiente cristiano se utiliza la expresión "estaré orando por usted", o "lo recordaré en mis oraciones" como una muestra de preocupación por el bienestar de la otra persona. Pero, ¿cuántas veces sucede esto en realidad? Sólo dentro de un cristianismo lleno del Espíritu Santo, donde el amor de Dios es derramado en la vida de las personas, es que estas promesas de oración son fidedignas.

El 12 de junio de 1993, más de un millón de cristianos en 40 países marcharon por las calles de más de 850 ciudades y pueblos. Su propósito era el de ofrecer oraciones intercesoras, no sólo por los millones irredentos en las grandes ciudades de la tierra, sino también a favor de los misioneros actuales y los líderes de gobierno. Hubo oración concentrada a favor de que los poderes del mal perdieran su control sobre individuos y áreas geográficas y que, de una manera sobrenatural, se revelaran el poder salvador y la verdad divina.

Si el Señor lo dirige a comenzar un ministerio de oración intercesora, comience hoy a orar por líderes, naciones, ciudades e individuos que el Espíritu Santo le traiga a la mente. Pídale al Señor que lo ponga en contacto con otros que tienen la misma convicción, y únase a ellos regularmente en oración. A la vez que su grupo crece en tamaño, asegúrese de que cada intercesor tiene un compañero de oración que se ocupa de sostener su ánimo. Sí, incluso al igual que el gran apóstol Pablo, todos necesitamos las oraciones de aquellos que amamos.

Una oración para hoy: *Padre, te alabo por las personas cuyas oraciones me han ayudado tanto.*

EVANGELISMO DE PODER

Ni mi palabra ni mi predicación fue con palabras persuasivas de humana sabiduría, sino con demostración del Espíritu y de poder. 1 Corintios 2:4.

John Wimber era un músico de *jazz* cuando se convirtió al cristianismo en 1962. Con el tiempo se unió a una Iglesia de los Amigos en California, en la que sirvió como miembro y pastor por más de 13 años. Después de enseñar en un seminario por algún tiempo, comenzó una reunión de oración en casas que se convirtió en la iglesia Vineyard Fellowship (Comunión en el viñedo). En diez años se multiplicó hasta formar 140 congregaciones con más de 40.000 miembros. Estas iglesias destacan los dones del Espíritu.

Aunque los evangélicos pueden no estar de acuerdo con todos los métodos o con la teología de Wimber, su definición de un evangelismo poderoso suena muy parecida a la del apóstol Pablo. "El evangelismo de poder es una presentación espontánea del Evangelio, inspirada por el Espíritu y poderosa. El evangelismo de poder es evangelismo precedido y sostenido por demostraciones poderosas de la presencia de Dios" (*Power Evangelism*, p. 35).

Pablo no sólo predicó el gran mensaje de salvación por medio de la vida y muerte de Jesús, sino que también evidenció la omnipotencia divina por medio de señales y prodigios que el Espíritu Santo escogió hacer por su medio. Pablo profundamente deseaba que los conversos basasen su fe, no en su sorprendente razonamiento y habilidad para el debate, sino en el poder de Dios que producía milagros.

La mente occidental con su énfasis en el racionalismo y el método científico ha sido confrontada mayormente por medio de un evangelismo programático, basado en una comunicación lógica centrada en el mensaje y con énfasis en la organización y elementos técnicos. Como era de esperar, los resultados han dejado que desear. Por otra parte, las sociedades de países en desarrollo han visto un tremendo crecimiento de la iglesia cuando se ha seguido el plan de evangelismo de poder utilizado por Pablo. Se han utilizado los dones del Espíritu para la gloria de Dios.

Una forma de seguir el método evangelístico de Pablo es buscar la oportunidad de orar por la sanidad de los enfermos en su comunidad. No tiene que dar la impresión que usted es un obrador de milagros, sino que usted tiene un Dios todopoderoso. Al mismo tiempo, puede enseñar los sencillos principios de una vida sana, que también demuestran el gran poder del Dios creador.

Una oración para hoy: *Señor, ayúdame a no quedar satisfecho con una fe meramente teórica.*

CUANDO EL ESPIRITU SE REVELO A UN ABOGADO

Pero Dios nos las reveló a nosotros por el Espíritu; porque el Espíritu todo lo escudriña, aun lo profundo de Dios. 1 Corintios 2:10.

Allá por 1821, Charles Finney era un abogado muy exitoso de Nueva York quien tenía muy poco interés por las cosas de Dios. Sin embargo, Dios deseaba revelar algunas cosas profundas a Finney por medio del Espíritu Santo. Estas grandes verdades no sólo cambiarían su vida, sino que también impondrían un modelo de reavivamiento y evangelismo que todavía influye sobre el cristianismo a fines del siglo XX.

Finney no había sido criado en un ambiente religioso y encontraba las predicaciones "aburridas, poco interesantes y descuidadas" cada vez que asistía a la iglesia. Aunque había discutido varias veces con un ministro bien educado, sentía que muchas preguntas quedaban sin respuestas y muchos términos sin definición. "¿Qué quiso decir con eso de arrepentimiento?", escribió Finney. "¿Será meramente un sentimiento de pena por el pecado? ¿Se trata de un estado mental pasivo, o involucra un elemento voluntario?... ¿Qué quiso decir con la palabra fe?... ¿Se trata únicamente de una convicción o persuasión de que lo que dice el Evangelio es verdad?" (*Memoirs of Rev. Charles G. Finney*, p. 8).

El abogado de 29 años de edad se encontraba en la situación que Pablo describe en la cual sus ojos no podían ver, ni sus oídos oír las cosas que Dios prepara para aquellos que lo aman. Quizá usted conozca a alguien que se encuentra en la misma posición que Finney. Si es así, nunca deje de confiar y orar por la conversión de este individuo, porque en las circunstancias más sorprendentes, el Espíritu Santo puede revelar cosas profundas a una mente que súbitamente se abre para recibir el mensaje de Dios.

Las palabras de Pablo en 1 Corintios 2:9-10, no se refieren tanto al cielo como al Evangelio. Cuando Finney comenzó a ver y a oír, a través de la obra del Espíritu en su vida, el cambio fue dramático. "Justo en este momento todo el asunto de la salvación por el Evangelio entró a mi mente de una manera sumamente maravillosa. Pienso que entonces vi, tan claro como alguna vez he visto en la vida, la realidad y plenitud de la expiación de Cristo. Vi que su obra era una obra terminada; y que en vez de tener, o necesitar, alguna justicia propia que me recomendase ante Dios, debía someterme a la justicia de Dios a través de Cristo" (*Id.*, p. 14).

Una oración para hoy: *Padre, revélame hoy nuevamente tus cosas profundas, todo para la gloria de tu Evangelio en Jesucristo.*

EL ESPIRITU BAUTIZA A UN ABOGADO

Porque ¿quién de los hombres sabe las cosas del hombre, sino el espíritu del hombre que está en él? Así también nadie conoció las cosas de Dios, sino el Espíritu de Dios. 1 Corintios 2:11.

—¿Qué estás pensando? —le pregunté a un amigo.

¿Alguna vez se ha preguntado lo que está pasando por la mente de otra persona? Sólo la persona misma puede saber todas las palabras, imágenes y sentimientos que están llenando sus pensamientos. De la misma manera, sólo el Espíritu Santo sabe lo que está en la mente de Dios.

¿Qué es lo que Dios desea que yo haga? ¿Adónde es que Dios desea que vaya? ¿Qué piensa Dios de mí cuando me avergüenzo de que me vean de rodillas ante él?

El Espíritu Santo, quien sabe exactamente lo que Dios piensa, le dio al joven abogado Charles Finney las respuestas a sus preguntas más urgentes. En respuesta a su confesión, sus lágrimas y ferviente oración, recibió lo que llamó "un poderoso bautismo del Espíritu Santo" (*Memoirs of Rev. Charles Finney*, p. 20).

"Sin haberlo esperado, sin haber pensado siquiera que pudiera haber algo así para mí, sin ningún recuerdo de haber escuchado sobre esto de parte de ninguna persona en el mundo, el Espíritu Santo descendió sobre mí de una manera que pareció atravesarme, cuerpo y alma. Pude sentir la impresión, como una oleada de electricidad que me pasaba una y otra vez. De hecho, parecía venir en oleadas y oleadas de amor líquido; porque no podía expresarlo de otra manera. Parecía como si fuese el mismo aliento de Dios" (*Ibíd.*).

En ese momento de poder irresistible, el Espíritu Santo le comunicó a Finney lo que Dios tenía en mente para él. Inmediatamente reconoció la "doctrina de la justificación por la fe como una experiencia presente" (*Id.*, p. 23). Su sentimiento de condenación se evaporó. Supo que Dios lo estaba llamando al ministerio. Aprendió que "la obediencia a la voluntad revelada de Dios debe ser inmediata, implícita e irrevocable" (V. Raymond Edman, *Finney Lives on*, p. 46).

Lo que Dios tiene en mente para usted puede diferir de lo que tenía en mente para Finney, pero cuando sea lleno del Espíritu Santo, seguramente lo sabrá.

Una oración para hoy: *Dame tu gracia, querido Señor, para recordar que tus pensamientos para mí son siempre buenos y lo mejor, y que yo pueda hacer tu voluntad en tu poder.*

CONTANDO LOS DONES DE DIOS

Nosotros no hemos recibido el espíritu del mundo, sino el Espíritu que proviene de Dios, para que sepamos lo que Dios nos ha concedido. 1 Corintios 2:12.

Como en el caso del abogado de Nueva York Charles Finney, es gracias a nuestra conversión y nuestro henchimiento subsiguiente del Espíritu Santo que llegamos a reconocer las cosas que Dios nos ha dado gratuitamente. Finney sabía que había recibido el don de la vida eterna (Rom. 6:23) y también el don del Espíritu Santo (Hechos 2:38). Se regocijó de que la justicia es un don (Rom. 5:17), al igual que el llamado al ministerio y la habilidad para servir en esa capacidad (Efe. 3:7).

Basados en las Escrituras, quizá podamos añadir a la lista de "lo que Dios ha concedido".

En primer lugar, no obstante, Pablo está discutiendo nuestra fuente de sabiduría espiritual. No proviene de una escuela, colegio, o universidad, como a menudo sucede con el conocimiento intelectual, sino que depende de la iluminación provista por el Espíritu Santo. La Escritura misma es un don que fue concedido por la inspiración divina (2 Tim. 3:16), y es el Espíritu de verdad (Juan 14:17) quien alumbra la mente humana para que discierna "lo profundo de Dios".

Mientras Charles Finney abría su corazón a Dios con seriedad y sinceridad, el Espíritu comenzó a iluminar su mente. "Justo en ese momento, este pasaje de las Escrituras pareció caer en mi mente inundándola con su luz", testifica Finney. " 'Y me buscaréis y me hallaréis, porque me buscaréis de todo vuestro corazón'. Inmediatamente me aferré a esta promesa.

"Antes había creído intelectualmente en la Biblia; pero la verdad nunca había estado en mi mente... Yo supe que era la palabra de Dios, y la voz de Dios, la que me habló" (*Memoirs of Rev. Charles Finney*, p. 16).

No se fíe de fuentes de segunda mano para comprender "lo profundo de Dios", sino ore mientras lee las Escrituras, pidiéndole al Espíritu Santo que ilumine su mente con una verdadera sabiduría espiritual.

Una oración para hoy: *Señor, nuevamente reclamo los grandes dones que tú nos concedes libremente.*

COMPARTIENDO LA VERDAD ESPIRITUAL

Lo cual también hablamos, no con palabras enseñadas por sabiduría humana, sino con las que enseña el Espíritu, acomodando lo espiritual a lo espiritual. 1 Corintios 2:13.

Después de su conversión en 1821, Charles Finney fue a su oficina y se encontró con su socio, el juez Wright. Inmediatamente el Espíritu Santo dirigió a Finney para que impartiese palabras que trascendían la sabiduría humana. Al escuchar el juez la verdad acerca del don de la salvación divina a través de Jesucristo y el bautismo del Espíritu, sintió una profunda convicción y dejó la oficina para dedicarse a la oración. Cuando regresó algunos días después, el juez Wright cayó de rodillas en acción de gracias a Dios y contó cómo "el Espíritu Santo vino sobre él y lo llenó de gran gozo" (*Memoirs of Rev. Charles Finney*, p. 33).

Poco después de la dramática experiencia del juez, Finney pudo predicar en su iglesia presbiteriana local. El edificio estaba totalmente lleno, y otro abogado expresó en alta voz su creencia de que Finney estaba desquiciado. Pero la gran mayoría de los reunidos quedaron profundamente emocionados por el testimonio espontáneo y lleno del Espíritu Santo de Finney. Pocos días después cuando predicó en Evans Mills, Finney testificó que "el Espíritu de Dios vino sobre mí con tal poder, que fue como si les hubiera disparado cañonazos a la congregación. Por más de una hora, quizá una hora y media, la Palabra de Dios vino a través de mí para ellos de una manera que pude ver que los impactaba" (citado por V. Raymond Edman, *Finney Lives On*, pp. 41-43).

El Espíritu Santo usó a Charles Finney de una manera poderosa que trajo reavivamiento a las iglesias espiritualmente muertas de su tiempo; no sólo en Norteamérica, también a lo largo de Gran Bretaña. En una ocasión cuando Finney habló en un programa conjunto de bautistas y congregacionalistas "el Espíritu de Dios vino con tal poder a ese servicio que por largo tiempo nadie podía levantarse de sus rodillas, y sólo podían llorar, confesar y derretirse ante el Señor" (*Id.*, p. 43).

Oremos para que nuevamente el Espíritu Santo pueda impartir verdades espirituales a aquellos que poseen el Espíritu de manera que podamos ser parte del último gran reavivamiento; el reavivamiento de la lluvia tardía.

Una oración para hoy: *Padre, que pueda escuchar tu Santo Espíritu cuando me enseñe la verdad espiritual de una manera que produzca un gran reavivamiento en mi vida.*

RESISTIENDO EL REAVIVAMIENTO

Pero el hombre natural no percibe las cosas que son del Espíritu de Dios, porque para él son locura, y no las puede entender, porque se han de discernir espiritualmente. 1 Corintios 2:14.

Los cristianos profesos a menudo resisten el concepto de un reavivamiento como "locura", porque la naturaleza humana por sí sola es incapaz de discernir el significado de las cosas espirituales. La palabra que utilizó el apóstol Pablo para "discernir" significa un proceso de cernir o entresacar hasta llegar a la verdad, como un juez investigaría los hechos. Sólo aquellos que están llenos del Espíritu Santo pueden saber y entender los componentes espirituales de un reavivamiento.

Cuando el abogado Charles Finney fue llenado del Espíritu Santo y comenzó a ser utilizado por el Señor en poderosas reuniones de reavivamiento, esperaba alguna oposición de parte de los incrédulos, cuyos intereses económicos o sociales quedaban afectados por la predicación del Evangelio. Quedó entristecido, sin embargo, como escribe V. Raymond Edman, por la "sutil y peligrosa oposición de parte de cristianos profesos. Hacia el mismo comienzo de su testificación por Cristo en su propia comunidad, Finney les propuso a los jóvenes que se unieran en un plan concertado de oración por un reavivamiento, y que cada uno orase en la mañana, al mediodía y al ponerse el sol. Más tarde organizó una reunión diaria de oración que se reunía antes de comenzar el día; como resultado, el poder del reavivamiento comenzó a impactar la comunidad.

"Entonces comenzó a notar para su desaliento, que los miembros antiguos de la iglesia lo criticaban a él y al nuevo movimiento entre los nuevos conversos" (*Finney Lives On*, p. 50).

Finney también enfrentó oposición al reavivamiento en una denominación de parte de miembros de otra, y los predicadores influyentes de la época tildaron el reavivamiento como mera excitación religiosa.

El Dr. Lyman Beecher, el famoso predicador de Boston que se había opuesto inicialmente a las reuniones de reavivamiento de Finney, más tarde testificó: "Esa fue la mayor obra de Dios y el mayor reavivamiento religioso que el mundo ha visto en tan corto tiempo. En un año, cien mil personas se habían unido a las iglesias como resultado de ese gran reavivamiento" (*Id.*, p. 69).

No se sorprenda ante la resistencia que pueda despertar el reavivamiento en su propia comunidad o congregación. Ore por el Espíritu Santo y permita que él prepare su corazón para que cuando llegue el reavivamiento, usted pueda ser un participante activo en el mismo.

Una oración para hoy: *Señor, que al ayudarme a discernir tu verdad, puedas comenzar tu gran reavivamiento conmigo.*

CONSTRUYENDO O DERRUMBANDO EL TEMPLO

¿No sabéis que sois templo de Dios, y que el Espíritu de Dios mora en vosotros? Si alguno destruyere el templo de Dios, Dios le destruirá a él; porque el templo de Dios, el cual sois vosotros, santo es. 1 Corintios 3:16-17.

Cuando el Espíritu Santo guía a los cristianos a que se unan para formar el cuerpo de Cristo, o la iglesia, él cuenta a ese grupo de creyentes como parte de su casa o familia. Los líderes religiosos judíos del primer siglo ridiculizaban a los cristianos porque éstos no tenían templos, ni siquiera sinagogas. Por lo tanto, Pablo les recordó a los seguidores de Jesús que el interés de Dios estaba puesto —no en edificios— sino en la comunión espiritual y la unidad entre aquellos que aman al Señor.

El ministerio del Espíritu Santo es el de unir a los cristianos en amor y pureza, así que él no aprecia a aquellos que intentan corromper o destruir la iglesia. Así como dijo el erudito en griego, A. T. Robertson: "Aquí hay suficiente material de advertencia para hacer que cada pastor [o miembro] se tome una pausa antes de romper en pedazos una iglesia para vindicarse a sí mismo" (*Word Pictures in the New Testament*, t. 4, p. 99). Dios advierte que los que destruyen la iglesia serán castigados.

Charles Finney estaba hondamente preocupado por aquellos que estaban destruyendo la iglesia a mediados del siglo XIX. La pionera adventista Elena de White, quien tenía la misma preocupación, citó a Finney en *El conflicto de los siglos*: "Tenemos además otro hecho más que confirma lo dicho y es la falta casi universal de influencias reavivadoras en las iglesias... Basta con que las pruebas... nos abrumen para demostrarnos que las iglesias en general están degenerando de un modo que da pena. Se han alejado muchísimo de Dios, y él se ha alejado de ellas" (p. 427).

La agencia para la purificación de la iglesia no son ataques destructivos o prejuiciados contra los líderes, las doctrinas o las normas de la iglesia, sino el poder del Espíritu Santo en las vidas de individuos que conjuntamente componen el cuerpo de Cristo. La oración y el reavivamiento harán la labor de limpiar el "edificio de Dios". Cuando el Espíritu Santo convence a los miembros de iglesia de que deben cambiar ciertas cosas en su vida, la iglesia es convencida, reconvertida, reavivada y reconstruida sobre el fundamento de Jesucristo.

Una oración para hoy: *Gracias, Señor, por llamarme a ser parte de la casa donde tú moras. Que yo siempre sea uno que edifique el cuerpo de Cristo.*

BIENVENIDA A LOS SANTOS

Y esto erais algunos; mas ya habéis sido lavados, y habéis sido santifica-dos, ya habéis sido justificados en el nombre del Señor Jesús, y por el Espíritu de nuestro Dios. 1 Corintios 6:11.

Hace años leí la historia de un niñito que visitó una hermosa catedral con su padre. El pequeño estaba intrigado con los ventanales de coloridos vidrios, y cuando preguntó quiénes eran las personas que allí estaban representadas, se le dijo que eran santos. Algún tiempo después, cuando contaba a otros de su visita a la catedral, el niño mostró su alegría por haber visto a los santos y explicó que estos eran "personas que dejan que la luz los atraviese".

Aunque las personas a las que Pablo les escribió en Corinto estaban luchando con muchos problemas personales, Pablo dijo que habían sido llamados a ser santos y que habían sido santificados (1 Cor. 1:2). Hoy, usando términos teológicos acuñados en la Reforma, diríamos que eran creyentes o cristianos, que estaban en el proceso de ser santificados.

Arnold Wallenkampf hace una diferencia entre santificación teológica y bí-blica: "La santificación bíblica, por lo tanto, usualmente denota la respuesta afirmativa del pecador a los ruegos divinos por medio del Espíritu Santo, y su aceptación de Jesús como su Salvador. Esto se distingue de la aceptación del pecador por parte de Dios, que se la conoce como justificación" (*Justified*, p. 97). Dios cuenta como santos a aquellos que se vuelven a él, o los inviste de santidad de manera que puedan ser llamados santos.

El *Comentario bíblico adventista* tiene una nota interesante sobre el tema de la santificación bíblica: "El griego insinúa el pensamiento de que fuimos santi-ficados y ahora permanecemos en estado de santificación. La santificación se la contempla aquí no desde el aspecto de un proceso continuo... sino en térmi-nos de un cambio radical del pecado a la santidad, y como una continuación en ese estado" (t. 7, p. 476).

Como dijo el niño, los santos son personas que dejan pasar la luz. Usted puede ser uno de ellos, porque ha sido lavado, santificado y justificado por la sangre de Jesús y el poder del Espíritu. A la vista de Dios, usted es tan limpio y transparente como una ventana de vidrios a colores.

Una oración para hoy: *En tu fortaleza, Señor, ayúdame a ser tan limpio y apartado del pecado como soy visto por ti a través de la sangre de Jesús.*

TEMPLO DOS DEL ESPIRITU SANTO

¿O ignoráis que vuestro cuerpo es templo del Espíritu Santo, el cual está en vosotros, el cual tenéis de Dios, y que no sois vuestros? 1 Corintios 6:19.

Watchman Nee cuenta la historia de un cristiano de la China que viajaba en un tren junto a tres incrédulos. Para entretenerse, los tres hombres decidieron jugar a los naipes pero necesitaban a otra persona para formar un grupo de cuatro. Cuando le pidieron al cristiano que se les uniera, éste contestó: "Siento no poder hacerlo, pero no puedo unirme a ustedes en su juego porque no traje mis manos conmigo".

—¿Qué quieres decir? —le preguntaron atónitos.

—Este par de manos no me pertenecen —les explicó refiriéndose al traspaso de propiedad que había ocurrido en su vida cuando aceptó a Jesús como su Salvador. Este cristiano chino pudo experimentar muchas victorias porque entendía que los miembros de su cuerpo pertenecían enteramente al Señor.

El Templo Uno del Espíritu Santo, tal como Pablo les explicó a los corintios, es el cuerpo corporativo de los creyentes, conocido también como la "iglesia". Dios advierte que cualquiera que corrompe o profana la iglesia será destruido, porque la iglesia es el cuerpo que Jesús ha comprado con su propia sangre (1 Cor. 3:16-17; Hech. 20:28). Ahora, en 1 Corintios 6:19-20, Pablo les presenta a los creyentes el Templo Dos del Espíritu Santo. Este templo es la persona completa, quien se transforma en la morada del Espíritu Santo en el momento de la conversión.

El Espíritu Santo no mora en un compartimiento o un segmento espiritualmente sensible en la mente del individuo, sino que habita el ser humano en su totalidad. O es Señor de todo o Señor de nada. El cristiano del tren reconocía que no sólo su corazón, sino también sus manos pertenecían al Señor. Podía aplicar el mismo principio a cualquier parte de su cuerpo.

Pablo no intenta amenazarnos en este versículo con los peligros de profanar el Templo Dos, sino que se refiere a las grandes posibilidades que tenemos en el poder del Espíritu Santo. Es posible glorificar a Dios, incluso en nuestros cuerpos.

Una oración para hoy: *Padre, que pueda glorificarte hoy como el Señor de cada área de mi vida y cada miembro de mi cuerpo.*

¿OPINION PERSONAL O VERDAD INFALIBLE?

Pero a mi juicio, más dichosa será si se quedare así; y pienso que también yo tengo el Espíritu de Dios. 1 Corintios 7:40.

"¿Qué quieres decir, Pablo?" Hay varias ocasiones en los escritos de Pablo en las que quisiéramos hacerle esta pregunta. Incluso Pedro tenía el mismo problema con su colega y dijo que Pablo escribió algunas cosas "difíciles de entender" (2 Ped. 3:16).

El Dr. Stanley M. Horton, comentando sobre 1 Corintios 7:40, sugiere un par de alternativas. "Después de compartir su opinión sobre ciertos asuntos relacionados con el matrimonio, Pablo dice (literalmente) 'pienso que también yo tengo el Espíritu de Dios'. Ya ha dicho que tiene el Espíritu. Algunos entienden que él no tiene un mensaje de Cristo en cuanto a este asunto, pero que de todas maneras tiene el Espíritu de Dios. Otros toman esto como una declaración irónica, que Pablo estaba declarando que él también tenía el Espíritu tanto como o más que cualquiera de sus enemigos que se oponían a sus enseñanzas" (*What the Bible Says About the Holy Spirit*, p. 206).

Podemos estar seguros en base a muchas referencias en los escritos de Pablo que él está convencido de que está lleno del Espíritu Santo. Pero incluso personas llenas del Espíritu pueden fallar en sus opiniones o malentender algunos detalles de las revelaciones que les llegan por el Espíritu. Pablo mismo enfrentó esta situación cuando se dieron interpretaciones proféticas acerca de su arresto en Jerusalén (Hech. 21:4-14). Por esto es que les advierte a los cristianos que no desprecien las profecías y que examinen todo para retener lo que es bueno (1 Tes. 5:20-21).

No hay incertidumbre, no obstante, con respecto a la convicción de pecado y el conocimiento de la verdad que el Espíritu Santo produce en aquellos que se rinden a él. El evangelista metodista Sam P. Jones cuenta de una mujer que se adelantó en una de sus reuniones. "Dr. Jones —dijo ella—, Dios me está hablando sobre el pecado en mi vida, pero no sé exactamente de qué o cuál pecado se trata".

Sam Jones respondió, "arrodíllese y trate de adivinarlo".

En el instante en que se puso de rodillas supo exactamente de cuál pecado se trataba.

Una oración para hoy: *Señor, voy a escuchar cuidadosamente a tu Espíritu cuando me convence de los cambios esenciales para mi salvación y me ayuda a testificar en favor de otros.*

MALDICELO O RECLAMALO COMO SEÑOR

Nadie que hable por el Espíritu de Dios llama anatema a Jesús; y nadie puede llamar a Jesús Señor, sino por el Espíritu Santo. 1 Corintios 12:3.

Mientras me abría camino por las calles de la ciudad turca de Izmir para visitar el lugar señalado por la tradición como la tumba de Policarpo, me maravillaba nuevamente ante la fe de este valiente mártir cristiano. Policarpo nació alrededor del año 70 d.C. y conocía a testigos oculares del ministerio de Jesús, quizá posiblemente al mismo apóstol Juan. Poco antes del 110 se convirtió en obispo de Esmirna, como se conocía a Izmir en aquella época. Cuando Policarpo tenía 86 años de edad, lo tomaron preso luego que una turba de judíos y paganos lo culparon de los desastres naturales que afectaban esa parte de Asia.

En el relato auténtico del martirio de Policarpo, escrito por los cristianos de Esmirna, tenemos el famoso testimonio de este gran hombre de Dios. Se lo conminó a decir "Señor César", pero cada vez respondía "Señor Jesús". Finalmente el procónsul le insistió "maldice y te libertaré; maldice al Cristo".

Policarpo respondió en el poder del Espíritu Santo, "ochenta y seis años lo he servido y no me ha hecho ningún daño; ¿cómo habré de blasfemar a mi rey que me ha salvado?" Como millones de otros a través de los siglos, Policarpo murió triunfalmente por su fe como cristiano.

Los líderes religiosos del primer siglo, incluyendo posiblemente a Pablo antes de su conversión, profesaban ser inspirados por el Espíritu de Dios cuando denunciaban y maldecían a Jesús. Pablo les dijo a los corintios que era imposible que los judíos hubiesen sido inspirados por el Espíritu. También era imposible que proviniesen de Dios las denuncias de los paganos en contra de Jesús. Cualquier poder sobrenatural que profesara proceder del Espíritu Santo y resultara en ataques contra Jesús obviamente no podía venir de Dios.

Pablo declaró que los verdaderos dones del Espíritu, distribuidos como el Espíritu cree necesario, resultarán en la glorificación de Jesús como Señor. Dios, por medio de un don profético, le había mostrado a Policarpo cómo habría de morir. Esa visión fue confirmada cuando él proclamó a Jesucristo como Señor en el poder del Espíritu Santo.

Una oración para hoy: *Dame un testimonio fuerte y verdadero, amado Señor, de manera que tu nombre sea exaltado por medio de cada uno de los dones espirituales que decidas utilizar en mi vida.*

BUSCANDO DONES ESPIRITUALES

Hay diversidad de dones, pero el Espíritu es el mismo. 1 Corintios 12:4.

Ray y Susan habían completado un examen para determinar cuáles eran sus dones espirituales y después de haber marcado decenas de casillas, habían llegado a una sorprendente conclusión. Ray descubrió que su don era el martirio, mientras que Susan demostró tener el don del celibato. En ese entonces su matrimonio estaba pasando por una crisis, y luego de conversar con ellos quedé confirmado en mi escepticismo acerca de este tipo de examen.

Antes de 1970 se había escrito poco sobre los dones espirituales. Luego se popularizó la práctica de intentar descubrir cuál es el lugar especial que Dios tenía para cada uno en su obra por medio del análisis de los puntos fuertes y débiles y las habilidades de cada uno. Esta información a menudo se la utilizaba mal. Por ejemplo, aquellos que no tenían una naturaleza generosa excusaban su falta de dadivosidad, diciendo que este no era su don espiritual. Hoy, sin embargo, se han desarrollado algunos instrumentos útiles para darle a las personas la oportunidad de descubrir cómo pueden servir mejor al Señor.

Hay tres listas de dones espirituales a las que puede referirse en sus oraciones. Dos listas contienen dones de servicio sobrenatural o de ministerio de apoyo; la tercera incluye otros dones de poder sobrenatural para el ministerio. Todos los dones exaltan la soberanía de Jesús y no a la persona o siquiera al Espíritu Santo. Observe los dones de Dios en Romanos 12 y descubrirá habilidades especiales que se otorgan para servir al Señor. En Efesios 4:1-16, encontrará los dones de Cristo, que son en primer lugar habilidades para desempeñar aspectos del ministerio.

Encontrará una diferencia notable al leer los dones del Espíritu Santo en 1 Corintios 12. Estos son nueve dones sobrenaturales que están disponibles a todos los cristianos en cualquier momento, de acuerdo con las necesidades que se les presentan en el servicio a Dios. (Puede leer lo que la pionera de la Iglesia Adventista, llena del Espíritu Santo, escribió sobre esto en *El Deseado de todas las gentes*, pp. 762-763.)

J. Rodman Williams ha dicho acerca de los dones en 1 Corintios 12: "Los dones espirituales no son talentos latentes o habilidades desarrolladas llevadas a una expresión consumada. Los dones del Espíritu no son un aumento de lo ya presente, no importa cuán elevada sea la habilidad. Son dotaciones, no mejoras" (*Charisma*, noviembre, 1992, p. 26). Estas dotaciones están disponibles para usted hoy.

Una oración para hoy: *Ayúdame, Señor, a utilizar cada don que me das en tu servicio.*

DONES PARA EL BIEN DE TODOS

A cada cual se le otorga la manifestación del Espíritu para provecho común. 1 Corintios 12:7, Biblia de Jerusalén.

El emperador romano Constantino modificó la religión cristiana de un movimiento basado en el ministerio de todos los fieles a un deporte de espectadores. William McRae, en su libro *Dynamics of Spiritual Gifts* (Dinámica de los dones espirituales), cuenta de una pregunta que le hicieron a Bud Wilkinson, entrenador de fútbol de la Universidad de Oklahoma antes de integrarse al programa de aptitud física auspiciado por el presidente de los Estados Unidos. "¿Qué contribución presta el deporte profesional a la salud física de los norteamericanos?"

Wilkinson respondió con una declaración que ahora es notoria: "Muy poca. Un juego de fútbol profesional es un evento en el cual 50.000 espectadores, que desesperadamente necesitan ejercicio, se sientan en bancos a contemplar a 22 jugadores que desesperadamente necesitan descanso" (p. 11).

Donde la iglesia consiste de una audiencia que observa a unos pocos artistas talentosos y a menudo exhaustos, hay mucha evidencia de falta de aptitud espiritual. La voluntad de Dios es que cada cristiano revele el poder del Espíritu por medio de dones espirituales de manera que toda la iglesia sea bendecida. Donde esto no ocurre, debido al modelo de la iglesia implantado por Constantino, entonces ésta fracasa en el cumplimiento de su ministerio de edificación, evangelización y adoración.

Por buena parte de sus primeros 300 años de existencia, el cristianismo era un movimiento basado en pequeños grupos que se reunían en las casas. Cuando las circunstancias lo permitían, los grupos pequeños se unían para un festival combinado de oración y alabanza, pero sólo en el contexto de los grupos pequeños era que cada miembro del cuerpo era capaz de utilizar sus dones espirituales para el bien común de la iglesia. Si la iglesia consistía de 10 miembros en una casa, entonces en cada reunión cada miembro tenía la oportunidad de participar con un canto, un mensaje de la Palabra, una revelación especial o el don de lenguas con su interpretación (1 Cor. 14:26). No había espectadores. Todos eran participantes.

La primera reforma de la iglesia fue una batalla teológica. La segunda fue una lucha para definir sus métodos. La primera reforma libró a la iglesia de errores de doctrina. La segunda la libró de errores en su función. En el poder del Espíritu Santo, usted puede ser parte del regreso del cristianismo a sus raíces de participación de cada miembro en el ejercicio de sus dones espirituales.

Una oración para hoy: *Señor, ayúdame a involucrarme en el ministerio de tu iglesia.*

PALABRAS DE SABIDURIA Y CONOCIMIENTO

Porque a éste es dada por el Espíritu palabra de sabiduría; a otro, palabra de ciencia según el mismo Espíritu. 1 Corintios 12:8.

"Hay un hombre en la congregación hoy que tiene dolor en la espalda causado por dos vértebras rotas. Dios está sanándolo en este mismo instante".

El predicador sincero que profirió estas palabras no tenía conocimiento previo de que un visitante con esa condición estaría en su reunión nocturna, por lo que algunos dirían que el pastor tenía "palabra de ciencia".

Aunque el Espíritu Santo, si es necesario, puede darle a sus siervos una revelación de detalles específicos de la vida de otros, esta habilidad mayormente se revela en la categoría del don espiritual de la profecía. Este fue el caso en incontables ocasiones dentro del ministerio de Elena de White.

Los dones espirituales de la sabiduría y el conocimiento son ambos dones "verbales", dones que involucran palabras. Pablo menciona "sabiduría" o "sabio" 20 veces en los primeros dos capítulos de 1 Corintios, mientras que menciona "conocimiento" o "conocer" 20 veces en los primeros ocho capítulos. Declara que el mensaje del Evangelio no dependió de la sabiduría o el conocimiento humanos, sino en palabras que demostraron el tremendo poder del Espíritu Santo (1 Cor. 2:1-5).

El don espiritual de la palabra de sabiduría, de acuerdo con una definición, permite que un cristiano comunique verdades divinas de una manera que trasciende su capacidad natural. El don de la palabra de conocimiento es una habilidad sobrenatural para enseñar las cosas de Dios, de manera que se vea claramente el resultado práctico del plan de redención.

Aunque estos dones "verbales" son mensajes inspirados que tienen un gran impacto sobre los oyentes, no añaden nada ni contradicen las Escrituras de ninguna forma. Más bien, proveen una apreciación más completa de la aplicación personal de la verdad bíblica a la vida.

En el ambiente de un grupo pequeño, que era el modelo que seguía la iglesia cristiana primitiva, las personas a las que Dios decide usar dándoles estos dones, se sorprenderán de la manera en la que podrán comprender y explicar las verdades divinas. Reconocerán que están trascendiendo su capacidad natural, y otros dirán: "¡Es increíble la manera tan clara en que me has explicado esto!"

Una oración para hoy: *Señor, ayúdame a escuchar las palabras de sabiduría o conocimiento que desees que otros compartan conmigo, o que yo comunique a otros.*

SUPER FE Y EL DON DE SANIDAD

A otro, fe por el mismo Espíritu; y a otro, dones de sanidades por el mismo Espíritu. 1 Corintios 12:9.

Al final de un seminario sobre el Espíritu Santo en Lahaina, isla de Maui, un pequeño grupo permaneció para un culto especial de sanidad. El pastor Barry y Norma Crabtree asistieron, al igual que un conocido médico de Oregon, el Dr. Louis Machlin, y su esposa Becky; y el Espíritu Santo decidió darnos algunos milagros maravillosos en esa reunión por medio de los dones espirituales de la fe y la sanidad.

Cuando nuestro culto de oración y ungimiento estaba a punto de terminarse, un dentista y otras tres personas entraron en la iglesia y nos pidieron que esperásemos hasta que pudieran traer a una anciana. Cuando llegó, el médico examinó su rodilla hinchada y extremadamente dolorosa como resultado de la artritis, la que no había podido mover o doblar por varias semanas. Oramos y cantamos juntos y pusimos la restauración de su rodilla en las manos de Dios, confiando en que él la libraría de sus síntomas cuando él creyera mejor.

En el momento en que la ungía, la ancianita repentinamente exclamó: "¡Oh, Dios, gracias!", y para nuestro asombro de inmediato vimos cómo la hinchazón se reducía y la rodilla volvía a su estado normal. En pocos minutos estaba completamente libre de dolor y fue capaz de salir caminando de la iglesia. Cuando visité el mismo lugar seis meses después, encontré que sus síntomas no habían regresado.

La Escritura nos habla de tres tipos de fe. Una es esencial para la salvación (Efe. 2:8), mientras que la otra es parte del carácter que el Espíritu Santo desarrolla en nosotros (Gál. 5:22). El tercer tipo se trata de una confianza sobrenatural en el poder de Dios para obrar milagros y dar victoria en las circunstancias más difíciles. Este es el don espiritual de la fe y se lo ilustra en Hebreos 11:33-35.

También es interesante notar que la sanidad es el único don que aparece en forma plural. Hay dones de sanidades porque Dios puede obrar milagros de diversas maneras. Pero aunque él obra por medio de la aplicación de los principios naturales de la salud y la ciencia médica, él siente un deseo especial de habilitar a su pueblo de manera que disfrute de milagros de sanidad divina en respuesta a las oraciones de fe.

Una oración para hoy: *Señor, no creo tener un don de sanidad o de gran fe, pero úsame para orar fervientemente por los que tienen necesidades especiales.*

VIGORIZADOS PARA UN MINISTERIO PODEROSO

Pero todas estas cosas las hace uno y el mismo Espíritu, repartiendo a cada uno en particular como él quiere. 1 Corintios 12:11.

¿Cuál de los nueve dones sobrenaturales del Espíritu podría usar con mayor provecho en este momento? La respuesta no depende de sus deseos, sino de la voluntad del Espíritu Santo, quien toma su decisión en base a las necesidades que usted tendrá hoy. Aunque el Espíritu aparentemente determina que algunas personas serán especialmente útiles en el uso de ciertos dones, él puede vigorizar a cualquier persona en la que mora, para responder a la necesidad del momento.

Si hay necesidad de un milagro, no decimos: "Lo siento, pero la persona que tiene ese don no está presente". Si hay necesidad de una oración de sanidad, no nos excusamos diciendo: "Desafortunadamente la persona con el don de sanidad está de vacaciones". Cualesquiera sean las circunstancias, podemos orar fervientemente por el don sobrenatural requerido para sobrellevarlas. De hecho, se nos amonesta a "procurar" y "anhelar" los dones espirituales, especialmente el don de profecía (1 Cor. 14:1, 12, 39).

En un grupo pequeño oramos por el don de sanidad, para que un hombre que estaba teniendo un grave problema de salud pudiera reponerse. En vez de esto, el Señor otorgó un don especial de fe, que le dio a la persona enferma un valor excepcional. A otra persona en el grupo le fue dado un don para discernir los espíritus y comenzó a reconocer el origen de las circunstancias que estaban causando el problema de salud. Otro miembro del grupo recibió un don de profecía y fue utilizado de una forma extraordinaria para traer "edificación, exhortación y consolación" (vers. 3).

Este es un ejemplo del verdadero ministerio evangélico en el poder del Espíritu. Se trata de personas que se preocupan por los demás, en vez de las reuniones impersonales y formales que caracterizan a gran parte del cristianismo cultural. Los dones espirituales, sea que se trate de poderes sobrenaturales, servicio cristiano práctico, evangelización, edificación, o liderazgo, forman todos parte de un ministerio en equipo. Se centran en grupos pequeños y se extienden a actividades de parte de individuos, y grupos medianos y grandes. Si usted no forma parte de un grupo pequeño y desea experimentar el florecimiento de los dones espirituales tal como ocurrió en los tiempos bíblicos, ahora es el momento de participar de un cristianismo auténtico.

Una oración para hoy: *Señor, te agradezco que cada día significa un nuevo comienzo, una nueva oportunidad de servirte a ti y bendecir a otros.*

BAUTIZADO EN UN CUERPO

Porque por un solo Espíritu fuimos todos bautizados en un cuerpo, sean judíos o griegos, sean esclavos o libres; y a todos se nos dio a beber de un mismo Espíritu. 1 Corintios 12:13.

En el momento de nuestra conversión, llegamos a ser parte del cuerpo de Jesús, y esto se lo confirma por el bautismo del agua. Hay evidencia que en los tiempos del Nuevo Testamento la conversión y el bautismo por agua se seguían de cerca uno al otro (vea la lectura del 19 de junio). Pero el bautismo en o con el Espíritu nos capacita para funcionar poderosamente como miembros del cuerpo dotados del Espíritu (Hech. 1:5, 8). Aunque las opiniones puedan diferir, aparentemente Pablo se refiere al bautismo por el Espíritu en 1 Corintios 12:13 cuando habla del ministerio en favor del cuerpo de Cristo.

El derramamiento del Espíritu Santo de manera que llene o bautice a un cristiano no debe ser confundido con el bautismo de agua, como los pioneros adventistas destacaron (vea la lectura del 9 de junio). A veces puede ocurrir antes del bautismo por agua, como en el caso de Hechos 10:44-48. Más a menudo sucede algún tiempo después del bautismo por agua, como en Hechos 8:12-17. Idealmente ocurriría en ocasión del bautismo por agua, pero reteniendo su carácter distintivo, como sucedió en el bautismo de Jesús.

Un cristiano sabe que ha "bebido", o ha sido "lleno", o "bautizado" en el Espíritu porque se trata de una experiencia "personal y consciente", como la describió J. H. Waggoner en 1877. También se la confirma por el "testimonio a nuestro espíritu" (Rom. 8:16). Esa persona reconoce inmediatamente la corriente vital de los dones espirituales que comienza a fluir a través de él o ella para satisfacer alguna necesidad del cuerpo de Jesús.

Graham aceptó a Jesús como su Salvador y fue nacido de nuevo cuando era un estudiante de academia. Después de ser sumergido en agua por su pastor, Graham continuó como miembro de su grupo de jóvenes, pero pronto cayó en la rutina del cristianismo cultural. Una noche en una reunión sobre el tema del Espíritu Santo, se dio cuenta de que el Espíritu había llenado su vida de una manera bien definida. Inmediatamente el Espíritu le dio un don de fe excepcional, y comenzó a ministrar eficazmente a otros jóvenes en el grupo. Ahora era parte de la vida del cuerpo.

Una oración para hoy: *Derrámate en mi vida, Espíritu Santo, de manera que yo rebose con bendiciones espirituales para los demás.*

¿UNA BROMA O UN OBSEQUIO?

Porque el que habla en lenguas no habla a los hombres, sino a Dios; pues nadie le entiende, aunque por el Espíritu habla misterios. 1 Corintios 14:2.

Ningún tema relacionado con el Espíritu Santo ha despertado tanta controversia como el don de lenguas. ¿Se tratará de un don genuino para los cristianos? Algunos dicen que las lenguas son idiomas conocidos. Otros sugieren que son el idioma del cielo. Juzgando por la multiplicidad de manifestaciones diferentes del don de lenguas en una variedad de ambientes religiosos, este don aparentemente es uno de los que Satanás puede falsificar con mayor facilidad. Debido a su temor a las lenguas, algunos cristianos se resisten a cualquier mención sobre el Espíritu.

Aunque Pablo le escribía a una iglesia en la que algunos miembros habían utilizado mal las lenguas, él no se oponía a este don. De hecho, él dijo: "El que habla en lengua extraña, a sí mismo se edifica" (1 Cor. 14:4). "Doy gracias a Dios que hablo en lenguas" (vers. 18). "No impidáis el hablar lenguas" (vers. 39).

Algunas veces las personas que han recibido este don han encontrado oposición de parte de aquellos que rechazan las declaraciones de Pablo. Por lo tanto, el don es mantenido dentro de un armario en vez de ser utilizado como Dios quería que lo fuese. (Vea las lecturas para el 6 y el 15 de julio.)

Debido a que se esperaba que se hablase en lenguas durante las reuniones regulares de la iglesia (vers. 26), Pablo dio indicaciones cuidadosas con el propósito de controlar su uso público. El número de mensajes en lenguas no debía pasar de tres (vers. 27). Si no había interpretación, el mensaje no debía darse (vers. 28). El ejercicio de este don no habría de causar confusión, sino contribuir a la belleza y el orden de la reunión (vers. 33, 40).

Las lenguas son una señal para los incrédulos (vers. 22). Cuando yo era un joven pastor, escuché al misionero veterano Raymond Mitchell contar una interesante experiencia que ocurrió cuando principiaba su ministerio en Fidji. Muchos de los residentes de Fidji provenían de la India, y en preparación para su trabajo entre ellos, el pastor Mitchell había intentado aprender su difícil idioma. En una gran reunión pública, un oficial del gobierno se puso de pie y se dirigió a la multitud: "Le hemos pedido al pastor adventista Mitchell que comience nuestra reunión con una oración. Ha estado en nuestro país sólo por algunos días pero ya puede orar en nuestro idioma. El pastor pentecostal ha estado aquí por muchos años, pero todavía no puede hablar nuestro dialecto". Raymond Mitchell testificó que el Señor ciertamente le había dado el verdadero don de lenguas, y este fue el comienzo de una exitosa carrera misionera.

Una oración para hoy: *Señor, que nunca resista la obra de tu Espíritu cuando me capacita para servirte a ti y glorificar a Jesús.*

EDIFICANDO EL CUERPO

Así también vosotros; pues que anheláis dones espirituales, procurad abundar en ellos para edificación de la iglesia. 1 Corintios 14:12.

¿Ha podido detectar usted la preocupación de Pablo por la edificación del cuerpo de la iglesia? Desde luego, él no hablaba de construir un elegante edificio de piedra con profusos adornos y cómodos bancos. "Tenemos un hermoso edificio nuevo en esta ciudad", un líder de iglesia me informó. Sin embargo, desafortunadamente admitió que había poca vida espiritual en la congregación.

Cada vez que Pablo utiliza las palabras "edificar" o "edificación" en su discusión sobre la iglesia, se refiere a crecimiento espiritual. Los miembros de iglesia han de orar especialmente por el don de profecía, de manera que la iglesia resulte edificada (1 Cor. 14:1-4), por esa misma razón es que las lenguas deben ser interpretadas (vers. 5). Los miembros del cuerpo deben abundar en dones espirituales de manera que el cuerpo sea edificado (vers. 26). Cuando la iglesia recibe edificación espiritual, entonces habrá crecimiento en la evangelización que redundará en un extenso ministerio misionero y evangelístico.

El ejercicio primario en la edificación de la iglesia es la profecía. Este don ha sido a veces descuidado debido a la idea de que es dado a un número pequeño de individuos con visión apocalíptica. Pablo, por su parte, enseñó que todos los cristianos deben orar para recibir el don de profetizar (vers. 1).

Si a usted se le da este don, ¿qué ocurrirá? ¿Tendrá visiones de bestias saliendo del mar? Es poco probable. ¿Recibirá el papel de profeta oficial de la iglesia como Daniel, Juan o Elena de White? Este no es el propósito de este don espiritual en el Nuevo Testamento. Pero sí recibirá una habilidad especial para traer "edificación, exhortación y consolación" (vers. 3) a individuos y reuniones de la iglesia. Es posible que toda la iglesia sea dotada de esta manera (vers. 22-25), e incluso los incrédulos reconocerán el tremendo poder de Dios.

Una oración para hoy: *Incluso en las pequeñas cosas de la vida, ayúdame, Señor, a traer edificación espiritual y ánimo a los miembros de tu iglesia.*

CONFIRMADOS, UNGIDOS, SELLADOS Y ASEGURADOS

Y el que nos confirma con vosotros en Cristo, y el que nos ungió, es Dios, el cual también nos ha sellado, y nos ha dado las arras del Espíritu en nuestros corazones. 2 Corintios 1:21-22.

A menudo he albergado mis dudas sobre eso de garantías de por vida. "Este horno microondas tiene una garantía de por vida", dice un anuncio. ¿La vida de quién? Me pregunté. ¿Se trata de mi vida o la vida del producto? Puedo imaginarme llevando el microondas al comercio cuando se rompa para escuchar las palabras: "¡Lo sentimos pero ya se cumplió el período de vida de su aparato!"

Cuando Pablo les escribió a los corintios, se dirigía a personas de una ciudad involucrada en negocios, comercios y exportaciones. Todos querían una garantía. De manera que Pablo les informó a los cristianos que ellos tenían la mejor garantía que alguna persona podía tener: la de haber recibido el Espíritu Santo. El es las "arras" (Reina-Valera); el "adelanto" (La Biblia al día); la "garantía" (Dios llega al hombre), de todo lo que Dios tiene para su pueblo. Dios no nos da una garantía de por vida; él da una garantía eterna de seguridad total.

Por encima de toda la seguridad que derivamos de la garantía del Espíritu, Pablo utiliza dos otras palabras que tenían mucho significado para los corintios de entonces y para los cristianos de hoy. "Confirmar" era un término del mundo de los negocios que significaba entrar en una transacción comercial firme cuya duración estaba legalmente garantizada. De esta manera, por medio del sacrificio de Jesús, los cristianos están vinculados con Dios y los unos con los otros. El lazo es fuerte y confiable.

En el momento de la conversión, los cristianos que han nacido de nuevo no sólo son confirmados en Jesús y reciben el Espíritu Santo en su corazón como una garantía de eternidad, sino que también son ungidos y sellados por el Espíritu. Los corintios entendieron lo referente al sellamiento porque era un componente común en sus prácticas comerciales. Un sellamiento colocaba el nombre del dueño o manufacturador sobre un artículo y también otorgaba validez a documentos oficiales. De la misma manera, en el momento de la conversión, Dios gustosamente coloca su nombre sobre aquellos que aceptan a Jesús como su Salvador. La persona que recién ha nacido de nuevo, sin haber pasado por un período de prueba, puede decir: "Soy un cristiano. Soy un hijo de Dios". No es de extrañar que los cristianos que entienden el significado de "confirmar, sellar y garantizar" tengan una certidumbre completa de su salvación en Jesús.

Una oración para hoy: *Señor, te alabo por ser tan generoso en la forma en que confirmas cuán especial soy para ti.*

UNA CARTA ESCRITA EN EL CORAZON

Siendo manifiesto que sois carta de Cristo expedida por nosotros, escrita no con tinta, sino con el Espíritu del Dios vivo; no en tablas de piedra, sino en tablas de carne del corazón. 2 Corintios 3:3.

Elizabeth Pilenko creció dentro de una familia rusa rica y aristocrática hacia comienzos del siglo XX. Su iglesia le había enseñado acerca de Jesús, pero ella no podía reconciliar las riquezas de la iglesia con los miles de personas que morían de hambre y frío cada invierno.

A los 18 años de edad, como estudiante en la Universidad de San Petersburgo, se enteró de los planes de la revolución comunista, pero después del derrocamiento del Zar, quedó desilusionada y huyó a Francia.

En medio de la pobreza y la infelicidad de su vida en París, Elizabeth buscó a Dios y el Espíritu Santo comenzó a escribir una hermosa carta en su corazón. Pronto regresó a la religión de su niñez y se convirtió en monja dentro de la Iglesia Ortodoxa Rusa, cambiando su nombre a Madre María. Madre María con el tiempo reunió fondos suficientes para abrir un pequeño hospital en París, donde cuidaba de los huérfanos y los enfermos graves.

Después que los Nazis invadieron a Francia durante la Segunda Guerra Mundial, Madre María comenzó a ocultar a judíos en su hospital. Un día la Gestapo la descubrió y la arrestaron. Fue sentenciada al campo de concentración de mujeres de Ravensbrück y allí Madre María tuvo muchas oportunidades para asistir a muchas personas en el poder del Espíritu Santo. Pocas mujeres sobrevivieron a las condiciones temibles e inhumanas de Ravensbrück, donde se calcula que 95.000 mujeres murieron, incluyendo a la hermana de Corrie ten Boom, Betsie (ver del 12 al 14 de febrero).

"Un día en 1945, cuando formaban una fila de mujeres ante la cámara de gas para sufrir el destino que todas conocían, una muchacha joven comenzó a gritar despavorida. Cuando dos guardias se movieron amenazantes hacia ella, la Madre María se le acercó corriendo y puso sus brazos sobre los hombros de la joven. Entonces le dijo: 'No temas. Mira, yo iré contigo' " (*One Who Believed*, p. 14). Mientras que los captores de Madre María afirmaron que su muerte fue un error, leemos maravillados la carta de amor que el Espíritu Santo escribió en el corazón de una monja rusa.

Una oración para hoy: *Cualquiera sea la carta que decidas escribir en mi corazón, Señor, que yo pueda permitir que redunde en alabanzas a Jesús.*

MINISTERIO DE UNA VIDA EN EL ESPIRITU

[Cristo] asimismo nos hizo ministros competentes de un nuevo pacto, no de la letra, sino del espíritu; porque la letra mata, mas el espíritu vivifica. 2 Corintios 3:6.

Por sorprendente que resulte, la letra del Evangelio puede matar tanto como la letra de la ley. De hecho, el comentador Adam Clarke escribió: "Puede aseverarse con un grado de certeza que los judíos, en ningún período de su historia se hayan basado más en la letra de su ley, que lo que la vasta mayoría de los cristianos lo están haciendo respecto a la *letra* del Evangelio" (*Clarke's Commentary*, t. VI, p. 324).

La letra del Evangelio puede incluir verdades maravillosas tales como el bautismo por el agua, la Cena del Señor, el ministerio, el principio de congregarnos para adorar, la victoria sobre el pecado, etc. Pero sin el sacrificio expiador de Jesús, todas estas son incapaces para salvarnos. Creer que soy salvo por el bautismo o por participar en la obra de la iglesia en vez de por la fe en Jesús, es la "letra que mata".

Por otra parte, un nuevo ministerio basado en el pacto proclamará, no el legalismo de la letra, sino vida en el Espíritu Santo, a través del sacrificio de la sangre de Cristo. Esto no disminuirá de ninguna manera la importancia de la letra del Evangelio, sino que la colocará en la relación correcta con el espíritu del Evangelio.

Pablo ilustró las diferencias entre la letra y el espíritu, por medio de una discusión sobre los Diez Mandamientos. Mientras que se los perciba como un medio de salvación, son una letra que mata. No pueden salvar a nadie, porque "todos pecaron, y están destituidos de la gloria de Dios" (Rom. 3:23). Son un "ministerio de muerte" (2 Cor. 3:7), en el sentido de que confirman la autoridad y justicia del castigo por el pecado. El nuevo pacto, sin embargo, es un acuerdo de vida en el Espíritu. Los Diez Mandamientos no son cambiados o destruidos, sino que son escritos por el Espíritu en las mentes y corazones de aquellos que han sido salvos por la vida y muerte de Jesús (Jer. 31:33; Eze. 36:25-27).

Cada denominación tiene su letra y su espíritu. Si usted está dispuesto a vivir por el Espíritu, entonces la letra de las normas y doctrinas de su denominación, si éstas son bíblicas, pueden proclamarse y disfrutarse en el contexto del nuevo pacto.

Una oración para hoy: *Padre, ayúdame a que nunca proclame una lista de requisitos como la base de la salvación de alguna persona.*

UN ROSTRO MAS BRILLANTE QUE EL DE MOISES

¿Cuánto más glorioso no será el ministerio del Espíritu? 2 Corintios 3:8, Nueva Reina-Valera, 1990.

El Hno. R, uno de los que se opuso a la obra del Espíritu Santo en la vida de la joven de 17 años de edad, Elena Harmon, fue completamente cambiado cuando el Espíritu lo postró en medio de una pequeña reunión de oración en Portland, Maine (ver las lecturas del 25 y 26 de enero). Más tarde Elena de White escribió: "Su rostro estaba iluminado por la gloria del cielo... En una reunión de oración poco tiempo después, el hermano H, hermano del que había confesado que estaba errado en su oposición, experimentó el poder de Dios en tal grado que su rostro brilló con una luz celestial, y cayó impotente al suelo... [Su] fría formalidad comenzó a derretirse ante la poderosa influencia del Altísimo" (*Signs of the Times*, 16 de marzo, 1876).

Una evidencia del poder de Dios en la vida de las personas, de acuerdo con los líderes judíos del tiempo de Pablo, era que su rostro brillaba como el rostro de Moisés. Un rostro brillante era visto como el rostro de un ángel. El rabino Gedalia dijo que "cuando Moisés y Aarón llegaron ante el faraón, parecían como los ángeles que sirven ante la presencia del Señor; porque su estatura parecía superior, y el esplendor de sus rostros era como el sol" (*Clarke's Commentary*, t. 5, p. 727). Cuando Moisés descendió del monte Sinaí, su rostro era tan brillante que la gente no podía mirarlo (vers. 7). No es de extrañar que los líderes judíos quedasen tan asombrados en el juicio de Esteban cuando, por medio del tremendo poder del Espíritu Santo, su rostro brilló como el de Moisés, como el rostro de un ángel.

Aunque era casi imposible de entender incluso para los judíos cristianos, el ministerio del Espíritu Santo cuando exaltaba a Jesús en la vida de todos a quienes llenaba, sería mucho más gloriosa que la experiencia de Moisés en el Sinaí.

En un mundo donde no había gafas de sol, mirar el rostro de Moisés fue algo enceguecedor. Hoy en día los creyentes nacidos de nuevo que tienen la seguridad de la salvación y la plenitud del Espíritu Santo, brillan con un resplandor que resulta incomprensible para los incrédulos. Como los hermanos R y H, los hijos de Dios irradian con el amor de Jesús. Puede que usted no lo perciba en su propio rostro, pero ciertamente lo verá en un grupo de cristianos llenos del Espíritu.

Una oración para hoy: *Incluso cuando estoy bajo presión, ayúdame Señor a reflejar el brillo del amor de Jesús, su gozo y su paz.*

BIENVENIDO, ESPIRITU DE LIBERTAD

Porque el Señor es el Espíritu; y donde está el Espíritu del Señor, allí hay libertad. 2 Corintios 3:17.

Hace poco recorría en automóvil la hermosa campiña del Estado de Oregon mientras escuchaba repetidas veces una grabación de un grupo musical llamado *Set Free* (Libertados), cuyo himno tema proclamaba libertad en Jesús. Ser librado de la esclavitud física, emocional o espiritual es tan significativo como salir de una prisión de máxima seguridad después de haber vivido durante años detrás de las rejas. Es momento de clamar y cantar de gozo.

En primer lugar, no obstante, Pablo escribe acerca de la libertad que un cristiano lleno del Espíritu tiene para presentarse libremente ante la presencia de Dios. El Espíritu es Dios, de la misma manera en que el Padre y el Hijo lo son. Se lo llama el "Espíritu de Dios" y el "Espíritu de Cristo" (Rom. 8:9). Esto de ninguna manera disminuye la identidad personal del Espíritu Santo, al igual que la personalidad individual de Jesús no quedó anulada cuando él dijo: "Yo y el Padre uno somos" (Juan 10:30). Como parte de la Tri-unidad, o Trinidad, el Espíritu Santo quita el velo que impide que la mente humana comprenda lo que significa estar cerca de Dios y comunicarse con él.

Cuando el Espíritu Santo conduce a un pecador arrepentido a Jesús, el velo comienza a abrirse, y en el momento de la conversión Jesús lo mueve completamente a un lado (2 Cor. 3:14). Ahora, cuando ora, el nuevo cristiano siente una libertad de acceso a Dios que no es inhibida por la culpa o el temor. En la medida que el Espíritu llena la vida del creyente, más libre se siente esa persona para regocijarse en la presencia de Dios. Bautizados en el Espíritu, los cristianos a veces se sienten tan cerca de Dios que —al igual que los primeros adventistas— claman a Dios y cantan alabanzas durante horas.

¿Hay alguna prisión que lo esté privando de la libertad que el Espíritu Santo tiene para usted? Quizá se trate del orgullo: "¿Qué pensarán de mí los demás?" Quizá se trate del temor: "¿Qué sucederá si el Espíritu se apodera de mi vida?" Quizá se trate del pecado: "¿Tendré que abandonar algunas de las cosas de las que disfruto tanto?"

No importa lo que lo esclavice, permita que el Espíritu Santo corte esas ataduras. La libertad genuina es la posesión más valiosa de todas. Como dijo Jesús, aquellos que son libres en él, son verdaderamente libres.

Una oración para hoy: *Espíritu Santo, me regocijo en ser librado de todo lo que impida que sienta la presencia de Dios en mi vida.*

ESPEJO, ESPEJO EN LA PARED

Por tanto, nosotros todos, mirando a cara descubierta como en un espejo la gloria del Señor, somos transformados de gloria en gloria en la misma imagen, como por el Espíritu del Señor. 2 Corintios 3:18.

Jerónimo, quien tradujo la Biblia al latín por primera vez mientras vivía en Belén, dijo alrededor del año 400 d.C.: "El rostro es el espejo de la mente, y los ojos, sin hablar, confiesan los secretos del corazón". Los espejos en tiempos antiguos eran hechos de metal bruñido, usualmente de bronce, y cuando se usaban a plena luz del sol, le daban al rostro por reflejo un hermoso resplandor dorado.

¿Acaso parecía que Jesús era egoísta cuando prometió que el Espíritu lo glorificaría a él? En un congreso de la Asociación General, los delegados y visitantes vieron un brillante despliegue de rayos láser que ilustraban la gloria de la segunda venida de Cristo. ¿Será esta la glorificación que Jesús anticipaba anhelosamente? Es cierto que Jesús anticipaba su regreso a la gloria del Padre en su trono, pero su mayor esperanza y gloria era la de ser glorificado en sus seguidores aquí en la tierra (Juan 17:10, 21-22).

Aunque la transformación o metamorfosis de un cristiano a la imagen de Jesús no es física, el rostro, tal como aseveró Jerónimo, es el espejo de la mente. Cuando un cristiano lleno del Espíritu se mira en un espejo, el rostro que ve reflejado es el suyo, arrugas y todo lo demás. Pero habrá una diferencia cuando ese rostro refleje el carácter de uno que tiene la "mente de Cristo" (1 Cor. 2:16). Ese rostro mostrará una franqueza especial, una libertad que contrasta con el aspecto de uno que está luchando con la culpa y el temor. Mostrará el suave brillo de uno que tiene la certeza interna de la salvación.

En cierta ocasión me encontraba en una cueva cerca de la Iglesia de la Natividad en Belén y pensé en Jerónimo, quien pasó muchos años aquí traduciendo la Biblia al idioma de su pueblo. Ya en sus días había mucha evidencia de corrupción entre los líderes cristianos. De hecho, él escribió: "Evita como la plaga a un ministro religioso que también sea un hombre de negocios". Por otra parte, Jerónimo mismo y algunos de los cristianos que lo rodearon, estaban reflejando en su vida la imagen de Jesús por el poder del Espíritu Santo.

Una oración para hoy: *Gracias, Señor, por estar dispuesto a seguir trabajando en el proceso de transformar mi vida.*

PREPARADO PARA EL REAVIVAMIENTO

Mas el que nos hizo para esto mismo es Dios, quien nos ha dado las arras del Espíritu. 2 Corintios 5:5.

El gran predicador escocés James A. Stewart en su libro *Drops From the Honeycomb* (Gotas del panal) nos cuenta de un sorprendente reavivamiento que ocurrió en una ciudad europea antes de la Segunda Guerra Mundial. Cuando él iba a predicar a otras ciudades usualmente tomaba semanas o meses de oración y preparación espiritual antes que se produjese el reavivamiento. Pero en esta ciudad, donde las reuniones comenzaron con apenas siete personas en un servicio de oración de viernes de noche, en cinco días miles de personas llenaron el salón de reuniones, y grandes cantidades se convirtieron..

"Una noche el Señor amablemente me permitió descubrir el secreto de la bendición", escribió el Dr. Stewart. "Temiendo que no tendría suficiente poder del Espíritu para proclamar el Evangelio a los miles que se habían reunido, bajé al sótano del auditorio para dedicar algunos minutos a la oración. Comencé a orar en la oscuridad, pero no pasó mucho tiempo hasta que sentí poderosamente la majestad de Dios. Supe inmediatamente que había alguien más orando en aquel inmenso sótano.

"En silencio encendí la luz y vi que al extremo del sótano unas doce hermanas estaban orando de bruces ante el Señor. No habían advertido en absoluto mi presencia. Estaban 'adentro del velo', tocando el trono de Dios por el poder del Espíritu, mientras que Dios estaba obrando poderosamente en el piso superior entre los que aún no eran salvos" (citado en *Herald of His Coming*, junio de 1993, p. 9).

Como dijera Charles Bradford: "Los reavivamientos no se logran haciendo, sino orando". No es que la oración produce reavivamiento, sino que es el resultado de tener el corazón completamente abierto al Espíritu Santo y tener la "garantía" [arras] del Espíritu dentro de nosotros, de manera que él pueda tener canales limpios por los cuales fluir libremente.

Cuando Pablo les escribió a los corintios, les recordó que el Espíritu Santo en el interior es la garantía de la resurrección del cuerpo. De esta misma manera él es la garantía de la resurrección, o del reavivamiento de un cristianismo de "huesos secos" (Eze. 37) en nuestra vida y nuestras iglesias.

Una oración para hoy: *Padre, muévete con tu Espíritu sobre mi iglesia de manera que experimentemos la nueva vida y el gozo que quieres darnos.*

NO VIAJE EN TRASATLANTICO

Antes bien, nos recomendamos en todo como ministros de Dios, en mucha paciencia, en tribulaciones, en necesidades, en angustias; en azotes, en cárceles, en tumultos, en trabajos, en desvelos, en ayunos; en pureza, en ciencia, en longanimidad, en bondad, en el Espíritu Santo, en amor sincero. 2 Corintios 6:4-6.

Una revista cristiana recientemente publicó la historia de dos jóvenes chinas que fueron a compartir el Evangelio en el interior de Mongolia. No fueron bien recibidas, así que decidieron trabajar al lado de los agricultores y aprovechar cualquier oportunidad para hablarles del amor de Jesús. Después de algunos meses algunas familias se hicieron cristianas, y se estableció una iglesia. La policía comunista pronto se enteró y las jóvenes fueron víctimas de disparos, fueron arrestadas y golpeadas duramente. Finalmente les pusieron una multa, las dejaron libres, y —alabado sea el Señor— pudieron continuar su ministerio por medio de una serie de eventos milagrosos.

Vi la oferta de un viaje en trasatlántico para cristianos quienes quisieran conocer más sobre el Espíritu Santo y sobre cómo utilizar los dones del Espíritu en su ministerio. A menos que el barco se hunda o los pasajeros se mareen, un paseo en trasatlántico tiende a ser divertido y recreativo. Pero Pablo sabía que el Espíritu Santo nunca prometió un paseo en trasatlántico a aquellos que progresen en el servicio cristiano. El ha prometido, sin embargo, fortaleza inagotable y un gozo interno que no puede ser sacudido.

La revista *Voice of the Martyrs* (Voz de los mártires) cuenta de un evangelista en las Filipinas que corría gran riesgo al predicar en un territorio ocupado por los terroristas comunistas. El evangelista fue acompañado en una de sus visitas por su sobrino de ocho años de edad, a quien le encantaba participar en la evangelización de otros niños. Algunos soldados aceptaron el Evangelio y dejaron los grupos comunistas, lo que hizo enojar de tal manera a los líderes terroristas que secuestraron al niño y lo torturaron por varias horas antes de asesinarlo.

Aunque el evangelista reconoce que su ministerio en favor de los soldados terroristas y sus familias no es un paseo en barco, continúa su peligrosa misión por Jesús en el poder del Espíritu Santo. Si él no lo hace, ¿quién aceptará el reto? Quizá alguien de los que fueron al paseo en trasatlántico.

Una oración para hoy: *Es posible que tu ministerio implique sufrimientos y falta de sueño, pero sé que siempre contaré con tu ayuda constante.*

BIENVENIDO A UN COMPAÑERISMO MARAVILLOSO

La gracia del Señor Jesucristo, el amor de Dios, y la comunión del Espíritu Santo sean con todos vosotros. Amén. 2 Corintios 13:14.

Cuando el anciano de 72 años de edad, Charles Haines, murió en aparente pobreza en un hotelucho infestado de cucarachas en Spokane, las autoridades se sorprendieron al encontrar $11.000 dólares escondidos en la habitación. Más tarde averiguaron que Haines, que vivía con apenas $30.00 dólares al mes, recibía una pensión de veterano de $563.00 al mes y tenía más de $22.000 dólares en el banco. Un vecino declaró que Haines se había afeitado la cabeza para ahorrar en los cortes de cabello y que "siempre estaba preocupado de que alguien fuera a robarle" (*The Oregonian*, 12 de diciembre, 1990).

La mayoría de las personas creerían que Charles Haines estaba desquiciado, pero desafortunadamente sus acciones describen la relación que muchos cristianos tienen con el Espíritu Santo. El mora en el corazón de cada creyente nacido de nuevo pero permanece sin usarse tal como el dinero de Haines. Muchos miembros de iglesia ocultan el Espíritu Santo cuidadosamente en los libros religiosos y la música que tienen en sus hogares, mientras que a la misma vez viven en la pobreza espiritual.

En la década de los setenta, la palabra popular entre los cristianos era *koinonía*. En muchos lugares se comenzaban grupos de koinonía cuando personas afines se entusiasmaban con la posibilidad de crecer juntos en el Señor. Esta palabra, que significa sociedad, comunicación y comunión se la utiliza unas 20 veces en el Nuevo Testamento. Los cristianos tienen koinonía con Jesús (1 Cor. 1:9) e incluso con su cuerpo y su sangre en la Cena del Señor (1 Cor. 10:6). Tienen koinonía en el ministerio (2 Cor. 8:4; Gál. 2:9), y al compartir su fe (File. 6). Los cristianos tienen koinonía no sólo con el Padre y el Hijo, sino también los unos con los otros (1 Juan 1:3, 7).

Tener koinonía con el Espíritu, tal como Pablo lo presenta en su bendición, significa hablar con él, disfrutar de su compañía, mantener una comunión y una sociedad conscientes con él, y experimentar su enorme poder en la vida.

Podemos decir que Charles Haines no tenía "koinonía" con su dinero, así que ni él ni otros en necesidad fueron beneficiados. ¡Cuán desafortunado sería que sucediera lo mismo con nuestro amigo el Espíritu Santo!

Una oración para hoy: *Espíritu Santo, siento haber descuidado la comunión que tú has deseado tener conmigo. Por favor, ayúdame hoy a cambiar esta situación.*

EL CLUB DE SANTIDAD O LAS REUNIONES DE ORACION DE MEDIANOCHE

Esto solo quiero saber de vosotros: ¿Recibisteis el Espíritu por las obras de la ley, o por el oír con fe? Gálatas 3:2.

Hablando de John Wesley y sus amigos, John Mallison escribió: "El metodismo en realidad comenzó con un pequeño grupo de 'koinonía' compuesto de apenas cuatro estudiantes en la Universidad de Oxford. Entraron en un convenio de estudiar las Escrituras, mantener un estilo de vida cristiano, testificar verbalmente de su fe y ocuparse de necesidades sociales como grupo y como individuos" (*Building Small Groups*, p. 13). Estos hombres finalmente advirtieron, sin embargo, que no podía recibirse el Espíritu Santo por las obras del "Club de Santidad".

El 14 de octubre de 1735, John Wesley partió para Georgia, con la esperanza de aprender el significado del Evangelio al predicarlo a los indios. Debido a su contacto con los cristianos moravos procedentes de la finca del Conde Zinzendorf de Sajonia, aprendió el valor —no sólo de los grupos pequeños— sino de la oración espontánea, el canto de himnos durante el culto, y el uso de los laicos en el ministerio.

Howard A. Snyder, en su libro *The Radical Wesley*, escribe: "Debido a su celo y sus innovaciones lo acusaron de 'dejar la Iglesia de Inglaterra a través de dos puertas a la misma vez', el catolicismo romano y el separatismo puritano. Pero en el fondo sus experimentos brotaban de su interés para recobrar el espíritu y la forma del cristianismo primitivo" (p. 21).

Aunque Wesley ahora tenía los verdaderos motivos y los métodos correctos, todavía estaba intentando lograr por medio de las obras lo que sólo podía venir como resultado de una fe genuina y salvadora. De vuelta en Londres, el 24 de mayo de 1738, John Wesley sobrepasó lo que Dorothy Marshall llamó la "barrera de la fe". En la pequeña capilla de la calle Aldersgate, ocurrió su famosa experiencia de conversión. Más tarde Wesley escribió en su diario: "Sentí que confiaba en Cristo, sólo en Cristo para salvación; y recibí la certidumbre de que él había quitado mi pecado, incluso el mío, y me había salvado de la ley del pecado y la muerte" (E. P. Rudolph, *The Wesley Treasury*, p. 68). En ese momento John Wesley recibió la presencia interna del Espíritu Santo, no por las obras de la ley, sino por el oír con fe. Hubo poco cambio ahora en las obras y los métodos de Wesley, pero los resultados fueron dramáticamente diferentes.

Una oración para hoy: *Gracias, Señor, por darme gratuitamente lo que nunca podría obtener por mí mismo.*

PERMITA QUE EL ESPIRITU PROSIGA SU OBRA

¿Tan necios sois? ¿Habiendo comenzado por el Espíritu, ahora vais a acabar por la carne? Gálatas 3:3.

Henry G. Bosch recuenta el relato de Isaac Page sobre un pobre labriego de Irlanda quien caminaba trabajosamente hacia su casa con un enorme saco de papas a cuestas. Un caballo y un vagón pasaron a su lado, y el conductor le ofreció llevarlo. El hombre aceptó y se sentó, sosteniendo entre sus brazos el saco de papas. Cuando el conductor le sugirió que lo colocara en el piso del vagón, respondió atentamente en su pastoso acento irlandés: "No deseo incomodarlo demasiado, señor. Ya usted me está llevando en su coche, lo menos que puedo hacer es cargar las papas". Aunque haya recibido el Espíritu Santo para que more en usted en el momento de la conversión, ¿estará todavía intentando llevar las papas de la vida cristiana por medio de los esfuerzos humanos?

Pablo les llama "necios" a los gálatas, por haber sido "fascinados" (Gál. 3:1). Esas son palabras fuertes, y Pablo las usa porque sabe que el que originó la salvación por las obras ciertamente no fue Dios. De hecho, la salvación por las obras desanima al creyente y echa a un lado la gracia de Dios (Gál. 2:21).

John Wesley, comentando sobre Gálatas 3:3, dijo: "Habiendo comenzado bajo la luz y el poder del Espíritu por la fe... ahora, cuando debieran ser más espirituales y conocer más el poder de la fe, ¿cómo es que esperan ser hechos perfectos por la carne? ¿Piensan acaso completar su justificación o santificación abandonando su fe y dependiendo de la ley?" (*Notes on the New Testament*, p. 686).

Antes de sus experiencias en Aldersgate y Fetter Lane, Wesley había probado todo medio legalista para obtener la santidad. Habiendo ahora experimentado la certeza de la salvación y el testimonio del Espíritu, no podía regresar a los viejos caminos.

Pero, aceptar el poder del Espíritu no significa que el saco de papas es arrojado del coche. Como Howard Snyder dijo respecto a Wesley: "El vio que las obras eran inservibles en la obtención del nuevo nacimiento, pero estaba igualmente convencido de la necesidad moral absoluta de la buenas obras como la evidencia de la regeneración y la expresión inevitable del amor santo" (*The Radical Wesley*, p. 46).

Una oración para hoy: *Revélame, oh Padre, cualquier obra en la que yo esté confiando en lugar de aceptar plenamente el poder de tu Espíritu.*

POR QUE SUCEDEN MILAGROS

Aquel, pues, que os suministra el Espíritu, y hace maravillas entre vosotros, ¿lo hace por las obras de la ley, o por el oír con fe? Gálatas 3:5.

No sé cuánto tiempo le tomó a los gálatas captar el mensaje, pero tres veces en cuatro versículos Pablo repite el detalle que desea destacar. No es por las obras de la ley, sino por la fe que se recibe el Espíritu. ¿Hemos permitido que el Espíritu Santo impresione nuestras mentes con esta gran certidumbre hoy? Si es así, veremos el cumplimiento de milagros maravillosos ahora, al igual que sucedió cuando Pablo trajo el conocimiento del Espíritu Santo a los gálatas y con su poder obró milagros entre ellos.

Lutero revolucionó el cristianismo al descubrir el significado de una fe que salva. Pablo en Romanos 1:17 y Gálatas 3:11 cita las mismas palabras que el Espíritu puso en la mente del monje católico quince siglos más tarde. El historiador D'Aubigné cuenta lo que le ocurrió a Lutero cuando subía las escalinatas de Pilato en Roma. "Pero mientras efectuaba esta acción meritoria, creyó escuchar una voz atronadora que clamaba desde lo profundo de su corazón, como en Wittenberg y Bolonia, 'el justo por la fe vivirá' " (*History of the Reformation*, p. 70).

Debido a su fuerte énfasis en el "oír con fe", Lutero también estaba convencido de que servía a un Dios obrador de milagros. Esto puede ilustrarlo una experiencia relatada en *Our Daily Bread* (Nuestro pan cotidiano). "En 1540, Frederick Myconius estaba muy enfermo y a punto de morir. Le escribió una carta de despedida a su amigo Martín Lutero, quien le respondió de esta manera: 'Te ordeno vivir en el nombre de Dios, porque todavía te necesito en la obra de reformar la iglesia... El Señor no me permitirá escuchar que has muerto, sino que te permitirá sobrevivir por mi causa. Para esto estoy orando, esta es mi voluntad, y que pueda hacerse mi voluntad porque sólo busco glorificar el nombre de Dios'. Myconius, quien había estado demasiado débil para hablar, recobró las fuerzas y vivió dos meses más que Lutero" (26 de mayo, 1993, t. 37, N.º 12).

¿Está viendo milagros en su congregación, su grupo pequeño, y su propia vida? Si no es así, entréguele por fe al Espíritu Santo la oportunidad de producir un gran reavivamiento.

Una oración para hoy: *Señor, que tu milagro de la gracia salvadora continúe trayéndome gozo y esperanza.*

DANDO UN PASO DE FE

Para que en Cristo Jesús la bendición de Abraham alcanzase a los gentiles, a fin de que por la fe recibiésemos la promesa del Espíritu. Gálatas 3:14.

Jesús llamó al Espíritu la "promesa de mi Padre" (Luc. 24:49), y Pablo lo describe a los efesios como el "Espíritu Santo de la promesa" (Efe. 1:13). Pedro también confirmó que se promete el Espíritu Santo a toda persona convertida (Hech. 2:38-39). Hay una sola condición para recibir la promesa, y ésa es el paso inicial de fe que introduce a una persona a la familia de Dios.

Cuando los cristianos desean ser llenados de nuevo por el Espíritu, nuevamente tomarán el paso de fe. La fe es la base de todo lo que es importante en la vida cristiana.

Hasta el momento de la conversión, el Espíritu obra con los pecadores, conduciéndolos al conocimiento de Jesús y el plan de salvación. Tan pronto como un pecador abre su corazón en rendimiento y por fe invita a Jesús para que sea su Salvador personal, el Espíritu santo toma residencia en esa vida y representa a Jesús allí. De esta manera, con la salvación se recibe por la fe la promesa del Espíritu.

Permítame hacer esto más personal. Si ha recibido a Jesús como su Salvador, puede alabar a Dios ahora mismo porque también es la morada del Espíritu Santo. Esa es la promesa de Dios, y usted puede confiar enteramente en ella.

Muchas veces los cristianos oran por una nueva infusión del Espíritu. Esta es otra forma de expresar la invitación al Espíritu Santo para que tenga un acceso total a toda parte de su vida. Ofrecen oraciones profundas y fervientes. Tienen hambre por una mayor porción del Espíritu. Se rinden plenamente a la voluntad de Dios. A menudo derraman lágrimas de arrepentimiento. Ninguna de estas cosas ganan o ameritan el Espíritu Santo. Sólo indican un sincero deseo de recibir una nueva infusión de su tremendo poder.

Pero nuevamente, en medio de toda esta intensidad, debe darse el paso de fe. Sin ninguna influencia de la emoción, el cristiano que ora agradece a Dios con fe por venir y llenarlo con el Espíritu Santo. Por la fe Dios es glorificado, y se disfruta de la bendición que esto conlleva.

Una oración para hoy: *Que la verdad de tu Espíritu no sea una mera teoría para mí, sino una realidad viva de poder en mi vida.*

Octubre 5

NUESTRO PADRE COMPRENDE

Y por cuanto sois hijos, Dios envió a vuestros corazones el Espíritu de su Hijo, el cual clama: ¡Abba, Padre! Gálatas 4:6.

"Mi padre raramente me escuchaba, y aun cuando lo hacía, no tenía idea de lo que yo intentaba decirle". La queja de Ana es una queja muy común. A menudo la relación entre padres e hijos se quebranta por causa de la falta de comunicación.

Aquellos que somos adolescentes espirituales también podemos relacionarnos con lo que escribió David Elkind en *All Grown Up and No Place to Go* (Crecido y sin lugar adónde ir): "La palabra 'comunicación' sugiere que tenemos un mensaje específico que compartir y que nuestro único problema consiste en tener el tiempo, la oportunidad, o las palabras correctas para transmitir ese mensaje. Pero en mi experiencia con adolescentes he encontrado que el problema es algo diferente. El verdadero problema es que los adolescentes no están completamente seguros de qué es lo que los molesta. Necesitan hablar libremente de manera que descubran lo que realmente quieren decirnos" (p. 204).

Como cristianos intentamos clamar a Dios cuando no estamos seguros de qué necesitamos decir. La palabra que Pablo utiliza para "clamar" las dos veces que escribe de Abba, Padre, puede referirse a un graznido como el de un cuervo y se asemeja a los gemidos indecibles de Romanos 8:26. A través del Espíritu se nos asegura que nuestras palabras desordenadas y espontáneas a Abba, Padre, siempre son escuchadas y comprendidas, y podemos estar seguros de que él escucha y responde de la mejor manera.

Algunas de las oraciones más hermosas escritas en el idioma inglés las encontramos en el antiguo libro de oraciones de los anglicanos. Muchas de ellas fueron escritas por el gran reformador William Tyndale, quien murió por su fe en Jesús y en su Palabra. Después de cada uno de los Diez Mandamientos, los anglicanos y los episcopales leen la hermosa oración: "Señor, ten misericordia de nosotros, e inclina nuestros corazones a guardar esta ley". Pero muchos cristianos aprendieron de los reformadores posteriores como John Wesley el gozo de la oración espontánea. "Mi corazón estaba tan lleno —escribió Wesley en su diario—, que no podía confinarme a las formas de oración a las que estábamos acostumbrados".

Los cristianos que son llenos del Espíritu en la actualidad se contentan en simplemente hablar con Abba, Padre.

Una oración para hoy: *Tú sabes lo que hay en mi corazón, Padre, incluso cuando no te lo puedo expresar en las palabras que quisiera usar.*

POR QUE PELEAN LOS CRISTIANOS

Pero como entonces el que había nacido según la carne perseguía al que había nacido según el Espíritu, así también ahora. Gálatas 4:29.

En la introducción a su libro *Great Church Fights* (Grandes peleas en la iglesia), el pastor bautista Leslie B. Flynn cuenta de un padre que escuchó una conmoción en su patio y miró hacia afuera para ver a su hija y varias otras amiguitas en una acalorada discusión. Cuando la regañó, la hija le explicó: "¡Sólo jugábamos a la iglesia!"

Desafortunadamente, la fricción en las iglesias ha sido tan severa que se han escrito numerosos libros sobre cómo resolver conflictos.

Aunque hay muchos motivos para las peleas en la iglesia, no hay peleas tan amargas como aquellas que involucran doctrinas y métodos de adoración o servicio. El desacuerdo a menudo degenera en persecución y finalmente algunas personas abandonan la iglesia para nunca más regresar. Comenzó a suceder en el tiempo del Nuevo Testamento y continúa sucediendo 21 siglos después, para el deleite de las fuerzas del mal.

A menudo la base de las peleas en la iglesia se debe a una comprensión equivocada de la salvación. Los cristianos judaizantes de los días de Pablo creyeron que la salvación provenía de Jesús *más* obras específicas de la ley. Causaron fricción continua con aquellos que creían que la salvación se la recibía sólo por la fe en la vida y la muerte de Jesús. Trágicamente, la historia de la iglesia nos dice que aquellos que han tomado la posición más legalista y conservadora respecto a la verdad han sido a menudo los más dispuestos a perseguir y aun matar a aquellos que no están de acuerdo.

En la década del ochenta, una denominación se dividió en torno al tema de si las manos debían alzarse sobre la cabeza o frente al cuerpo durante la adoración. El asunto clave no era la posición de las manos, sino la pregunta de si la salvación podía peligrar por causa de procedimientos incorrectos. Se han iniciado peleas sobre el color de la alfombra en el santuario. A veces, por encima del orgullo de opinión se encontraba el temor de que de alguna manera, el color "equivocado" podría afectar el culto y hacer peligrar las posibilidades de salvación de la congregación.

El Espíritu Santo quisiera recordarnos las palabras del asociado de Lutero, Melanchton: "En lo esencial, unidad; en lo no esencial, libertad; en todas las cosas, caridad" (citado en *Home Book of Quotations*, p. 242).

Una oración para hoy: *Señor, dame la tolerancia para aceptar la idea de que la gente tiene el derecho de diferir conmigo incluso en las cosas que considero más importantes.*

UNA MUESTRA DELICIOSA

Pues nosotros por el Espíritu aguardamos por fe la esperanza de la justicia. **Gálatas 5:5.**

Muchos hombres han visitado un supermercado con sus esposas para unos pocos minutos de compras sólo para descubrir que ella tenía la intención de hacer una extensa gira por cada pasillo, examinando cada artículo como si se tratara de interesantes piezas de museo.

En una de tales excursiones desarrollé bastante apetito, y después de haber fracasado en mi intento de sacar a mi esposa rápidamente del negocio, seguí sus sugerencias de probar algunas de las muestras que estaban ofreciendo. Uno de los trocitos resultó muy sabroso, pero ¡para satisfacer mi apetito habría tenido que comprar una lata entera del producto!

El cristiano que ha aceptado la justicia de Cristo y está lleno del Espíritu Santo ha probado un poquito de la gloria de la presencia de Dios. El sabor es tan bueno que crea un ferviente deseo de conocer a Jesús en su segunda venida y de compartir las glorias maravillosas de la eternidad. La esperanza de la justificación por la fe es la redención del cuerpo, que significa una comunión ilimitada con Dios (Rom. 8:23). Pensar en esta "esperanza de gloria" es tan emocionante para los creyentes que éstos se regocijan y alaban a Dios anticipadamente (Rom. 5:2).

El argumento de Pablo en Gálatas 5:1-6 es que la persona que está tratando de salvarse por la ley no siente el mismo grado de expectación. Los legalistas nunca están seguros de si han hecho suficientes buenas obras, de si sus obras han sido suficientemente buenas, o si podrán sobrevivir las últimas siete plagas. Están atados a un yugo de esclavitud que desalienta el gozo y la esperanza. De hecho, como Pablo dice, han caído de la gracia y han perdido el gusto de "la fe que obra por el amor" (vers. 4-6).

Imaginé cómo sería si después de probar la deliciosa muestra en el supermercado se me dijese: "Usted ahora debe trabajar, limpiando el edificio, para poder obtener una lata de este producto". Al preguntar cuánto trabajo debo hacer se me dice: "Periódicamente evaluaremos la calidad y cantidad de su trabajo y finalmente decidiremos cuándo ha hecho lo suficiente".

Estoy seguro que rechazaría su oferta y saldría de allí decepcionado. Pero nunca tenemos que rechazar la gracia salvadora de Dios.

Una oración para hoy: *Señor, que mi corazón pueda tener siempre el anhelo de conocerte.*

AYUDANDO A UN PASTOR A CAMINAR

Digo, pues: Andad en el Espíritu, y no satisfagáis los deseos de la carne.
Gálatas 5:16.

Como niño, Samuel Logan Brengle se convirtió al Señor una noche de Navidad en un pequeña iglesia metodista cerca de su casa en Indiana. Durante sus primeros años de ministerio en la segunda mitad del siglo XIX, sentía un hambre creciente por recibir la plenitud del Espíritu Santo en su vida. Aunque amaba al Señor y había asistido al seminario en Boston, sabía que debía vaciarse de todo lo que le impedía caminar en el Espíritu.

En un pequeño libro que luego fue publicado por el Ejército de Salvación, Brengle escribió: "Vi la humildad de Jesús y mi orgullo; la mansedumbre de Jesús y mi mal genio; la pobreza de Jesús y mi ambición; la confianza y la fe de Jesús, y mis dudas e incredulidad; la santidad de Jesús y mi impiedad" (citado en V. Raymond Edman, *They Found the Secret*, p. 9).

Una imagen de uno mismo como la que recibió Samuel Logan Brengle, puede producir un impacto terrible y un gran desánimo a menos que se recuerden algunos detalles importantes. En primer lugar, él ya había sido salvo por haber aceptado la vida de Jesús y su sacrificio. En segundo lugar, el Espíritu Santo no le estaba revelando esto para hacer la salvación más difícil, sino para que Brengle conociese el gozo de andar en victoria gracias al poder del Espíritu. En tercer lugar, aunque la victoria de Brengle sobre estos pecados no lo hacía más salvo, le daría un poderoso testimonio en su trabajo por la salvación de otros.

Después de varias semanas de orar, estudiar la Biblia y rendirse a la voluntad de Dios, Brengle advirtió que el Espíritu Santo estaba llenando su vida. "Mi corazón se derritió como la cera ante el fuego —escribió—; Jesucristo fue revelado en mi consciencia espiritual, revelado en mí, y mi alma se llenó de un amor inexpresable" (*Id.*, p. 11). Finalmente, el Señor llevó a este ministro metodista lleno del Espíritu a unirse al Ejército de Salvación. Allí Dios lo usó para llevarle a miles un conocimiento de lo que significa andar en el poder victorioso del Espíritu.

Una oración para hoy: *Señor, tú has venido a rescatarme muchas veces cuando he caído. Ayúdame a aferrarme hoy de tu mano para andar contigo nuevamente.*

HACIENDO LO QUE NO DESEA HACER

Porque el deseo de la carne es contra el Espíritu, y el del Espíritu es contra la carne; y éstos se oponen entre sí, para que no hagáis lo que quisiereis. Gálatas 5:17.

Un hombre fue mordido por un perro y quedó seriamente enfermo. Su médico le explicó: "A usted lo mordió un perro rabioso y está condenado a morir de rabia. No puedo hacer nada por usted".

El hombre enfermo pidió un papel y un lápiz y luego pasó varias horas pensando y escribiendo.

En la siguiente visita el médico comentó: "Usted está escribiendo un testamento verdaderamente largo". A lo que el paciente respondió: "No estoy escribiendo un testamento; estoy haciendo una lista de las personas que voy a morder" (*Great Church Fights*, p. 114).

En la medida en que los gálatas quedaban fascinados por el legalismo, comenzaban a morderse y a devorarse unos a otros (Gál. 5:15). Como resultado, la iglesia sufría de una hidrofobia espiritual que amenazaba con destruirla. El Dr. Adam Clarke resumió la advertencia de Pablo a los gálatas de esta manera: "Ustedes están convencidos de lo que está correcto, y desean hacerlo; pero, habiendo abandonado el Evangelio y la gracia de Cristo, la ley y las ordenanzas que han escogido en su lugar no les dan el poder para conquistar sus propensiones hacia el mal" (*Clarke's Commentary*, t. VI, p. 411).

Juntamente los legalistas y aquellos que transforman la libertad del Evangelio en libertinaje, se están rindiendo a la capacidad para pecar que permanece en todos los cristianos. Los legalistas pueden caer en la trampa del odio, el rencor, el celo, los arranques de ira, la ambición egoísta, la disensión y la herejía tan fácilmente como los que defienden la gracia barata pueden caer en cualquiera de las "obras de la carne" que Pablo menciona (vers. 19-21). Debido a que no tienen poder que les dé victoria, aquellos que no andan en la fortaleza del Espíritu pueden encontrarse haciendo las cosas que precisamente no desean hacer.

Por otra parte, aquellos que están llenos del Espíritu y entienden todas las implicaciones de la libertad en el Evangelio son capaces de regocijarse en la obediencia a la verdad. Hacen, en el poder del Espíritu, lo que es contrario a los deseos de su vieja naturaleza pecaminosa. Y alaban a Dios por la victoria.

Una oración para hoy: *Ayúdame, Señor, a hacer lo que es correcto, aunque parte de mí desee actuar de otra manera.*

LA PREGUNTA CLAVE

Pero si sois guiados por el Espíritu, no estáis bajo la ley. Gálatas 5:18.

Los pioneros adventistas, debido a su énfasis sobre el sábado, a menudo fueron acusados de estar "bajo la ley", en vez de "bajo la gracia". Desafortunadamente, esta acusación a menudo era cierta, como muchas veces lo lamentó Elena de White, quien estaba llena del Espíritu. En una ocasión ella escribió: "Como pueblo, hemos predicado la ley hasta que estamos tan áridos como las colinas de Gilboa que no tienen ni rocío ni lluvia" (*Review and Herald*, 11 de marzo, 1890). Más tarde dijo: "Al presentar los reclamos obligatorios de la ley, muchos han dejado de presentar el infinito amor de Cristo. Aquellos que tienen verdades tan magnas, reformas tan importantes que presentar a la gente, no han advertido el valor del sacrificio expiatorio como una expresión del gran amor de Dios hacia el hombre" (*Id.*, 3 de febrero, 1891).

A pesar de sus tendencias hacia el legalismo, el Espíritu constantemente llevó a los primeros adventistas de vuelta a un entendimiento de la gracia. De hecho, su mensaje era el Evangelio eterno, que era descrito como "el mensaje del tercer ángel en verdad" (A. G. Daniells, *Christ Our Righteousness*, p. 65).

En el congreso de la Asociación General de 1888, surgieron algunas discusiones respecto a la ley en Gálatas, pero Elena de White nuevamente reveló su comprensión del Evangelio: "El Espíritu Santo está hablando especialmente de la ley moral en este texto [Gál. 3:24], mediante el apóstol. La ley nos revela el pecado y nos hace sentir nuestra necesidad de Cristo y de acudir a él en procura de perdón y paz mediante el arrepentimiento ante Dios y la fe en nuestro Señor Jesucristo" (*Mensajes selectos*, t. 1, p. 275).

La pregunta que ahora nos hacemos es: ¿Estamos siendo dirigidos por la ley o por el Espíritu? Si somos guiados por la ley, no tendremos seguridad de la salvación, y nuestro testimonio ante otros consistirá de una lista de requisitos. Finalmente nos encontraremos practicando, o deseando practicar, las cosas que hemos condenado en otros. Seremos fanáticamente estrictos en algunos asuntos de la ley mientras justificamos la desobediencia de otros.

Cuando somos guiados por el Espíritu, por otra parte, tenemos la certeza de la gracia de Dios y el gozo de que el pecado no tiene autoridad sobre nosotros.

Una oración para hoy: *Pongo mi mano en la tuya, Señor Jesús, sabiendo que siempre me conducirás al hogar.*

BIENVENIDO, FRUTO SABROSO

Mas el fruto del Espíritu es amor, gozo, paz, paciencia, benignidad, bondad, fe, mansedumbre, templanza; contra tales cosas no hay ley. Gálatas 5:22-23.

"Todo lo que a mí me gusta —decía a son de broma una dama— o es un pecado o me engorda".

Usualmente las frutas no caen dentro de estas categorías, y Pablo aclara que ninguna ley puede condenar a la persona que disfruta del fruto del Espíritu. Los estoicos del tiempo de Pablo señalaban cuatro virtudes cardinales: La temperancia, la prudencia, la honestidad y la justicia. Pero vivir con un estoico habría sido como vivir con un bloque de hielo o comer un alimento sin sabor. La lista inspirada de Pablo del fruto del Espíritu es sabrosa, cálida, amistosa y una delicia para compartir en la vida, incluso en las circunstancias más desventajosas.

Al recorrer el hermoso valle de Yakima en el Estado de Washington, mi familia quedó asombrada por los kilómetros sin fin de manzanares. Las frutas de miles de hectáreas de árboles estaban listas para la cosecha, hasta el aire llevaba el olor a manzana. Pequeños negocios al borde de la carretera vendían cajas de manzanas y botellas de jugo de manzana. Enormes cobertizos de empaque se mostraban listos para preparar las frutas que se distribuirían por todo el mundo. En medio de todo esto, me sorprendí de ver a un camión que llevaba una caja con el rótulo de manzanas de Nueva Zelanda.

Los cristianos debieran conocerse por el fruto de su vida, el fruto del Espíritu. Algunos intentan validar su cristianismo por medio de un despliegue de dones espirituales, respuestas milagrosas a la oración, y exposiciones elocuentes de la verdad bíblica. Dios dice que sin amor, que es el fruto básico del Espíritu, todo lo demás no tiene valor (1 Cor. 13:1-3).

Al igual que las manzanas son manzanas, sea que provengan de Washington o Nueva Zelanda, el fruto del Espíritu puede reconocerse dondequiera que se encuentre. No depende de si se pertenece a alguna iglesia, o se adore en un edificio particular, o se tenga un credo determinado. El fruto del Espíritu sabe bien a jóvenes y ancianos, y a personas de todo nivel socioeconómico. Al igual que no hay leyes que le prohíban a los manzanos tener frutos, cuando usted está lleno del Espíritu, usted puede tener un festival de frutos del Espíritu, sin temor de sufrir la condenación divina.

Una oración para hoy: *Señor, madura tu fruto en mi vida y lléname de tu dulzura.*

FRUTA DE UNA FABRICA

Si vivimos por el Espíritu, andemos también por el Espíritu. Gálatas 5:25.

Recientemente compramos frutas artificiales en una tienda de productos importados. Estas frutas falsas, fabricadas en Taiwan, lucían muy atractivas y naturales, pero desde luego, como pronto descubrió nuestro perrito, no eran ni remotamente buenas para comer. Debido a que en Oregon disfrutamos de abundancia de fruta fresca, nosotros no sentimos la menor tentación de probar las imitaciones hechas de papel en una fábrica.

El Dr. Samuel Chadwick terminó sus años de ministerio como director del colegio universitario Cliff, en Sheffield, Inglaterra. En su libro *The Way to Pentecost* (El camino al Pentecostés), Chadwick expresa su preocupación por el descuido del Espíritu Santo que se hacía evidente en su iglesia. "La iglesia confirma su fe en el Espíritu Santo cada vez que repite su credo, pero ¿acaso cree verdaderamente lo que dice que cree?... La iglesia es el Cuerpo de Cristo, engendrado, unificado y habitado por el Espíritu Santo; pero, olvidando el Espíritu, los hombres luchan por los miembros [del cuerpo], sus funciones y sus órdenes. La religión cristiana no tiene esperanza sin el Espíritu Santo" (p. 6).

Siendo que vivía en la ciudad industrial de Sheffield, Samuel Chadwick estaba familiarizado con el ruido y la contaminación de las fábricas. Al hablar de la gran necesidad del fruto vivo del Espíritu en la vida de los miembros de iglesia, Chadwick escribió: "Las obras pertenecen al taller; el fruto pertenece al huerto. Unas provienen de la inventiva de la factoría; el otro es el crecimiento silencioso de la vida abundante. La fábrica utiliza materias muertas; el huerto cultiva fuerzas vivientes para que alcancen su propósito prefijado" (*Id.*, p. 101).

Aquellos que viven en el Espíritu no dependerán del fruto falso (artificial) para su salvación o la validación de su experiencia cristiana. El verdadero fruto de su vida será visto y conocido. La fruta falsa puede durar indefinidamente, pero el fruto del Espíritu puede durar sólo mientras esté conectado a la fuente de vida. Caminar en el Espíritu significa que usted está constantemente conectado por medio del Espíritu a Jesús y está permitiendo que la hermosa fruta crezca. No tiene que preocuparse porque esto sea el resultado, como sucedería en el caso de una máquina de hacer frutas artificiales en una fábrica. Sólo tiene que permitir que el fruto crezca en el jardín del amor de Dios.

Una oración para hoy: *Señor, hoy me regocijo en estar vivo y dar fruto gracias a tu poder.*

BIENVENIDO, TIERNO RESTAURADOR

Hermanos, si alguno fuere sorprendido en alguna falta, vosotros que sois espirituales, restauradle con espíritu de mansedumbre, considerándote a ti mismo, no sea que tú también seas tentado. Gálatas 6:1.

El poeta romano Mantuano una vez escribió en *De Honesto Amore*: "Este es un mal común; en un momento u otro, todos hemos hecho mal. O somos, o hemos sido, o podemos ser, tan malos como aquel a quien condenamos". Pablo estaba muy interesado en que los cristianos gálatas llenos del Espíritu trataran tiernamente a todos los transgresores. "Recuerden —podemos escuchar a Pablo advirtiendo—, mañana puede ser que tú necesites que te ayuden a ponerte nuevamente de pie. Trata a estas personas como te gustaría que te trataran a ti".

Como un nuevo cristiano adolescente, caí en el hábito de fumar y visitar el cine, prácticas ambas que requieren disciplina en la iglesia a la que me había unido. Ninguno de los miembros estrictos sabía lo que yo estaba haciendo, de otra manera mi nombre habría sido mencionado en la junta de iglesia para ser censurado o desfraternizado. Afortunadamente, el Señor trajo a nuestro pueblo a un joven obrero cristiano quien se amistó conmigo y oró con una sinceridad profunda para que yo respondiera al poder victorioso del Espíritu.

—Garrie, lo que estás haciendo te va a alejar de Dios —me advirtió Mostyn lleno de un verdadero amor cristiano—. Yo sé que Dios tiene un ministerio maravilloso para ti, ¿por qué has de permitir que el enemigo te lo arrebate? Sólo coloca tus problemas en las manos de Jesús. El te dará un nuevo comienzo.

Mostyn tenía razón, y pronto tomé la decisión que me trajo de vuelta al Señor y a un ministerio activo de la predicación. Tiemblo al pensar qué habría pasado conmigo si me hubieran tratado de una manera fría y disciplinaria.

¿Ha advertido usted que algún cristiano ha caído en una de las "obras de la carne" que Pablo menciona en Gálatas 5:19-21? Si es así, ¿cómo va a tratar con el problema? ¿Comenzará una red de chisme malicioso? ¿Pedirá una acción disciplinaria de parte de la iglesia? Si está lleno del Espíritu, tratará a los caídos de una manera que refleje que tiene todo el fruto del Espíritu en su vida.

Una oración para hoy: *Señor, ayúdame a ser un protector y edificador de aquellos que están luchando con el pecado.*

BIENVENIDA SEA LA COSECHA

Porque el que siembra para su carne, de la carne segará corrupción; mas el que siembra para el Espíritu, del Espíritu segará vida eterna. Gálatas 6:8.

Algunos siembran malezas y esperan una cosecha de cosas buenas. Hace años leí sobre una semilla mágica de arroz en venta en Japón que, en respuesta a la oración, era capaz de producir —según sus promotores— cualquier cosecha deseada: trigo, cebada, melón, cualquier cosa. El principio bíblico, sin embargo, sigue siendo el mismo en todos los tiempos: "Todo lo que el hombre sembrare, eso también segará" (Gál. 6:7).

Afortunadamente, Jesús ha hecho posible una excepción. El Salvador sembró sólo el bien y a cambio segó una cosecha de infierno sobre la tierra. Lo hizo de manera que aquellos que merecen segar el infierno, puedan anticipar una cosecha de vida eterna. Desafortunadamente, cada persona ha plantado "semillas de maldad", e incluso como cristianos nos encontramos sembrando semillas que no producirán un huerto de frutos del Espíritu.

—A menudo perdía la paciencia en la casa —admitió un pastor. Aunque el resultado fueron relaciones estropeadas con su familia, fue capaz de reclamar el perdón de Dios y comenzar a caminar en victoria por medio del Espíritu Santo.

Cuando fui maestro de universidad, a menudo tuve la oportunidad de hablar con estudiantes de teología quienes —antes de su conversión— habían usado profusamente las drogas. Aunque estaban seguros de que no habían sido afectados mental y emocionalmente, había mucha evidencia que mostraba lo contrario. Hasta el día de la resurrección tendrían que vivir con los resultados físicos de haber sembrado la semilla equivocada. Espiritualmente, sin embargo, Jesús quebrantó para ellos la ley de la siembra y la cosecha, y se regocijaron al servir a Dios en el poder del Espíritu Santo.

Vivimos en una época de búsqueda de baratillos. Las personas quieren sembrar sin cosechar, y cosechar sin sembrar. Queremos educación sin estudio, dinero sin trabajo, aptitud física sin ejercicio y vitalidad espiritual sin oración y estudio de la Palabra. Sin embargo, como dice Pablo, si continuamos plantando las buenas cosas del Espíritu, recogeremos una grata cosecha de bendiciones espirituales.

Una oración para hoy: *Ayúdame, Señor, a sembrar bondad y amor, sabiendo que resultarán en una cosecha de gozo en la vida de muchas personas.*

BIENVENIDO A LA REUNION DE LOS SUPERPODERES

En él también vosotros, habiendo oído la palabra de verdad, el evangelio de vuestra salvación, y habiendo creído en él, fuisteis sellados con el Espíritu Santo de la promesa. Efesios 1:13.

¿Ha estado alguna vez en medio de una contienda por poder? Puede ocurrir en cualquier lugar: en los hogares, corporaciones y hasta en el ámbito internacional. Después de tomar un taxi desde Izmir hasta Efeso, caminé con gran emoción por las antiguas calzadas de piedra y me senté en el escenario del gran anfiteatro de Efeso. Aquí Pablo se dirigió a la multitud y se encontró en medio de un tumulto que incluyó toda la ciudad (Hech. 19:21-41). Los seguidores de Diana de los efesios asertaban que tenían gran poder, pero Pablo reconocía que él estaba de parte del Superpoder de Dios.

Cuando Pablo más tarde le escribe a los cristianos de Efeso, el Espíritu Santo lo inspiró a escribir la carta más poderosa del Nuevo Testamento. Aquí Pablo utilizó más palabras e ilustraciones concernientes al Espíritu Santo que las que se encuentran en alguna otra parte de las Escrituras. Tome tiempo para leer con oración todo el libro. Pronto descubrirá que este es el mensaje del Superpoder de Dios que usted necesita hoy.

Repase con Pablo en Efesios 1:13 los pasos que pueden traer poder espiritual a cualquier vida. En primer lugar, el Espíritu Santo nos conduce a la Palabra. Es la Biblia, escrita o hablada, la que nos presenta a Jesús. Por esto es que la distribución de las Escrituras es tan importante. Luego, el Espíritu Santo nos ayuda a discernir que la Palabra es verdadera, certera y confiable. Cuando llegamos a esta conclusión, entonces somos llevados a descubrir el Evangelio de nuestra salvación, y si estamos dispuestos, tomamos el paso de fe y aceptamos a Jesús como nuestro Salvador personal. En ese momento nos convertimos en la morada del superpoderoso Espíritu Santo.

Cada año los líderes de los países de mayor poder económico se reúnen para una discusión. A veces tienen graves desacuerdos. En otras ocasiones, todos los presidentes y primeros ministros firman acuerdos de cooperación y unidad entre los países. Efesios es la reunión cumbre de los superpoderes en los escritos de Pablo, pero no resulta en un acuerdo con las agencias del mal. Más bien, se presenta el Espíritu Santo como el Superpoder que todo lo conquista en nuestra vida.

Una oración para hoy: *Gracias, Señor, porque en Jesús siempre puedo estar en el bando victorioso.*

UN MOTIVO PARA ALABAR

[El Espíritu Santo] es las arras de nuestra herencia hasta la redención de la posesión adquirida, para alabanza de su gloria. Efesios 1:14.

Si usted está buscando "un motivo más para alabar a nuestro glorioso Dios", acuda al banco del cielo y haga efectivo un cheque que Dios le ha dado al llenarlo con su Santo Espíritu. Uno de los cheques más cuantiosos es la certeza de la eternidad en el cielo. El pago de ese cheque está garantizado, y es imposible sentirse miserable al respecto.

Charles Spurgeon contó una historia en uno de sus sermones sobre una dama que trabajó por más de 20 años para un hombre muy rico. Debido a que el hombre no tenía herederos, decidió dejarle una gran parte de su fortuna a la mujer que lo había servido fielmente. Así que cuando estaba a punto de morir, escribió algo en un pedazo de papel y se lo dio a la dama. La sirvienta se sintió muy agradecida de que su empleador se haya acordado de ella y lo colocó en la pared de su cuartucho en las afueras de Londres.

"Varios años más tarde —recuenta Terry Law en su libro *The Power of Praise and Worship* (El poder de la alabanza y la oración)— la mujer se enfermó gravemente y Spurgeon, el gran predicador, fue invitado a visitarla. Después de orar con ella, recorrió la habitación y notó este trozo de papel en la pared. Se volvió hacia la mujer y le preguntó de qué se trataba; ella le contó. Entonces Spurgeon inquirió: '¿Sabe usted leer? —ella respondió—: No. Nunca me han enseñado a leer'. Spurgeon continuó: 'Señora, este trozo de papel es un cheque por una gran cantidad. No tenía que haber vivido en estas pobres circunstancias durante todos estos años. Podría haber vivido en las mejores casas de Londres y disfrutado de los mejores alimentos'" (pp. 85-86).

Cobre su cheque hoy, y comience a alabar a Dios en sus momentos privados con él, en sus reuniones de grupo pequeño, y en la congregación donde disfruta de comunión con otros cristianos. Su eternidad con Dios es tan cierta como la presencia de su Espíritu en usted.

Una oración para hoy: *Ayúdame, Señor, a advertir oportunidades para mostrar cuán feliz estoy por la garantía de salvación en Jesús que tu Espíritu me ha dado.*

UNA REVELACION AGRADABLE DE DIOS

Pido que el Dios de nuestro Señor Jesucristo, el Padre de gloria, os dé espíritu de sabiduría y de revelación para que lo conozcáis mejor. Efesios 1:17, Nueva Reina-Valera 1990.

Quizá usted tenga visión de 20/20, pero a menos que haya luz, no verá nada. Quizá tenga un intelecto brillante, pero sin el Espíritu Santo que imparte sabiduría y revelación, los ojos del entendimiento (Efe. 1:18) nunca serán aclarados para comprender las cosas espirituales. Sólo a la luz del Espíritu puede conocerse y amarse a Dios. Por esto es que las fuerzas satánicas están decididas a impedir que los cristianos salgan de su ignorancia respecto al Espíritu Santo.

Cuando Catherine Marshall fue llena del Espíritu Santo (ver las lecturas del 17 y 18 de julio), le pareció sentir la presencia de Jesús en su habitación. "La experiencia que fue mi gozo anticipado de la inmortalidad —escribe Catherine—, ocurrió en las horas de la madrugada de un día de septiembre del 1943, cuando súbitamente supe que el Cristo resucitado se encontraba de pie al lado de mi cama... Esta no fue una visión. No vi nada con la retina de mis ojos. Sin embargo, vi cada detalle claramente con los ojos del Espíritu... Fue un encuentro total de persona a Persona. Lo vívido y lo impactante de la personalidad de Jesús en su miríada de facetas vino sobre mí como olas que rompen sobre la costa: su majestad (yo quería caer de rodillas y adorarle), y no obstante la sencillez de su leve toque, su sentido del humor, y su mensaje de 'te estás tomando a ti misma demasiado seriamente. No hay nada que yo no pueda resolver'" (*The Helper*, p. 152).

No he encontrado muchas personas que hayan tenido una experiencia similar a la de Catherine Marshall, ¿acaso usted ha conocido a algunas? Sin embargo, no conozco a nadie que haya sido llenado por el Espíritu Santo y no rebose de amor por Jesús. Desean hablar de él, cantar de él, leer sobre él y adorarle. Los ojos de su entendimiento han sido aclarados y han captado una vislumbre de "las riquezas de la gloria de su herencia" (vers. 18).

Si ora fervientemente cada día por la sabiduría y la revelación del Espíritu Santo, no sólo caminará en la luz usted, sino que también será capaz de comunicar el conocimiento de Dios de una manera maravillosa.

Una oración para hoy: *Me arrepiento, Señor, por las veces cuando no he visto más allá de los problemas de este mundo y las posibilidades de esta vida.*

EL VERSICULO MAS PODEROSO DE LA BIBLIA

Y cuál es la supereminente grandeza de su poder para con nosotros los que creemos, según la operación del poder de su fuerza. Efesios 1:19.

"¡Peligro, prohibida la entrada!", decía el cartel de grandes letras rojas en el cerco de elevada altura de la Compañía de Electricidad de Portland. Donde hay grandes concentraciones de energía siempre se encuentran advertencias de peligro. Cuando la energía se descontrola, el resultado puede ser algo como el desastre de Chernobyl, que destruyó a miles de personas.

Aunque el poder espiritual también puede ser peligroso si no se lo aísla con amor y verdad, Pablo no coloca advertencias en su poderosa declaración dirigida a los cristianos de Efeso. Permite que el impacto total del superpoder de Dios haga explosión sobre sus lectores, mostrándoles que, en vez de destruir la vida, este poder puede levantar a los muertos (vers. 20). El Espíritu Santo todavía dispone de este poder explosivo para resucitar a los que sufren de muerte espiritual, para darle a los cristianos victoria sobre el enemigo, y reavivar a la iglesia. Pero las fuerzas del mal han hecho que los cristianos se alejen atemorizados de este poder al colocarle señales de advertencia: "¡Peligro, no se acerque!"

Pablo combina cuatro palabras de poder en este versículo, y con la primera utiliza dos superlativos para darle el mayor énfasis posible: "Y cuál es la supereminente grandeza de su poder [*dúnamis*: poder milagroso y extraordinario] para con nosotros los que creemos, según la operación [*energeia*: aplicación de una fuerza poderosa y eficiente] del poder [*krátos*: dominio, fuerza poderosa] de su fuerza [*iscus*: habilidad notable]". ¡Pablo no deja lugar a duda de que él está absolutamente convencido de que el Espíritu Santo no es un debilucho!

¿Qué le viene a la mente cuando piensa en un poder excepcional? ¿Mucho ruido? ¿Mucha energía? ¿Testarudez? ¿Orgullo? ¿Insistencia? El Espíritu Santo no utiliza su increíble poder de esa manera. Es tierno y amable. Respeta el libre albedrío. Sólo usa fuerza mortal en sus enérgicos encuentros con los demonios. No tiene que temer el poder del Espíritu Santo. Sólo significa peligro para los poderes de las tinieblas. Manténgase conectado con la fuente de poder y siempre tendrá luz y vida.

Una oración para hoy: *Rodea mi debilidad con tu fortaleza, Señor, y entonces déjame usar ese poder espiritual con los demás con tanto cuidado y esmero como tú lo has hecho conmigo.*

NO LE DE LA BIENVENIDA AL ESPIRITU INMUNDO

En los cuales anduvisteis en otro tiempo, siguiendo la corriente de este mundo, conforme al príncipe de la potestad del aire, el espíritu que ahora opera en los hijos de desobediencia. Efesios 2:2.

C. S. Lewis una vez escribió: "Hay dos errores iguales y opuestos en los que cae nuestra raza con respecto a los diablos. Uno es no creer en su existencia. El otro es creer y sentir un interés malsano en ellos" (*The Best of C. S. Lewis*, p. 13).

Aunque el diablo no es omnipresente, tiene a muchos ángeles caídos que sirven como sus agentes. Utilizan métodos de acosamiento, opresión y acusación para hacer la vida tan difícil como sea posible para las personas de manera que culpen a Dios por el sufrimiento y los males de la sociedad.

Pablo expone al gobernante de estos poderes satánicos, y su carta superpoderosa a los efesios muestra las armas y la armadura que pueden salvaguardar al cristiano contra el engaño. De hecho, la oración y la verdad, en el poder del Espíritu Santo, pueden atar estos poderes malignos de manera que pierdan su autoridad y su dominio territorial.

La revista *Acts* (Hechos), publicada por la Organización Mundial de Mapas, cuenta de un misionero que trabajaba en las montañas de Brasil y Uruguay. Un día distribuía folletos en un pueblo por cuya calle principal corría la frontera entre los dos países. "En el lado uruguayo de la calle principal, nadie aceptaba los folletos. Pero en el lado brasileño todos los recibían gustosamente y se mostraban dispuestos a escuchar el testimonio de su fe en Cristo. Cruzó una y otra vez la calle con los mismos sorprendentes resultados. Entonces notó que una mujer que rechazó su folleto en la acera uruguaya cruzaba al lado brasileño. La siguió nuevamente y le brindó un folleto. Lo aceptó gustosamente y pudo testificarle sobre el Señor" (citado por Terry Law, *The Power of Praise in Worship*, pp. 46-48).

El misionero descubrió que su trabajo en esa parte de Brasil había sido precedido por muchas oraciones intercesoras, lo que impedía la labor de los demonios que reclamaban autoridad sobre ese territorio. En Uruguay no había ocurrido lo mismo y se notaba la diferencia. Si hoy utiliza donde vive las poderosas armas de la oración inspirada por el Espíritu, también notará resultados sorprendentes.

Una oración para hoy: *Te agradezco, Padre, porque gracias a Jesús, ningún agente de Satanás puede aspirar a dominarme.*

ENTRANDO AL DEPOSITO DE FRAZADAS

Porque por medio de él los unos y los otros tenemos entrada por un mismo Espíritu al Padre. Efesios 2:18.

Después de un largo ascenso y descenso por las laderas del monte Sinaí, nuestro grupo regresó al Monasterio de Santa Catalina, para encontrarse que las puertas estaban cerradas. Estábamos exhaustos y deseábamos descansar en nuestros camastros, pero el papel en la puerta nos informaba que no tendríamos acceso hasta que los monjes completaran sus oraciones. Era tarde en la noche cuando finalmente entramos al monasterio y para ese entonces hacía bastante frío.

Los monjes nos habían provisto una frazada para cada uno y en el edificio de piedra sin calefacción pronto comenzamos a sentir muchísimo frío. Como el líder del grupo, intenté conseguir más frazadas con el obispo, pero éste se negó tercamente, insistiendo que ese era un monasterio y que era bueno sufrir por el Señor. En medio de la noche, uno de los miembros del grupo, procedente de Nueva Guinea, comenzó a sufrir de hipotermia. Compartimos ropas y frazadas con él, pero ninguno de nosotros podía dormir por causa del intenso frío.

Finalmente desperté de nuevo al obispo y le recriminé que estaba dejando que sus invitados se murieran de frío. A regañadientes accedió a abrir el depósito de frazadas para darnos una frazada adicional para el hombre de Nueva Guinea. Cuando pudimos entrar en la habitación, que estaba atestada de tibias frazadas de lana, todos súbitamente parecíamos ser de Nueva Guinea y nos envolvimos con dos o tres frazadas cada uno. A la mañana siguiente el monasterio estaba rodeado de nieve, la primera nevada en diez años en la península del Sinaí.

¿Se ha sentido espiritualmente frío(a), preocupándose de si podría morir por falta de calor en su experiencia cristiana? ¿Le ha parecido que la puerta de acceso a Dios está cerrada? Esto no sucederá cuando usted esté consciente de la presencia del Espíritu Santo en su vida. Por medio del sacrificio de Cristo se ha provisto la entrada al cielo, y el Espíritu Santo le da el poder para abrir la puerta y entrar al maravilloso depósito de frazadas del Señor. Usted tiene derecho al calor del amor de Dios no porque usted sea de Nueva Guinea, sino porque usted es hijo de Dios.

Una oración para hoy: *Señor, hoy siento calor, seguridad y comodidad, porque el Espíritu Santo me ha acercado a tu presencia.*

LA MARAVILLA DEL MUNDO

En quien [Jesucristo] todo el edificio, bien coordinado, va creciendo para ser un templo santo en el Señor; en quien vosotros también sois juntamente edificados para morada de Dios en el Espíritu. Efesios 2:21-22.

Desde lo alto del anfiteatro de 24.000 asientos de Efeso, miré hacia el oriente al lugar de una de las siete maravillas del mundo antiguo. Sólo unas pocas ruinas en medio de un terreno pantanoso identifican la ubicación del templo de Diana. Ya en los tiempos antiguos había sido destruido y reedificado siete veces —cada vez algo mayor— hasta que en el tiempo de Pablo era cuatro veces más grande que el Partenón de Atenas. En el centro del templo se encontraba una estatua de la diosa de la fertilidad, Diana o Artemisa, quien se creía que había descendido del cielo para sustentar la vida de todo ser viviente.

Pablo le explicó a los cristianos de Efeso que ellos también eran parte de un templo viviente. El templo cristiano era construido no de piedra, mármol y metales preciosos, sino de personas que amaban y servían al Señor. En la medida que el cristianismo popular se alejaba de la sencillez del Evangelio, intentó —desde la época de Constantino— construir edificios que rivalizaran la grandeza de los templos paganos. Algunos cristianos todavía intentan impresionar al mundo con edificios costosos, pero el método que el Espíritu Santo utiliza para construir templos todavía es el mismo. El añade cristianos nacidos de nuevo a comunidades de fe que revelan por medio del cristianismo práctico la gloria de Dios, quien es el único Dador y Sustentador de la vida.

Al igual que el hogar era la unidad básica de la sociedad en los tiempos del Nuevo Testamento, en el que los lazos familiares unían a los que eran parientes, el cristianismo atraía a las personas a familias de fe (Gál. 6:10), o familia de Dios (Efe. 2:19). Aquí, como familia de Dios, los creyentes oraban y estudiaban juntos. Se edificaban unos a otros y se unían en el ministerio de los dones espirituales. Al reunirse regularmente en los hogares, sin construir edificios materiales, los cristianos proclamaban la extraordinaria grandeza de Dios. En los últimos días de la tierra, el Espíritu Santo continúa edificando de la misma manera. Hace que su pueblo se una en familias de fe en las que florece el verdadero cristianismo.

Una oración para hoy: *Señor, qué privilegio es ser parte de tu glorioso templo, que es en verdad la maravilla del mundo.*

CONOCIENDO EL MOMENTO ADECUADO

Misterio que en otras generaciones no se dio a conocer a los hijos de los hombres, como ahora es revelado a sus santos apóstoles y profetas por el Espíritu. Efesios 3:5.

¿Ha notado que Dios sabe el momento adecuado para revelarnos más de su verdad? A veces miramos el pasado y le agradecemos a Dios porque la información que no podríamos haber asimilado antes nos llegó justo en el momento cuando más la necesitábamos.

Juan era el gerente del departamento de piezas de una agencia de automóviles cuando se hizo cristiano. Poco tiempo después de su conversión, la compañía le pidió que hiciese algo que significaba transgredir uno de los Diez Mandamientos. Cuando se negó a hacerlo, Juan perdió su empleo y tuvo que regresar a su casa sin el automóvil que la compañía le había provisto.

¿Era éste el mejor momento para introducir las verdades de la Biblia en la vida de Juan? Vi a Juan caminar hacia su casa el mismo día en que fue despedido y más tarde oré con él, asegurándole que Dios honraría su fe. Después de un período de desempleo corto pero desesperante, Juan obtuvo un trabajo mucho mejor que le produjo grandes bendiciones. "Incluso si no hubiera recibido el nuevo empleo, me hubiese sentido agradecido por la oportunidad de testificar en la agencia de autos —declaró Juan—. Era el momento oportuno en la vida de varias de las personas que allí se encontraban".

Sólo después de la muerte de Jesús es que el Espíritu Santo pudo dar a conocer que los gentiles podían ser salvos sin pertenecer al sistema religioso judío. Antes del comienzo del cristianismo, una enseñanza tal habría sido imposible de comprender para los judíos. De hecho, para aquellos que no fueron llenos del Espíritu, todavía resultaba un misterio. El Espíritu se gozaría en la maravillosa revelación de la verdad que habría de traer a Pablo y a los otros apóstoles y profetas, pero sólo en el momento adecuado.

A la vez que el Espíritu Santo le da oportunidades de testificar, es importante buscar la dirección de Dios respecto a los temas que debe presentar. Siempre comience hablando de Jesús y de su amor, y sea sensible a las circunstancias de la vida de las personas y al nivel de crecimiento espiritual. Yo me alegro de que esta sea la manera en que Dios me ha tratado a mí.

Una oración para hoy: *Señor, te agradezco por las muchas indicaciones de que nos tratas de acuerdo a nuestras necesidades individuales.*

¿DONDE ESTA EL MINISTRO?

Del cual yo fui hecho ministro por el don de la gracia de Dios que me ha sido dado según la operación de su poder. Efesios 3:7.

Aunque la palabra "canal" ha desarrollado algunas connotaciones negativas por causa del movimiento de la Nueva Era, todavía se puede decir con certeza que los cristianos han de ser canales a través de los cuales pueden fluir los dones espirituales de Dios. La utilización de los dones espirituales implica el ministerio de todos los cristianos, lo que responde a las órdenes de Dios.

Cuando los métodos de Constantino se apoderaron de la iglesia en el cuarto siglo, el ministerio se convirtió en la profesión de un grupo reducido de voceros oficiales de Dios. Los cristianos se reunieron en grandes grupos y los laicos se convirtieron en oyentes pasivos, en vez de ser canales de amor. En estos últimos días vemos que las iglesias están abandonando este modelo. Los miembros de iglesia, especialmente en congregaciones en las que florecen los grupos pequeños, están siendo liberados para servir en la plenitud del poder de Dios.

El Espíritu Santo responde, como hizo con Pablo en Efesios 3:7, a cada interrogante que podamos tener respecto a nuestro ministerio.

—No he tenido el entrenamiento o la educación para estar en el ministerio. El Espíritu responde: "Sólo usa los dones que te he dado".

—Pero no merezco estar en el ministerio. No soy suficientemente bueno.

El Espíritu contesta: "Tú puedes servir en este ministerio en base a la gracia divina. Sólo Jesús es suficientemente bueno".

Buscamos una excusa: "¿Cómo obtendré la fuerza para llevar a cabo este ministerio?"

El Espíritu confirma: "Te daré energía según la operación del poder de Dios".

Entonces hacemos nuestra pregunta final: "¿Y si fracaso?"

El Espíritu se hace responsable: "Tienes mi garantía *dúnamis* de una potencia capaz de obrar milagros".

En el Nuevo Testamento, el ministerio era una actividad de equipo dentro de familias de fe. Se trataba de personas que reunían sus dones para edificarse unas a otras y evangelizar a los demás. No había dones o ministerios superiores o inferiores. Los cristianos eran canales de los "dones mejores" (1 Cor. 12:31), que eran los dones que más se necesitaban en aquella situación. Los líderes eran siervos en la familia de Dios, y apoyaban y coordinaban el ministerio de cada miembro.

No pregunte hoy "¿dónde está el ministro?" Más bien pregunte: "¿Cómo puedo servir mejor a Dios y a mi iglesia en el poder del Espíritu Santo?"

Una oración para hoy: *Renueva mi energía, Señor, de manera que pueda servirte con efectividad.*

PODER ESPIRITUAL PARA LEVANTARNOS

Para que os dé, conforme a las riquezas de su gloria, el ser fortalecidos con poder en el hombre interior por su Espíritu. Efesios 3:16.

Este es uno de mis versículos favoritos al comienzo de la oración más hermosa de Pablo. A menudo, cuando alguien me dice que me recordará en sus oraciones, le pido que reclame el cumplimiento de esta promesa en mi vida. ¡Qué verdad sorprendente es ésta! ¡Que el Espíritu Santo puede fortalecernos con poder, el superpoder *dúnamis* de Dios, capaz de efectuar milagros!

Hace años leí la historia bien documentada de una joven madre que estaba ocupada en su cocina cuando escuchó el ruido de frenos en la calle frente a su casa. Pocos instantes después, al recordar que su niño pequeño estaba jugando en el exterior, corrió para ver qué había sucedido. Un grupo de personas se había reunido alrededor de un automóvil pequeño detenido en medio de la calle; y para el horror de la madre, su pequeño hijo estaba atrapado debajo.

Algunos intentaron infundirle esperanza a la madre: "La ambulancia está en camino. Los paramédicos rescatarán al niño". Otros trataron de darle fe: "Confía en Dios. Todo se arreglará. El no te abandonará". Los amigos estaban dispuestos a fortalecerla con amor: "Estaremos aquí contigo no importa lo que suceda". Pero la profunda preocupación que la joven madre sentía por su hijo la llenó de fuerzas. En una acción que dejó atónitos a los presentes, levantó el frente del vehículo para que pudieran sacar a su pequeño y colocarlo en un lugar seguro.

Cuando el Espíritu Santo nos fortalece con poder, nos da la capacidad espiritual de levantar a los demás. Cada cristiano que edifica a los demás en el poder del Espíritu, puede "levantar las cargas pesadas y dejar libres a los cautivos" invocando el poderoso nombre de Jesús. Fortalecidos con poder en nuestros propios pensamientos y emociones, también se nos da fuerza sobrenatural para pensar positivamente y vivir victoriosamente. Al conducirnos continuamente a Jesús, nuestras cargas de culpa y temor —que pueden ser más pesadas que un automóvil— son levantadas, y nos regocijamos en las riquezas de su gloria.

Una oración para hoy: *Padre, te alabo por la fuerza interior que me das cuando el Espíritu Santo me lleva a ti por medio de la Palabra y la oración.*

BIENVENIDAS, OLAS DE AMOR

Para que habite Cristo por la fe en vuestros corazones, a fin de que, arraigados y cimentados en amor, seáis plenamente capaces de comprender con todos los santos cuál sea la anchura, la longitud, la profundidad y la altura, y de conocer el amor de Cristo, que excede a todo conocimiento, para que seáis llenos de toda la plenitud de Dios. Efesios 3:17-19.

¿Puede ver por qué las fuerzas del mal están decididas a impedir que usted comprenda lo que significa ser lleno del Espíritu Santo? Si esto no resulta claro, lea con oración Efesios 3:14-21 nuevamente. Al conectar las palabras de Pablo con las promesas de Jesús respecto al Espíritu en Juan 14-16, verá que el Espíritu Santo es quien representa a Jesús en nosotros como cristianos y nos llena con "toda la plenitud de Dios".

Debido a que Jesús ha decidido retener su humanidad, el Espíritu omnipresente permite que Cristo more en nuestros corazones por la fe. Satanás no desea que entendamos esto, porque mientras más llenos estemos del Espíritu Santo, más cimentados estaremos en el amor de Dios (Rom. 5:5). También somos capaces de comprender las cuatro dimensiones de ese amor, y como resultado, tendremos una fortaleza superior contra el enemigo. Aquellos que están "arraigados y cimentados" no son arrastrados por los engaños sutiles y los ataques violentos de las fuerzas del "príncipe de la potestad del aire".

Cuando el abogado de Nueva York Charles Finney fue llenado por el Espíritu Santo, le pareció que "ola tras ola" de amor líquido corrían a través suyo (vea las lecturas de septiembre 4 al 9). Al contar sobre la experiencia que le hizo comprender el amor de Jesús, él declaró: "Ninguna palabra puede expresar el amor maravilloso que fue derramado de golpe en mi corazón... Era en efecto imposible negar que el Espíritu de Dios había tomado posesión de mi alma... En vez de sentir que estaba pecando todo el tiempo, mi corazón estaba tan lleno de amor que rebosaba" (*Memoirs of Rev. Charles G. Finney*, pp. 20-23).

Ahora es el momento de permitir que el Espíritu Santo alce el pendón de la victoria del amor de Jesús en su propia vida, su grupo pequeño, y su congregación. Los demonios se batirán en retirada porque se ahogarán en las olas del amor líquido de Dios. Alabe, ore, cante, viva y hable del amor que sobrepasa todo entendimiento humano.

Una oración para hoy: *Señor Dios, lléname con todo lo que me permitirá reflejar tu carácter y estabilizarme en tu amor.*

PODER INEXPLICABLE

Y a Aquel que es poderoso para hacer todas las cosas mucho más abundantemente de lo que pedimos o entendemos, según el poder que actúa en nosotros. Efesios 3:20.

Ultimamente se ha hecho popular el señalar sorprendentes respuestas a oraciones como evidencia de que Dios puede hacer las cosas "mucho más abundantemente de lo que pedimos o entendemos". Como alguien que ha tenido el privilegio de ver cómo Dios obra milagros sorprendentes en respuesta a la oración, me siento tentado a contar una de esas experiencias como una ilustración de mi confianza en el poder obrador de maravillas del Espíritu Santo. Tengo un hogar, salud y un trabajo en el ministerio como resultado directo de la oración.

En cierta ocasión los periodistas le preguntaron a un famoso evangelista de la televisión por qué conducía un Mercedes Benz muy costoso y éste respondió: "¿Usted espera que yo tenga un Honda?" Aseguró que servía a un Dios que puede hacer "mucho más abundantemente de lo que pedimos o entendemos", incluso en lo material.

Pero a pesar del uso popular de Efesios 3:20, Pablo no está hablando aquí de respuestas a la oración; ni en lo material ni en lo espiritual. Al contrario, está diciendo que Dios puede hacer mucho más de lo que podemos pedirle. El puede trascender nuestras oraciones y sorprendernos con bendiciones espirituales por las cuales no se nos habría ni siquiera ocurrido pedir. A menudo he participado en campañas de oración de un día, noches y semanas, pero aún no hemos siquiera tocado los bordes de lo que Dios tiene para nosotros a través del tremendo poder del Espíritu Santo.

La magnitud de la habilidad de Dios para trascender todo lo que pedimos o pensamos no debe impedir que pidamos con fe o pensemos en cosas, por sencillas que sean, para presentarlas a Dios en oración. Pero es importante que no limitemos la obra de Dios en nuestra vida por causa de nuestras oraciones. Debemos darle la oportunidad de revelar el poder del Espíritu Santo obrando en nosotros y a través nuestro.

Por ejemplo, en vez de pedir que el Espíritu Santo nos capacite para conducir un alma a Cristo cada semana, podemos orar, "Señor, úsame hasta lo máximo de acuerdo con mi capacidad espiritual, emocional, física e intelectual". En vez de pedirle al Señor ayuda para vencer nuestro mal genio, podemos orar, "Señor, permíteme reflejar plenamente tu carácter de amor".

Una oración para hoy: *Padre, gracias por hacer más de lo que jamás te he pedido. Que nunca limite tu poder ilimitado por mi falta de visión.*

BIENVENIDA, UNIDAD DE AMOR

Solícitos en guardar la unidad del Espíritu en el vínculo de la paz. Efesios 4:3.

"No podemos tener la plenitud del Espíritu hasta que toda la iglesia esté unida. En el Pentecostés, los discípulos estuvieron unánimes en un mismo lugar".

Yo estuve de acuerdo y en desacuerdo con el hermano que hizo esta declaración categórica. Como individuo, cada cristiano puede ser llenado con el Espíritu, incluso si nadie más se interesa o decide unírsele en esta bendición. Una persona llena del Espíritu Santo puede ser el elemento catalizador que despierte interés en el tema del Espíritu dentro de toda una congregación.

Como iglesia, desde luego, la unidad entre los miembros es esencial si una congregación ha de recibir el fuego fresco del reavivamiento. El evangelista D. L. Moody dijo en cierta ocasión: "Hay una cosa que he notado al viajar en diferentes países. Nunca he sabido que el Espíritu de Dios obre donde el pueblo de Dios se encuentra dividido... Pienso que hay una gran cantidad de ministros en este país que están perdiendo su tiempo; algunos de ellos han perdido meses y años. No han visto ningún fruto, y continuarán sin ver fruto porque tienen una iglesia dividida. Tal iglesia no puede crecer en las cosas divinas. El Espíritu de Dios no obra donde hay división, y lo que deseamos hoy es el espíritu de unidad dentro del pueblo de Dios, de manera que el Señor pueda obrar" (Dwight L. Moody, *Secret Power*, pp. 124-126).

La verdadera unidad es posible sólo a través del Espíritu Santo porque se basa en el fruto del Espíritu y tiene su fundamento en el amor cristiano genuino. La unidad que requiere uniformidad de creencias, métodos evangelísticos y estilos de adoración, a la vez que uniformidad cultural, siempre será elusiva. Satanás persistirá en producir división en estas áreas si los miembros de iglesia continúan tratándose unos a otros con un espíritu de tolerancia.

Cuando a través del poder del Espíritu los creyentes buscan eliminar las divisiones, dejarán sus diferencias en las manos de Dios. Esto no significa que cambiarán alguna creencia atesorada, o alguna preferencia personal, sino que pueden mirar más allá de éstas, soportándose "los unos a los otros" en amor (Efe. 4:2), y unidos en el vínculo de la paz hecha posible por la sangre de Jesús.

Una oración para hoy: *Padre, en este día especial que me has dado, ayúdame a promover la unidad entre los cristianos que conozco.*

NO LA MISMA COSA

Un cuerpo, y un Espíritu, como fuisteis también llamados en una misma esperanza de vuestra vocación; un Señor, una fe, un bautismo, un Dios y Padre de todos, el cual es sobre todos, y por todos, y en todos. Efesios 4:4-6.

La iglesia en Efeso estaba compuesta de dos grupos distintos: los judíos y los gentiles conversos. Debido a que estaban constantemente en conflicto, Pablo les recordó las características esenciales que tenían en común. ¿Necesitaría también Pablo recordarle a usted y a su congregación estos siete "unos"? ¿Será que si su congregación se pone de acuerdo sobre estos puntos básicos esto produciría un gran reavivamiento?

En vez de usar el número uno, que podría confundir la intención de las declaraciones de Pablo, lea los versículos sustituyendo la palabra "mismo" y aplicándolos a su iglesia. Todos los miembros, no importa cuál sea su condición socioeconómica, racial, religiosa o cultural, ahora pueden pertenecer al "mismo" cuerpo gracias a su conversión. Todos tienen el "mismo" Espíritu, la "misma" esperanza, el "mismo" Señor, la "misma" fe, el "mismo" bautismo y el "mismo" Dios, quien está en todos ellos y es el Padre de todos ellos.

A veces no se ha captado la intención unificadora de las palabras de Pablo debido a que se han tomado sus "unos" numéricamente. ¿Hay un cuerpo o dos? (La iglesia visible y la invisible.) ¿Hay un Espíritu o dos? (Al Padre y al Espíritu se les llama "Espíritu".) ¿Hay dos señores? (Al Padre y al Hijo se les da este mismo título.) ¿Hay una fe o tres? (La fe que salva, el don espiritual de la fe y la fe cristiana.) ¿Cuántos bautismos hay? (La Biblia menciona por lo menos seis: el bautismo de Moisés, el bautismo de sufrimiento, el bautismo de fuego, el bautismo de Juan, el bautismo de agua y el bautismo del Espíritu Santo.) ¿Hay un Padre o dos? (A Dios el Padre y a Jesús se les llama "Padre".)

Quizá ésta sea una buena manera de probar cuán dispuesto está usted o su iglesia a aceptar la unidad del Espíritu. Después de discutir los "unos" numéricamente, habrá divergencias de posición. ¿Podrá entonces sustituir la palabra "mismo/a" y decir, "podemos tener opiniones diferentes, pero somos parte del mismo cuerpo y todos queremos ser llenados del mismo Espíritu Santo"? Cuando esto suceda, habrá dado un paso gigantesco en dirección al reavivamiento final y definitivo.

Una oración para hoy: *Señor, úneme en amor y gozo a mis compañeros cristianos.*

CONTRISTADO POR OBRAS Y NO POR EL EVANGELIO

Y no contristéis al Espíritu Santo de Dios, con el cual fuisteis sellados para el día de la redención. Efesios 4:30.

Ninguna figura que haya vivido cortos años ha afectado el movimiento misionero mundial tanto como David Brainerd. Misioneros famosos de comienzos del siglo XIX recibieron la inspiración del Espíritu Santo como resultado de haber leído el diario de este joven. Brainerd tuvo una profunda influencia sobre la conversión de los indios americanos, y como consecuencia de sus arduas labores, murió a los 30 años de edad en la casa de Jonathan Edwards.

El padre de David era miembro del Consejo Real para la colonia de Connecticut, pero a los catorce años David quedó huérfano. En 1739 ingresó en Yale y obtuvo las mejores notas de entre todos sus compañeros hasta que fue injustamente expulsado poco antes de su graduación. Había apoyado las predicaciones de George Whitefield y Jonathan Edwards y cometido el "pecado imperdonable" de criticar a un tutor de Yale que se había opuesto al Gran Despertar.

Poco después de abandonar Yale, Brainerd se dedicó al servicio misionero en favor de los indios norteamericanos. El presidente de Princeton, Jonathan Edwards, más tarde escribió que la conversión de Brainerd "no fue el fin de *su obra*, ni del curso de sus diligentes incursiones en el campo de la religión, ni tampoco fue el final de la *labor del Espíritu* de Dios en su corazón" (Jonathan Edwards, *The Life of Rev. David Brainerd*, p. 345).

En varias ocasiones, sin embargo, David Brainerd temió haber contristado al Espíritu Santo. En su diario, este gran misionero confesó: "Cientos de veces renuncié a toda pretensión de que mis labores tuviesen algún valor... sin embargo, todavía albergaba la secreta esperanza de recomendarme a mí mismo a Dios en base a mis deberes religiosos... Una vez, recuerdo, se apoderó de mí una terrible punzada de desánimo; y la idea de renunciar al yo, y quedar desnudo ante Dios, despojado de toda bondad, me era espantosa" (*Id.*, pp. 13-14).

Una comprensión del significado del sacrificio de Jesús produjo el alivio que Brainerd necesitaba. "Me maravillé de que todo el mundo no viera y aceptara esta manera de salvación, enteramente por la *justicia de Cristo*", escribió con gozo en su corazón (*Id.*, p. 25). Lo que más contrista al Espíritu Santo, como descubrió Brainerd, es que intentemos salvarnos por nuestras obras.

Una oración para hoy: *Dios, que recuerde la certidumbre de la salvación que tengo por el sellamiento del Espíritu, y que no me desanime al contemplar mis obras.*

BIENVENIDO, ESPIRITU DEL EVANGELIO

Porque el fruto del Espíritu es en toda bondad, justicia y verdad. Efesios 5:9.

Como un misionero joven que no llegaba todavía a los 30, David Brainerd, envuelto en una piel de oso y escupiendo sangre por causa de la tuberculosis, se postraba sobre la tierra congelada de noche y clamaba a Dios para que salvase a los indios. No es de extrañarse que cientos llegaron a comprender el significado de la "bondad, la justicia y la verdad". A veces Brainerd tenía que utilizar un traductor ebrio, pero aun así el Evangelio fue capaz de alcanzar corazones y transformar vidas.

Brainerd comenzó su ministerio inspirador en 1742. Trabajó en favor de los indios primero en Massachusetts y Nueva York, luego en la confluencia del río Delaware y finalmente en el centro de Nueva Jersey. Por causa de vivir en refugios que él mismo construía, dormir sobre la paja y comer tan frugalmente, pronto su salud se deterioró y en menos de cinco años regresó a Nueva Inglaterra. Allí, en la casa de Jonathan Edwards y bajo el cuidado de la hija de éste, Jerusha, con la cual pensaba casarse, murió el 9 de octubre de 1747: una corta vida de sacrificio, pero una que inspiró la labor de misioneros que ganaron a millones de almas alrededor del mundo.

Cuando era estudiante en Yale, David Brainerd intentó ganarse el favor de Dios por medio de sus oraciones y su piedad, pero no encontró gozo. Más bien, como sucede siempre con aquellos que confían en la salvación por las obras, a veces se sentía lleno de justicia propia y otras veces se sentía despreciado y fracasado. El cambio que transformó su ministerio ocurrió cuando fue lleno del Espíritu Santo. Una luz de "gloria indescriptible" pareció inundar su alma. Sintió una percepción interna de Dios que le reveló el verdadero significado de bondad, justicia y verdad.

Brainerd escribió: "En ese instante el *camino de la salvación* se abrió para mí con tal sabiduría infinita, propiedad y excelencia, que me pregunté si debía alguna vez pensar en algún otro camino de salvación; me asombré de no haber abandonado antes mis propias invenciones y aceptado este camino tan hermoso, bendito y excelente" (Jonathan Edwards, *The Life of Rev. David Brainerd*, p. 25).

¿Ha permitido usted que el Espíritu Santo le dé este fruto maravilloso de su presencia en su vida? Ciertamente hará una gran diferencia.

Una oración para hoy: *Padre, haz que en mi vida crezca el fruto que testificará fielmente de la luz del Evangelio.*

BAJO LA INFLUENCIA DEL ESPIRITU

No os embriaguéis con vino, en lo cual hay disolución; antes bien sed llenos del Espíritu. Efesios 5:18.

Por lo menos ocho veces el Nuevo Testamento habla de personas que son llenas con el Espíritu Santo. También declara que es posible estar lleno de ira, envidia, confusión e impiedad. "Lleno" en este contexto significa ser dominado, poseído o controlado por una emoción, actitud o fuerza externa. ¿Alguna vez ha estado lleno de odio o amor? Si así ha sido, sabrá como cualquiera de los dos puede afectar sus pensamientos, acciones e incluso su apetito. De la misma manera, una persona que está llena de alcohol desafortunadamente pasa a estar bajo su influencia.

Dos veces Pablo ha mencionado que los efesios fueron sellados con el Espíritu Santo (Efe.1:13; 4:30). El Espíritu había venido a morar en ellos en el momento de la conversión, y era la garantía divina de su herencia eterna (Efe. 1:14). Pero ahora Pablo se preocupaba de que se rindieran totalmente al Espíritu cada día de manera que él fuera la influencia que controlara su vida.

Muchos cristianos nacidos de nuevo, como el médico Walter L. Wilson, han testificado de un gran cambio en sus vidas cuando fueron llenos del Espíritu. La conversión del Dr. Wilson le hizo amar las Escrituras y servir a Dios diligentemente, pero quedó perturbado por lo ineficaz de su experiencia cristiana y sus esfuerzos por alcanzar a otros.

El 14 de enero de 1914, el Dr. Wilson estaba postrado sobre la alfombra de su oficina, con un profundo convencimiento de que necesitaba ser llenado del Espíritu. Escuche cuál fue la oración que transformó su vida: "Allí, en la quietud de la noche avanzada, le dije al Espíritu Santo, 'mi Señor, te he maltratado durante toda mi vida como cristiano. Te he tratado como un siervo. Cuando te necesité te llamé; cuando me disponía a dedicarme a alguna labor te pedí que vinieras y me ayudaras a cumplir mi función... Ya no lo haré más. Ahora sólo te doy mi cuerpo; desde la cabeza hasta los pies te lo doy... Te lo entrego a ti para que vivas en él la vida que desees vivir'" (*They Found the Secret*, p. 123).

No es de extrañarse que el Dr. Wilson llegó a ser un médico muy apreciado a quien el Espíritu Santo usó para ganar una gran cosecha de almas para el Salvador.

Una oración para hoy: *Espíritu Santo, te doy permiso para que te posesiones de cada parte de mi cuerpo y me uses conforme a tu voluntad.*

CANTANDO EN EL ESPIRITU

Hablando entre vosotros con salmos, con himnos y cánticos espirituales, cantando y alabando al Señor en vuestros corazones. Efesios 5:19.

Los grandes reavivamientos del poder del Espíritu Santo siempre han estado acompañados por cantos y música cristiana inspiradora. Al escribir sobre los eventos que acompañaron al poderoso derramamiento del Espíritu Santo sobre los cristianos moravos en la propiedad del conde Zinzendorf en agosto de 1727, John Greenfield dice: "El bautismo con el Espíritu Santo sobre nuestros padres hace dos siglos produjo una pleamar espiritual de cantos sacros como no se había experimentado antes en la iglesia cristiana o desde entonces" (*Power From on High*, p. 57).

Como el poderoso Mississippi que desbordó sus riberas en las grandes inundaciones de 1993, el Espíritu Santo derribó las barreras de tradicionalismo y religión muerta, e inundó las vidas de los cristianos con cantos que glorificaban a Jesús, el maravilloso Salvador.

Pablo nos dice que los cristianos podrán ministrar a otros "con salmos, con himnos y cánticos espirituales", indicando una variedad en la música sacra. Comentando sobre esto, el profesor John Rea, un redactor de la *Wycliffe Bible Encyclopedia* (Enciclopedia bíblica Wycliffe), dice: "Casi seguramente los 'salmos' eran los salmos canónicos del Antiguo Testamento cantados para acompañamiento instrumental. Los 'himnos' pueden denotar composiciones cristianas cantadas con música o sin ella. 'Cánticos espirituales' eran aquellos inspirados en el lugar por el Espíritu Santo, con palabras no premeditadas y melodías improvisadas, cantados 'en el Espíritu' " (*The Holy Spirit in the Bible*, pp. 295-296).

No hay indicación de que la música inspirada por el Espíritu fue dada a la iglesia para ser ejecutada por unos pocos profesionales. Más bien era parte de la admonición y del acto de compartir entre hermanos y hermanas en la fe (Col. 3:16).

Al orar para que el Espíritu Santo lo llene a usted, a su pequeño grupo y a la congregación de la iglesia, no se sorprenda ante la forma en que una diversidad de música cristiana pasará a la vanguardia. Usted cantará los grandiosos himnos antiguos con nuevo sentido y fervor. Cantos bíblicos, coros y salmos se llenarán con un significado que les hará cobrar vida para usted. La música aun podría salir espontáneamente de sus labios, como ocurrió en la iglesia cristiana primitiva. En todo esto Jesús será glorificado y se efectuará un ministerio en favor de los creyentes.

Una oración para hoy: *Padre, por favor llena mi corazón con un nuevo canto de bendición y gozo.*

RESISTIENDO LAS FUERZAS DEL ENEMIGO

Porque no tenemos lucha contra sangre y carne, sino contra principados, contra potestades, contra los gobernadores de las tinieblas de este siglo, contra huestes espirituales de maldad en las regiones celestes. Efesios 6:12.

La lectura de la descripción que hace Pablo de las fuerzas malignas puede llenarnos de demasiada aprehensión hacia ellas. Me gusta la manera como Neil T. Anderson, en *The Bondage Breaker* (El que rompe el cautiverio), le da a esto una perspectiva más sana. "Ese es un temor infundado. Nuestra relación con poderes demoníacos en el ámbito espiritual es muy semejante a nuestra relación con los gérmenes en el ámbito físico. Sabemos que hay gérmenes en todo lo que nos rodea: en el aire, el agua, en la comida, en otras personas, aun en nosotros. ¿Pero vive usted en constante temor de contraer alguna enfermedad? ¡No, a menos que usted sea un hipocondríaco!...

"Lo mismo ocurre en el ámbito espiritual. Los demonios son como pequeños gérmenes invisibles que están tratando de infectar a alguien. Nunca se nos dice en la Escritura que les temamos. Usted sólo necesita estar consciente de su realidad y comprometerse a vivir una vida virtuosa a pesar de ellos. Si lo atacan, enfrente la situación y siga adelante. Recuerde: lo único grande en cuanto a un demonio es su boca. Los demonios son mentirosos habituales. En Jesucristo, la Verdad, usted está equipado con toda la autoridad y protección que necesita para hacer frente a cualquier cosa que le arrojen" (p. 77).

El Espíritu Santo capacita a todo cristiano para fortalecerse "en el Señor, y en el poder de su fuerza" (Efe. 6:10). Esto implica estar vestido, como dice Pablo dos veces, con "toda la armadura de Dios". Ningún germen demoníaco puede penetrar la vestimenta protectora que el Espíritu ha hecho a medida para cada cristiano. La armadura de Dios no le impide ser atacado y aun puede provocar violentos ataques de las fuerzas malignas. Sin embargo, usted puede estar seguro que si su armadura está completa, usted podrá "resistir" victorioso. Cante las alabanzas de Dios. Usted está lleno con el poder sobrenatural del Espíritu Santo.

Una oración para hoy: *Señor, por favor hazme consciente de cualquier brecha que he permitido que se abra en mi armadura y perdóname por cualquier pecado en el cual he caído como resultado.*

BIENVENIDO, PODER DE VERDAD Y JUSTICIA

Estad, pues, firmes, ceñidos vuestros lomos con la verdad, y vestidos con la coraza de justicia. Efesios 6:14.

El Espíritu Santo nos conduce a toda verdad y nos asegura justicia. De esta manera provee dos elementos críticos de la armadura contra las fuerzas del maligno, que basan su estrategia en mentiras y engaño. Si las fuerzas del mal usan circunstancias pasadas o presentes para convencerlo que usted es malo o indigno, derrote esa mentira con la verdad de que es un hijo de Dios y que sus pecados están cubiertos por la sangre de su Salvador Jesús, por lo que no pueden imputárseles.

Si usted entra en conflicto con influencias malignas, recuerde que si bien pueden plantar pensamientos mentirosos, engañosos, en su mente, no pueden leer sus pensamientos ni estar seguros de que han tenido éxito a menos que oigan palabras o vean acciones que lo confirmen. Si usted está siendo atacado exteriormente o de alguna manera ha indicado que el mal está afectando su pensamiento, es importante resistir a Satanás afirmando la verdad y la justicia por medio de una oración en voz alta. De esta manera él puede oír lo que está ocurriendo y ser puesto en fuga.

Estaba celebrando reuniones de reavivamiento en un área de Arizona donde los cultos satánicos son muy activos. Generalmente duermo bien, pero cada mañana, alrededor de las 3:00 de la madrugada, me despertaba y comenzaba a luchar con pensamientos negativos abrumadores: *¡Ríndete! Tú eres indigno de tener esas reuniones. Vas a morir.*

Después de orar al Señor durante una semana pidiendo ayuda, él me trajo a un amigo para que quedase en la casa conmigo. Cuando compartí con él lo que estaba experimentando, me explicó que esto estaba ocurriendo a una hora preferida por los demonios para sus actividades. Usted debiera orar en voz alta en el nombre de Jesús, dijo, derrotando esas mentiras con el cinto de la verdad y la coraza de la justicia de Cristo.

"Padre, te agradezco que soy tu hijo —oré en voz alta cuando fui despertado la noche siguiente—. Reclamo la justicia de Jesús mi Salvador y resisto las mentiras de Satanás en el nombre de Jesús". Pronto pude dormir nuevamente y al cabo de unas pocas noches me vi enteramente libre de este ataque.

Recuerde, el enemigo no puede resistir la presencia de la verdad.

Una oración para hoy: *Te alabo, Señor, por el poder extraordinario del Espíritu Santo, mientras él glorifica a Jesús en mi vida, derrotando los ataques del enemigo.*

ZAPATOS Y ESCUDO GRANDES

Y calzados los pies con el apresto del evangelio de la paz. Sobre todo, tomad el escudo de la fe, con que podáis apagar todos los dardos de fuego del maligno. Efesios 6:15-16.

El esposo de Jodi no era cristiano, de modo que ella notaba que a veces el enemigo usaba a Sam para atacarla a ella y su compromiso de servir a Dios. Sus acusaciones eran irrazonables e injustas y distaban mucho de la verdad. Jodi decidió, con el poder del Espíritu Santo, que caminaría en los zapatos del Evangelio de paz. Como ella sabía quién era en virtud del Evangelio de gracia y amor de Jesús, no necesitaba ejercer represalias por los asaltos negativos de su esposo. Jodi se mantenía en calma y caminaba en paz, lo cual, eventualmente, llegó también al corazón de Sam.

Cuando las fuerzas malignas lanzan sus dardos ardientes contra los hijos de Dios, el Espíritu Santo los capacita para colocar el escudo de la fe rápidamente en su lugar. La fe significa creer en la Palabra de Dios de modo que estemos dispuestos a hacer lo que ella diga con el poder del Espíritu.

Quin Sherrer y Ruthanne Garlock cuentan la historia de Chris, quien procedía de una familia problemática y que había sido abusada cuando niña. Aun después de haber llegado a ser cristiana, fue atormentada por pensamientos de suicidio hasta que la oración y el aconsejamiento la ayudaron a verse libre de esta opresión.

"Entonces aprendí —dice Chris— que el enemigo siempre prueba la liberación que uno haya experimentado. Aunque yo sabía que el Espíritu Santo había ministrado poderosamente en mi favor, ocasionalmente tenía otra vez pensamientos de suicidio. Tuve que usar el escudo de la fe para desviar esos fieros dardos. Vez tras vez le decía al enemigo: 'Satanás, te resisto. He sido liberada en el nombre de Jesús. Viviré y no moriré. Tú estás derrotado y te ordeno que huyas'. Persistí hasta que el enemigo dejó de mortificarme en esa área. Estoy totalmente libre" (*A Woman's Guide to Spiritual Warfare*, p. 51).

Recientemente observé en la televisión cómo guardias de asalto hacían frente a algunos manifestantes violentos. Los policías tenían escudos largos y fuertes que protegían sus cuerpos. Similarmente, usted tiene como cristiano un escudo espiritual. Siga agrandando su escudo de fe memorizando pasajes de la Escritura, escuchando sermones bíblicos, participando en pequeños grupos de estudio de la Biblia, y aprendiendo nuevos cantos evangélicos.

Una oración para hoy: *Señor, ayúdame a confiar solamente en el verdadero camino de salvación y seguridad.*

DEFENDIENDO Y ATACANDO

Que la salvación sea el casco que proteja su cabeza, y que la palabra de Dios sea la espada que les da el Espíritu Santo. Efesios 6:17, V. Popular.

"Los motociclistas deben usar cascos, es la ley", dicen los carteles cuando usted maneja en Oregon. Hace años estaba manejando una motocicleta cuando un automóvil frenó directamente en frente de mí. Sabía que chocar contra un vehículo a la velocidad que yo llevaba podía ser fatal, de modo que arrojé mi motocicleta a un costado y resbalé sobre mi casco del otro lado del automóvil. Cuando más tarde examiné el daño que sufrió este artefacto protector, ciertamente estaba contento que no fue mi cabeza lo que había golpeado contra el camino. ¿Está usando usted su casco de salvación? Es una ley para sobrevivir espiritualmente.

El casco que protege la mente es la certeza de la salvación y lo usa el Espíritu para guardar los pensamientos de un cristiano que ha nacido de nuevo. Si usted no está seguro de la salvación, se encontrará desguarnecido cuando Satanás golpee su cabeza contra el duro camino de la duda o la tentación.

Mientras que los cascos todavía juegan un papel en un mundo que está a un paso del siglo XXI, las espadas se han vuelto obsoletas. La mayoría de las personas, sin embargo, han visto ilustraciones y películas describiendo los tiempos anteriores a las armas de fuego, y conocen la importancia de las espadas como un antiguo método de ataque. La espada del Espíritu puede ahuyentar al enemigo de la batalla porque esta espada representa al Espíritu Santo capacitando a los cristianos para hablar las palabras de Dios. Como la Palabra de Dios es verdad y los ataques del enemigo están basados en la mentira, la espada del Espíritu siempre es victoriosa.

Los estudiosos de la Biblia han notado que en este versículo Pablo usa *rhema* antes que *logos* para describir la "palabra" de Dios. Aunque no podemos hacer una distinción muy grande entre estas palabras, como han hecho algunos en el movimiento carismático, podemos reconocer aquí un punto importante para enfatizar. La espada no es tanto la Palabra escrita (*logos*) en un libro, cuanto la Palabra hablada (*rhema*). Una declaración de Dios, inspirada por el Espíritu Santo y hablada en voz alta por un cristiano, derrotará al enemigo. Muy a menudo esta palabra hablada incluirá porciones de la Palabra escrita, especialmente relacionadas con el Evangelio, las que han sido almacenadas en la mente del creyente.

Una oración para hoy: *Señor, oculta la espada de tu Evangelio en mi mente como una fuerte arma contra el mal.*

SOSTENIENDO LA CUERDA

Orando en todo tiempo con toda oración y súplica en el Espíritu, y velando en ello con toda perseverancia y súplica por todos los santos. Efesios 6:18.

El Dr. Tom Lovorn cuenta la historia de una aldea pesquera que yace en la desembocadura de un río turbulento. Un día resonó el grito: "¡Un muchacho ha caído al agua!" Rápidamente se juntó una gran multitud. Alguien corrió trayendo una soga y un vigoroso nadador se ofreció para rescatar al muchacho que se estaba ahogando. Atando un extremo de la cuerda a su cintura, el nadador lanzó el otro a la multitud y se zambulló en las aguas embravecidas.

Los ojos de todos estaban fijos en el hombre mientras él nadaba contra la fuerte corriente para llegar hasta la víctima. Finalmente aferró al joven en sus poderosos brazos. "¡Tiren la soga!", gritó el hombre.

Los aldeanos se miraron entre sí. "¿Quién está sosteniendo la cuerda?", preguntaron. ¡Entonces descubrieron que nadie la estaba sosteniendo! En su excitación por observar el rescate, nadie había tomado la cuerda. Su extremo se había deslizado al agua. Impotentes para ayudar, los aldeanos observaron cómo se ahogaban dos preciosas vidas porque ninguno de ellos había hecho su trabajo de sostener la cuerda (*Why Build a House of Prayer?*, p. 15).

Es absolutamente esencial que los cristianos sostengan la cuerda para otros mediante la oración. "Estaré orando por usted", debe ser más que una frase de cortesía. Podemos estar nadando contra las corrientes del mal o casi a punto de ahogarnos en las aguas turbulentas de la culpa, la depresión y el desánimo, pero si estamos seguros de que otros nos están sosteniendo en oración, entonces podremos sobrevivir.

La fuerza y la persistencia para sostener la cuerda de la oración por otro proceden del Espíritu Santo. Hacemos nuestras súplicas, nuestros fervientes ruegos a Dios, a través de la obra del Espíritu dentro de nosotros. A menudo hay una urgencia y un fervor tales que nuestras oraciones por otro trascienden las palabras. Entonces el Espíritu se une a nuestros corazones ante el Padre "con gemidos indecibles" (Rom. 8:26). El Espíritu también nos capacita para abrir nuestros corazones a Dios en alabanza por lo que creemos que él hará en nuestra propia vida y en la de aquellos que están en nuestra lista de personas sostenidas por la cuerda.

Una oración para hoy: *Señor, ayúdame a estar siempre en conexión contigo en oración, sabiendo que de este modo el Espíritu Santo traerá ayuda y fortaleza.*

BIENVENIDO, LIBERTADOR

Porque sé que por vuestra oración y la suministración del Espíritu de Jesucristo, esto resultará en mi liberación. Filipenses 1:19.

El Espíritu Santo está definidamente involucrado en un ministerio de liberación. No sólo libra del cautiverio demoníaco, de la esclavitud del pecado, la culpa y el temor mediante la sangre de Jesús, sino que a veces nos libra de peligros físicos. Si este fuera un concurso de curiosidades, yo podría preguntar: "¿Conoce el nombre del presidente de los Estados Unidos cuyo tren pasó encima de una casa en el día de su inauguración?" William A. Spicer, ex presidente de la Asociación General, nos cuenta sobre la embarazosa experiencia del tren en el que iban el presidente Zachary Taylor, su familia, su personal y políticos prominentes.

Al atardecer del 5 de marzo de 1849, el Sr. William Kitson y su esposa estaban cenando en su casa junto a las vías de ferrocarril, cerca de Trenton, New Jersey, cuando alguien gritó que se acercaba el tren presidencial. La Sra. Kitson estaba de pie en el jardín con su hija, mientras su esposo se quedó en el portal de la casa con dos de los hijos. Repentinamente la Sra. Kitson oyó la palabra: "¡Corre!" Ella se resistió, pensando cuán necio sería correr cuando nada estaba ocurriendo. Nuevamente la voz dijo con tono de urgencia: "¡Corre!" y esta vez ella abrió la puerta y corrió a la parte posterior de la casa. Al mismo tiempo una voz le dijo al Sr. Kitson: "¡Salta fuera de la puerta! ¡Salta rápido!" Tomó a sus hijos y saltó, rodando una cantidad de veces sobre el suelo.

En el momento cuando los esposos Kitson obedecieron las instrucciones del Espíritu Santo, el tren presidencial dejó las vías, pasó por el mismo lugar donde habían estado paradas la Sra. Kitson y su hija, y se estrelló a través del portal de la casa donde el Sr. Kitson y sus dos hijos habían estado esperando.

"No podrán convencernos a ninguno de nosotros, que oímos voces separadas al mismo tiempo diciéndonos que saliésemos del camino, que Dios no vela por los suyos hoy así como lo hizo en los tiempos bíblicos —dijeron más tarde. Y el Sr. Kitson agregó—: Pueden estar seguros que siempre pensaremos en nuestro Señor viviente y acerca de su amor por sus hijos cada vez que oigamos esas dos palabras: 'Corre' o 'Salta' " (*The Hand That Still Intervenes*, pp. 73-75).

Una oración para hoy: *Quizás no siempre seré librado físicamente, Señor, pero tu Espíritu siempre estará listo para librarme de todo peligro espiritual.*

SUCURSALES DE COMPAÑERISMO

Por tanto, si hay alguna consolación en Cristo, si algún consuelo de amor, si alguna comunión del Espíritu, si algún afecto entrañable, si alguna misericordia, completad mi gozo, sintiendo lo mismo, teniendo el mismo amor, unánimes, sintiendo una misma cosa. Filipenses 2:1-2.

El cristianismo nunca fue planeado para que fuese una religión solitaria o un encuentro impersonal y masivo de creyentes. El verdadero cristianismo consiste en personas que cuidan de otras personas, edificándose y ayudándose mutuamente, interesándose por otros y atrayéndolos dentro de su círculo de amor. Así es como funciona la *koinonia*, o compañerismo del Espíritu. Aquellos que están en comunicación con el Espíritu Santo serán sus agentes de gracia.

El cristianismo ha pasado de estar centrado en la comunidad o en el vecindario, a estar centrado en el edificio de la iglesia. Pero el Espíritu está guiando al cristianismo de vuelta a sus raíces. Hablé recientemente con un pastor joven, quien dijo: "Me gustaría comenzar una nueva iglesia que esté basada en el modelo del Nuevo Testamento. Instruiría a 10 ó 12 líderes de grupos pequeños y los enviaría a ministrar. Formaríamos muchos grupos pequeños y nos reuniríamos para un festival conjunto de alabanza en un edificio o estadio rentado aproximadamente una vez por mes".

Me agrada la visión de Carl F. George, director del Instituto Charles E. Fuller para Evangelismo y Crecimiento de la Iglesia. "La iglesia del futuro, aunque por lejos más grande que una típica parroquia de hoy día, no será conocida por su lugar central de reunión, sino por su ministerio de pequeños grupos dependientes o 'sucursales'. En la comunidad comercial, un concesionario como McDonald's provee el conocimiento de cómo operar y el reconocimiento del producto, mientras que la sucursal local suple el contacto local con los clientes. El concesionario faculta al grupo local para que sea un proveedor autorizado de productos y servicios deseados.

"Creo que los pastores y dirigentes de la iglesia adoptarán la actitud de un concesionario hacia los ministerios de sus miembros en cada sección de una ciudad. Se animará a los miembros para que empiecen agencias de barrios, tales como grupos de hogares células, por toda el 'área de servicio' de su iglesia. Ellos serán habilitados mediante el entrenamiento proveniente de los líderes de su iglesia" (*Prepare Your Church for the Future*, pp. 22-23).

Pídale al Espíritu Santo ahora que le muestre cómo puede ser parte de este movimiento de amor que preparará a la iglesia para el regreso de nuestro Señor.

Una oración para hoy: *Santo Espíritu, oro para que mi gozo sea cumplido en un verdadero ministerio para ti.*

BIENVENIDO A UNA ADORACION LLENA DEL ESPIRITU

Porque nosotros somos la verdadera circuncisión, los que adoramos según el Espíritu de Dios, y nos regocijamos en Cristo Jesús, y no ponemos nuestra confianza en la carne. Filipenses 3:3, Nueva Reina-Valera, 1990.

Las palabras bíblicas para adoración siempre describen actos del cuerpo. Hablan de inclinarse, de extender las manos, de postrarse, de doblar las rodillas, y en el Nuevo Testamento, aun de la actitud de "besar hacia" Dios. Es difícil describir la verdadera adoración y aun más difícil prescribirla. Las iglesias han tendido a ritualizar las acciones y la liturgia de la adoración de modo que ésta se ha convertido para muchos en una "confianza" formalizada "en la carne", que, como una inoculación, les impide vivir la verdadera experiencia.

Terry Law, escribiendo en el *Power of Praise and Worship* (Poder de alabanza y adoración), dice: "La adoración es una respuesta a una relación con Dios, pero esa relación es muy íntima y es muy difícil para otra persona describir exactamente qué es. Implica compañerismo. Abarca una revelación personal de Dios al individuo. Pero básicamente es el derramamiento de pensamientos íntimos a Dios, a menudo acompañado de acciones emocionales y expresivas del cuerpo. Pero siempre debemos recordar que es casi imposible describir en palabras la sensación interior y el sentimiento que permea la relación. Como dijo un viejo feligrés: "Es mejor algo que se experimenta que algo sobre lo cual se habla".

El Espíritu Santo capacitará a grupos pequeños y a grandes congregaciones a crear una atmósfera que conduce a la adoración. En ella tendrán una parte la música, la oración, la alabanza, el testimonio, la dádiva de ofrendas y la predicación de la Palabra. Ninguna de estas cosas, sin embargo, es en sí misma adoración sino meramente un vehículo por el cual los corazones pueden elevarse a Dios en adoración. Los intentos de disponer por decreto las formas aceptables de adoración para otra persona siempre fracasan, porque en la verdadera adoración el Espíritu Santo conecta personalidades individuales con Dios.

Cuando el Espíritu Santo inspira verdadera adoración, no se exalta a sí mismo o al adorador, sino, como dice Pablo, glorifica a Jesús. Su adoración, en realidad, reflejará su comprensión de Jesús y el Padre. Si bien es posible que la adoración pública y manufacturada sea un insulto al carácter de nuestro Dios de amor y gozo, no hay duda que usted puede adorar hoy en Espíritu y en verdad.

Una oración para hoy: *Señor, me postro ante ti para adorarte como mi Dios.*

LLENANDO LO MAS INTIMO DEL SER

El fin de los cuales será perdición, cuyo dios es el vientre, y cuya gloria es su vergüenza; que sólo piensan en lo terrenal. Filipenses 3:19.

A menudo me he preguntado por qué Pablo escogió a la gente con el problema de la glotonería para indicar que recibirán una condenación especial. ¿Son ellos peores que la gente cuyo dios es el dinero, el sexo o el poder, por ejemplo? La respuesta, obviamente, es no. Una persona puede comer en exceso para amortiguar un dolor mucho más profundo. De la misma manera, la gente cuyos dioses son el dinero, el sexo o el poder pueden estar tratando de compensar por sentimientos de inferioridad, fracaso o rechazo. Aparentemente, aquellos que finalmente se pierdan habrán escogido rechazar al Espíritu Santo, que nos capacita para tratar con las causas radicales que hay en el interior antes que meramente luchar con síntomas externos.

Note la explicación útil del consejero canadiense James Moore: "Pablo nos da una comprensión más perspicaz de los deseos malignos que nos atraen al pecado cuando describe ciertos enemigos del Evangelio: 'Cuyo dios es el vientre' (Fil. 3:19). La palabra traducida 'vientre' en este versículo significa espacio profundo, hueco, o médula vacía. De acuerdo con el diccionario de Vine, se refiere a la 'parte más íntima de un hombre'. Es la palabra griega que se encuentra en Juan 7:38: 'de su interior correrán ríos de agua viva'. La imagen que se da aquí es de un espacio vacío que compele a una persona a tratar de llenarlo con la misma intensidad con que alguien que está muriendo de sed buscaría agua" (*Discipleship Journal*, Noviembre-Diciembre, 1992, p. 45).

Como ha dicho un filósofo, hay un espacio con forma de Dios en cada uno de nosotros, que sólo él puede llenar. Nuestra búsqueda para llenar ese espacio que está en lo íntimo de nuestro ser, con algo que no sea Dios, nos conduce, como al hijo pródigo, a una tierra lejana. Esta tierra distante es un estado de la mente en el cual hay "hambre, algarrobas y cerdos", pero no satisfacción del alma. La concupiscencia nunca puede ser satisfecha, porque es imposible obtener suficiente de cualquier sustituto para llenar ese "espacio en forma de Dios". Sólo podemos ser llenados en la casa del Padre.

Como Jesús enseñó en Juan 7, el Espíritu Santo ha sido dado para llenar la vida del cristiano. Pablo enfatizó que mediante el Espíritu Santo en lo íntimo de nuestro ser, somos llenados con toda la plenitud de Dios, y Cristo mora en nuestros corazones por la fe (Efe. 3:14-21).

Una oración para hoy: *Padre, a medida que tu Espíritu me llene continuamente sé que todas las demás cosas necesarias de esta vida se acomodarán en su lugar correcto.*

BIENVENIDO, MENSAJE DE AMOR

Quien también nos ha declarado vuestro amor en el Espíritu. Colosenses 1:8.

John Jasper nació bajo el yugo de la esclavitud en Williamsburg, Virginia, en 1812, y permaneció como esclavo por más de 50 años. "En 1831, durante una celebración en una plaza pública, John oyó un mensaje que turbó su alma. Convencido profundamente por el Espíritu Santo, 25 días más tarde confesó abiertamente sus pecados y se unió a una iglesia. Por la gracia de Dios comenzó a perder su odio hacia aquellos que lo habían esclavizado y a amar a los despreciables" (*More Than Conquerors*, p. 192).

John tenía mucha razón para odiar. En la primera noche de su casamiento con otra esclava, su amo lo envió lejos para que nunca volviese a ver a su desposada. Aunque la única educación de Jasper, recibida de otro esclavo, consistió en siete meses de deletreo, ocho años después de su conversión tuvo la "convicción de que se le había dado el poder del Espíritu Santo para predicar el Evangelio". Creyó que "a quienes Dios llama, también califica", y esto se confirmó en el notable don de predicación que John recibió. Se reunían grandes multitudes para oírle hablar, aun en los funerales, donde el Espíritu lo capacitaba para declarar con elocuencia el amor de Dios.

Un observador declaró lo siguiente de una de tales reuniones: "Pintaba escena tras escena. Elevaba a la gente al sol y la hundía en la desesperación. Las arrebataba de lugares difíciles y las llenaba con un sentimiento de alabanza" (*Id.*, p. 193).

John Jasper predicó el amor de Jesús con el poder del Espíritu durante 24 años como esclavo y durante otros 39 años como un hombre libre. Fue "de la casa de los esclavos a la iglesia donde todos los que lo oían —blancos y negros, ricos y pobres, esclavos y libres— eran tocados por el poder de su predicación en cuanto a un Salvador a quien él servía fielmente... Sus contemporáneos reconocieron la unción del Espíritu Santo en su predicación" (*Id.*, p. 194).

Como Epafras, el amigo de Pablo, y como John Jasper, cada uno de nosotros podemos declarar nuestro "amor en el Espíritu". No es difícil hacerlo. El amor es un fruto del Espíritu (Gál. 5:22), y el Espíritu derrama el amor de Dios en la vida de aquellos a quienes llena (Rom. 5:5). El amor puede ser enseñado y predicado, y puede ser revelado mediante un cristianismo práctico.

Una oración para hoy: *Querido Señor, ayúdame a ver el único camino que tú tienes para mí para que revele hoy tu amor.*

BIENVENIDO A UNA PLENA CERTEZA

Pues nuestro evangelio no llegó a vosotros en palabras solamente, sino también en poder, en el Espíritu Santo y en plena certidumbre, como bien sabéis cuáles fuimos entre vosotros por amor de vosotros. 1 Tesalonicenses 1:5.

"¡Bendita certeza, Jesús es mío!", escribió Fanny Crosby, una autora de himnos ciega, mientras se arrodillaba en oración en 1873. Es sorprendente cuántos cristianos que han "nacido de su Espíritu y han sido lavados en su sangre", cantan este canto y todavía no tienen la bendita certeza de la salvación. Algunos hasta hablan como si fuese un pecado afirmar que ahora, mediante el sacrificio de Jesús, están listos para el cielo.

El Nuevo Testamento enseña que los cristianos pueden tener plena certidumbre al comprender el significado del Evangelio (Col. 2:2). También pueden tener la plena certeza de Jesús como su Sumo Sacerdote (Heb. 6:11, 19-20) y la plena certeza de fe (Heb. 10:22). Si la predicación y la enseñanza que usted recibe donde se reúne con una congregación o con un pequeño grupo no confirma en usted la plena certidumbre, podría ser que el Evangelio le estuviese llegando, como dijo Pablo, en "palabra solamente".

La comunicación en "palabra solamente" da la teoría del Evangelio, pero no revela su poder. Está faltando la *dúnamis* que obra milagros y cambia vidas. Esto ocurre porque el Espíritu Santo ha sido descuidado o rechazado, y se ha dejado a una iglesia con una religión sin poder, solamente con palabras. No es de sorprenderse que en una situación tal la "bendita certeza" sea un cliché que no tenga significado y que pocos, en las palabras de Fanny Crosby, estén "alabando al Salvador todo el día".

Note el énfasis que le da a esto la pionera adventista Elena de White, quien estaba profundamente interesada en que su iglesia fuese llena del Espíritu. "Hemos de proclamar la verdad al mundo, no en una forma insípida, carente de espíritu, sino con demostración del Espíritu y el poder de Dios" (*El evangelismo*, p. 93). "Cuando no se presenta el don gratuito de la justicia de Cristo, los discursos son secos y faltos de espíritu" (*Mensajes selectos*, t. 1, p. 185). "Cuando tenemos una seguridad definida y clara de nuestra salvación debemos manifestar alegría y gozo, lo cual conviene a cada seguidor de Jesucristo" (*El evangelismo*, p. 458). ¡Ahora sí que hay algo sobre lo cual cantar!

Una oración para hoy: *Señor, te alabo nuevamente hoy porque mi certeza de salvación depende enteramente de Jesús y no de mis propias obras.*

GOZO INTERIOR INAMOVIBLE

Y vosotros vinisteis a ser imitadores de nosotros y del Señor, recibiendo la palabra en medio de gran tribulación, con gozo del Espíritu Santo. 1 Tesalonicenses 1:6.

Gabriela acababa de completar un día de compras con sus hijos cuando notó un dolor en su cadera. *Tal vez esto ha sido causado por haber caminado todo el día con tacos altos*, pensó. Sin embargo, era uno de los primeros síntomas de un raro virus espinal que pronto la paralizó del tórax para abajo. Después de seis semanas de estar en el hospital, Gabriela volvió a la casa en una silla de ruedas, y un año más tarde necesitaba ayuda para caminar.

Cuando encontré a Gabriela por primera vez hace algunos años, era una católica romana, que al buscar una manera de estar más cerca de Dios, había comenzado a asistir a la Iglesia Adventista de Gresham. Aunque ella había enfrentado muchos momentos difíciles en su infancia y en su matrimonio, Gabriela tenía una fe vigorosa y la determinación de servir al Señor en algún ministerio especial. Tras reuniones evangelísticas donde ella "recibió la palabra", Gabriela fue bautizada y llenada del gozo del Espíritu a pesar de las aflicciones del enemigo.

Ahora, unos cuatro años más tarde, hablé de nuevo con Gabriela y oí de sus labios en cuanto a su terrible enfermedad y continuo dolor. ¿Esta experiencia había sacudido la esencia del gozo que el Espíritu había puesto en su corazón? Mientras hablaba por teléfono Gabriela dijo: "Dios ha estado muy cerca de mí durante toda mi enfermedad. El Espíritu Santo sigue llenándome de paz y gozo, aun cuando los médicos me han dicho que no hay medicamento o tratamiento para mi enfermedad. Quiero ser un testimonio viviente para mi gran Dios. Nuestro gozo como cristianos no depende de ser bien conocidos, de escribir un libro, de tener hijos exitosos, o de ganar mucho dinero. Nuestro gozo está basado en el amor de Jesús [manifestado] en el poder del Espíritu. Ahora mi único deseo es comenzar un ministerio para los jóvenes".

La esencia del gozo interior no puede ser sacudida en la vida de un creyente que está lleno del Espíritu Santo. El Espíritu Santo coloca alrededor de ese núcleo de gozo los amortiguadores de la certeza de la salvación, la seguridad de ser un hijo de Dios, y el conocimiento del perdón y el poder victorioso. Personas como Gabriela son un testimonio viviente del gozo interior e inamovible de Dios en la vida de sus hijos.

Una oración para hoy: *En medio de la aflicción, Padre, ayúdame a revelar verdadero gozo y paz.*

PODER PARA HACER

Pues no nos ha llamado Dios a inmundicia, sino a santificación. Así que, el que desecha esto, no desecha a hombre, sino a Dios, que también nos dio su Espíritu Santo. 1 Tesalonicenses 4:7-8.

Es útil recibir instrucciones. Es aun más útil recibir el poder para cumplirlas. A menudo se bombardea a los niñitos con centenares de instrucciones por día, pero generalmente no se discute cómo es posible llevar todo eso a cabo. "Sólo haz lo que se te dice", puede gritar un padre agotado. Consecuentemente, una sobredosis de demandas puede llevar rápidamente a un niño a una actitud de derrota. "No puedo hacer todo lo que se espera de mí, de manera que ¿por qué siquiera tratar?"

Contrariamente a la opinión popular, Dios no hace muchas demandas a sus hijos. No está mandándolos todo el día sino que por lo general les da mucha libertad en sus vidas. Las instrucciones que da, sin embargo, están siempre vinculadas con el poder ayudador del Espíritu Santo. Todo lo que Dios les pide a sus hijos que hagan es una oportunidad para ver al Espíritu en acción. Como dice la cita tan conocida: "Todos sus mandatos son habilitaciones".

"Ya he tenido suficiente de esta iglesia —le informó un hombre a su pastor—. No es nada sino reglas y reglamentos. Usted siempre está pidiendo dinero, y los miembros tienen un espíritu frío y crítico. Yo no puedo vivir a la altura de sus demandas, y no sé quién puede hacerlo".

El pastor había oído palabras como ésas una cantidad de veces recientemente y notado que estaba disminuyendo la asistencia a los servicios religiosos. "¿Qué ha marchado mal?", preguntó en nuestro retiro sobre el compañerismo del Espíritu Santo.

Después de tres días de oración, de escuchar a otros pastores y de estudiar en una atmósfera llena del Espíritu, el pastor testificó que el Señor lo había guiado a la respuesta: "Ahora puedo ver que necesito estar enseñando mucho más sobre el poder del Espíritu Santo y ayudar a mi gente a experimentar esto en sus vidas. Quiero hablar mucho más sobre Jesús y la certeza de la salvación. En este retiro he experimentado gozo en mi propia vida, y esto ha hecho una diferencia tal en mí que me siento entusiasmado por lo que Dios puede hacer para ayudarme a cambiar totalmente el rumbo de mi ministerio".

Este pastor y su congregación no se chasquearon.

Una oración para hoy: *Gracias, Señor, por darme instrucciones sobre la vida santa de manera que puedan revelarse en mi vida las posibilidades del poder del Espíritu Santo, mediante la fuerza que Jesús da.*

DERRAMANDO AGUA SOBRE EL FUEGO

No apaguéis al Espíritu. No menospreciéis las profecías. Examinadlo todo; retened lo bueno. 1 Tesalonicenses 5:19-21.

El Espíritu Santo fortaleció a Gabriela con gozo a través de más de un año de una enfermedad dolorosa y extenuante. A menudo el Espíritu ministraba en su favor mediante los dones espirituales dados a miembros de los dos pequeños grupos que se reunían semanalmente en su casa. Pablo enseñó que los cristianos han de orar especialmente para que puedan profetizar, a fin de traer "edificación, exhortación y consolación" en forma mutua (1 Cor. 14:1, 3). Esto se hace mediante oraciones especiales, testimonios y consejos espirituales.

Este don profético no es una revelación infalible sino que es probado por la Escritura, de modo que pueda retenerse todo lo que es bueno y usárselo para bendición. Aquellos que resisten los mensajes de Dios están en peligro de derramar agua sobre el fuego del Espíritu. Note que en 1 Tesalonicenses 5:19-21, Pablo relaciona apagar el Espíritu, profetizar y examinar esa manifestación espiritual.

Cada grupo que se reúne en el hogar de Gabriela pasa un tiempo en compañerismo cristiano, alabanza, oración y estudio. Durante una reunión de un viernes de noche, que fue dirigida por un ex rabino que ahora es un cristiano, Gabriela se sintió impresionada por el Espíritu Santo a orar por la mujer que estaba junto a ella. Nunca se había encontrado antes con Kristi y no sabía sobre qué orar, de modo que inicialmente Gabriela resistió la impresión del Espíritu. Eventualmente, sostuvo la mano de Kristi mientras oraban juntas.

Cuando terminó el período de oración, el Espíritu impresionó a Gabriela a dar su testimonio. Nuevamente se resistió, pero fue como si el Espíritu no la dejase en paz. El tenía un mensaje para Kristi que quería que oyera ese viernes de noche. Todavía sosteniendo la mano de Kristi, Gabriela le habló al grupo sobre su divorcio ocurrido años antes y cómo Satanás había tratado de destruir su vida. Alabó a Dios por la victoria y liberación que había recibido mediante la oración. Finalmente dio el mensaje especial de aliento que el Señor le había dado para alguien en particular en la habitación.

Cuando la reunión terminó, Kristi dijo: "Gabriela, su oración y testimonio eran exactamente lo que yo necesitaba esta noche. No sabía cómo iba a seguir sobrellevando mi situación, pero el Señor la ha usado a usted para darme esperanza".

Una oración para hoy: *Señor, no quiero ser alguien que derrama agua fría sobre la obra de tu Espíritu. Dame la sabiduría para retener y compartir lo bueno.*

NO HAY UN NUEVO METODO DE SALVACION

Pero nosotros debemos dar siempre gracias a Dios respecto a vosotros, hermanos amados por el Señor, de que Dios os haya escogido desde el principio para salvación, mediante la santificación por el Espíritu y la fe en la verdad.
2 Tesalonicenses 2:13.

Tres errores se han deslizado en el cristianismo debido a una comprensión equivocada de las palabras de Pablo en este versículo. Primero, ¿escogió Dios arbitrariamente, hace mucho tiempo, a algunas personas para que sean salvas y otras perdidas? Segundo, ¿el Espíritu Santo salva sólo a aquellos que están santificados, que son santos? Tercero, ¿es necesario creer en una lista de verdades doctrinales correctas a fin de ser salvos?

Pablo hace claro el hecho de que hay sólo un medio de salvación: el Evangelio que él predicaba (2 Tes. 2:14). La salvación es un don, dado por la gracia de Dios y aceptado por la fe (Efe. 2:7-9). La gracia de Dios, la justificación y la justicia son provistas gratuitamente y están a disposición de todas las personas (Rom. 5:18). "Obedecer a la verdad" significa aceptar por la fe a Jesucristo y su justicia. Pablo dice que aquellos que creen que pueden ser salvos por las "obras de la ley" están "fascinados" (Gál. 3:1-3) y podrían ser engañados por el anticristo (2 Tes. 2:9-10).

Sonny estaba en duda en cuanto a su salvación. "No estoy seguro si soy una de las personas a quienes Dios ha escogido", me dijo con desesperación.

"No es la gente sino el método de salvación lo que ha sido predestinado —repliqué—. El Espíritu Santo desea que todas las personas tengan la oportunidad de aceptar a Jesús".

"Yo creo en Jesús y asisto a la iglesia, pero ciertamente no siento que soy suficientemente santo como para ser salvo —continuó Sonny—. Ni siquiera estoy seguro que comprendo o creo todo lo que mi iglesia enseña".

"Sonny —expliqué—, cuando usted aceptó a Jesús como su Salvador, el Espíritu Santo vino a su vida, y mediante el ministerio del Espíritu, Dios consideró su vida como santificada o como que le pertenece enteramente a él desde ese momento [1 Cor. 6:11]. [Ver la lectura del 10 de septiembre.] Gradualmente el Espíritu Santo lo guía a una comprensión más profunda de diferentes facetas de la verdad. El hace esto no para que la salvación sea más difícil o para cambiarla de la gracia a las obras, sino para darle más gozo en el Señor y un testimonio más claro para él".

¿Le está agradeciendo hoy a Dios por su seguridad en la verdad del Evangelio?

Una oración para hoy: *Señor, que yo pueda crecer diariamente en mi capacidad para vivir la vida cristiana.*

ALGO GRANDE SOBRE LO CUAL CANTAR

E indiscutiblemente, grande es el misterio de la piedad: Dios fue manifestado en carne, justificado en el Espíritu, visto de los ángeles, predicado a los gentiles, creído en el mundo, recibido arriba en gloria. 1 Timoteo 3:16.

Muchos eruditos del Nuevo Testamento creen que las palabras de Pablo a Timoteo en el versículo de hoy podrían haber sido parte de un himno cristiano antiguo que glorificaba al maravilloso Salvador Jesús. Si usted tal vez puede encontrar o componer una melodía adecuada, cantará las seis líneas de este canto espiritual, recordando cuánto Jesús significó para los cristianos en el primer siglo de nuestra era. A ellos les encantaba cantar con "gracia en [sus] corazones al Señor" (Col. 3:16).

Cuando Jesús era exaltado en los grandes reavivamientos, la gente que estaba llena del Espíritu siempre prorrumpía en cantos referentes a su experiencia con el Señor. El reavivamiento galés que ejerció una influencia tan dramática sobre el cristianismo del siglo XX no fue una excepción. David Matthews en su relato presencial, "Yo vi el reavivamiento galés", describió los servicios: "Tales cánticos tan maravillosos, completamente espontáneos, sólo podían ser creados por un poder sobrenatural, y ese poder era el divino Espíritu Santo. No coro, no órgano, sólo canto del alma, espontáneo, devoto... Cantos, sollozos, oraciones se daban mezclados y sin pausa" (citado por Colin C. Whittaker en *Great Revivals*, p. 112).

Como dijo Pablo a Timoteo, el Espíritu Santo mostró que el ministerio de Jesús era correcto y verdadero. El Espíritu obró a través de la enseñanza y los milagros de Jesús para convencer a aquellos que lo observaban que él ciertamente era el Salvador del mundo. Muchos resistieron al Espíritu, pero aquellos que se rindieron a él, fueron llenos de gozo y paz a pesar de las privaciones y persecuciones. No es de extrañarse que quisieran cantar salmos, himnos y canciones espirituales (Efe. 5:18-19).

Evan Roberts, instrumento de Dios en el gran reavivamiento galés, a menudo oraba de esta manera: "Señor Jesús, ayúdanos mediante el Espíritu Santo a colocarnos cara a cara frente a la cruz... Glorifica a tu Hijo en esta reunión. Oh, Espíritu Santo, haz tu obra a través de nosotros y en nosotros ahora". Mientras Dios contestaba esta oración, los galeses le entonaban alabanzas en la misma manera como usted puede cantar en el reavivamiento de la iglesia producido por la lluvia tardía.

Una oración para hoy: *Padre, llena mi corazón con cantos de gloria y alabanza a Jesús.*

SALVAGUARDANDO HOY EL FUTURO

Pero el Espíritu dice claramente que en los postreros tiempos algunos apostatarán de la fe, escuchando a espíritus engañadores y a doctrinas de demonios. 1 Timoteo 4:1.

El futuro no ha ocurrido. Es creado por las acciones y los eventos de hoy. Sólo Dios puede prever exactamente el futuro, y aparentemente él aun ve un número de escenarios que dependen de las elecciones que la gente hace en el presente (Deut. 28). Viendo la intensidad de la actividad y los engaños satánicos en el primer siglo del cristianismo, Pablo, a través del Espíritu Santo, pudo advertir a la iglesia de que incluso los cristianos serían engañados en el futuro.

Casi 20 siglos más tarde, Vaughn Allen también emitió una advertencia a la que es importante prestar atención: "Como pueblo, los adventistas siempre han sabido que hay una controversia que se está peleando entre Cristo y Satanás. Y hemos sabido que la batalla involucra a 'la iglesia'. Sin embargo, nos ha sido fácil pensar de 'la iglesia' como un término colectivo e impersonal, y olvidar que 'la iglesia' es gente. La iglesia es usted y yo. Y es en este nivel personal donde las batallas se ganan o se pierden" (*The War Is Real*, p. 18).

¿Qué pueden hacer hoy los miembros de iglesia que podría volverlos vulnerables a un futuro de engaño? La gente que ha sucumbido a los ardides de Satanás revela una cantidad de elementos comunes en sus vidas. Los tales incluyen una falta de certidumbre en cuanto a la salvación; autoimagen pobre; problema de culpa no resuelto; sometimiento a obsesiones, coacciones y adicciones; amargura; idolatría; orgullo; odio; rebelión; y actividades ocultistas.

Toda vez que un cristiano cae en un engaño, los espíritus engañadores tratarán de destruir a esa persona mediante la táctica de la acusación. Señalarán el futuro desesperado del cristiano que ha caído debido a "la ira de Dios contra el pecado". En esta crisis sólo el Espíritu Santo puede ayudar. No importa qué haya hecho el pecador, el Espíritu indica que Jesús perdona el pecado y que nunca dejará que alguno de sus hijos se aparte del buen camino. El futuro siempre es seguro para aquellos que se arrodillan al pie de la cruz.

Una oración para hoy: *Señor, te alabo por tu Palabra y amor infalibles, que permanecen como una salvaguardia contra todos los engaños satánicos.*

APROVECHANDO AL MAXIMO SU DON

No descuides el don que hay en ti, que te fue dado mediante profecía con la imposición de las manos del presbiterio. 1 Timoteo 4:14.

La idea de que unos pocos cristianos selectos tienen carisma y por lo tanto pueden ser más exitosos que otros, sencillamente no es cierta. Cada persona que ha nacido de nuevo ha recibido un don [carisma] del Espíritu Santo, y él hará que el recipiente pueda usarlo poderosamente para gloria de Dios. El don no es recibido mediante la imposición de las manos, pero cuando los ancianos llenos del Espíritu impusieron sus manos en oración sobre Timoteo, uno con un don de profecía aparentemente le ayudó a comprender cuál era su ministerio.

Aunque el Espíritu Santo viene a morar en la vida de cada persona en la conversión, una cantidad de pastores siguen actualmente la práctica de colocar las manos al término de un servicio bautismal. Oran pidiendo que aquellos que han sido bautizados sean conscientes de sus dones especiales para ministrar. Es importante recordar, sin embargo, que cuando surge una necesidad, todo cristiano lleno del Espíritu puede ser un canal a través del cual pueda pasar cualquiera de los nueve dones sobrenaturales mencionados en 1 Corintios 12.

Quizás el carisma especial de Timoteo era el de evangelismo. Ese don, unido a cualquiera de los nueve dones sobrenaturales, le daría tremendo poder a su predicación. Pero Pablo estaba preocupado que Timoteo descuidase su don y perdiese el impacto de su ministerio.

Recientemente oí declarar al pastor de una iglesia a la que asisten más de 14.000 personas cada fin de semana, que se estaba agotando, "fundiendo". Cuando oró sobre la situación, el Señor le ayudó a entender que estaba descuidando su don de evangelismo y gastando la mayor parte de su tiempo en áreas del ministerio como administración y aconsejamiento, en las que él no estaba dotado.

Obviamente, la pregunta para cada uno de nosotros como cristianos es: ¿Estamos descuidando nuestro don? Si es así, nos estamos robando a nosotros mismos la tremenda satisfacción e incremento de energía que se experimenta cuando servimos a Dios en la manera que él posibilita milagrosamente.

Si usted no está seguro cuál es su don, el Espíritu Santo puede usar a su pastor y a sus hermanos en la fe para ayudarle a hacer este maravilloso descubrimiento.

Una oración para hoy: *Señor, perdóname por el pecado de descuidar mi don especial procedente de ti, y dame el gozo de verlo crecer y prosperar.*

UN ESPIRITU QUE NO ES TIMIDO

Por lo cual te aconsejo que avives el fuego del don de Dios que está en ti por la imposición de mis manos. Porque no nos ha dado Dios espíritu de cobardía, sino de poder, de amor y de dominio propio. 2 Timoteo 1:6-7.

"¡Dame Escocia o me muero!", fue la oración de John Knox, el intrépido reformador escocés. El Espíritu Santo había llenado a Knox con el fuego ardiente de ver a su pueblo liberado de la opresión de la religión corrupta y libre para adorar de acuerdo con la sencillez del Evangelio.

Hace un tiempo estuve junto al púlpito de la catedral St. Giles, en Edimburgo, y siendo yo mismo un predicador con ascendencia escocesa, pensé cuando Knox vino allí para predicar su último sermón, el 9 de noviembre de 1572. "Estaba tan débil que se lo tuvo que ayudar para llegar al púlpito, pero una vez allí, el antiguo fuego que había iluminado Escocia se encendió una vez más, la catedral resonó con sus notas de trompeta, y predicó tan vehementemente que 'fue como que iba a partir el púlpito en pedazos' " (James Burns, *Revivals*, p. 265).

John Knox jamás había conocido el espíritu de timidez. Como un sacerdote católico se había convertido al protestantismo al comienzo de su década de los 40, y pronto fue arrestado y obligado a servir durante 19 meses como un esclavo de las galeras, encadenado a un remo en un barco francés. Escapando apenas con vida, Knox encontró su camino a Inglaterra y luego a Ginebra. Pero el Señor lo estaba llamando de vuelta a Escocia, donde usó en forma poderosa el don que el Señor le había dado.

"Mantuvo sus convicciones al rojo vivo; su oratoria —severa, apasionada, a menudo majestuosa cuando asumía el papel del profeta— barrió la oposición tímida de otros hombres; su sinceridad, de la cual nadie dudaba, la honestidad transparente de sus motivos, y su completa falta de temor por las consecuencias, apelaron aun a sus enemigos" (*Id.*, p. 262).

Aun la católica María, reina de los escoceses, tembló en presencia de John Knox, quien en una ocasión le dijo a su Majestad: "Señora, ruego a Dios que purge su corazón del papismo y que la preserve del consejo de los aduladores". Milagrosamente la vida de Knox fue preservada y el Espíritu Santo lo usó como la chispa de un gran reavivamiento.

Una oración para hoy: *Sácame el temor a otras personas, Señor, de modo que el don espiritual que tú me has dado pueda arder luminoso y claro.*

SIGA ORANDO POR EL REAVIVAMIENTO

Guarda el buen depósito por el Espíritu Santo que mora en nosotros. 2 Timoteo 1:14.

Cuando John Knox volvió a Escocia desde Ginebra el 2 de mayo de 1559, se asombró al descubrir que el Espíritu, que había venido a morar dentro de sus compatriotas en ocasión de la conversión, los estaba llenando con un profundo anhelo de un gran reavivamiento. El escocés James Burns, escribiendo al comienzo de este siglo, recapitula la obra maravillosa del Espíritu Santo que transformó su país. Si el reavivamiento ha de ocurrir en nuestros días, nuevamente debemos ver al Espíritu descrito por Burns.

" 'Si no lo hubiese visto con mis propios ojos —dice John Knox—, en mi propio país, no podría haberlo creído... El fervor aquí mostrado excedía por lejos todos los otros que yo había visto. Su ardor me arrebató hasta el punto que no puedo sino acusar y condenar mi frialdad indolente. Dios les concedió el deseo de su corazón'. 'Día y noche', dice nuevamente, los encontró 'sollozando y gimiendo por el pan de vida'. Prácticamente no tenían ningún maestro, pero al reunirse en 'asambleas' leían las Escrituras, confesaban sus pecados, y se unían en ferviente oración. Estas 'asambleas' se celebraban no sólo en los hogares de los humildes, sino en los castillos de los más elevados de la tierra, y el aliento del Espíritu de Dios parecía pasar sobre las tierras bajas de Escocia, despertando a una nación a novedad de vida" (*Revivals*, pp. 270-271).

El buen depósito que se nos ha confiado como cristianos es el de una comprensión del Evangelio, la certidumbre de la salvación, el poder victorioso del Espíritu Santo, los dones espirituales para el ministerio, y las oportunidades de reunirse con los de la misma fe. Cuando la presencia interior del Espíritu sigue focalizando estas certezas dentro de nosotros, se crea en nuestros corazones un intenso deseo de recibir un derramamiento aun mayor del Espíritu Santo.

Privadamente, en 'asambleas' de pequeños grupos, como en la Escocia del siglo XVI, y en grandes congregaciones, nos uniremos en oración ferviente, la cual, como dice Burns, representa el fundamento del reavivamiento. "Gradualmente aumenta el número de personas que oran. La oración llega a ser más urgente y más segura... El anhelo por cosas mejores se convierte en un intenso dolor" (*The Laws of Revival*, p. 16).

¿Somos hoy así de fervientes por el reavivamiento?

Una oración para hoy: *Señor, que el buen depósito dado por el Espíritu Santo sea reavivado y renovado, de modo que tu iglesia experimente vida y gozo.*

¿SE SOSTENDRA SU ANCLA?

Nos salvó, no por obras de justicia que nosotros hubiéramos hecho, sino por su misericordia, por el lavamiento de la regeneración y por la renovación en el Espíritu Santo. Tito 3:5.

En las violentas tormentas de la vida, nuestra ancla se sostendrá sólo si está firmemente sujetada por el Evangelio. Un hombre a quien yo había respetado por años como un cristiano consagrado, comenzó a perder su certeza de la salvación durante sus últimos años de vida. El y su esposa se habían relacionado con un grupo legalista que se había separado de la iglesia y que enseñaba que los cristianos deben ser "suficientemente buenos" para ser salvos. Debido a que es imposible ser suficientemente bueno aparte de la sangre de Jesús, el ancla de certidumbre comienza a zafarse para el legalista, y lo único que queda es una incertidumbre vacilante.

John Knox, el gran reformador escocés, no tuvo esta incertidumbre. Había experimentado el nuevo nacimiento y sabía lo que significa ser renovado, o regenerado, por el Espíritu Santo. La teología de la Reforma le había dado un fuerte asimiento de la justificación por la fe, de modo que su ancla se sostuvo firme hasta el día de su muerte.

Richard Bannatyne, ayudante de Knox, registró lo que ocurrió en el último día de Knox, el 24 de noviembre de 1572. "Temprano por la tarde, él [Knox] dijo: 'Ahora, por la última vez, encomiendo mi espíritu, alma y cuerpo' —señalando sus tres dedos— 'en tus manos, ¡oh Señor!' Después de ello, a eso de las cinco, le dijo a su esposa: '¡Ve, lee donde eché mi primera ancla! Ella no necesitaba que se le dijera, y así leyó el capítulo 17 del Evangelio de Juan... 'Y esta es la vida eterna, que te conozcan'. Knox estaba en el lecho de muerte, pero la Biblia habló de vida eterna. '¡Fue allí —declaró con su último suspiro—, fue allí donde yo eché mi primera ancla!' " (F. W. Boreham, *A Bunch of Everlastings*, pp. 112-113).

El Espíritu capacita a los salvos para hacer muchas obras buenas —obras de justicia—, pero jamás son éstas la base de la salvación. La certeza de un ancla firme se basa siempre, como dijo Knox, en lo que ocurre cuando un pecador acepta primero a Jesús como su Salvador. En ese momento, nos recuerda Pablo, hay un renacimiento en la familia de Dios y una nueva vida mediante el Espíritu Santo. ¡Qué ancla segura!

Una oración para hoy: *Gracias, Señor, por la certeza de mi salvación, la cual se basa enteramente en Jesús y en la obra del Espíritu Santo.*

BIENVENIDO A LAS VERDADERAS RIQUEZAS

Y por medio de nuestro Salvador Jesucristo nos ha dado el Espíritu Santo en abundancia, para que, habiéndonos librado de culpa por su bondad, recibamos la vida eterna que esperamos. Tito 3:6-7, V. Popular.

¿Ha notado usted cómo Pablo relaciona repetidamente el derramamiento del Espíritu Santo con la seguridad de la salvación en las vidas de aquellos que han nacido de nuevo? El se aseguraba de que cada congregación y cada obrero cristiano a quienes escribía, tuviese esta certeza. El Espíritu Santo había sido derramado "en abundancia" en Pentecostés como una señal de la exaltación de Jesús y la plena aplicación de su sacrificio a la humanidad perdida (Hech. 2:33-36). Ahora, como proclamó Pedro con el don de lenguas a la multitud en Jerusalén, el perdón de los pecados y el don del Espíritu Santo han llegado a ser posesión segura de todos los que vienen a Jesús y se rinden enteramente a él.

La reina Victoria, después de oír un sermón en la catedral San Pablo, estaba turbada en cuanto a su salvación eterna. Tras el servicio religioso, ella le preguntó a su capellán si alguien podía estar seguro en cuanto a ir al cielo, y su respuesta no tenía en absoluto la certeza que Pablo le dio a Tito. "No conozco ninguna manera como alguien pueda ser positivo al respecto", dijo el capellán.

John Townsend, un ministro de Londres lleno del Espíritu, leyó sobre el incidente en las *Court News* (Noticias de la Corte) y se preocupó de que se le robase a la reina su seguridad. "Con manos temblorosas —escribió en una nota a la reina—, pero con un corazón lleno de amor, y porque sé que aun ahora podemos estar absolutamente seguros de nuestra vida eterna..., ¿puedo pedirle a su Dignísima Majestad que lea los siguientes pasajes de la Escritura: Juan 3:16 y Romanos 10:9-10? Hay salvación por fe en el Señor Jesucristo para aquellos que creen en él y aceptan su obra completada" (citado en *Our Daily Bread*, 13 de Marzo, 1992).

Si usted tiene esa seguridad en su corazón, el Espíritu Santo lo usará como un agente de certidumbre, así como usó a Pablo y a John Townsend. Las riquezas del Espíritu llenando su vida y su comprensión de la sencillez del Evangelio, le darán una esperanza para compartir que guiará a muchos para que se regocijen en Jesús.

Una oración para hoy: *Padre, tú sabes cuán fácil es para mí desanimarme conmigo mismo. Ayúdame a mirarte a ti, sabiendo que tu amor es infalible.*

BIENVENIDOS, DONES CONFIRMATORIOS

Además, Dios la ha confirmado [a esta salvación] con señales, maravillas y muchos milagros, y por medio del Espíritu Santo, que nos ha dado de diferentes maneras, conforme a su voluntad. Hebreos 2:4, V. Popular.

El plan de Dios es que su "salvación... grande" (Heb. 2:3) sea acompañada por el testimonio de señales, maravillas, milagros y los dones del Espíritu. Satanás y sus ángeles procuran falsificar estas confirmaciones del Evangelio, de modo que el pueblo de Dios tenga sospechas de cualquier evidencia del poder del Espíritu Santo. Como resultado, una gran parte del cristianismo se ha convertido en una religión de muchas palabras pero poca acción. Tiene una forma de piedad, pero niega su poder (2 Tim. 3:5).

A. T. Robertson, una autoridad de fama mundial sobre el griego del Nuevo Testamento, explicó el significado de las palabras usadas por el escritor de Hebreos: "*Teras* (maravilla) atrae la atención, *dunamis* (poder) muestra el poder de Dios, *semeion* (señales) revela el propósito de Dios en los milagros" (*Word Pictures of the New Testament*, t. V, p. 343). La paráfrasis precisa de la *Santa Biblia en paráfrasis* nos dice cómo Dios cumplirá hoy su plan prometido para estas maravillas, milagros y señales: "Dios ha confirmado la veracidad de dicho mensaje por medio de señales, prodigios y diversos milagros, y por medio de los dones extraordinarios del Espíritu Santo concedidos, según su voluntad, a los que creen".

Las evidencias sobrenaturales del poder de Dios que atraen la atención hacia la iglesia hoy son más evidentes en reuniones de grupos pequeños. Aquí los miembros tienen la oportunidad de usar en forma efectiva los dones espirituales que Dios les ha dado. Un desbordamiento de estos grupos estará en las reuniones congregacionales más grandes de la iglesia. Los miembros que han ganado confianza viendo cómo el Espíritu y la verdad obran milagros en los grupos pequeños, serán receptivos al ministerio especial en favor de personas que sufren, durante y después de cada servicio de adoración.

"Uno de nuestros dirigentes de grupos pequeños aprendió a orar por los enfermos en su pequeño grupo —me informó un pastor—. Ahora tiene confianza y está siempre disponible para ayudarme a ministrar a aquellos que tienen problemas físicos y espirituales. El Señor lo ha usado de una manera que ha traído a nuestra iglesia a un número considerable de personas nuevas".

Una oración para hoy: *Señor, te ruego que tú des testimonio del poder del Evangelio a través de los dones espirituales que me has dado.*

BIENVENIDA, SIMPLE SEGURIDAD

Por lo cual, como dice el Espíritu Santo: Si oyereis hoy su voz, no endurezcáis vuestros corazones. Hebreos 3:7-8.

¿A dónde acude usted en busca de verdad o méritos? Muchos buscan hoy en la luz de filosofías modernas, de teorías psicológicas, de plataformas políticas, y del misticismo o la introspección psico-espiritual.

Joan Borysenko cuenta de un hombre que cierta noche estaba buscando sus llaves bajo una lámpara de la calle. "Cuando un transeúnte servicial se unió en la búsqueda, preguntando dónde exactamente se habían perdido las llaves, el hombre señaló a un terreno vacío cruzando la calle. Cuando el transeúnte formuló la pregunta obvia: '¿Por qué entonces buscar las llaves aquí?', el hombre replicó: 'Porque la luz es mejor' " (*Guilt Is the Teacher, Love Is the Lesson*, pp. 23-24).

La superioridad de Jesús sobre cualquier otro sistema de religión o de dignificación personal, encuentra su expresión en la simplicidad del Evangelio. Las almas están perdidas en un lote oscuro y vacío hasta que el Espíritu Santo encuentra a una persona que ha nacido de nuevo y que está dispuesta a llevar la luz a los perdidos y a ser usada para presentar a los perdidos, en los términos más comprensibles, el significado de la vida y la muerte de Jesús. El mensaje simple de la gracia de Dios y la posibilidad de aceptar por fe la vida eterna a través de Jesús, hace que el cristianismo sea único. La revelación de una vida transformada por el Espíritu Santo convierte al cristianismo en algo poderoso.

Margaret, una azafata de experiencia en la compañía TWA, había buscado la verdad en el hedonismo y las religiones orientales, pero no había encontrado satisfacción, ni paz, ni gozo duradero. Cierto día en un vuelo entre Portland y Los Angeles, un pasajero le presentó a Jesús y le explicó los pasos sencillos del Evangelio para obtener la vida eterna. Margaret escuchó al Espíritu Santo que le hablaba a través de este ferviente cristiano, y ese día, en unos pocos momentos de oración tranquila, aceptó a Jesús como su Salvador personal. La transformación que se produjo en la vida de Margaret reveló nuevamente el poder de Dios que obra milagros.

Preste atención a la voz de Jesús hablándole hoy. La oirá al leer la Biblia o al orar con otros cristianos. El Espíritu Santo constantemente está tratando de guiarlo a una mayor luz de verdad y a una comprensión más nítida de quién usted realmente es, un hijo de Dios.

Una oración para hoy: *Padre, por favor ayúdame a oír tu voz de modo que no sea confundido por sistemas inferiores de pensamiento, creencia o acción.*

LOS CAIDOS PUEDEN SER PERDONADOS

Porque es imposible restaurar nuevamente al arrepentimiento a aquellos que una vez fueron iluminados y gustaron del don celestial, y fueron hechos participantes del Espíritu Santo. Hebreos 6:4, RSV.

La descripción de la suerte de los apóstatas (aquellos que "recayeron", Heb. 6:6) dada en Hebreos, ha hecho que muchos cristianos sientan profunda preocupación por su destino eterno. Es vital comprender a quiénes se refiere el escritor de Hebreos cuando dice que es imposible para algunos ser restaurados al arrepentimiento.

Aparentemente estas personas en un tiempo habían sido cristianos nacidos de nuevo, porque habían llegado a ser participantes del Espíritu Santo, un evento que ocurre en la conversión. Pero es claro que no está hablando de apóstatas o de cristianos que han caído en pecado. Es posible para ellos volver al arrepentimiento, y en efecto, la obra constante del Espíritu es atraer de vuelta a Jesús a aquellos que caen. Esto es algo seguro para todo santo y pecador. "Cualquiera que venga" a Jesús no será echado fuera.

El libro de Hebreos está dirigido primariamente a los cristianos judíos. Ellos no estaban cayendo en un pecado deliberado, sino que lo opuesto era lo cierto. Estaban volviendo al legalismo y a la salvación por obras del judaísmo. Al hacerlo, estaban volviendo a crucificar a Jesús enseñando que su sacrificio era innecesario para su salvación. Una vez más confiarían en la sangre de las ovejas, los toros y los cabritos, y no encontrarían dentro de sí ningún deseo de cambiar sus mentes o arrepentirse.

Uno de los grandes mártires de la iglesia en Inglaterra fue el arzobispo Thomas Cranmer. Es conmovedor encontrarse junto a su monumento en Oxford, cerca de donde él y otros protestantes contra el catolicismo fueron quemados en la estaca en 1556. Durante su encarcelamiento previo a su ejecución, primero cruel y luego indulgente, Cranmer fue persuadido a firmar una retractación de su oposición a las herejías de Roma. Todavía la reina María estaba decidida a que muriese. Durante su discurso justamente antes de ser quemado, le pidió al Señor que le perdonase su terrible negación de la verdad. Extendiendo su mano derecha para que se quemase primero, Cranmer murió con la plena certeza de la salvación en Jesucristo.

Ciertamente no es imposible para un pecador arrepentido volver a Dios.

Una oración para hoy: *Santo Espíritu, te agradezco por guiarme siempre en la certeza de que tú nunca desecharás a uno de tus hijos.*

AGENTES PRESENTES DEL PODER FUTURO

Y asimismo gustaron de la buena palabra de Dios y los poderes del siglo venidero. Hebreos 6:5.

Después de reuniones de reavivamiento en el área de Los Angeles, un equipo dedicado al ministerio de la oración se reunió para orar por aquellos que estaban buscando sanidad. Hubo pedidos de curación física como también de liberación de problemas emocionales, familiares y espirituales. Mientras algunos fueron sanados milagrosa e inmediatamente, y todos fueron bendecidos espiritualmente, otros no notaron ningún cambio en sus síntomas físicos. El transcurso de unas pocas horas o días les trajo a otros el alivio por el cual habían orado, pero algunos se dieron cuenta que tendrían que esperar hasta el mundo venidero para recibir la curación de sus cuerpos.

Jesús inauguró el reino de Dios, para usar la terminología de George Eldon Ladd, y nosotros esperamos su consumación en su segunda venida. Vivimos entre el "ya y el todavía no". En este "presente siglo malo", ya saboreamos a través del Espíritu algunos de los "poderes" del reino de Dios. Pero cuando llegue el gozo del "siglo venidero [o era]", entonces "enjugará Dios toda lágrima de los ojos de ellos; y ya no habrá muerte, ni habrá más llanto, ni clamor, ni dolor; porque las primeras cosas pasaron" (Apoc. 21:4).

Antes del servicio de oración en Los Angeles para pedir sanidad, como lo hacemos en cada una de estas situaciones, le recordé a la gente una importante consideración: "Aunque el Espíritu Santo obra milagros de sanidad a través de su gente con dones, el momento cuando los enfermos se verán liberados de sus dolencias o heridas debe someterse a la voluntad de Dios. Algunos serán sanados inmediatamente, otros gradualmente, y todos lo serán en el día de la resurrección, cuando el reino de Dios se consuma en la era venidera. El momento de la curación no depende de la cantidad o calidad de su fe, sino de la soberanía de Dios".

¡Alabado sea Dios por las oportunidades que nos da el Espíritu Santo de probar los poderes del siglo venidero! Si usted todavía no ha experimentado esto, procure "los dones mejores" y vea las maravillas que ocurrirán cuando alguno de los nueve dones sobrenaturales de 1 Corintios 12:8-10 comience a fluir de Dios, a través de usted, para suplir una necesidad humana específica.

Una oración para hoy: *Espíritu Santo, ayúdame a ser uno de tus agentes en este mundo para los poderes de la era venidera.*

BIENVENIDO AL LUGAR SANTISIMO

Dando el Espíritu Santo a entender con esto que aún no se había manifestado el camino al Lugar Santísimo, entre tanto que la primera parte del tabernáculo estuviese en pie. Hebreos 9:8.

En el libro de Hebreos la glorificación de Jesús por parte del Espíritu demuestra cómo su sacrificio y ministerio son por lejos superiores al tabernáculo y al sistema religioso judíos. El camino al lugar santísimo, el santuario celestial, no había sido revelado o no se comprendía mientras el antiguo sistema funcionase o "estuviese en pie". Después de la muerte de Jesús, sin embargo, el Espíritu Santo muestra que todo pecador tiene acceso directo a la sala del trono del cielo mediante la sangre del Cordero de Dios (Heb. 10:19) y el ministerio de nuestro "gran sumo sacerdote" (Heb. 4:14).

Estaba yo dictando un seminario sobre el Espíritu Santo en Glendale, cuando un participante me entregó un libro y me sugirió que leyera acerca del ministerio del Espíritu Santo en la vida de un rabino. Cuando el rabino hubo estudiado la Tora —y especialmente las profecías de Isaías—, el Espíritu glorificó a Jesús, guiando al rabino a una conclusión sorprendente: "El nombre de esa divina Persona a quien yo había buscado tan concienzudamente y encontrado en las páginas de la Tora, era el de Yeshuah ha Meshiach, Jesucristo el Mesías de toda la humanidad, incluyendo a los judíos... Así fue, en ese momento maravillosamente bello de discernimiento mental y de compromiso intelectual, que por primera vez, no sólo supe la identidad del Mesías, ¡sino que en el sentido más genuino de la palabra, lo conocí!" (*The Rabbi From Burbank*, pp. 63-64).

Poco después de su conversión, cuando el rabino Zwirn estaba de pie en la plataforma de su sinagoga para leer de la Tora, llegaron oficiales de policía y lo sacaron bajo escolta. Como un cristiano judío, ahora era despreciado por su familia y por los dirigentes judíos ortodoxos y sus asociados. Pero él se regocija de que el Espíritu lo ha hecho consciente de que en Jesús, su fiel Sumo Sacerdote en el lugar santísimo, él es justo y ha sido calificado para el ministerio, especialmente en favor de su pueblo judío.

Cuando nosotros, al igual que Isidor Zwirn, permitamos que el Espíritu Santo nos revele el maravilloso significado del ministerio de Jesús en el lugar santísimo, nuestra seguridad de salvación y el gozo en el servicio se multiplicarán grandemente.

Una oración para hoy: *Señor, ayúdame a mirar más allá de los rituales de la religión terrenal hacia el lugar celestial de verdadera adoración y seguridad.*

BIENVENIDO, PODER DEL ESPIRITU ETERNO

¡Mucho más la sangre de Cristo, quien por el Espíritu eterno se ofreció a sí mismo sin mancha a Dios, purificará vuestra conciencia de las obras que llevan a la muerte, para que sirváis al Dios vivo! Hebreos 9:14, Nueva Reina-Valera 1990.

Paul M. Sadler, de la Sociedad Bíblica Bereana, cuenta de una visita que hizo a la Misión Pacific Garden, en Chicago. Centenares de hombres estaban presentes para oírlo hablar, y cuando él le dio un vistazo al grupo vio la evidencia inequívoca de vidas que se habían hundido en el nivel más bajo de "obras que llevan a la muerte". Pero el Hermano Paul sabía que el poder del Espíritu Santo estaba a disposición de esos hombres tanto como lo había estado para el mismo Señor Jesús.

"Mel Trotter, que era uno de los ex superintendentes de la Misión Pacific Garden, había sido un alcohólico —escribe Paul Sadler—. Estando en la Misión contó de una época en la que se encontraba en tal grado de desesperación que cuando su hijita murió, le sacó los zapatitos de sus pies mientras estaba en el ataúd, y los vendió para comprar otro trago. Dijo que éste fue un tiempo en su vida cuando 'llegó tan bajo que tuvo que estirarse hacia arriba para tocar el fondo' " (*Berean Searchlight*, Junio de 1989, p. 122). El Espíritu eterno, sin embargo, transformó la vida de Mel Trotter y de muchos otros hombres callejeros, que llegaron a ser miembros del personal de la misión.

El Espíritu Santo estuvo involucrado en el ministerio global de nuestro Señor. Jesús fue concebido por el Espíritu Santo (Luc. 1:35). Realizó sus milagros y ministró con el poder del Espíritu (Luc. 4:18; Hech. 10:38). Su vida sin pecado y su sacrificio fueron "por el Espíritu eterno" (Heb. 9:14). Su resurrección fue mediante el poder del Espíritu (1 Ped. 3:18).

Y el mismo Espíritu eterno está disponible para impartir hoy energía a cada cristiano. Aun cuando la vida haya alcanzado el nivel de una cuneta y la conciencia esté debilitada por la acumulación de obras que conducen a la muerte, el Espíritu eterno puede aclarar la mente y limpiar el corazón para el ministerio.

Jesús nunca cayó en pecado. Mel Trotter sí. Pero el Espíritu eterno, que ministró a través del inmaculado Jesús, capacita a aquellos que son limpiados por la sangre del Salvador para servir al Dios viviente. En realidad, el Espíritu Santo hace posible que se realicen "mayores" obras que las de Jesús (Juan 14:12), aun en la Misión Pacific Garden.

Una oración para hoy: *Señor, ¡qué tremendo privilegio y gozo es servirte a ti, el Dios viviente!*

BIENVENIDO, ASOMBROSO DESCUBRIMIENTO

Y nos atestigua lo mismo el Espíritu Santo. Hebreos 10:15.

El deseo de encontrar tesoros que nadie había visto desde el tiempo de Moisés, impulsó a Howard Carter a excavar durante seis años en el calor llameante y en los escombros arenosos del Valle de los Reyes, en Egipto. Historias de la tumba oculta de un faraón adolescente habían inspirado al arqueólogo, y por lo menos en esta oportunidad, cuando se hizo el gran descubrimiento, la realidad fue aun mayor que lo esperado.

He aquí lo que el mismo Carter dijo acerca de sus emociones en el día del descubrimiento. "El día siguiente [Noviembre 26, 1922] fue el día de días, el más maravilloso que yo jamás haya vivido, y ciertamente uno que yo nunca espero que pueda ver nuevamente". Se hizo un pequeño agujero en la pared de la tumba y, temblando con expectación, Carter "insertó la vela y se asomó para ver". "Por un momento —a los otros debe haberles parecido una eternidad— me quedé mudo de asombro, y cuando Lord Carnarvon, incapaz de aguantar por más tiempo el suspenso, preguntó ansiosamente: '¿Puede ver algo?', todo lo que pude decir fue: 'Sí, cosas maravillosas' " (*Discovering Tutankh-Amen's Tomb*, pp. 27-28).

He estado muchas veces en la tumba del rey Tutankamón y he visto los tesoros deslumbrantes descubiertos allí, pero no estoy de acuerdo con Howard Carter. El día más maravilloso en la vida de una persona viene cuando se hace el fantástico descubrimiento, mediante el testimonio del Espíritu Santo, ¡de que Dios no recuerda más nuestros pecados (Heb. 10:16-17)!

Carl había estado mirando videos pornográficos. El Espíritu dijo: "Carl, escribiré la ley de amor de Dios en tu corazón y en tu mente, y tus pecados no serán recordados más".

Los chismes y mentiras de Wendy habían dañado el ministerio de su pastor. El Espíritu dijo: "Wendy, escribiré la ley de verdad de Dios en tu mente y corazón, y él no recordará más tus pecados".

Jim había estado robando fondos de la compañía, y enfrentaba ahora un período en la cárcel. "Jim, escribiré la ley de Dios en tu mente y corazón, y él no recordará más tus pecados".

La estrella de cine Sofía Loren dijo una vez: "He aprendido que la expectativa es mejor que la posesión". No fue así con Carter al descubrir la tumba de Tutankamón, o cuando el Espíritu testifica a los pecadores que son perdonados por la sangre de Jesús. La realidad es mucho mejor que la expectativa.

Una oración para hoy: *Santo Espíritu, clarifica nuevamente en mi corazón la realidad de la gracia y el amor de Dios hacia mí, aun en mis momentos más débiles.*

NO INSULTEMOS A LA GRACIA

Pues ¿no creen ustedes que mucho mayor castigo merecen los que pisotean al Hijo de Dios y desprecian su sangre, los que insultan al Espíritu del Dios que los ama? Esa sangre es la que confirma el pacto, y con ella han sido ellos consagrados. Hebreos 10:29, V. Popular.

¿Conoce usted un canto que tiene más de 200 años de antigüedad? Es probable que así sea, porque uno de los himnos más conocidos, "Sublime gracia", fue escrito en 1779 por John Newton, un capitán de un barco que traficaba esclavos. El había pisoteado al Hijo de Dios y dado la espalda a la sangre del pacto, pero fue encontrado y salvado por la sublime gracia de Dios. (Ver la lectura del 23 de junio.)

Esa gracia asombrosa no es sólo el favor inmerecido de Dios; también es el poder del Espíritu que guía a los pecadores a Jesús y capacita a los santos para vivir para él. Cuando los discípulos fueron llenos del Espíritu, "abundante gracia era sobre todos ellos" (Hech. 4:33). Esta es la energía que capacita a los cristianos llenos del Espíritu a obrar con señales y maravillas cuando son dotados de los dones espirituales de la gracia (ver Rom. 12:6; 1 Cor.1:4-7; 2 Cor. 9:8; Efe. 4:7).

Algunos cristianos creen que son salvados por gracia pero que deben mantener su salvación por buenas obras. Este legalismo insulta al Espíritu de gracia, quien da el poder para hacer buenas obras y revela dones espirituales sólo a aquellos que ya están salvos. Otros cristianos creen que son salvos por gracia de modo que no necesitan preocuparse por las buenas obras o la obediencia. Esta gracia barata insulta al Espíritu de gracia, quien glorifica a Jesús a través de las buenas obras, el ministerio y el carácter de sus seguidores.

Quizás se sorprenda al saber que John Newton continuó por algún tiempo en el tráfico de esclavos después de su conversión. Ciertamente comprendió la gracia como el favor inmerecido de Dios. "Pero ahora empecé a comprender la seguridad del pacto de gracia, y a esperar ser preservado no por mi propio poder y santidad, sino por el poder extraordinario y la promesa de Dios, mediante la fe en un Salvador inmutable" (citado en *Conversions*, p. 89). Pronto llegó el momento, sin embargo, cuando Newton decidió no insultar al Espíritu de gracia como el poder victorioso en su vida. Eventualmente este hijo de Dios llegó a ser la fuerza motivadora tras William Wilberforce y la abolición del tráfico de esclavos en Gran Bretaña.

Una oración para hoy: *Santo Espíritu, ayúdame a no insultarte tratando de hacer con mi propia fuerza lo que sólo tú puedes capacitarme para hacer exitosamente.*

BIENVENIDOS, CELOS

¿O pensáis que la Escritura dice en vano: El Espíritu que él ha hecho morar en nosotros nos anhela celosamente? Santiago 4:5.

Los celos son el lenguaje del amor. Pero Shakespeare escribió en *El mercader de Venecia* acerca de los celos de ojos verdes, y en *Otelo* los llamó el monstruo de ojos verdes. El filósofo francés Duc de La Rochefoucauld dijo que los celos alimentan las sospechas y que tienen en sí más amor a uno mismo que amor. Cualquier esfuerzo por apaciguar los celos, como a la paranoia, sólo empeora las cosas. ¿Parece ésta una descripción del Espíritu Santo? Ciertamente no. Entonces, ¿por qué Santiago, en su única referencia al Espíritu Santo, dice que es celoso?

Los celos son diferentes de la envidia. Como lo ha dicho Chuck Swindoll: "La envidia quiere tener lo que otra persona posee. Los celos quieren poseer lo que ya tienen" (*Come Before Winter*, p. 98). En ese sentido el Espíritu Santo es celoso de tener la completa lealtad del corazón que él vino a ocupar en el momento de la conversión. Cuando los cristianos se enamoran del mundo y le dan su amistad, entonces el Espíritu Santo anhela celosamente traerlos de vuelta a su primer amor por Jesús. ¿Se siente usted cómodo con ese tipo de celo? Es bueno saber que no tenemos un Dios que es frívolo o descuidado en cuanto a nuestra relación con él.

"He sido un cristiano toda mi vida —me informó un hombre de edad mediana—, pero no siento realmente ningún amor hacia Dios. Me imagino que mi religión se ha convertido en parte de la cultura de mi vida. Me interesa más el partido de fútbol de mi equipo favorito".

¿Qué puede hacer un Dios celoso con los afectos de este hombre?

La maravilla del amor de Dios es que él no sólo nos pide que lo amemos sino que también nos provee el amor para hacer esto posible. Es el Espíritu Santo quien derrama el amor de Dios en nuestros corazones (Rom. 5:5), y el fruto del Espíritu es amor (Gál. 5:22-23).

Dios quiere que estemos llenos del Espíritu cada día para que el cristianismo cultural y sin amor pueda ser transformado por su gracia.

Una oración para hoy: *Padre, que tú seas el centro de mis afectos y de mi amor.*

FELIZ EN CUANTO A LA SANTIDAD

[Los cristianos han sido] elegidos según la presciencia de Dios Padre en santificación del Espíritu, para obedecer y ser rociados con la sangre de Jesucristo. 1 Pedro 1:2.

Como una joven cristiana en la costa oriental de los Estados Unidos en la primera parte del siglo XX, Ruth Paxton disfrutó del ministerio evangelístico en una cantidad de colegios. A la edad de 35 años el Señor llamó a Ruth a China, donde organizó escuelas misioneras para niñas y trabajó por una experiencia cristiana más profunda en los misioneros de diferentes denominaciones. Muchos cristianos se familiarizaron con Ruth Paxton a través de su libro *Rivers of Living Water* (Ríos de agua viva), en el cual habla de la maravillosa santificación del Espíritu que está a disposición de todo hijo de Dios.

A Ruth, que comprendía que la santificación del Espíritu significa santidad de vida, se le preguntaba con frecuencia en cuanto a su enseñanza sobre este tema. "Cada cristiano está llamado a una vida santa —replica ella—, pero muchos cristianos no quieren ser santos. Quizás deseen ser espirituales, pero tienen temor de ser santos. Esto puede deberse a un malentendido sobre qué es la santidad, por una falsa enseñanza sobre este tema. La santidad no es una perfección sin pecado ni la erradicación de la naturaleza pecaminosa, ni verse libre de cualquier falta. Tampoco lo coloca a uno más allá de la posibilidad de pecar ni elimina la presencia del pecado.

"La santidad de la Escritura es estar sin culpa a la vista de Dios. Debemos ser 'guardados irreprensibles' para su venida y seremos presentados 'sin mancha' delante de su gloria cuando vuelva (1 Tes. 5:23; Jud. 24). La santidad es Cristo, nuestra santificación, entronizado como la Vida de nuestra vida. Es Cristo, el Santo, en nosotros, viviendo, hablando, caminando" (Leona Frances Choy, *Powerlines* pp. 211-212).

¡No es de sorprenderse que Satanás trate de impedir que los cristianos comprendan lo que significa la plenitud del Espíritu Santo en sus vidas! Es a través de la santificación del Espíritu que se realiza en nosotros el pleno significado de la vida de Jesús. Mediante el Espíritu tenemos poder victorioso en Jesús y en él somos considerados justos como si nunca hubiésemos pecado.

¡Qué convenio! ¡Qué santidad!

Una oración para hoy: *Padre, gracias por tu perfecta santidad en mí. Por favor, haz que la victoria sea una realidad para mí. Que yo siempre recuerde, sin embargo, que no soy salvo por mi victoria sino a través del sacrificio de Jesús.*

¿TIENEN SIEMPRE RAZON LOS PROFETAS VERDADEROS?

El Espíritu de Cristo hacía saber de antemano a los profetas lo que Cristo había de sufrir y la gloria que vendría después; y ellos trataban de descubrir quién era la persona y cuál el tiempo que señalaba ese Espíritu que estaba en ellos. 1 Pedro 1:11, V. Popular.

Pedro admite aquí las limitaciones de los profetas. El Espíritu Santo puede dar a un hombre o una mujer una visión o sueño, pero esto no le da necesariamente al profeta todos los detalles de su interpretación. El profeta quizás tenga que decir: "Esto es lo que he visto u oído del Señor. No estoy seguro qué significa, pero creo que en el momento y el lugar correctos él revelará su pleno significado".

En el tiempo del Nuevo Testamento se les dijo a los cristianos que no menospreciasen las profecías, sino que examinasen todo y retuviesen lo bueno (1 Tes. 5:20-21). Esta advertencia no significa que el pueblo de Dios con el don de profecía iba a recibir mensajes falsos, sino más bien que podían interpretarlos falsamente. Como ha dicho Wayne Grudem, Dios no hace errores ni da revelaciones erróneas. Pero los profetas pueden cometer errores en la manera que informan lo que se les ha revelado. Quizás no distingan perfectamente qué es de Dios y qué corresponde a sus propios pensamientos. Quizás malentiendan lo que Dios está comunicando. Algunas de sus propias ideas e interpretaciones pueden mezclarse con el informe de la profecía.

Ciertamente esto no ocurrió en lo que respecta a los escritores bíblicos, pero es una posibilidad con todos los demás que ejercen el don espiritual, por quienes todos los cristianos tienen que orar (1 Cor.14:1).

Hablando de profetas modernos, Frank Demanzio advierte: "Un profeta por ser humano está sujeto a error, y así su profecía puede contener errores. El Señor nos exhorta a juzgar y evaluar la palabra del profeta por la norma de la Escritura y por el testimonio del Espíritu en los corazones de los creyentes. Al mismo tiempo, el Espíritu aviva la Palabra de la Escritura en los corazones de otros creyentes para confirmar la verdad de la palabra del profeta" (*The Prophetic Ministry*, p. 11).

Lo que los profetas del Antiguo Testamento no comprendieron plenamente, ahora lo vemos con claridad. El Evangelio de la salvación por la fe ha sido revelado en la vida y la muerte de Jesús, y podemos aceptarlo personalmente y proclamarlo con claridad a otros.

Una oración para hoy: *Gracias, Señor, por el testimonio de tu segura Palabra en mi corazón.*

BIENVENIDA, PREDICACION DEL EVANGELIO

A éstos se les reveló que no para sí mismos, sino para nosotros, administraban las cosas que ahora os son anunciadas por los que os han predicado el evangelio por el Espíritu Santo enviado del cielo; cosas en las cuales anhelan mirar los ángeles. 1 Pedro 1:12.

"¿Cómo sabía que tenía que hablar sobre el tema preciso que yo desesperadamente necesitaba oír hoy?" La mayoría de los predicadores han oído estas palabras muchas veces cuando saludan a su congregación tras el sermón del sábado de mañana. El hecho asombroso es que a veces el Espíritu Santo ha impresionado al predicador a cambiar su tema incluso cuando se acercaba al púlpito.

En cierta ocasión mis ancianos me rogaron vigorosamente que predicase un sermón sobre normas para la vestimenta. Oré pidiendo mucha sabiduría mientras preparaba el sermón, pero todavía me sentía incómodo. Las normas eran discutibles y en cierto modo culturales, y la hora de adoración, me parecía a mí, no era el momento para avergonzar públicamente a miembros "mundanos". Cuando me reuní con los ancianos antes de pasar a la plataforma, una miembro de iglesia entró corriendo en el cuarto. "Pastor —dijo ella sin saber el tema del sermón del día—, he traído a un grupo de visitas conmigo esta mañana. Algunos de ellos nunca han estado antes dentro de una iglesia".

Miré a mis ancianos y dijo: "Hermanos, el Espíritu Santo me está impresionando a predicar un sermón diferente. Estos visitantes deben oír hoy la simplicidad del Evangelio". A regañadientes los ancianos estuvieron de acuerdo, y cuando terminó el sermón, descubrimos que los resultados fueron asombrosos. Las visitas habían salido sin mucho comentario, pero una cantidad de miembros fueron convertidos ese día. En la puerta una de las personas "problema" resumió la experiencia de muchos cuando dijo: "Pastor, yo he estado jugando con el mundo y me he rebelado contra las normas que tenemos en esta iglesia, pero hoy le he dado mi vida a Jesús y va a notar algunos grandes cambios".

Sí, ese día el Espíritu predicó el Evangelio, y como resultado hubo algunos grandes cambios. Esos cambios ocurrieron no sólo en las vidas de los miembros, sino también en la experiencia del predicador. Nunca prediqué el sermón sobre normas de vestir, pero el Espíritu me usó para proclamar muchas veces el Evangelio en cada sermón que siguió.

Una oración para hoy: *Señor, el Evangelio es maravilloso. Aun los ángeles desean comprenderlo. Gracias por hacerlo claro a los pecadores a través del Espíritu.*

BIENVENIDAS, OBRAS QUE PURIFICAN

Habiendo purificado vuestras almas por la obediencia a la verdad, mediante el Espíritu, para el amor fraternal no fingido, amaos unos a otros entrañablemente, de corazón puro. 1 Pedro 1:22.

"Aquí hay un versículo maravilloso sobre la obediencia que el Espíritu da a los cristianos", expliqué a un grupo de pastores mientras leí el texto en mi Biblia. Para mi sorpresa, debido a que estaban usando traducciones diferentes, la mayoría de ellos no pudieron encontrar la palabra "Espíritu" en el versículo. Mientras estudios recientes han mostrado que la mayoría de los manuscritos antiguos dignos de confianza no aluden al Espíritu en 1 Pedro 1:22, su inclusión en unas pocas fuentes muestra que los primeros cristianos creían firmemente en el poder victorioso del Espíritu.

Siempre me resultó una experiencia inspiradora escuchar los testimonios de alabanza de Noé y Leroy, dirigentes del Ministerio en las Prisiones, de Oregón. El Espíritu Santo les dio más de 125 bautismos en 10 años, y oficiales de la prisión informaron a Noé y Leroy que el seguimiento oficial que se hizo en la cárcel mostraba que 9 de cada 10 de los 125 habían permanecido en la iglesia, mientras que sólo 1 en 10 quedaron cuando fueron bautizados en otras denominaciones. Noé dijo: "Me concentro en exaltar a Jesús y mostrar a los prisioneros que pueden obedecer toda la verdad de Dios con el poder del Espíritu Santo".

En cierta ocasión Leroy y Noé fueron escoltados por guardias hasta la capilla de la prisión, quienes escucharon cuidadosamente lo que los predicadores laicos estaban enseñando. Dos guardias que eran pentecostales aprendieron en cuanto al sábado y se impresionaron tanto con esta verdad que llevaron la información de vuelta a su iglesia. Su pastor la estudió cuidadosamente y oró al respecto, y no pasó mucho tiempo antes de que toda esta congregación en Salem, Oregon, cambiara su creencia para llegar a ser una iglesia observadora del sábado. Obedecieron la verdad con la fuerza del Espíritu Santo.

Sin embargo, es importante notar en la explicación de Pedro que la verdad que purifica el alma es aquella que conduce a la experiencia del nuevo nacimiento. Mediante la Palabra, el Espíritu ilumina la mente del pecador con la verdad del Evangelio (vers. 25). Y mediante el poder del Espíritu, el pecador obedece la verdad, aceptando por fe el perdón y la salvación que son posibles por la vida y la muerte de Jesús. Esta pureza nunca puede ser sobrepasada por las obras humanas.

Una oración para hoy: *Gracias, Señor, por el sacrificio purificador de Jesús. Que mis obras y obediencia sólo sean en gratitud por ese ejemplo de amor.*

¿QUE ESPIRITU ES?

Porque también Cristo padeció por los pecados una sola vez, el justo por los injustos, para llevarnos a Dios. Fue muerto en la carne, pero vivificado por el Espíritu. 1 Pedro 3:18, Nueva Reina-Valera 1990.

Como dice un viejo refrán de los días de la cocina a leña, aquí encontramos un ejemplo de "la olla diciéndole negra a la tetera". Pedro, que criticó a Pablo por escribir algunas cosas que eran difíciles de entender (2 Ped. 3:15-16), hace lo mismo una cantidad de veces. El pasaje de 1 Pedro 3:18-19 es una ilustración excelente de esto. ¿Resucitó el Espíritu Santo a Jesús de los muertos, o Jesús tenía un espíritu dentro de sí que en realidad no murió? ¿Interesa esto realmente 20 siglos más tarde, cuando la única preocupación de los cristianos es que tenemos un Salvador viviente y no un fundador muerto, como ocurre con todas las demás religiones?

Me agrada la manera como el episcopal John Wiliams explica el peligro de una interpretación errónea del versículo de hoy: "Muchos comentadores consideran este pasaje como uno de los más difíciles del Nuevo Testamento y la mayoría tiende a traducir esta frase, 'en espíritu', en vez de 'por el Espíritu'. Dicha traducción sugiere que se hace referencia al espíritu humano de Jesús en contraste con su 'carne'.

"Sin embargo, esto crea más problemas que los que resuelve, especialmente en relación con lo que sigue. Si aceptamos que aquí la referencia es al Espíritu Santo, desaparece el problema de una supuesta aparición de Cristo en el infierno posterior [o previa] a la resurrección. Lo que Pedro está diciendo es que así como el Espíritu Santo fue un instrumento en la resurrección de Cristo, también lo fue en la predicación de Cristo a la sociedad antediluviana de los días de Noé... [Esto repite] la idea de Pedro del Espíritu de Cristo testificando en los antiguos profetas de Israel (1 Ped. 1:10-11)" (*The Holy Spirit—Lord and Life-Giver*, p. 63).

Lo que Pedro está enseñando es el poder resucitador del Espíritu Santo, antes que un misterioso ministerio del "espíritu" de Jesús. El ministerio del Espíritu se ilustra dramáticamente en las vidas de los cristianos que han nacido de nuevo. "Si el Espíritu de aquel que levantó de los muertos a Jesús mora en vosotros, el que levantó de los muertos a Cristo Jesús vivificará también vuestros cuerpos mortales por su Espíritu que mora en vosotros" (Rom. 8:11).

Bienvenido hoy a la vida en el Espíritu.

Una oración para hoy: *Gracias, Padre, por el poder de vida que tú das continuamente.*

¿QUE PUEDE PROBAR LA PERSECUCION?

Si sois vituperados por el nombre de Cristo, sois bienaventurados, porque el glorioso Espíritu de Dios reposa sobre vosotros. 1 Pedro 4:14.

"Una de las evidencias de que somos la verdadera iglesia es que estamos siendo perseguidos en tantos lugares", me explicaron dos damas a la puerta de mi casa mientras trataban de darme una de sus revistas. No es inusual para grupos cristianos —ya sean católicos, protestantes, o sectas— usar ejemplos de persecución como una validación de su causa. Pero si usamos la persecución para probar la verdad, probaríamos demasiado, porque los musulmanes, los judíos, los bahaís, los hindúes, los budistas, y en realidad personas de la mayoría de las religiones, han sufrido terrible persecución.

La persecución no prueba la verdad, pero sí prueba la terrible intolerancia e inhumanidad de la humanidad.

El espíritu de gloria que el Espíritu Santo trae no es la persecución, aun por causa de Cristo, sino la gloria de Jesús revelada en sus seguidores (1 Ped. 4:11). Pedro ha explicado que cada cristiano ha recibido un don (vers. 10). Este podría ser un talento natural que puede usarse en una forma especial para la gloria de Dios. Por otra parte, debido a que Pedro vincula el don con la gracia de Dios, muy probablemente está hablando de los dones de gracia, los dones espirituales, que Pablo ha enumerado en Romanos 12, 1 Corintios 12 y Efesios 4.

Como explica Pedro, estos dones pueden implicar el hablar los mensajes de Dios o el ministerio cristiano práctico. Mientras el cristianismo práctico raramente resulta en pruebas de fuego (1 Ped. 4:12), sufrimiento (vers. 13) o reproche (vers. 14), el hablar los mensajes de Dios puede causar oposición y aun pesecución. Jesús dijo que los enemigos de una persona pueden ser los de su propia casa. La "casa" puede ser la familia y los parientes, pero a veces, desafortunadamente, puede ser la iglesia, la comunidad cristiana, el vecindario o la nación.

Nunca el Espíritu Santo promete guardar de la persecución a los hijos de Dios llenos del Espíritu. Aquella es inevitable en diferentes grados en todo lugar donde exista el egoísmo, la intolerancia y la inhumanidad. Pero el Espíritu Santo promete fuerza y fe de modo que las personas que han recibido dones de Dios puedan siempre glorificarlo.

Una oración para hoy: *Señor, ayúdame a ser amable y amante con aquellos que se oponen a mis creencias y normas. Que yo nunca procure dañar o destruir a aquellos que no están de acuerdo conmigo.*

BIENVENIDA, COMPRENSION DE LA PALABRA

Entendiendo primero esto, que ninguna profecía de la Escritura es de interpretación privada, porque nunca la profecía fue traída por voluntad humana, sino que los santos hombres de Dios hablaron siendo inspirados por el Espíritu Santo. 2 Pedro 1:20-21.

"¿Qué piensan ustedes que significa este texto?", preguntó Tony, un dirigente de un grupo pequeño, a las personas que se reunían en su casa cada viernes de noche. Cada uno tenía una opinión diferente, pero al fin todos estuvieron de acuerdo con Cintia, quien no tenía mucho conocimiento de la Biblia pero era la más persuasiva. Esta "combinación de ignorancias", como la llamó un erudito, no es estudio de la Biblia sino interpretación privada.

El método deductivo para estudiar la Biblia puede ser igualmente peligroso si consiste de textos probatorios que se usan para apoyar ideas preconcebidas o tradiciones del grupo o del maestro. Es posible encontrar un texto que apoye casi cualquier creencia. Dos simpáticos jóvenes que vinieron a mi puerta incluso me mostraron un texto para probar que los cristianos debieran bautizarse por los muertos.

El Espíritu Santo, que inspiró la Escritura, usa muy efectivamente los métodos inductivo y de relaciones para estudiar la Biblia. El método bíblico de relaciones no busca verdades doctrinales sino más bien pregunta: ¿Qué me está diciendo Dios a mí en este versículo? ¿Cómo el Espíritu Santo me está hablando a mí hoy en este pasaje de la Escritura? ¿Qué me enseña esta historia sobre mi relación con Dios, conmigo mismo, con otros y con el mundo que me rodea?

Perry entró en una nueva relación con Dios y con otros al comprender un poco el sentimiento de rechazo que Jesús experimentó cuando "a lo suyo vino, · y los suyos no le recibieron" (Juan 1:11).

El estudio bíblico inductivo, iluminado por el Espíritu, analiza todo un pasaje en su contexto y pregunta, con la ayuda de concordancias y diccionarios bíblicos: ¿Qué está diciendo realmente este pasaje? ¿Entiendo claramente el significado de cada palabra o frase? Luego pregunta: ¿Qué está enseñando este pasaje? ¿Cómo se compara con otros pasajes que usan declaraciones y palabras similares? ¿Qué conclusiones pueden extraerse de todo lo que la Biblia dice sobre estos temas? Finalmente pregunta: ¿Qué voy a hacer en cuanto a las verdades que encuentro aquí? ¿Cómo voy a permitir que el Espíritu las aplique en mi vida?

Una oración para hoy: *Háblame desde tu Palabra, Señor, en una forma que trascienda mis propias ideas y prejuicios.*

CONOCIENDO EL ESPIRITU DE GOZO

Y este es su mandamiento: Que creamos en el nombre de su Hijo Jesucristo, y nos amemos unos a otros como nos lo ha mandado. Y el que guarda sus mandamientos, permanece en Dios, y Dios en él. Y en esto sabemos que él permanece en nosotros, por el Espíritu que nos ha dado. 1 Juan 3:23-24.

¿Sabe usted que Jesús está viviendo en usted y que usted tiene vida eterna? Juan, el último apóstol viviente, quería que los cristianos lo supiesen con certeza, de modo que usó esta palabra más que ningún otro autor bíblico. Algunos en el tiempo de Juan enseñaban que era posible saberlo porque estaban guardando varios mandamientos. Otros enseñaban que lo sabían porque no necesitaban guardar los mandamientos y eran moralmente libres. Pero Juan es claro y conciso: es únicamente mediante el Espíritu Santo que una persona puede estar gozosamente segura de la salvación.

A veces los cristianos han dado la impresión de que su religión es muy pesimista e incierta. Juan, que había conocido personalmente a Jesús, no compartía ese punto de vista. En realidad, él había dicho: "Estas cosas os escribimos, para que vuestro gozo sea cumplido" (1 Juan 1:4). La plenitud de gozo es algo conspicuo y contagioso, y es el fruto del Espíritu Santo asegurando continuamente a aquellos a quienes llena que tienen vida eterna en Jesucristo.

Cuando John Wesley se convirtió en Londres, no sólo su propio corazón fue extrañamente entibiado, sino también su testimonio público, de que "me fue dada una certeza", tuvo un efecto dramático sobre otros en la reunión. Ralph S. Cushman escribe: "La mejor evidencia que tenemos de que el nuevo 'descubrimiento' de Wesley, tan rápidamente declarado, despertó un gran entusiasmo real en la pequeña concurrencia, se ve en el apresuramiento con que corrieron a la casa para contar las noticias a su hermano enfermo.

"Charles Wesley no estuvo presente en la reunión de Aldersgate. Mientras yacía en su cama estaba orando, cuando a eso de las diez oyó los pasos de pies ansiosos. La puerta fue abierta de par en par. Y entró su hermano John, radiante con su conciencia de Dios y rodeado de amigos felices... [Su] diario agrega: 'Cantamos un himno con gran gozo y nos separamos con oración' " (*Practicing the Presence*, pp. 96-97). Ese maravilloso testimonio de gozo, dado por el Espíritu, afectó la historia subsecuente del cristianismo.

Una oración para hoy: *Padre, ayúdame a no representar erróneamente el cristianismo teniendo una actitud negativa e incierta. Te agradezco por el Espíritu de gozo.*

CONFESANDO AL JESÚS REAL

En esto conoced el Espíritu de Dios: Todo espíritu que confiesa que Jesucristo ha venido en carne, es de Dios. 1 Juan 4:2.

Externamente esta prueba puede parecer superficial porque aun un falso profeta o un demonio pueden reconocer que Jesús tomó forma humana. Pero Pablo ha hecho claro que "nadie puede llamar a Jesús Señor [amo de mi vida], sino por el Espíritu Santo" (1 Cor. 12:3). De la misma manera, sólo aquellos que están dispuestos a aceptar a Jesús como el Salvador de su vida pueden, por el Espíritu, confesarlo como el perfecto sacrificio divino-humano por los pecados del mundo.

Los musulmanes ven a Jesús como un profeta humano único pero ciertamente no divino. El Corán enseña que Jesús fue un mensajero de Dios pero no un Salvador que hizo un sacrificio expiatorio. Un movimiento supuestamente cristiano enseña lo siguiente, según se dice: "Como somos nosotros, Jesús fue una vez. Como Jesús es, nosotros seremos". El movimiento de la Nueva Era mira a Jesús desde una perspectiva aun diferente: "No se dice más que él es el unigénito Hijo de Dios, el Dios-hombre, el Señor y Salvador del cosmos. El es meramente una de las muchas apariciones o manifestaciones de Dios a lo largo de los milenios... Jesús es así reverentemente encerrado en el panteón panteísta" (Douglas R. Groothuis, *Unmasking the New Age*, p. 28).

Nell se había vuelto de su formación cristiana al movimiento de la Nueva Era. Su familia continuó orando fervientemente por ella, y en cierta ocasión su madre dio una confesión de fe al hombre que la había atraído a este culto: "Mi hija hizo cierta vez un compromiso de lealtad al Señor Jesucristo, y ella regresará a él y olvidará toda esta basura que usted le ha expuesto. Por el poder y la autoridad de la sangre de Jesús, yo sujeto toda influencia satánica que usted tenga sobre mi hija" (*A Woman's Guide to Spiritual Warfare*, p. 45).

Nell se sintió muy mortificada por el enfoque insensible de su madre hacia su nueva religión. Cinco meses más tarde, sin embargo, en respuesta a muchas oraciones, Nell entró en una librería cristiana y compró un libro de versículos de la Escritura que el Espíritu Santo usó para conducirla de regreso a su Señor Jesucristo. Desde entonces Nell se ha graduado de un colegio bíblico y ha confesado su fe mientras ha ministrado en varios países.

Una oración para hoy: *Señor, creo en Jesucristo, el Hijo de Dios, quien tomó la humanidad, vivió una vida sin pecado y murió en la cruz por mi salvación.*

VICTORIA ARABICA

Hijitos, vosotros sois de Dios, y los habéis vencido; porque mayor es el que está en vosotros, que el que está en el mundo. 1 Juan 4:4.

La grandeza semejante a la de Goliat del "que está en el mundo" parece a veces casi abrumadora. Los cristianos más devotos reconocen que este Goliat que domina el mundo también ha tenido un efecto profundo sobre su modo de pensar. La televisión, los periódicos, la mayoría de las formas de publicidad, y la conversación de los conocidos y vecinos tienen un impacto significativo sobre sus normas y valores. Pero la situación no es desesperada. Goliat puede ser derrotado por el Espíritu Santo, que representa a Jesús dentro de la vida del cristiano.

Chuck Swindoll dice que "Goliat me recuerda de un lanzador del disco con estrabismo. El no marcó ningún récord... ¡pero por cierto mantuvo despierta a la multitud!" Swindoll nos da dos verdades eternas de la lucha contra el gigante: "*La victoria sobre los gigantes no se logra usando su técnica.* Esa es la 'lección número uno' para todos nosotros. Goliat podría haber sido erróneamente juzgado como el acorazado *Missouri* por todo su ruido y su bronce. ¡David... ni siquiera llevaba una espada! Su mayor pieza de la armadura, el arma letal que lo hizo único y que le dio la victoria, fue su *escudo interior de fe*. Lo mantuvo libre de temor, lo hizo resistente a las amenazas, le dio una serena compostura en medio del caos, le aclaró su visión.

"*La victoria sobre los gigantes no se logra sin gran habilidad y disciplina.* Ser un guerrero de Dios, pelear a su manera, demanda mucho más pericia y control que lo que uno puede imaginar. Usar la honda y la piedra del Espíritu es por lejos más delicado que revolear el mazo de la carne. Pero, oh, cuán dulce es la victoria cuando la piedra encuentra su blanco... *y cuán definitiva*" (*Come Before Winter*, pp. 147-148).

Recientemente vi un cartel cristiano que mostraba un bote pesquero del Medio Oriente descansando sobre una playa de arena. El nombre del bote era *Intissar*, que es la palabra arábica para "victoria", y me interesó descubrir que *Issa*, en el centro de la palabra, significa Jesús. Quizás el enemigo coloque hoy frente a usted un problema gigantesco. Si es así, recuerde *Intissar*, la victoria que usted puede lograr mientras el Espíritu Santo lo llena con el amor y la fuerza de Jesús.

Una oración para hoy: *Ayúdame, Señor, a mantener en perspectiva las amenazas del mundo, sabiendo que no tienen dominio sobre el poder extraordinario de tu Espíritu.*

BIENVENIDO, ESPIRITU DE AMOR

Nadie ha visto jamás a Dios. Si nos amamos unos a otros, Dios permanece en nosotros, y su amor se ha perfeccionado en nosotros. En esto conocemos que permanecemos en él, y él en nosotros, en que nos ha dado de su Espíritu. 1 Juan 4:12-13.

En esta corta carta Juan escribe más de 30 veces sobre el amor. Junto con el conocimiento, el tema de Juan es el amor. Ningún otro libro de la Biblia habla tanto de él. El amor es la revelación de Dios en su pueblo, porque "Dios es amor", y el amor de Dios es derramado por el Espíritu Santo en los corazones humanos (Rom. 5:5).

La madre de Ethel Waters tenía doce años cuando fue violada a punta de cuchillo. Ethel fue criada en Filadelfia y Camden como una chica en un callejón sin salida, por una abuela que no le mostró amor. "Cuando criatura, corrí salvajemente —dice Ethel en su biografía *His Eye Is on the Sparrow* [Su ojo está sobre el gorrión]—. Era mala; en la pandilla callejera, siempre era una cabecilla en cuanto a robar y agitar el infierno". Eventualmente, en la última reunión de un reavivamiento para niños, Ethel abrió su corazón a Dios, y el cambio fue milagroso. "El amor inundó mi corazón y supe que había encontrado a Dios y que tendría un aliado, un amigo cercano para fortalecerme y alegrarme", testifica Ethel (p. 50).

El Espíritu, que había llenado a Ethel con el amor de Dios, la usó en una forma especial durante casi 50 años sobre el escenario y en la pantalla. Yo he sido bendecido junto con centenares de miles de otros que han oído a la señorita Waters cantar su canto más famoso en las cruzadas de Billy Graham: "Su Ojo Está Sobre el Gorrión". Por lo tanto, Ethel Waters estaba segura que Dios también la estaba observando y cuidando a ella.

Aun al acercarse al fin de su vida, Ethel Waters estaba todavía llena del amor de Dios y se sentía ansiosa de que los cristianos le pemitiesen al Espíritu Santo revelar su amor a través de ellos. ¿Cómo el Espíritu hizo esto posible en la vida de Ethel? "He amado a Jesús toda mi vida —dice ella—, pero pienso que tuve que rendirme a él antes de saber cómo amar a otras personas" (*To Me It's Wonderful*, p. 145).

Juan estaba profundamente preocupado por la falta de verdadero amor que era evidente en la iglesia hacia el fin del primer siglo. Un hombre se amaba tanto a sí mismo que estaba echando a otros de la iglesia (3 Juan 9-10). La respuesta estaba y está en la fórmula de Ethel: rendirse a Jesús bajo el poder del Espíritu.

Una oración para hoy: *Santo Espíritu, llena mi corazón con el amor de Dios hacia los que no son amables.*

BIENVENIDO, TESTIGO DE PRIMERA MANO

Este es Jesucristo, que vino mediante agua y sangre; no mediante agua solamente, sino mediante agua y sangre. Y el Espíritu es el que da testimonio; porque el Espíritu es la verdad. 1 Juan 5:6.

Después que muere el último testigo viviente, todo otro testimonio es de segunda mano. Cuando primeramente me trasladé a Cooranbong en 1965 para asistir al Colegio de Avondale, estuve encantado de encontrar a un caballero anciano que había conocido a Elena de White durante sus años en Australia a fines de la década de 1890. Cuando joven había viajado con ella en una cantidad de ocasiones y tenía muchas historias inspiradoras para contar. Ahora sólo quedan en Australia testigos de segunda mano para hablar del ministerio cristiano práctico y lleno del Espíritu de la Sra. White.

Cuando Juan ministró en Efeso y estuvo exilado en Patmos, tuvo la misma preocupación. Pareciera que él fue el último testigo viviente de todo el ministerio de Jesús. Todos los otros apóstoles estaban muertos. No había segmentos de video referentes a la vida de Jesús. Sesenta años después de la muerte de Jesús, Juan sabía que pronto no habría en Palestina ni siquiera una persona viva que pudiera decir: "Yo conocí a Jesús".

Pero Juan no estaba desanimado. Conocía al Espíritu Santo, aquel que daría un testimonio de Jesús que sería de primera mano y más efectivo que cualquier testimonio audiovisual. En 1993 la gente de todo el mundo vio por televisión a cuatro oficiales de policía de Los Angeles castigando a Rodney King. No había duda de que había ocurrido. Similarmente, cuando el Espíritu Santo testifica en un corazón que está abierto a Dios, esa persona no tiene duda de la vida sin pecado de Jesús y de su muerte expiatoria. El testimonio del Espíritu es innegable. Jesús no está muerto. Su testimonio es de primera mano.

Satanás está decidido a mantener a la gente lejos del Espíritu Santo, porque el Espíritu de verdad da testimonio sobre Jesús. No sólo individuos sino iglesias enteras han sido excluidas del Espíritu Santo. El Espíritu Santo ha sido tratado como una fuerza temible en vez de un amigo fiel. Como resultado, Jesús es poco más que un nombre en el cristianismo cultural. Los pecadores son introducidos a doctrinas y reglas, pero no a Jesús, y los resultados son predeciblemente patéticos. Si usted desea ver un cambio en su vida y en la iglesia, permita que el Espíritu Santo dé un testimonio de primera mano sobre Jesús. Usted se asombrará por lo que ocurra.

Una oración para hoy: *Espíritu, muéstrame más sobre Jesús que lo que jamás haya conocido antes.*

BIENVENIDO, TRIPLE TESTIMONIO

Y tres son los que dan testimonio en la tierra: el Espíritu, el agua y la sangre; y estos tres concuerdan. 1 Juan 5:8.

Cuando descendió como una paloma en el bautismo por agua de Jesús, a lo largo de la inmaculada vida de servicio de nuestro Señor y en el momento del sacrificio del Salvador en la cruz del Calvario, el Espíritu Santo dotó milagrosamente de poder a Jesús y testificó de su divinidad.

A lo largo de toda la historia el Espíritu Santo ha testificado en la misma triple manera a los cristianos que han nacido de nuevo. La sangre de Jesús anula la culpa de nuestras vidas discordantes porque tenemos el lavamiento de la regeneración y una nueva vida armoniosa con Dios en el poder del Espíritu. Sí, el agua, la sangre y el Espíritu nos convencen de la misma verdad maravillosa: Podemos tener la certeza de la salvación y del ministerio de Jesús.

F. B. Meyer, autor de muchos libros profundamente espirituales, escribe sobre una experiencia que tuvo en un hotel en Noruega. Una niñita estaba entre las familias que paraban allí como huéspedes. Insistía en tocar el piano con un dedo en el salón social, y las notas eran tan discordantes que "todos se escapaban en busca de aire fresco cuando la veían venir". Uno de los músicos más talentosos de Noruega también estaba parando en el hotel, y en cierta ocasión se sentó junto a la niña y ofreció un precioso acompañamiento a cada nota que ella tocaba. Pronto la gente se agolpó desde el exterior para disfrutar la hermosa música.

"La verdad que esta historia ilustra, ha tocado profundamente mi corazón a lo largo de los años —dice Meyer—. Yo he sido como esa niña junto al piano de la verdad de Dios. He tratado al máximo de producir música con mi único dedo. Vez tras vez he salido con el sentimiento de que soy un terrible fracaso y que sólo toco disonancias. Pero, oh, también he encontrado al Espíritu Santo sentado a mi lado. Por cada nota discordante que he golpeado, él ha tocado una nota más noble. No importa lo que usted trata de hacer para el Señor, algo grande o pequeño, si usted siente que sólo está cometiendo errores y fracasos y notas falsas, ¡créame que el bendito Espíritu Santo está a su lado transformando sus disonancias en el Aleluya [de Händel]!" (*Powerlines*, pp. 155-156).

Sí, F. B. Meyer había descubierto el triple testimonio del Espíritu.

Una oración para hoy: *Santo Espíritu, nuevamente te agradezco por mostrarme que Jesús puede extraer algo hermoso de mi vida discordante.*

¿TESTIGO INTERIOR O MENTIROSO?

El que cree en el Hijo de Dios, tiene el testimonio en sí mismo; el que no cree a Dios, le ha hecho mentiroso, porque no ha creído en el testimonio que Dios ha dado acerca de su Hijo. 1 Juan 5:10.

Pregunta: ¿Cómo los cristianos pueden hacer que Dios aparezca como un mentiroso?

Respuesta: Dudando de su salvación.

Pregunta: ¿Cómo pueden los cristianos saber con seguridad que tienen vida eterna?

Respuesta: Escuchando la voz interior del Espíritu.

Permítame llevarlo a través de algunas "raíces" que mostrarán cómo los adventistas debieran tener una ventaja hereditaria para contestar esas preguntas. Los cristianos moravos que estaban en la propiedad del conde Zinzendorf, en Sajonia, descubrieron el significado del testimonio interior. Cuando el Espíritu Santo fue derramado sobre ellos el 13 de agosto de 1727, les dio tal certeza de su salvación y de Jesús el Salvador que "esta firme confianza los transformó en un solo momento en gente feliz" (John Greenfield, *Power From on High*, p. 14).

Cuando John Wesley, un ministro que dudaba de su salvación y de ese modo hacía a Dios un mentiroso, fue interrogado por el obispo moravo Spangenberg el 7 de febrero de 1736, se le preguntó: "¿Tiene usted el testimonio dentro de sí? ¿El Espíritu de Dios da testimonio con su espíritu de que usted es un hijo de Dios?" (Ver la lectura del 23 de agosto.) Wesley descubrió la respuesta en su experiencia de conversión del 24 de mayo de 1736, y en su bautismo por el Espíritu en la reunión de oración morava de Año Nuevo, el 1.º de enero de 1739. Supo que "el que tiene al Hijo, tiene la vida" (1 Juan 5:12). Ya no hizo más a Dios "mentiroso".

Edificando sobre su herencia metodista, Elena de White, una pionera adventista llena del Espíritu, también comprendió el testimonio interior del Espíritu. Muchas veces se refirió a esta certeza interior. "El Espíritu Santo es una persona, porque testifica en nuestros espíritus que somos hijos de Dios. Cuando se da este testimonio lleva consigo su propia evidencia. En esas ocasiones creemos y estamos seguros de que somos los hijos de Dios" (*El evangelismo*, p. 447). "Cuando tenemos una seguridad definida y clara de nuestra salvación debemos manifestar alegría y gozo, lo cual conviene a cada seguidor de Jesucristo" (*Id.*, p. 458).

Juan escribió "para que sepáis que tenéis vida eterna". Si usted no lo sabe, escuche nuevamente la voz del Testigo Interior.

Una oración para hoy: *Gracias, Señor, por el gozo y la innegable certeza de la vida eterna.*

GRANDEZA DESTRUCTIVA SIN EL ESPIRITU

Estos son los que causan divisiones; los sensuales, que no tienen al Espíritu. Judas 19.

Algunos nombres tienen un estigma que es difícil borrar. No oímos de padres que le den a su hijo el nombre de Hitler o Lucifer. De la misma manera, nos sentimos turbados al encontrar un libro de la Biblia titulado "Judas", de modo que siempre lo llamamos la Epístola de Judas. Sin embargo, la gente sobre la cual escribió Judas tenían aparentemente nombres respetables, pero eran los equivalentes espirituales de Judas Iscariote y Hitler. Judas usa el lenguaje más emotivo y los peores ejemplos de maldad que puede acumular para declarar la depravación de los destructores de la fe. No da sugerencias veladas ni sutiles insinuaciones; antes bien, dispara con dos cañones contra estos antinomianistas de la gracia barata.

La gente que divide y destruye la iglesia es denunciada firmemente en el Nuevo Testamento. Pablo dice que los que derriban la iglesia serán destruidos (1 Cor. 3:16-17; ver la lectura del 9 de septiembre), y Pedro, usando palabras similares a las de Judas, dice que gente tal enfrentará rápida destrucción (2 Ped. 2:1-3:3). Al alcanzar Judas el punto culminante de su denuncia, puntualizó el problema cuando afirmó que estos destructores internos de la iglesia no tenían el Espíritu Santo.

Parece extraño que la gente que ha sido la más destructiva dentro de la iglesia haya sido considerada en un tiempo como grande. Pero como dijo una vez Oswald Chambers: "Nosotros hacemos grandes a los hombres y mujeres; Dios no. Una diferencia esencial entre el tiempo antes de Pentecostés y después de Pentecostés es que desde el punto de vista de Dios no hay hombres grandes después de Pentecostés". Cada miembro de la iglesia puede ser llenado por igual con el Espíritu Santo y mediante dones espirituales puede ministrar doquiera encuentre las necesidades de una humanidad doliente.

Cada persona convertida es la morada del Espíritu Santo (Rom. 8:9; Efe. 1:13; Eze. 36:25-27), de modo que los alborotadores que "no tienen el Espíritu" deben ser cristianos culturales que nunca han nacido de nuevo o que se han deslizado en la apostasía. Aquellos que están llenos del Espíritu siempre serán agentes de unidad en la iglesia, cultivando un huerto donde el amor, el gozo, la paz, la paciencia, la bondad, la piedad, la fidelidad, la gentileza y el dominio propio fructificarán.

Una oración para hoy: *Señor, únenos en amor mediante el poder del Espíritu Santo.*

BIENVENIDA, ORACION CONVERSACIONAL EN EL ESPIRITU

Pero vosotros, oh amados, edificaos sobre vuestra santísima fe, y orad movidos por el Espíritu Santo. Judas 20, Nueva Reina-Valera 1990.

Cuando Rosalinda Rinker tenía 15 años, decidió cierta noche asistir a una reunión de oración en el campo en vez de ir a una fiesta con otros jóvenes. En esa reunión de oración aprendió lo que significaba hablar a Dios como a un amigo, con el poder del Espíritu. Años más tarde, como una misionera en China, Rosalinda se unió con otra dama para orar por algunos estudiantes, y allí se descubrió un principio de oración que ha ayudado a millones de cristianos.

Rosalinda oró: "Señor, ¿estás tratando de enseñarnos algo mediante este incidente? ¿Debiéramos darte más oportunidad mientras estamos orando, para que tus ideas se incorporen a nuestra vida? ¿Debiéramos darle más oportunidad al Espíritu Santo para que nos guíe cuando oramos?" (*Prayer: Conversing With God*, p. 17). Mientras las dos damas intercambiaban ideas durante la oración en una forma natural y espontánea, pareció como si estuvieran conversando con Dios. Estaban orando "en el Espíritu" a la vez que el Espíritu podía dar más energía o "hacer más fervientes" las oraciones, y abrir las mentes de estas damas cristianas a las cosas que eran más importantes en ese momento.

"¿Sabes algo? —le dijo Rosalinda a su amiga Mildred— ¡Creo que el Señor acaba de enseñarnos algo! En vez de que cada una de nosotras le haga una oración tipo discurso, hablemos con él sobre diferentes cosas, en forma de diálogo, incluyéndolo a él como cuando nosotras tenemos una conversación".

Mildred estuvo de acuerdo: "Sí, y podríamos referirnos a una persona o a una situación a la vez, dialogando, hasta que sintamos que hemos tocado a Dios y que nuestros corazones están en paz" (*Id.*, p. 14).

Actualmente personas de todo el mundo que se reúnen en pequeños grupos disfrutan las bendiciones maravillosas de la oración conversacional. Generalmente los miembros del grupo comienzan con alabanza. Luego oran por las necesidades dentro del grupo, ministrándose mutuamente mediante el poder y los dones del Espíritu Santo. Finalmente, sus oraciones van fuera del grupo cuando interceden por otras personas y situaciones. Cada oración no tiene más de una o dos frases, de modo que cada persona en el grupo puede orar tan a menudo como el Espíritu lo impresiona a hacerlo.

Una oración para hoy: *Padre, te agradezco por escuchar y contestar mientras hablo contigo y con un grupo de amigos que están orando.*

BIENVENIDO, ESPIRITU DE CAMBIO

Yo estaba en el Espíritu en el día del Señor, y oí detrás de mí una gran voz como de trompeta. Apocalipsis 1:10.

El último libro de la Biblia es la gran revelación final de Jesús mediante el Espíritu Santo. Estas visiones elevaron a Juan de su condición de víctima en una isla penal a su posición de vencedor que vio realidades más allá de los confines de las circunstancias presentes. Eso es lo que hace una visión. Nos capacita para ver lo invisible.

Hace un tiempo un amigo compartió conmigo una declaración que valoro: "Si en una situación dada usted puede ver sólo lo que todos los demás pueden ver, puede decirse que usted es tanto un representante de su cultura como una víctima de ella" (S. I. Hayakawa).

El Espíritu Santo capacitó a Juan para ver más allá de Patmos, al triunfo final de la iglesia. ¿Qué está mirando usted hoy? ¿Circunstancias aprisionadoras que parecen rodearlo? ¿Dificultades insuperables que impiden el progreso? ¿La iglesia en una rutina sin el Espíritu? Si usted no tiene visión, se encontrará encerrado en una prisión de estancamiento espiritual, emocional y cultural.

¿Recibió Juan el privilegio exclusivo de estar "en el Espíritu"? De ninguna manera. La Biblia dice que todo cristiano que ha nacido de nuevo está en "el Espíritu, si es que el Espíritu de Dios mora en vosotros" (Rom. 8:9). Y es a través de ese Espíritu que mora interiormente que los hijos de Dios ven las cosas que el ojo no puede ver o que el oído no puede oír en las circunstancias presentes de la vida (1 Cor. 2:9-10).

En una reunión de pastores en Nueva Escocia, oramos para que el Espíritu Santo nos llenase y nos diese una visión del futuro de su obra en las provincias marítimas de Canadá. El presidente de la asociación, Bob Lehmann, señaló que la isla Príncipe Eduardo, con una población de más de 120.000 personas, tiene sólo 40 miembros en una pequeña iglesia y una compañía. Cuando oramos con la unción del Espíritu, el Señor abrió ante nosotros la posibilidad de una casa-iglesia de por lo menos 10 miembros en las 20 ciudades o aldeas, o más, de la isla Príncipe Eduardo, que tienen una población de más de 3.000 personas. A algunos la visión les pareció una imposibilidad, después de más de 100 años de trabajo relativamente infructífero. Para otros fue como la trompeta que oyó Juan. "Con el poder del Espíritu Santo puede hacerse y se hará", dijeron.

Y Dios ciertamente convertirá la visión en una realidad.

Una oración para hoy: *Señor, en las situaciones y decisiones de hoy ayúdame a ser un agente de cambio, no una víctima de mi cultura y del statu quo.*

UNA PROMESA PARA AMANTES

El que tiene oído, oiga lo que el Espíritu dice a las iglesias. Al que venciere, le daré a comer del árbol de la vida, el cual está en medio del paraíso de Dios. Apocalipsis 2:7.

Durante cuatro horas cada domingo, durante siete reuniones de reavivamiento de fin de semana en California, se reunieron grupos pequeños para estudiar las siete iglesias de Apocalipsis. En esta oportunidad, no estaban analizando las iglesias profética o históricamente, sino desde un punto de vista personal. Las preguntas eran: ¿Qué tipo de cristiano está representado por estas iglesias? ¿Qué iglesia representa más de cerca mi actual condición espiritual? ¿Cómo el Espíritu satisface las necesidades de cada tipo de cristiano y provee la posibilidad de la victoria final?

En este marco no es difícil descubrir de quién está hablando el Espíritu Santo en el mensaje a la iglesia en Efeso. ¿Se ha sentido alguna vez como un cristiano efesio que ha perdido su primer amor? Recuerde, el amor de Dios es derramado en nuestros corazones por el Espíritu Santo (Rom. 5:5). Cuando se pierde el primer amor, Jesús no es más el centro de la vida y la religión. Nuestra adoración se vuelve formalista y fría. Ha ocurrido un divorcio espiritual, y el arrepentimiento es la única solución.

Escribiendo desde Melbourne, Australia, Elena de White expresó su preocupación por el efecto que cristianos del tipo de Efeso tienen en la iglesia. "La atmósfera de la iglesia es tan frígida, su espíritu es de tal naturaleza, que los hombres y mujeres no pueden sostener o soportar el ejemplo de la piedad primitiva nacida del cielo —escribió ella—. El calor de su primer amor está congelado, y a menos que sean regados por el bautismo del Espíritu Santo, su candelabro será quitado de su lugar, si no se arrepienten y hacen las primeras obras" (*Testimonios para los ministros*, p. 166).

Cada uno de los grupos pequeños en California descubrieron que los mensajes del Espíritu Santo dados en Apocalipsis a los vencedores, no son amenazas sino promesas. El Espíritu dice que muchos que han perdido su primer amor serán llenados nuevamente con el maravilloso amor de Jesús. Finalmente, para estos cristianos victoriosos del tipo de Efeso, no habrá posibilidad de perder ese amor, porque el Espíritu Santo los guiará al paraíso de Dios.

Una oración para hoy: *Lamento mucho, Señor, haber perdido mi primer amor, y te pido que derrames nuevamente en mi vida el amor desbordante que el Espíritu Santo provee.*

LA FRAGANCIA DE LOS CRISTIANOS APLASTADOS

El que tiene oído, oiga lo que el Espíritu dice a las iglesias. El que venciere, no sufrirá daño de la segunda muerte. Apocalipsis 2:11.

Cristianos que sufren. Cristianos tipo Esmirna. Pueden encontrarse en casi cada congregación. Han sido aplastados por malos entendidos, decisiones equivocadas, los errores de otros, la oposición de familiares y miembros de iglesia, tratamiento injusto, y la lista podría continuar. Este tipo de dolor llena la mente y el cuerpo con un dolor que ningún analgésico puede cubrir. A veces, cuando un niño recibe una lesión menor, la madre lo besará para sanarlo. Pero ese maravilloso tratamiento no puede arreglar una pierna fracturada o una herida en la cabeza. De la misma manera, los cristianos que están sufriendo profundamente no pueden ser sanados con una rápida oración o una palmadita superficial en la espalda.

Danny había renunciado a un buen trabajo para ayudar a sacar a un negocio de aserradero de un serio problema financiero. Su eficiencia demostró ser notablemente exitosa, y en pocos meses la firma estaba de nuevo sobre una base firme. Justamente antes de Navidad el dueño de la compañía decidió que ya no necesitaba más los servicios de Danny, y lo desempleó. Ahora Danny no tenía trabajo ni dinero para los feriados navideños, y su familia se sentía muy desdichada. Danny luchó con su profundo dolor, especialmente el sábado de mañana cuando el hombre que lo había tratado tan mal se puso de pie como un dirigente en la misma iglesia a la que Danny asistía.

Sólo el Espíritu Santo puede ayudar a un cristiano del tipo de Esmirna a ser fragante cuando es aplastado. No es natural; es sobrenatural. Pero el Espíritu no lo hace en una manera abstracta. Trabaja a través de los cristianos a los que llena. Los usa para ministrar a los sufrientes, no sólo individualmente sino especialmente en grupos pequeños.

Vi como esto obraba en forma muy efectiva en un seminario sobre el Espíritu Santo que estaba dictando en Nueva Escocia. Tan pronto como alguien mencionaba un dolor que estaba aplastando su espíritu, los demás lo rodeaban para orar. Las oraciones eran fervientes y sinceras y estaban unidas a un amor cristiano práctico. El Espíritu Santo tiene una promesa maravillosa para aquellos que están aplastados pero que, con la fuerza del Espíritu, vencen el impulso a permitir que el dolor los destruya; ellos no serán afectados por el dolor final de la muerte segunda.

Una oración para hoy: *Señor, cuando el dolor se comparte con aquellos que se interesan por uno, entonces es manejable. Te agradezco por los verdaderos amigos.*

PODER PARA LA GENTE EN PERGAMO

El que tiene oído, oiga lo que el Espíritu dice a las iglesias. Al que venciere, daré a comer del maná escondido, y le daré una piedrecita blanca, y en la piedrecita escrito un nombre nuevo, el cual ninguno conoce sino aquel que lo recibe. Apocalipsis 2:17.

Cuando la Muralla de Berlín todavía estaba en pie, caminé a través del punto de control Charlie y llegué al famoso Museo Pergamiano en la sección oriental de la ciudad dividida. Los arqueólogos alemanes del siglo pasado habían traído allí muchos de los tesoros de la antigua Babilonia, incluyendo el altar masivo de Zeus, que había sido descubierto en las excavaciones en Pérgamo.

Satanás, que no es omnipresente, aparentemente había instalado sus cuarteles centrales en la antigua Pérgamo. Los cristianos de este lugar eran hostigados constantemente por las potencias malignas, pero una vez más el Espíritu Santo prometió un poder victorioso.

Los cristianos del tipo Pérgamo de la actualidad se encuentran en el centro de la actividad maligna. No sólo están expuestos a las tentaciones comunes a todos los cristianos, sino que se encuentran en un trabajo, una escuela, un hogar o una situación de la comunidad que es el blanco de una empresa diabólica específica. Quizás estén en un lugar usado para el tráfico de drogas. Quizás estén sometidos a abuso satánico ritualista. Quizás se encuentren en un ambiente de inmundicia pornográfica. Quizás estén sometidos a violentos ataques físicos. El aire que los rodea puede esta contaminado con obscenidades y suciedad verbal. Algunas almas que viven en un ambiente protegido quizás no crean que puedan existir situaciones como éstas, pero los cristianos del tipo Pérgamo saben que esto es realidad.

Aunque quizás hayan cedido al mal una cantidad de veces, el Espíritu Santo les ha prometido una vía de escape y victoria a los cristianos que están en situaciones semejantes a las de Pérgamo. Si usted hoy está allí, no se desespere. Hay perdón y esperanza para usted. Dios le ha prometido un hermoso nombre nuevo y la vida eterna en el ambiente puro del cielo.

Si le resulta difícil creer que el Espíritu Santo puede traer poder victorioso a los cristianos del tipo Pérgamo, he aquí una prueba que usted puede aplicar. Pregúntele a un grupo de cristianos, como yo lo he hecho muchas veces, cuántos de ellos han salido de situaciones semejantes a las de Pérgamo. Usted oirá algunos testimonios de victoria y alabanza que lo asombrarán. Ciertamente será guiado a glorificar a El Shaddai, que es todopoderoso.

Una oración para hoy: *Más allá del mal de este mundo, elevo mi mirada a ti, Dios de esperanza.*

BIENVENIDA, ESTRELLA BRILLANTE

Y le daré la estrella de la mañana. El que tiene oído, oiga lo que el Espíritu dice a las iglesias. Apocalipsis 2:28-29.

Los cristianos del tipo Tiatira vagan en la noche de la confusión religiosa, pero aun allí el Espíritu les da vislumbres de la estrella de la mañana. Como un ángel que guía a un niño extraviado por un sendero peligroso, así el Espíritu Santo guía al pueblo de Dios al hogar.

Helen abandonó el colegio de Walla Walla y con una amiga partió hacia Colorado en un automóvil viejo con frenos deficientes. Por la costa de Oregon fallaron los frenos, y el vehículo con sus aterrorizadas pasajeras terminó suspendido sobre un tronco al borde de un precipicio. Afortunadamente pasó una "estrella de la mañana" quien no sólo puso en salvo al vehículo sino que les dio trabajo a sus ocupantes para que estuvieran en condiciones de arreglar los frenos.

Mientras viajaban hacia California, Helen y su amiga discutían constantemente, hasta que ella salió del automóvil con su cartera y sus bolsas de dormir y observó cómo se perdía en el polvo su único medio de transporte. Mientras andaba por la ciudad, Helen notó a un hombre con uniforme militar que caminaba del otro lado de la calle. Pronto esta "estrella de la mañana" cruzó y preguntó si podía ayudarle. Llamaron al pastor adventista de la localidad, quien se negó a auxiliar a la niña desamparada. Afortunadamente, el joven soldado cristiano pudo relacionar a Helen con otro grupo de cristianos, quienes oraron por ella, le ayudaron con trabajo, y la atendieron hasta que Helen pudo reanudar su viaje a Colorado.

Elena de White aplicó el mensaje para Tiatira a los intelectuales que a comienzos de siglo estaban tratando de llevar a la iglesia a la confusión religiosa del panteísmo. Los frenos de la iglesia comenzaron a fallar mientras estos cristianos del tipo de Tiatira la acercaban al precipicio. Algunos dirigentes espirituales polemistas comenzaron a vagar en las tinieblas, necesitando desesperadamente la luz de una "estrella de la mañana". Nuevamente el Espíritu Santo usó a Elena de White para dirigir a su pueblo a un lugar de seguridad donde pudiera renovarse su fe sencilla.

Las organizaciones de la iglesia pueden incorporar tradiciones confusas y creencias no bíblicas, pero el Espíritu de Dios iluminará el camino al hogar para aquellos que están buscando la verdad.

Una oración para hoy: *Padre, en medio de una multiplicidad de enseñanzas religiosas, que tu Espíritu me ayude a discernir claramente y a caminar en la senda de la verdad.*

¿PUEDE VIVIR UNA IGLESIA MUERTA?

Escribe al ángel de la iglesia en Sardis: El que tiene los siete espíritus de Dios, y las siete estrellas, dice esto: Yo conozco tus obras, que tienes nombre de que vives, y estás muerto... El que tiene oído, oiga lo que el Espíritu dice a las iglesias. Apocalipsis 3:1-6.

Me sorprendí recientemente al encontrar docenas de casos en los cuales Elena de White aplicó a la Iglesia Adventista el mensaje del Espíritu Santo a Sardis. "A nosotros nos llega hoy el mensaje a la iglesia de Sardis", escribió en 1903 (*Review and Herald*, 21 de abril, 1903).

Como el cristianismo en general, la Iglesia Adventista tiene un nombre que está vivo, pero a veces da la apariencia de estar espiritualmente muerta. Así es como son los cristianos del tipo Sardis. Profesan estar vivos, pero necesitan el poder del Espíritu Santo que resucita y reaviva.

En una disertación que dio durante la sesión de la Asociación General de 1901, Elena de White habló vigorosamente a cristianos del tipo Sardis que estaban en cargos de liderazgo: "En cada institución, en las casas publicadoras, y en todos los intereses de la denominación, en todo lo que afecta al manejo de la obra, se requieren mentes que estén dirigidas por el Espíritu Santo de Dios... ¡No permita Dios que transcurra y concluya esta conferencia [o sesión de la Asociación General] como ha pasado con [otras] conferencias, con la misma manipulación, con el mismo tono, y el mismo orden! (Voces: 'Amén'.) ¡No permita Dios, hermanos! (Voces: 'Amén'.) El quiere que recapacite toda alma viviente que tiene un conocimiento de la verdad. El quiere que todo poder viviente se levante; y nosotros somos lo mismo que hombres muertos" (*Spalding and Magan Collection*, p. 163).

El Espíritu Santo, el Espíritu de vida en Jesucristo, puede levantar de los muertos a los cristianos del tipo Sardis. Hay un problema, sin embargo, "Los muertos nada saben", y muy a menudo los espiritualmente muertos no reconocen su necesidad. Pero los pocos que la reconocen, testifican del poder transformador de la gracia de Dios, como Elena de White a menudo lo subrayó. Están vestidos con el manto blanco de la justicia de Cristo y tienen sus nombres retenidos para siempre en el libro de la vida.

Una oración para hoy: *Padre, si hay un área de muerte espiritual en mi vida, ayúdame a verla y a permitir que el Espíritu Santo me dé nueva vida en cada parte de mi ser.*

BIENVENIDA, PUERTA ABIERTA

Yo conozco tus obras; he aquí, he puesto delante de ti una puerta abierta, la cual nadie puede cerrar; porque aunque tienes poca fuerza, has guardado mi palabra, y no has negado mi nombre... El que tiene oído, oiga lo que el Espíritu dice a las iglesias. Apocalipsis 3:8-13.

Los cristianos del tipo Filadelfia, entran con el poder del Espíritu Santo por las puertas de oportunidad abiertas por Dios, sin mirar nunca atrás a los viejos caminos de inactividad sin vida, sin amor, letárgica.

El 1.º de diciembre de 1955, Rosa Lee Parks entró por la puerta de un ómnibus de Montgomery, Alabama, y se sentó en el primer asiento disponible. Pronto todo el ómnibus estaba alborotado. El conductor le ordenó a Rosa: "¡Múdese!" Hubo pasajeros que la maldijeron y la empujaron, y pronto vino la policía y la arrestó. ¿Cuál era el crimen de Rosa? Esta cristiana de 42 años, llena del Espíritu, callada y conservadora, con un buen trabajo y una buena familia, se había sentado en la sección blanca del ómnibus y no podía tolerar más la injusticia de la segregación racial. Así es como son los cristianos del tipo de Filadelfia. Combinan amor y acción, fe y obras, en una combinación invencible.

Con la fuerza del Espíritu, los cristianos del tipo de Filadelfia entran por puertas de esperanza, puertas de solidaridad social, puertas de alabanza, puertas de oración intercesora y puertas de vitalidad espiritual. Son personas que nutren a otras y que están involucradas en los ministerios de los grupos pequeños y en el servicio práctico de la iglesia. La razón de la fuerza de estos cristianos, que junto con los de Esmirna no son reprendidos en el Apocalipsis, es clara. Han aceptado la invitación del Espíritu Santo de entrar por la puerta de acceso al trono del Padre en el cielo (Efe. 2:18). Como han orado en el Espíritu (Rom. 8:26-28; Jud. 20), acudieron osadamente al trono de la gracia y reconocieron la misericordia y la gracia de Dios para recibir ayuda en tiempo de necesidad (Heb. 4:16).

La calle Montgomery donde Rosa Parks fue sacada del ómnibus en 1955 ha sido rebautizada con el nombre de Avenida Rosa Parks. De la misma manera los cristianos del tipo de Filadelfia recibirán un día un nombre nuevo, y a él se agregará el nombre de Dios y el nombre de la ciudad de Dios, la Nueva Jerusalén.

Una oración para hoy: *Padre, ayúdame a entrar por la puerta de la bondad amante y de la acción positiva para tu reino.*

EL ESPIRITU QUE ABRE LA PUERTA

He aquí, yo estoy a la puerta y llamo; si alguno oye mi voz y abre la puerta, entraré a él, y cenaré con él, y él conmigo... El que tiene oído, oiga lo que el Espíritu dice a las iglesias. Apocalipsis 3:20-22.

Mientras que los cristianos del tipo de Filadelfia han entrado por la puerta abierta y disfrutan de un maravilloso compañerismo con Dios, los de Laodicea han cerrado la puerta y permanecen encerrados en su tibia autosatisfacción.

¿Qué es lo que cierra la puerta en el corazón humano? A veces se cierra por el pecado deliberado; a veces por una enfermedad debilitadora; a veces por la derrota y el fracaso; a veces por una tristeza devastadora. Otras veces la puerta se cierra por depender de las obras para obtener la salvación, lo que como resultado trae entumecimiento espiritual y una sensación engañosa de bienestar espiritual.

A menudo los cristianos de tipo laodicense andan a la deriva al ser olvidados espiritualmente por los demás, y debido a la tibieza de sus compañeros laodicenses, pocos notan que se han ido... y a nadie realmente le importa. Algunos se quedan en la iglesia sólo para andar por inercia en una religión institucionalizada, dominada por las tradiciones tibias y el formalismo frío.

Sólo por el poder del Espíritu Santo pueden los cristianos laodicenses abrir la puerta e invitar a Jesús para que vuelva a entrar en sus vidas. No es natural ni fácil apartarse del espíritu laodicense. Domina muchas vidas e iglesias como un superpegamento que impide todo cambio.

Elena de White habla de un congreso en Syracuse, Nueva York, que fue inundado por cristianos laodicenses. "La reunión era buena; pero no había esa profundidad y fervor de sentimiento que habría asegurado la presencia del Espíritu de Dios y producido impresiones duraderas. La gente está demasiado satisfecha consigo misma, y hay un ambiente de muerte que huele a parálisis espiritual. El mensaje a los laodicenses se les aplica a ellos; mientras se felicitan a sí mismos por su conocimiento de la verdad, están desprovistos del verdadero amor y fe" (*Review and Herald*, 28 de octubre, 1884).

Hay gran esperanza para los cristianos laodicenses. Pueden arder de nuevo los fuegos del reavivamiento del Espíritu Santo. Como resultado del ministerio de la oración ferviente, de la edificación de los grupos pequeños, y de la adoración llena del Espíritu, puede quebrantarse para siempre el dominio del laodiceanismo.

Una oración para hoy: *Señor, sacude el letargo espiritual mediante la energía de tu Espíritu semejante a un terremoto. Ayúdame a encender un fuego en Laodicea.*

BIENVENIDO, SUPER SIETE

Y al instante yo estaba en el Espíritu; y he aquí, un trono establecido en el cielo, y en el trono, uno sentado... Y del trono salían relámpagos y truenos y voces; y delante del trono ardían siete lámparas de fuego, las cuales son los siete espíritus de Dios. Apocalipsis 4:2-5.

¿Terminamos un año con el Espíritu Santo sólo para descubrir que hay siete Espíritus y no uno? El simbolismo de Apocalipsis clarifica la respuesta. Acompáñeme en un breve estudio sobre el ministerio único del Espíritu. En Apocalipsis 4:5 dice que el Espíritu está representado por siete lámparas de fuego. Juan el Bautista comparó las acciones del Espíritu con fuego purificador (Mat. 3:11-12). El Espíritu descendió como lenguas de fuego en el día de Pentecostés (Hech. 2:3), y al igual que el fuego puede ser apagado (1 Tes. 5:19).

¿Ha recibido usted el fuego del Espíritu? ¿Está alimentado ese fuego con la oración y el estudio de la Biblia?

En Apocalipsis 5:6 Juan ve al Espíritu como los siete ojos del Cordero. Estos representan el discernimiento, el conocimiento y la sabiduría omnipresentes del Espíritu Santo (Zac. 3:9; 4:6, 10). No hay lugar donde no esté presente el Espíritu (Sal. 139:7-12). Usted puede tener la confianza absoluta de que el Espíritu está con usted hoy. El sabe dónde está usted y lo guiará en toda situación de la vida.

El antiguo profeta Isaías también reconoció la naturaleza séptuple del Espíritu Santo cuando éste llenó a Jesús y lo capacitó para su ministerio (Isa. 11:2; ver la lectura del 28 de febrero). De modo que si bien hay solamente un Espíritu Santo, se representa la perfección de su ministerio mediante el número siete.

En una serie de reavivamiento del Espíritu Santo en Halifax, tuve la oportunidad de observar la obra del Espíritu en más de siete maneras. Diferentes personas dieron testimonios en un servicio de apertura, las cuales, durante reuniones anteriores en la semana, habían experimentado milagros especiales por el poder del Espíritu. Algunos habían recibido sanidad física verificable. Otros habían recibido sanidad de adicciones, depresión, temor de ministrar a otros, un espíritu no perdonador, y una falta de vida espiritual. El Espíritu Santo vino a muchos como un Espíritu de sabiduría y revelación, abriendo la mente a una nueva comprensión de la Escritura y guiando a su pueblo a toda verdad.

Sí, usted puede estar seguro de que el Espíritu Santo es su perfecto amigo y ayudador.

Una oración para hoy: *Señor, nuevamente te pido que me llenes con tu Espíritu Santo, que tiene más de siete dones y gracias superiores para mi vida y ministerio.*

BUENAS OBRAS QUE DURAN

Oí una voz que desde el cielo me decía: Escribe: Bienaventurados de aquí en adelante los muertos que mueren en el Señor. Sí, dice el Espíritu, descansarán de sus trabajos, porque sus obras con ellos siguen. Apocalipsis 14:13.

Incluso mueren las personas más llenas del Espíritu y consagradas al Evangelio. La muerte no es una falta de fe sino un hecho de la vida. El hecho más grande de la vida espiritual, sin embargo, es que el Espíritu Santo capacita a las personas a las que llena para trabajar en maneras que tendrán efectos de largo alcance, incluso eternos. Esta es la razón por la cual, cuando hablamos sobre la obra del Espíritu, podemos ilustrar su poder en base a las obras de personas que han estado muertas por muchos años. Sus obras les siguen y han soportado la prueba del tiempo.

El profesor Ken Hill es uno de aquellos a quienes sus buenas obras les seguirán. Durante 25 años Ken fue profesor de fisioterapia en la Universidad Dalhousie, en Nueva Escocia. En 1989, justamente antes de su jubilación, recibió la prestigiosa recompensa Edith Graham por la contribución más sobresaliente a la fisioterapia en todo Canadá. Ahora, como un voluntario de ADRA, está consagrado a la misión de organizar programas de fisioterapia para aliviar el sufrimiento de muchos en Kenya.

"¿Qué similitudes ve usted entre la obra del Espíritu Santo y la fisioterapia?", le pregunté recientemente a Ken mientras disfrutaba de su hospitalidad en la encantadora casa rural que él y su esposa Hazel construyeron hace 15 años. "La fisioterapia, como la obra del Espíritu Santo, sostiene y alienta —replicó—. Usted se encarga de la gente tal como están, enfermos e incapacitados, y trabaja para que se sanen. Pero la gente debe cooperar y tener confianza en su fisioterapista, quien conoce el funcionamiento del cuerpo y su capacidad para fortalecerse y sanarse".

Durante una cantidad de períodos Ken ha sido miembro de la junta directiva de la asociación, y en los últimos tres años ha sido el dirigente del ministerio de los grupos pequeños para la asociación. Durante ese tiempo ha celebrado fines de semana de capacitación sobre el tema del Espíritu Santo y los grupos pequeños en 15 iglesias, y ha visto a su propio grupo pequeño bendecido con dos bautismos.

Aquí hay un hombre que ciertamente no está listo para "descansar de sus trabajos", pero que no obstante "sus obras" ya "le siguen".

Una oración para hoy: *Padre, llena mi vida con buenas obras, no para que la gente me recuerde a mí, sino para que glorifiquen a Jesús y el poder del Espíritu.*

ACLARE SU PENSAMIENTO

Y me llevó en el Espíritu al desierto; y vi a una mujer sentada sobre una bestia escarlata llena de nombres de blasfemia, que tenía siete cabezas y diez cuernos. Apocalipsis 17:3.

El Espíritu Santo convence de pecado y señala los efectos devastadores de una religión confusa. El sabe que toda confusión es desconcertante y perturbadora y puede conducir a la desesperación final.

Mi familia todavía se ríe ante la confusión que experimenté cuando fue necesario que yo recibiese morfina durante un doloroso episodio con un cálculo renal. Un globo que había sido atado a mi cama de hospital se desinfló un poco durante la noche, y me desperté pensando que mi cama se había subido hasta el cielo raso.

Mi abuelo todavía caminaba para hacer ejercicio al aproximarse a su 100.º cumpleaños, pero su mente se había confundido y no podía recordar su camino a la casa.

Una madre estaba mezclando los ingredientes de una receta que se estaba explicando por TV en el cuarto contiguo. No comprendió inmediatamente lo que había ocurrido cuando su hijito cambió al canal con un programa de ejercicio, y se confundió cuando recibió la instrucción de pararse de cabeza.

Un ministro episcopal se confundió cuando leyó el cuarto mandamiento en el Libro de Oraciones de la Iglesia Anglicana, y se le instruyó que orara: "Señor, ten misericordia de nosotros e inclina nuestros corazones para guardar esta ley", cuando su iglesia estaba observando el primer día de la semana.

El Espíritu Santo no es autor de confusión, de modo que constantemente está llamando al pueblo de Dios a salir de Babilonia. Esta Babilonia no es un lugar sino un estado mental. Si uno piensa que Babilonia es una organización o una institución, un cristiano podría enorgullecerse de que él o ella no es un miembro de esa entidad corrupta. Sin embargo, cuando se ve que Babilonia podría representar la confusión religiosa que puede existir en cualquier mente, entonces los cristianos que han nacido de nuevo estarán orando para que el Espíritu señale el pecado, revele la verdad y los saque de la confusión.

Satanás está trabajando constantemente para confundir a los cristianos respecto al Espíritu mismo. Si usted tiene este problema, dedique tiempo a reexaminar esos pasajes claves que hemos estudiado este año. Repase las lecturas para Juan 14-16, Romanos 8 y Efesios, y esto le ayudará a aclarar el ministerio maravilloso de su Amigo especial.

Una oración para hoy: *Padre, te pido que clarifiques constantemente mi pensamiento y mis valores espirituales de modo que pueda eliminarse toda confusión.*

BIENVENIDA, REALIDAD ULTIMA

Y me llevó en el Espíritu a un monte grande y alto, y me mostró la gran ciudad santa de Jerusalén, que descendía del cielo, de Dios. Apocalipsis 21:10.

El cirujano Dr. Bernie Seigel dijo una vez: "La coincidencia es meramente la manera que Dios tiene para permanecer anónimo". Este año, sin embargo, al estudiar y orar sobre cada versículo de la Biblia concerniente al Espíritu Santo, hemos descubierto que no es anónimo para la gente a la cual llena, sino que es un maravilloso Amigo personal. Sus dones espirituales son demostraciones visibles de poder que trascienden toda coincidencia y que pueden confirmarse por testigos objetivos.

El mismo Espíritu que mostró a Juan la Nueva Jerusalén, había llenado a Juan, Pedro y a los otros discípulos en Pentecostés al comienzo de la iglesia cristiana. El mismo Espíritu, 18 siglos siglos más tarde, fue derramado, con manifestaciones milagrosas, sobre los pioneros de la Iglesia Adventista. "Los que fueron portaestandartes antaño sabían lo que era luchar con Dios en oración y disfrutar del derramamiento de su Espíritu" (*Mensajes selectos*, t. 1, p. 142).

Eventualmente la iglesia llegó a tiempos trágicos en su relación con el Espíritu Santo, el cual fue insultado y tratado como un huésped inoportuno. Cuando los individuos eran llenados del Espíritu Santo, otros dirigentes rechazaban eso como fanatismo (*Testimonios para ministros*, pp. 61, 399).

Pero el futuro es brillante para el reavivamiento que sólo el Espíritu Santo puede traer. Ahora es el tiempo cuando los miembros de la iglesia, en forma individual, pueden ser llenados con el Espíritu y pueden unirse en oración para pedir la lluvia tardía. Los resultados no serán fruto de la coincidencia ni anónimos. Serán tan visibles y gloriosos como la Nueva Jerusalén. Muchos alabarán a Dios. Los enfermos serán sanados y ocurrirán otros milagros. Miles de hogares se abrirán como centros de estudio de la Biblia y de oración. El poder del Espíritu Santo traerá conversiones genuinas y grandes bendiciones (*Joyas de los testimonios*, t. 3, p. 345).

En la Nueva Jerusalén, el Espíritu Santo le mostró a Juan la gloria del Padre y del Hijo. Juan vio a todos los salvados, que habían acudido a Jesús a través del poder del Espíritu Santo. Y el Espíritu les revela el rostro de Jesús. Es por esto que el Espíritu está ansioso de que el pueblo de Dios abra hoy el camino para el último gran reavivamiento. Quiere darles poder ahora... y un indescriptible gozo futuro.

Una oración para hoy: *Señor, tu Espíritu es hoy un Huésped bienvenido en mi vida. Ojalá que comience el último reavivamiento de modo que muchos se salven y veamos pronto el rostro de Jesús.*

NO PIERDA LA BIENVENIDA AL HOGAR QUE DARA EL ESPIRITU

Y el Espíritu y la Esposa dicen: Ven. Y el que oye, diga: Ven. Y el que tiene sed, venga; y el que quiera, tome del agua de la vida gratuitamente. Apocalipsis 22:17.

En 1984 Robert Fulghum estaba sentado en el aeropuerto de Hong Kong, haciendo lo que es natural para los viajeros de experiencia: esperar su avión. Sin embargo, este día fue diferente. La joven sentada junto a él estaba sollozando calladamente. Cuando él trató de consolarla, ella le dijo que había estado sentada allí por tres horas terriblemente triste porque había perdido su pasaje. Ahora estaba desamparada, sin dinero y sin amigos, y su avión estaba por salir.

Una pareja anciana se unió al Sr. Fulghum en su esfuerzo por consolar a la joven, y eventualmente pudieron convencerla de que irían juntos para comer. Cuando ella se puso de pie y se dio vuelta para juntar sus pertenencias, lanzó un grito como si la hubiesen golpeado. Allí estaba su pasaje. Había estado sentada sobre él durante tres horas (*It Was on Fire When I Lay Down on It*, pp. 189-191).

Si usted ha aceptado a Jesús como su Salvador, tiene su pasaje para obtener el poder del Espíritu Santo (Efe. 1:13; Hech. 1:8). Como se le mostró a Juan en la última referencia de la Biblia al Espíritu Santo, aquellos que aceptan la invitación del Espíritu de ir al hogar no sólo reciben ellos un gozo inmenso sino que comparten el maravilloso privilegio de un ministerio lleno del Espíritu.

¿Está sentado usted sobre su pasaje? ¿Está usted lamentando el letargo espiritual de la iglesia mientras que al mismo tiempo está perdiendo el vuelo?

Cuando el Espíritu Santo se derrame con el poder de la lluvia tardía, es posible que caiga "en los corazones en torno de nosotros, pero no" lo "discerniremos ni" lo "recibiremos" (*Testimonios para los ministros*, p. 507).

¿Está usted seguro que no le está ocurriendo eso ahora? ¿Está sentado sobre su pasaje, o está orando fervientemente para recibir más del Espíritu que nunca antes? Dios ahora está dando la lluvia temprana y la tardía en grandes reuniones de la iglesia, en grupos pequeños y en la vida espiritual y en el ministerio de los individuos (*Id.*, p. 508).

Venga ahora y traiga a otros consigo. Usted tiene su pasaje y el vuelo está listo.

Una oración para hoy: *Señor, te agradezco por este año de estudio y oración sobre mi amigo, el Espíritu Santo. Abro todo mi ser para ser llenado nuevamente con el Espíritu. Obra por mi intermedio con dones espirituales poderosos, y dame el gozo final de beber gratuitamente del agua de la vida. Glorifica a Jesús en mi vida más plenamente que nunca antes.*

INDICE DE REFERENCIAS BIBLICAS